KB024464

MEGA

KARL MARX
FRIEDRICH ENGELS
GESAMTAUSGABE
(MEGA)
ZWEITE ABTEILUNG
"DAS KAPITAL" UND VORARBEITEN
BAND 3

Bearbeitung des Bandes:
Hannes Skambraks (Leiter),
Wolfgang Focke, Barbara Lietz, Christel Sander,
unter Mitarbeit von Jutta Laskowski.
Gutachter: Larissa Miskewitsch, Roland Nietzold, Witali Wygodski.

경제학 비판을 위하여(1861~63년 초고)
제2분책

ZUR KRITIK DER POLITISCHEN ÖKONOMIE
(MANUSKRIPT 1861~63)
TEXT · TEIL 2

잉여가치론 · 1

카를 마르크스 지음 | 강신준 옮김

동아대학교 맑스 엥겔스 연구소

도서출판

경제학 비판을 위하여(1861~63년 초고) 제2분책

잉여가치론 · 1

2021년 5월 10일 제1판 제1쇄 펴냄
2021년 5월 20일 제1판 제1쇄 펴냄

지은이 | 카를 마르크스
옮긴이 | 강신준
펴낸이 | 박우정

기획 | 이승우
편집 | 이현숙
전산 | 한향림

펴낸곳 | 도서출판 길
주소 | 06032 서울 강남구 도산대로 25길 16 우리빌딩 201호
전화 | 02) 595-3153 팩스 | 02) 595-3165
등록 | 1997년 6월 17일 제113호

ISBN 978-89-6445-241-7 94320
ISBN 978-89-6445-240-0(전2권)

이 저서는 2018년 대한민국 교육부와 한국연구재단의 지원을 받아 수행된 연구임(NRF-2018S1A5B4060558).

차례

일러두기

1. 이 책은 『카를 마르크스 프리드리히 엥겔스 전집』(*Marx/Engels Gesamtausgabe*, 이하 MEGA), 제2부 제3권 제2분책(Berlin: Dietz, 1977)을 번역한 것이다. 제2분책은 마르크스의 『경제학 비판을 위하여』 1861~63년 초고 중에서 제6노트~제10노트를 편집한 것으로 『잉여가치론』의 제1부를 이룬다.
2. MEGA 편집자는 마르크스가 고치거나 삭제하거나 위치를 바꾼 부분은 변경사항 목록으로, 편집상 수정한 부분은 교정사항 목록으로 모아서 싣고, 설명이 필요한 부분은 해설을 달았다(자세한 내용은 편집자 일러두기에 있다). 이 목록들은 모두 부속자료(별책)에 있다. MEGA에는 각 목록별로 실려 있지만 이 책은 MEGA와 달리 해당 부분이 책에 나오는 순서대로 싣고, 변경사항은 (v), 교정사항은 (k), MEGA 편집자의 해설은 (e)로 표시했다.
3. 본문의 G1, G2, G3… 은 MEGA의 쪽수를 가리킨다.
4. 아래 부호들은 MEGA 편집자가 초고 노트를 편집하면서 사용한 방식과 마찬가지로 이 책에서도 사용했으며(MEGA 편집자가 사용한 약호와 부호에 대해서는 부속자료의 "약어, 약호, 부호 목록" 참조), 그 의미는 각각 다음과 같다.

〔 〕	마르크스가 표기한 꺾쇠괄호
[ ]	MEGA 편집자가 보충한 부분

|225|	원본 쪽수의 시작
|VI-220|	원본 노트의 시작
|	원본 쪽수의 마지막
||222|	원본 쪽수가 끝나고 이어서 다음 쪽수가 시작됨
/353/	편집과정에서 일부가 삭제되었거나 다른 원본으로 옮겨졌기 때문에 중간 부분에서 시작하는 쪽수를 가리킴

5. 마르크스가 외줄을 그은 경우는 굵은 글씨로(예: **교환**을), 두 줄을 그은 경우는 굵은 글씨와 방점(예: **저축하지**)으로 표기했다. 연필 밑줄은 실선 밑줄로(예: 이윤의), 빨간 연필 밑줄은 점선 밑줄로(예: 그런데) 표기했다. 단, 소제목의 강조는 이 책에서는 표기하지 않았다.
6. 인용된 원전에서 마르크스가 강조 표시를 한 것은 그대로 따랐으며 이 밖에 인용에 관계된 사항은 편집자 일러두기에 설명되어 있다.
7. 본문 좌우 여백에 있는 소제목은 『마르크스-엥겔스 저작집』(*Marx Engels Werke*) 제26권 제1분책 『잉여가치론』(Berlin: Dietz, 1965)에서 각 부분에 해당하는 소제목을 가져온 것이다.
8. 옮긴이의 주는 본문의 괄호 안에 작게 쓰고 '— 옮긴이'를 붙였다.

서문

『카를 마르크스 프리드리히 엥겔스 전집』(*Marx/Engels Gesamtausgabe*, 이하 MEGA) 제2부 제3권 제2분책은 『잉여가치론』의 첫 부분에 해당하는데 그것의 나머지 부분은 제3분책과 제4분책으로 이어져 출판될 것이다. 마르크스가 1861년 8월부터 1863년 7월까지 집필한 『경제학 비판을 위하여』 초고 전체에서 『잉여가치론』은 매우 중요한 부분을 차지하며 전체 초고의 약 절반을 이루고 있다(제6노트~제15노트). 이들 노트 외에도 이 초고에는 여기저기 많은 곳에(특히 제18노트에서) 부르주아 경제학에 대한 비판과 그 역사에 대한 포괄적인 논술과 요약이 산재해 있다. G7**

『잉여가치론』은 마르크스의 경제이론 형성에서 중요한 위치를 차지한다. 1861~63년 초고에 들어 있는 이 『잉여가치론』은 매우 집약적인 방식으로 새로운 이론적 발견과 과학적 연구 성과들을 포괄하며 이로 인해 이 초고가 만들어진 시기는 마르크스의 주저인 『자본』의 완성과 관련하여 하나의 새로운 단계를 이루고 있다. 『잉여가치론』을 집필하기 시작했을 때 마르크스는 가치론과 잉여가치론의 핵심 내용들을 이미 완성해두었고 잉여가치의 본래 형태가 생산과정에서 발생하는 것도 이론적으로 밝혀놓은 상태였다. 그러나 세부적인 과학적 논의, 즉 가치론과 잉여가치론을 완전히 마무리 짓는 일은 아직 남아 있었다. 마르크스 앞에는 무엇보다도 부르주아 사회의 표면에서 잉여가치가 모습을 드러내는 구체적인 형태들인 이윤, 이자, 지대를 포괄적으로 연구하고 설명해야 하는 과제가 놓여 있었다. 당시 그는 이들 문제에 대해서는 단지 몇 개의 중요한 출발 명제들만 가지고 있었을 뿐이었다. 마르크스가 이들 범주를 이 『잉여가치론』에서 처음으로 다룬 것은 결코 우연한 일이 아니었다. 부르주아 경제학자들(가장 대표적으로 애덤 스미스와 데

G8** 이비드 리카도를 포함하여)은 잉여가치를 본래의 순수한 형태로는 파악하지 못했다. 마르크스는 『잉여가치론』의 도입부에서 이렇게 쓰고 있다. "모든 경제학자들은 잉여가치를 순수한 그 자체로서의 형태로 파악하지 못하고 이윤과 지대라는 특수한 형태로만 간주하는 오류에서 벗어나지 못했다."(제6노트, 220쪽)(본문 49쪽 — 옮긴이) 그래서 잉여가치와 관련된 부르주아 경제학의 견해에 대한 마르크스의 분석과 비판은 불가피하게 이윤, 지대, 이자에 대한 부르주아 경제학 이론의 분석과 비판이 될 수밖에 없었다. 이것은 전적으로 마르크스의 작업방식과 일치하는 것인데, 즉 그는 언제나 불충분하고 모순된 견해를 비판하는 방식을 통해 논의의 대상이 되는 문제들에 대한 자신의 고유한 견해를 다듬어나가고 부르주아 경제학자들의 견해와 자신의 견해를 대비해나갔다.

부르주아 고전경제학 대표자들의 기본 명제들을 다루는 과정에서 불가피하게 이루어진 집약적인 새로운 연구를 통해 마르크스는 『잉여가치론』에서 극히 중요한 성과를 많이 거두었는데, 그것은 평균이윤, 생산가격, 시장가치, 이자, 지대, 특히 절대지대, 사회적 총자본의 재생산, 자본축적, 경제위기 같은 주요 문제들에 대한 포괄적 이론을 최초로 완성하는 것에서부터 생산적 노동과 비생산적 노동의 문제를 다루는 데까지 이르는 것이었다.

이처럼 『잉여가치론』은 그 속에 담긴 풍부한 이론적 내용을 통해 심오한 과학적 인식의 원천을 이루고 있다. 게다가 여기에서는 『자본』에서 매우 짤막하게만 서술되는 몇 가지 문제들을 상당히 상세하게 다루어주고 있어서 (비록 약간은 거친 형태를 띠긴 하지만) 더욱 그 가치가 높아 보인다. 예를 들어 생산적 노동과 비생산적 노동의 구별, 자본주의에서 위기의 필연성, 지대 이론, 특히 절대지대 이론, 상품의 개별가치와 시장가치 간의 관계 등이 그런 경우에 해당된다. 우리는 『잉여가치론』을 통해서 마르크스의 사상이 형성되어가는 과정과 그의 인식형태들을 살펴볼 수 있다. 마르크스는 자신의 견해에 대한 찬반 이론들을 세밀하게 검토하고 자신이 획득한 이론적 인식들을 실제의 사례와 계산을 통해서 보강하고 있다. 또한 『잉여가치론』의 초고에는 마르크스가 텍스트를 계속해서 고치고 보완해나가는 과정이 담겨 있는데 이것은 그가 스스로 획득한 연구 성과와 인식들을 가장 적합한 형태로 서술하기 위해 얼마나 고민을 거듭했는지를 잘 보여주고 있다. 그 가운데 상당히 많은 부분들은 결국 완성된 원고에 담기지 않았다. 따라서 마르크스의 경제학 연구의 결과물들을 더 깊이 있게 이해하기 위해서는 그것들이 만들어지는 전체 과정과 관련지어 검토할 필요가 있다.

『잉여가치론』은 마르크스의 방법이 갖는 특징을 매우 일목요연하고 눈에 잘 들어오는 방식으로 보여주고 있다. 그가 자신의 경제이론을 만들어나가는 방식은 언제나 기존 경제이론의 역사를 검토하고 서술하는 것과 긴밀하게 결합되어 있었다. 부르주아 경제학의 과학적 발전과정은 마르크스 자신의 경제학 저작이 만들어지는 모든 단계에 걸쳐 고루 반영되어 있다. 역사적 관점은 마르크스의 경제이론에서 불가분의 요소인데, 물론 그것은 단순히 훑어보는 요소로서가 아니라 하나의 비판으로서, 즉 생산적인 논쟁으로서였다. 마르크스는 1844년에 이미 『정치학 및 국민경제학 비판』을 집필하려고 했다. 마르크스가 그의 주저인 『자본』에 앞서서 단계적으로 『자본』의 예비 작업을 수행했던 1850~60년대의 모든 초고에는 극히 일부의 예외만 제외하고 "경제학 비판을 위하여"라는 부제가 붙어 있다. 그 가운데 일부가 1859년 최초로 출판되었는데 거기에는 바로 이 제목이 붙었으며, 최종 완성된 저작(마르크스가 『자본』이라고 이름을 붙인)에도 "경제학 비판"이라는 부제가 달렸다. 경제학 비판은 마르크스에게 부르주아 사회의 비판과 동일한 의미를 가진 것이었으며, 기존의 경제학 이론을 극복하면서 자신의 독자적인 이론을 발전시키는 문제는 곧바로 이 착취 사회를 폐기하고 착취가 없는 새로운 공산주의 사회로 이행하는 생각으로 이어지는 것이어야만 했다.

자본주의의 현실에 대한 엄밀한 연구, 부르주아 경제학(특히 고전경제학)의 모든 성과에 대한 정확한 지식과 건설적 비판을 통해서 마르크스는 비로소 노동계급의 경제학을 창출하고 그를 통해 프롤레타리아트의 역사적 과업의 토대를 모든 방면에 걸쳐 확립할 수 있었다. 마르크스 자신도 이론적인 문제에 대한 라살의 선행 작업들을 비판하는 과정에서 엥겔스에게 보낸 편지에 이렇게 쓰고 있다. "비판을 통해서 하나의 과학을 변증법적으로 서술할 수 있는 수준으로까지 끌어올리는 것과, 추상적으로 완결된 논리체계를 바로 그런 논리체계에 대한 문제제기에 적용하는 것은 전혀 다른 문제일세."(마르크스가 1858년 2월 1일 엥겔스에게 보낸 편지)

마르크스의 전체 이론에 고유한 역사적 고찰방식은, 페티에서 시작하여 중농주의를 거쳐 그 정점을 이루는 스미스와 리카도에 이르는 부르주아 경제학에 대한 연구를 통해 더욱 심화되었다. 부르주아 경제학의 발전사에는 자본주의 사회 — 마르크스는 이 자본주의 사회의 운동법칙을 자신의 연구목표로 삼았다 — 의 발전사의 특징들이 그대로 반영되기 때문이다. 엥겔

스는 이렇게 쓰고 있다. "문헌을 통해서도 그대로 반영되듯이 역사에서는
G10** 발전과정이 대체로 매우 단순한 관계에서 매우 복잡한 관계로 진행하기 때문에, 경제학의 문헌사적 발전과정은 당연히 그것의 비판에 대한 실마리를 제공할 수 있으며, 전체적으로 이 문헌들에서 각각의 경제적 범주들은 논리적인 발전 — 이것은 **현실의** 발전이 진행되는 바로 그것에 따른 것이다 — 에 따른 순서대로 나타난다."(프리드리히 엥겔스, 「카를 마르크스, 『경제학 비판을 위하여』, 제1권, 베를린, 프란츠 둥커Franz Duncker, 1859년」, 《인민*Das Volk*》, 런던, 제16호, 1859년 8월 20일)

『잉여가치론』에서 또 한 가지 중요한 부분은 마르크스가 경제학의 방법에 대해 직접 언급한 내용이다. 즉 마르크스는 리카도와 스미스가 사용한 방법을 검토하는 것에서 리카도 이론에 대한 비판을 시작했다. 마르크스는 리카도가 상품의 가치크기를 노동시간으로 규정하는 것에서 출발하여 그런 다음 나머지 경제적 관계와 범주 들이 이 가치규정과 모순되는지 혹은 그 가치규정을 변형하는지를 검토한다고 서술했다. 마르크스는 이렇게 쓰고 있다. "우리는 리카도의 이런 논의방식이 역사적으로 옳다는 것(즉 경제학의 역사에서 과학적 필연성을 갖는 것)을 금방 알 수 있지만 동시에 과학적으로 불충분하다는 것도 알 수 있다. 이런 불충분함은 서술방식에서(형식에서) 드러날 뿐 아니라 잘못된 결론으로 나아가고 있다는 점으로도 드러나는데, 이는 그 결론이 필요한 중간고리들을 생략하고 뛰어넘어 각 경제적 범주들 간의 일치를 **직접적인** 방식으로 논증하려 했기 때문이다."(제11노트, 524쪽) 마르크스는 리카도의 바로 이런 방법 때문에 "리카도 저작의 전체 구조가 상당히 특수하고 어쩔 수 없이 모순된 형태로 되어버렸다"고 평가했다(제11노트, 525쪽). 즉 리카도의 저작은 처음 2개 장(章)에 그의 이론 전체가 포괄되어 있는 반면 나머지 30개 장은 오로지 해설, 부연설명, 세부적인 논의 등으로만 이루어져 있다는 것이다. 리카도의 방법에 대한 고찰을 끝내고 나서야 비로소 마르크스는 리카도 체계에 담긴 개별 범주들을 검토하는 순서로 넘어가는데 거기에서도 그는 리카도 이론의 결함 가운데 많은 부분이 그의 방법의 결함에서 비롯되었다는 점을 반복해서 지적하고 있다.

『잉여가치론』에서 이루어진 부르주아 고전경제학의 방법에 대한 근본적인 비판은 의심의 여지가 없이 마르크스 자신의 방법을 발전시키는 방향으로 나아갔는데, 그것은 리카도의 주저가 갖는 "모순된 구조"에 대한 비판이 자신의 저작인 『자본』을 완성하는 데 그대로 사용되었기 때문이다.

마르크스는 『잉여가치론』을 1861~63년 초고의 제5항으로 집필하기 시작했는데, 그것은 그가 이것을 잉여가치 생산에 관한 각 시대의 이론들에 대 G11** 한 별도의 역사적 보론으로 첨부하고, 이런 보론 형태로 『잉여가치론』을 모두 마무리 지으려는 의도를 가지고 있었기 때문이다. 1859년의 『경제학 비판을 위하여』에서도 마르크스는 똑같은 방식을 사용했는데, 그는 거기에서 상품과 화폐에 대한 두 개 장에서 모두 세 편의 이론사적 논문을 보론으로 첨부했다. 집필이 진행되면서 『잉여가치론』의 초고는 엄청나게 부피가 늘어났다. 마르크스가 연구하는 문제들의 범위는 현저하게 확대되었다. 마르크스는 자신의 저작에서 이미 완성된 이론적 부분들과 관련된 경우들에만 그때그때 부르주아 경제학자들에 대한 논의를 다룰 수 있었다. 그러나 "자본의 생산과정" 부분은 당시 하나의 초고만이 만들어져 있었고(제1노트~제5노트) "자본의 유통과정"과 "생산과정 및 유통과정의 통일 혹은 자본과 이윤, 이자"는 1857/58년 초고에서 몇몇 짤막한 선행 작업들만 이루어져 있었을 뿐이었다. 따라서 마르크스는 『잉여가치론』을 집필하면서 자신의 이론사적 연구가 진행되는 과정에서 이론적 문제가 나타날 때마다 그때그때 그 문제들을 해명하고 적극적으로 답을 찾아나가야만 했다. 이런 마르크스의 작업은 대부분 매우 세밀한 내용으로 이루어졌다. 부르주아 경제학을 다루는 과정에서 이런 이론적 문제들에 대한 작업을 해나가는 동안 마르크스는 자본의 분석에서 보편과 특수의 통일, 그리고 가치론과 잉여가치론을 하나하나 확립해나갔다. 이런 연구과정을 통해 마르크스는 『자본』에 대한 개념을 점점 더 명확하게 만들어나갔으며, 동시에 『잉여가치론』의 논의도 함께 상당히 확장해나갔다. 그리하여 분량은 물론 내용 면에서도, 다루는 주제와 문제제기, 그리고 범주의 다양성을 통해서 이 『잉여가치론』의 초고 부분은 원래 마르크스가 의도했던 성격을 훨씬 넘어서게 되었다.

1863년 1월까지만 하더라도 마르크스는 아직 역사적·비판적 자료들을 "자본 일반"의 이론적 논의 부분(일부는 이미 집필했고 일부는 아직 계획만 하고 있던)에 배치하려는 의도를 가지고 있었다. 이것은 그의 주 저작(즉 『자본』—옮긴이) 제1부와 제3부에 대한 당시의 집필계획 초안에 분명하게 드러나 있다(제18노트, 1139/1140쪽). 그러나 바로 이 집필계획 초안에서 이미 그의 이론적 저작 전체(원래는 단지 하나의 장으로만 예정했던)를 세 부분으로, 즉 1. "자본의 생산과정", 2. "자본의 유통과정", 3. "생산과정 및 유통과정의 통일 혹은 자본과 이윤, 이자"로 나누어야 할 필요성은 점점 더 커진 것으로 나타났다. 그리고 이런 전체 저작의 분할은 이 주제(즉 부르주아 경제이론에 대한 역사적 검토—옮긴이)의 배치에 대한 기본 생각도, 원래의 집필계
G12** 획에서 완전히 독립된 절로 편성하려 했던 주제들(예를 들어 경쟁, 신용, 토지소유)을 이 주제에 포함시키는 방향으로 점차 바꾸어나갔다. 집필이 진행되면서 이론적 저작의 세 부분이 점차 분명한 모습을 갖추어가고 그 과정에서 마르크스 경제학의 극히 중요한 이론적 문제들이 드러나자 마르크스는 결국 『잉여가치론』을 별개의 한 부분으로 독립시켜서 전체 저작의 제4권으로 마무리할 생각을 갖게 되었다.

이런 생각이 확고하게 자리를 잡은 것은 2년 후 마르크스가 새로운 경제학 초고를 쓰면서 기존의 자료를 가공하고 확대하여 드디어 『자본』의 세 이론적 부분 전체에 대한 초고를 만들었을 때였다. 그것은 마르크스가 이 시기에 엥겔스에게 보낸 편지에서 확인되는데 이 편지에서 마르크스는 처음으로 『자본』 제4권에 대해서 언급했다. 거기에는 이렇게 쓰여 있다. "이론 부분(제1권~제3권)을 완성하기 위해서는 아직 3개 장을 더 써야만 하네. 그런 다음에 다시 역사적·문헌적 성격을 띠는 제4권을 써야 하는데 그것은 내게 비교적 쉬운 부분이 될 것이네. 이미 제1권~제3권까지에서 모든 문제가 해결되었기 때문에 이 부분은 단지 역사적인 형태로 그것을 반복하는 것에 불과하기 때문일세."(마르크스가 1865년 7월 31일 엥겔스에게 보낸 편지) 1867년 가을 『자본』 제1권을 출판하면서 마르크스는 이런 자신의 의도를 공개적으로 나타냈다. 제1권 서문의 말미에서 그는 이렇게 쓰고 있다. "이 저작의 **제2권은 자본의 유통과정(제2책)**과 **총과정의 형태(제3책)**를 그리고 마지막 **제3권(제4책)**은 **이론사**를 다루게 될 것이다."(카를 마르크스, 『자본. 경제학 비판』, 제1권, 제1책 … 함부르크, 1867년, 서문 12쪽) 잘 알려져 있다시피 마르크스와 엥겔스 두 사람은 모두 『자본』 제4권을 출판하겠다고 여러 번 언급했던 이 의도를 결국 실현하지 못했다. 『잉여가치론』은 카를 카우츠키(Karl Kautsky)에 의해서 최초로 출판되었다("집필과정과 전승과정"〔이 글은 『경제학 비판: 1861~63년 초고』, MEGA 제2부 제3권 제1분책에 실려 있음—옮긴이〕 참조).

『잉여가치론』의 출판과 연구가 이루어진 수십 년의 역사를 통해서 이 초고가 과연 『자본』 제4권이 맞는가 하는 문제는 상당히 중요한 역할을 해왔다. 이 물음에 대한 답은 이 초고와 관련된 중요한 요소들을 모두 고려한 다음에야 찾을 수 있을 것이다. 이들 요소에는 이 초고가 만들어진 과정, 마르크스와 엥겔스가 세 권으로 된 이론서 『자본』을 완성하여 출판한 다음 이 초

고와 관련하여 품었던 생각, 이 초고에 대해서 이들 두 사람이 여러 차례 표명한 내용들, 그리고 무엇보다도 당연히 이 초고 자체의 내용 등이 모두 포함된다.

이들 요소로부터 알 수 있는 사실은 다음과 같다. 즉 『잉여가치론』을 집필한 전체 기간 동안 마르크스가 품고 있었던 생각은 이 원고를 저작 전체에 걸쳐서 각기 해당하는 이론적 부분들에 나누어 넣는다는 것이었다. 비록 세 G13**
권으로 이루어진 전체 저작의 이론적 구조가 아직 전혀 완성되어 있지는 않았지만 당시까지는 제4권으로 이 원고를 별도로 묶을 생각이 마르크스에게는 없었던 것이다. 그러나 이 초고의 구조를 통해서 객관적으로 드러나는 사실은 마르크스가 집필을 하면서 부르주아 경제학의 역사적 발전과정을 비록 직선적이지는 않지만 주요 흐름에서 비교적 일관된 형태로 서술하고 있다는 점이다. 즉 그것의 출발과 과학으로서의 발전과정, 그리고 리카도에 의해서 도달한 정점, 그런 다음 보편적인 속류경제학과 변호론으로 귀결되는 그것의 몰락까지가 일관된 형태로 서술되고 있는 것이다. 이 구조를 통해서 이 초고는 『자본』 제4권의 초고가 되었으며 "경제학자들이 한편으로는 서로에 대해서 그리고 다른 한편으로는 경제학의 법칙들이 처음 시작되어 발전해나간 역사적 결정형태들(자본주의의 각종 현상형태를 가리킴 — 옮긴이)에 대해서 어떤 형태로 비판하고 있는지를"(제10노트, 438쪽)(본문 416쪽 — 옮긴이) 보여주는 일관된 관점을 가지고 경제학의 전체 역사를 포괄하고 있다. 마르크스는 늦어도 1865년부터는 『잉여가치론』을 『자본』 제4권으로 간주하고 있었다. 물론 아직 "모든 연구가 원래는 그런 것처럼 … 미숙한 형태로"(마르크스가 1877년 11월 3일 지크문트 쇼트Sigmund Schott에게 보낸 편지) 이기는 했지만. 마르크스가 세상을 떠나고 2년 후 엥겔스는 『자본』 제2권을 출판했다. 1885년 『자본』 제2권 서문에서 엥겔스는 그가 제3권의 출판을 준비하고 있고 그런 다음에는 『자본』 제4권인 『잉여가치론』을 출판할 계획이라고 밝히고 있다. 따라서 마르크스와 엥겔스의 의도에 의심을 품을 이유는 전혀 없다. 더구나 『잉여가치론』의 내용도 그것을 전적으로 뒷받침해주고 있다. MEGA에서 『잉여가치론』은 마르크스가 남겨놓은 원래의 형태와 위치 그대로, 즉 1861~63년의 『경제학 비판을 위하여』 초고의 한 부분으로 출판된다.

『잉여가치론』의 분량은 상당히 커서 여러 권으로 나눌 필요가 있다. 이 점에 대해서 마르크스는 아무런 직접적인 언급도 남겨두지 않았다. 그러나 내용 면에서 그것은 크게 세 부분으로 나누어진다. 마르크스는 무엇보다도 각각의 부르주아 경제학자들이 잉여가치 문제를 해명하는 데 어느 정도까지 나아갔는지를 추적했다. 그러는 과정에서 어떤 문제를 다루다가 앞서 언급된 경제학자들에게로 되돌아가거나, 개별 경제학자를 논의하다 다른 측면과 관련된 문제들을 새롭게 다루거나 하는 일이 불가피하게 발생했다. 이런 제약조건 아래서 이 저작은 다음과 같은 기본 원칙을 적용하여 세 권으로 나누어졌다.

G14** 『잉여가치론』 제1부(제2분책)에서 마르크스는 부르주아 경제학이 등장하여 그 정점에 이를 때까지의 성장기를 다룬다. 매뉴팩처 시기의 가장 중요한 경제학자로는 애덤 스미스를 주목한다. 이론적인 문제는 가치법칙에 기초한 자본과 노동 사이의 교환이다. 제2부(제3분책)는 부르주아 고전경제학의 정점인 리카도의 이론에 할애하고 있다. 이론적인 문제의 핵심은 가치론과 잉여가치론의 완성, 자본주의 사회에서 잉여가치가 나타나는 구체적이고 파생적인 형태들에 대한 연구이다. 제3부(제4분책)는 부르주아 경제학의 몰락을 다루는데 거기에서는 과학적 경제학으로서 그것의 와해와 그것이 속류경제학으로 발전하는 필연성을 분석하고 있다.

마르크스는 『잉여가치론』 제1부를 영국 경제학자 제임스 스튜어트에 대한 짤막한 연구로 시작했다. 중상주의자이기도 한 스튜어트는 잉여가치—이윤의 형태를 띤—의 발생에 대한 물음을 제기했지만 다른 중상주의 이론가들이 언급한 수준을 거의 넘지 못했다. 다른 중상주의 이론가들과 마찬가지로 그도 또한 이윤이 교환으로부터, 즉 상품을 가치 이상으로 판매하는 것으로부터 발생한다는 견해를 지지했다. 단지 이 부분에서 스튜어트의 견해가 다른 중상주의자들과 구별되는 차이점(작지만 매우 중요한)은 교환에서 발생하는 이윤을 그는 가치의 한 분배로 간주했다는 것이다. 또한 스튜어트에 따르면 이윤은 유통에서 **창출되지** 않는다. 물론 그것은 잉여가치의 원천에 대한 물음의 해답과는 전혀 상관이 없는 것이었지만 과학으로서의 경제학이 유년기에서 한발 나아가는 것이긴 했다.

하지만 마르크스는 『잉여가치론』 제1부의 대부분을 중농주의자들과 영국 고전경제학의 대표자 애덤 스미스의 견해에 할애했다. 중농주의자들—프랑스의 경제학자들로 이루어진 집단으로 프랑수아 케네와 안-로베르-자크 튀르고가 주요 대표자이다—을 마르크스는 “**자본**과 **자본주의 생산양식**

에 대한 방법론적 체계를 갖춘(페티 등의 경우처럼 단지 우연적인 것이 아니라) 최초의 **해설자**"(마르크스가 1877년 3월 7일 엥겔스에게 보낸 편지)라고 표현했다. 그들은 자본과 노동 사이의 교환 문제를 가치법칙의 토대 위에서 해명하는 데 중요한 기여를 했다. 마르크스는 이렇게 썼다. "부르주아의 시각으로 **자본**을 분석한 것은 본질적으로 중농주의자들의 업적에 속한다. 이 업적 때문에 이들은 진정한 의미에서 근대경제학의 아버지이다."(제6노트, 222쪽)(본문 54쪽 — 옮긴이)

마르크스는 부르주아 경제학의 역사와 발전과정에서 중농주의자들의 주요한 이론적 업적으로 크게 두 가지를 꼽았다. 하나는 그들이 최초로 잉여가 G15**
치의 발생을 더는 유통영역에서 찾으려고 하지 않았다는 점이다. 마르크스는 이렇게 쓰고 있다. "중농주의자들은 잉여가치의 원천에 대한 연구를 유통영역에서 직접적 생산 그 자체의 영역으로 옮겨버렸고 그럼으로써 자본주의적 생산의 분석을 위한 토대를 마련했다."(제6노트, 223쪽)(본문 55쪽 — 옮긴이) 이는 경제학이 과학으로 발전하는 것에서 하나의 질적인 도약이었다. 왜냐하면 물적 생산을 잉여가치의 발생영역으로 인식할 때에만 비로소 잉여가치를 노동가치론에 입각하여 해명할 가능성이 만들어지기 때문이다. 그러나 중농주의자들은 아직 가치의 본질을 알아차리지 못했다. 그들은 가치를 사용가치와, 즉 자연적 소재인 자연적 생산물과 동일시했다. 바로 그렇기 때문에 그들은 농업에서만 잉여가치의 생산이 가능하다고 간주했는데, 농업에서는 잉여생산물이 자연의 산물로서 농업노동자의 노동에 의해 산출되는 것이 명료하게 드러나기 때문이었다. 그래서 중농주의자들에게 잉여가치는 지대의 형태로만 인식되었다. 그들은 잉여가치를 창출하는 노동만이 생산적인 노동이며 그런 점에서 농업부문의 노동만이 생산적이라는 기본 명제를 매우 정확하게 제기했다.

중농주의자들의 두 번째 이론적 업적은 프랑수아 케네가 최초로 한 나라 전체의 규모에서 자본의 총재생산과정과 총유통과정을 연구하여 표현하려고 시도했다는 점이다. 그것은 곧 케네의 "경제표"를 가리키는 것인데 이것은 부르주아 경제학의 발전과정에서 하나의 빛나는 업적이었다. 마르크스는 "경제표"를 여러 차례 심층적으로 분석한 다음 그것을 이렇게 평가했다. "그러나 사실 이 세 번째 발명은 자본의 생산과정 전체를 **재생산과정**으로, 유통을 단지 이 재생산과정의 형태로만 나타내려 한 것이다. 즉 화폐유통을 단지 자본유통의 한 계기로만 나타내고, 동시에 이 재생산과정 속에 소득의 원천, 자본과 소득 사이의 교환, 최종 소비와 재생산적 소비의 관계를 포함시키고, 자본유통 속에 소비자와 생산자 사이(사실상 자본과 소득 사이)의 유통을 포함시키고, 마지막으로 생산적 노동의 양대 부문—원료의 생산과 제조업—사이의 유통을 이 재생산과정의 계기들로 나타내려 했으며, 이 모든 것을 하나의 **표**—사실상 6개의 출발점(혹은 복귀점)을 연결하는 5개의 선분만으로 이루어진—에 그려 넣으려 한 것으로서(그것도 아직 경제학
G16** 이 유아기였던 1750년대 말에), 그것은 실로 극히 천재적인 발상으로 지금까지의 경제학에도 영향을 미친 가장 천재적인 것이었다는 사실에 논란의 여지가 없다."(제10노트, 437쪽)(본문 413~14쪽—옮긴이)

중농주의자들의 과학적 업적에 대한 높은 평가와 함께 마르크스는 그들의 경제학적 견해에 대한 연구에서 그들이 자본주의 사회를 고찰하는 방식이 전적으로 비역사적이라는 사실을 지적했다. 그들은 부르주아 사회를 영원불멸의 것으로 보고 자본주의 생산양식을 인류의 사회생활의 자연스러운 형태로 생각했다. 이후의 부르주아 경제학도 모두 이들과 동일한 관점을 취했고 따라서 부르주아 사회에 대한 그들의 몰역사적 견해(이론적 연구에서 가장 결정적인 인식의 한계로 드러난)를 극복할 수 없었다. 부르주아 경제학자들은 생산수단이 일정한 역사적 조건 아래서만 자본으로 전화한다는 것을 이해할 수 없었다. 그들은 자본을 자연의 물적 생산수단 일반과 동일시했고 자본이 하나의 역사적 성격을 지닌 사회적 관계를 나타내고 또한 그런 관계를 은폐하는 것이기도 하다는 사실을 인식하지 못했다.

중농주의자들과는 달리 애덤 스미스는 부르주아 경제학을, 무수히 많은 문제들에서 거의 객관적 인식의 한계 끝까지 다다를 정도의 엄밀한 수준으로까지 발전시켰다. 그는 모든 사회적 노동이 가치를 형성하며, 그것은 그 노동이 어떤 생산영역에서 수행되는 것이든, 그리고 어떤 종류의 사용가치를 만들어내는 것이든 상관없이 그러하다는 것을 인식했다. 따라서 그는 잉여가치를 단지 지대의 형태뿐 아니라 이윤과 이자의 형태에서도 파악했다. 그의 가장 위대한 업적은 그가 "이윤을 노동자가 수행한 노동 가운데 그가 임금으로 **지불받은** 노동, 즉 임금의 등가로 보전되는 노동의 양을 초과하는 노동에서 이끌어내는 것"이다. "그럼으로써 그는 잉여가치의 참된 원천을 인식하고 있었다. 또한 그는 잉여가치가 선대된 재원, 즉 그 가치…가 생산물을 통해서 단순히 재현되는 것에 불과한 재원으로부터 나오는 것이 아니고, 오로지 … 노동자가 **원료에 부가하는** 새로운 노동으로부터만 나오는 것

이라고 확고하게 이야기했다.”(제6노트, 251/252쪽)(본문 91쪽 — 옮긴이) 물론 스미스는, 이윤과 지대를 비지불노동에서 비롯된 일반적 범주로 간주했음에도 불구하고, 잉여가치를 순수한 형태로 파악하지는 못했다. 그래서 스미스는 또한 노동자가 자본가에게 노동력을 판매했다는 사실을 알지 못했고 그에 따라 자본과 노동 사이의 교환 문제를 가치법칙의 토대 위에서 해명하지도 못했다. 오히려 스미스는 자본과 노동 사이의 교환에는 가치법칙이 작용하지 않는다고 생각했다.

마르크스는 『잉여가치론』에서 애덤 스미스의 과학적 성과를 매우 높이 G17**
평가했다. 동시에 그는 스미스 이론의 모순과 결함도 함께 지적하면서 경제범주의 분석에서 스미스 이론의 분열상, 특히 스미스가 가치의 결정과 관련하여 서로 전혀 다르고 모순된 내용을 표현하고 있는 것을 보여주었다. 마르크스는 또한 이 모순이 과학적으로 생산적인 측면을 지닌다고 평가했는데 그것은 부분적으로 스미스가 편견에 사로잡히지 않고 이론적 연구를 수행한 데서 비롯된 것이었다. 마르크스는 이렇게 쓰고 있다. “애덤 스미스의 모순들은 그것이 품고 있는 문제들이 비록 해결되지는 못했으나 스스로 모순을 드러낸다는 점에서 중요하다. 이 점에 대한 그의 정확한 본능은 그의 추종자들이 어떤 때는 그의 이런 측면을, 또 다른 어떤 때는 그의 저런 측면을 취하는 데서 잘 드러나고 있다.”(제7노트, 299쪽)(본문 160쪽 — 옮긴이) 스미스 저작의 분열상은 그의 연구방법의 결함에서 비롯된 것이기도 하다. 한편으로 그는 자본주의 사회의 숨은 내적 관련을 밝히려고 노력했다. 그러나 다른 한편으로 그는 또한 부르주아 생산양식의 표면적 현상을 단순히 서술하는 데 머물렀다. 그런 점에서 스미스는 첫 번째 길에서는 과학적으로 가치 있는 인식 — 예를 들어 가치가 노동시간에 의해 결정된다는 올바른 인식과 잉여가치의 참된 원천에 대한 올바른 인식 — 에 도달했다. 그러나 두 번째 길에서 그는 이론적으로 피상적인 언급에 머물러버리고 말았던 것이다.

사회적 생산물의 총가치가 소득으로 분해된다는 이른바 스미스의 “도그마”에 대한 비판과 관련하여 마르크스는 『잉여가치론』 제1부에서 사회적 총자본의 재생산 문제를 이론적으로 다루었고 특히 불변자본의 보전 문제를 상세히 다루었다. 마르크스는 사용가치와 가치의 재생산 조건과 이들 간의 차이점을 해명했다. 그는 사회적 생산과정이 연속적으로 이루어지기 위해서는 연간 생산물에 의하여 모든 현물 — 1년 동안 소비된 물적 생산조건을 보전할 사용가치 — 이 공급되어야만 한다는 것에서 출발했다. 그러나 이런 사용가치의 재생산과 함께 재생산의 두 가지 기본 요소—노동력과 생산수단—의 소재적 부분의 가치도 재생산될 필요가 있다. 즉 소재적인 재생산과 가치의 재생산이 하나로 통일되어 동시에 진행되는 과정이어야 하는 것이다. 램지에 대한 분석에서 마르크스는 이렇게 쓰고 있다. "램지가 이중으로 고찰하고 있는 것, 즉 한 나라 전체에 대한 재생산의 관점에서 생산물에 의한 생산물의 보전과 개별 자본가의 관점에서 가치에 의한 가치의
G18** 보전은, 둘 다 **자본의 유통과정**(**바로 재생산과정**이기도 하다)에 존재하는 두 가지 관점으로 개별 자본을 고찰할 경우에도 모두 필요한 관점이다."(제6노트, 272쪽)(본문 117쪽—옮긴이) 마르크스에게 불변자본의 보전에 대한 연구의 본질적 토대는 상품에 체화된 노동의 이중성에 대한 인식이었다. 그는 이 개념을 통해서만 비로소 가치형성과정에서 생산수단과 노동력의 역할의 차이점을 설명할 수 있었고 불변자본과 가변자본을 구별할 수 있었다. 스미스는 인식의 한계 때문에 이런 구별까지 나아갈 수 없었다.

마르크스는 불변자본과 가변자본을 구별함으로써 이들 둘 간의 관계도 표현할 수 있었다. 그는 불변자본의 보전에 대해서 이렇게 쓰고 있다. "따라서 완성된 상품 가운데 임금과 이윤의 합계에 의해 구매되는 부분(이것은 바로 불변자본에 새로 부가된 노동 총량을 의미한다)은 의심할 나위 없이 자신의 모든 요소를 통해 보전된다. 즉 이 부분에 포함된 새로 부가된 노동은 물론 불변자본에 포함된 노동량도 모두 보전된다. 또한 이때 불변자본에 포함된 노동이 자신의 등가를 자신에게 새로 부가된 살아 있는 노동의 재원으로부터 획득했다는 것도 분명한 사실이다."(제7노트, 275쪽)(본문 123쪽—옮긴이) 불변자본의 생산자는 자신의 상품을 직접 소비할 수 없다. 왜냐하면 그의 상품은 생산적 소비에 사용되는 것이기 때문이다. 따라서 그는 자신의 임금과 이윤을 개인적 소비에 사용될 수 있는 생산물에 지출해야만 한다. 즉 이 자본가는 자신의 생산물 가운데 불변적 가치 부분을 다른 생산자의 생산물(임금과 이윤이 지출될) 가치 부분과 교환해야만 한다. "현실에서 불변자본은 끊임없이 새로 생산되고 일부는 스스로 재생산되는 방식으로 보전된다. 그러나 불변자본 가운데 소비재에 들어가는 부분은 생산재에 들어가는 살아 있는 노동(생산재 부문 노동자의 임금—옮긴이)에 의해 지불된다."(제7노트, 298쪽)(본문 158쪽—옮긴이) 그에 따라 불변자본의 재생산은 사회적 생산의 제1부문과 제2부문—각기 서로 다른 현물형태의 상품을 생산하는—사이의 교환을 통해서 매개된다.

마르크스는 『잉여가치론』의 많은 분량을 자본주의 사회의 생산적 노동과 비생산적 노동에 대한 부르주아적 견해들의 분석에 할애했다. 이 문제는 자본과 노동 간의 교환을 해명하는 문제와 매우 밀접하게 관련되어 있다. 마르크스는 이 문제에 대한 스미스의 견해를 자세하게 다루었고 또한 페리에, 로더데일, 세(J. B. Say), 데스튀트 드 트라시 등과 같이 스미스 이론을 속류화한 사람들의 견해도 함께 다루었다.

생산적 노동과 비생산적 노동의 성격에 대한 연구에서도 스미스는 서로 G19**
다른 두 개의 모순된 견해에 도달했다. 두 견해는 그의 서술에서 밀접하게 함께 얽혀 있었다. 스미스의 견해 가운데 하나는 자본주의적 생산에서 생산적 노동이란 임노동이라는 것인데, 여기에서 그가 말하는 임노동은 자본의 가변 부분과의 교환과정에서 자본의 이 가변 부분을 재생산하는 것은 물론 그 외에 자본가를 위한 잉여가치도 함께 생산하는 것을 가리킨다. 스미스는 생산적 노동을 자본과 교환되는 것으로 설명했던 것이다. 그의 두 번째 견해는 생산적 노동이 임의의 상품을 통해서 물화하는 것, 즉 하나의 유용한 생산물로 나타나는 그런 것이라는 생각이다. 마르크스는 첫 번째 견해—비록 스미스가 일관되게 견지한 것은 아니었지만—를 "그의 가장 위대한 과학적 업적"(제7노트, 303쪽)(본문 166쪽—옮긴이)이라고 표현했다.

생산적 노동과 비생산적 노동에 대한 스미스의 견해에 대한 마르크스의 비판과 분석은 이 문제에 대한 마르크스 자신의 견해의 발전과정과 긴밀하게 결부되어 있다. 그는 비록 계획을 세우긴 했으나 결국 이 문제에 대하여 다시는 『잉여가치론』에서만큼 상세히 다루지 못했다. 마르크스에게 이 문제—즉 자본주의 사회에서 어떤 노동이 생산적이냐는 문제—를 다루는 것은 그의 잉여가치론을 발전시키는 데 매우 중요했다. 마르크스는 스미스의 첫 번째 견해에서 출발하여 자본주의적 생산의 조건에서는 잉여가치를 생산하는 노동만이 생산적이라는 포괄적인 견해를 확립했다. 자본가의 목적은 사용가치의 생산이 아니라 잉여가치의 생산에 있다. 자본과 교환되지 않고 따라서 그 사용자에게 잉여가치를 생산해 주지 않는 노동은 자본주의적 생산의 관점에서는 비생산적 노동이다. 그러나 마르크스는 이런 견해를 자본주의적 생산관계에 대해서만 적용했다. 자영농이나 수공업자는 비록 그들이 상품생산자라 하더라도 이런 규정에 해당되지 않는다. 마르크스는 어떤 노동이 생산적이냐는 문제는 그때그때의 생산양식과 그 생산양식의 목적에 의해 결정된다고 말했다. 자본주의적 생산이 아닌 곳에서는 생산적이냐 비생산적이냐의 구별이 역사적으로 다른 기준에 의해 결정된다는 것이다. 이런 의미에서 마르크스는 다음과 같은 짤막한 주석을 붙이고 있다. "가령 자본이 전혀 존재하지 않고 노동자가 자신의 잉여노동(즉 그가 창출한 가치 가운데 그가 소비한 가치를 넘는 초과분)을 자신이 모두 취득한다고 생각해보자. 그렇다면 바로 이런 종류의 노동만이 진정한 의미에서 생산적이라고, 즉 새로운 가치를 창출한다고 말할 수 있을 것이다."(제7노트, 301쪽)(본문 163쪽 — 옮긴이)

1861~63년 초고에서 마르크스는 『잉여가치론』 이외의 곳에서 한 번 더
G20** 생산적 노동과 비생산적 노동의 문제를 상세히 다루었다. 그것은 포괄적인 이론적 스케치인데 제21노트의 1317~1331쪽에 수록되어 있다.

『잉여가치론』 제2부는 "로트베르투스. 여록. 새로운 지대이론"에 대한 검토로 시작한다. 원래 제10노트의 앞표지 뒷면에 쓰인 목차에 따르면 제2부는 곧바로 리카도 이론의 분석으로 시작하게 되어 있었다. 그러나 1862년 6월 2일 페르디난트 라살(Ferdinand Lassalle)은 마르크스에게 그가 빌려주었던 로트베르투스의 책 『키르히만에 대한 사회적 서한. 제3서한: 리카도 지대이론에 대한 반론 및 새로운 지대이론의 기초』를 돌려달라는 편지를 보냈다. 이것이 마르크스로 하여금 리카도를 일단 미루고 로트베르투스의 지대이론을 먼저 다루게 만든 직접적 동기가 되었다. 내용 면에서 이 장은 전체 구조 속에 유기적으로 배치되어 있고 리카도 이론을 다루는 제2부의 주요 내용과 곧바로 이어져 있다.

1851년 프로이센의 경제학자이자 지주인 요한 카를 로트베르투스(Johann Karl Rodbertus)는, 자신이 리카도가 부인한 절대지대의 존재를 발견하고 이를 논증했다고 주장했다. 마르크스는 이 초고에서 처음으로 로트베르투스를 다루었다. 로트베르투스가 토지 소유의 독점에서 지대가 발생한다고 주장한 것은 맞지만 절대지대에 대한 그의 이론적 토대는 과학적으로 성립할 수 없는 것이었다. 이 문제에 대한 그의 "해법"은 농가가 이른바 자신이 생산한 원료를 계산에 포함시키지 않았고 바로 여기에 절대지대의 원천이 숨어 있다는 것이었다. 마르크스는 그런 계산 착오는 아마도 독일 농가처럼 낙후된 경제에서는 있을 수 있겠지만 자본가적 농부에게서는 결코 있을 수 없다는 것을 논증했다.

로트베르투스와의 논쟁은 마르크스가 이를 통해 처음으로 그리고 포괄적

으로 절대지대 이론을 만들었다는 점에서 중요한 의미를 지닌다. 로트베르투스는 절대지대에 대한 제대로 된 과학적 이론을 발전시켜나갈 수 없었는데 이는 리카도와 마찬가지로 그도 가치와 생산가격을 구별할 수 없었기 때문이다. 리카도처럼 그도 이 둘을 동일시했기 때문에 그는 절대지대의 존재를 입증할 수 없었다. 절대지대에 대한 과학적 논증은 평균이윤 이론과 생산가격 이론이 옳은지의 여부에 대한 시금석이 되었다. 그래서 마르크스는 바로 여기에서 리카도의 핵심 개념을 비판적으로 검토했다.

마르크스는 리카도의 이론에서 부르주아 고전경제학의 정점을 보았고 경 G21**
제학이 과학으로 발전하는 데서 리카도의 업적을 높이 평가했다. 마르크스는 이렇게 쓰고 있다. "부르주아 체제 생리학 — 부르주아 체제의 유기적인 내적 연관과 생활과정의 파악 — 의 토대이자 출발점은 **가치가 노동시간에 의해** 규정된다는 점에 있다. 리카도는 여기에서 출발하여, 과학으로 하여금 기존의 구태를 벗어던지고, 다음과 같은 문제들에 대하여 해명서를 제출하도록 요구하였다. 즉 과학이 발전시키고 설명해온 기타 범주들 — 생산관계와 교환관계, 다시 말해 토대의 갖가지 현상형태들 — 이 그 토대, 출발점과 어느 정도 일치하는지 혹은 모순되는지, 그리고 생활과정의 현상형태를 단순히 재현하고 재생산한 과학(그리고 이 현상형태 그 자체도 포함하여)이 전반적으로 부르주아 사회의 내적 연관, 즉 진짜 생리학의 토대를 이루는(즉 부르주아 사회의 출발점을 이루는) 그 토대와 어느 정도 일치하는지, 또한 부르주아 사회의 표면적인 운동과 참된 운동 사이의 이런 모순이 서로 어떤 관련이 있는지 등의 문제가 바로 그것이다. 따라서 이것이야말로 이 과학에서 리카도가 갖는 위대한 역사적 의의인 것이다."(제11노트, 524/525쪽) 리카도의 두 번째 위대한 역사적 업적은 그가 "계급들 간의 경제적 대립(내적 연관이 보여주고 있는 바에 따라)을 발견하고 진술함으로써 경제에서의 역사적 투쟁과 전개과정의 뿌리를 파악하고 발견하게 만들어주었다"(제11노트, 525쪽)는 점이다.

리카도는 경제학을 부르주아의 계급적 인식이 과학적으로 도달할 수 있는 최고의 한계까지 발전시켰다. 그러나 그는 이 한계를 뛰어넘지는 못했다. 그는 자본주의를 하나의 역사적 현상, 즉 생성되어 발전과정을 거치다가 결국은 다시 소멸하는 그런 현상이 아니라 인간 사회의 자연적이고 영원한 제도로 간주했다. 그의 과학적 연구방법의 형이상학적 성격은 여기에 근거해 있었다. 그는 구체적인 경제학적 범주들을, 필요한 중간고리들을 거치지 않고 추상적 범주에서 곧바로 도출해냈다. 그는 본질을 현상형태와 직접적으로 대면시키고 때로는 동일시했다. 리카도는 가치의 역사적 성격은 물론 그 속에 포함된 사회적 관계도 모두 인식하지 못했다. 마찬가지로 그는 자본주의에서 나타나는 변형된 가치들에 대해서도 이해하지 못했다. 자본주의적 조건하에서 가치와 그 현상형태 사이에 반드시 필요한 형태로 존재하는 일련의 중간고리들을 리카도는 알지 못했고 그것은 결국 마르크스에 의해 파악되었다. 이것은 무엇보다도 순수한 형태의 잉여가치와 자본의 유기적 구성의 경우에 그대로 해당되는 것이었다. 리카도는 가치증식과정의 관점에서 자본이 불변자본과 가변자본으로 구별되는 것(마르크스가 최초로 발견했
G22** 던)을 알지 못했고 단지 유통과정의 관점에서 자본이 고정자본과 유동자본으로 구별되는 것만을 알았다.

마르크스는 리카도의 오류를 하나하나 지적했고 또한 곧바로 그것을 훨씬 뛰어넘었다. 그는 여기에서 최초로 시장가치, 평균이윤, 생산가격에 대한 과학적 이론을 확립했다. 리카도는 단순한 상품과 자본 생산물로서의 상품의 구별에 주의를 기울이지 않았다. 스미스는 가치와 생산가격의 관계에 놓여 있는 모순을 알아챘지만 그로부터 자본주의적 생산의 조건하에서는 가치법칙이 더는 적용되지 않는다는 잘못된 결론으로 빠져나가고 말았다.

마르크스는 이 과학적 문제를 해결하면서 일관되게 자신의 가치론과 잉여가치론에 입각했다. 그는 이들 추상적 범주를 필요한 중간고리들을 거쳐서 더 구체적인 범주로 발전시켰으며 그 과정에서 본질과 현상형태가 서로 연결되는 관계를 고찰했다. 가치법칙은 생산가격의 법칙으로 변형되는데 이는 자본의 생산물로서 상품은 그 자신이 자본이고 잉여가치를 품고 있는 존재이기 때문이다. 잉여가치는 가변자본으로부터만 나온다. 그러나 잉여가치를 소유하기 위해서 자본가는 불변자본을 함께 투하해야만 한다. 만일 가치와 생산가격이 일치한다면 불변자본에 평균보다 높은 비율의 지출을 하는 자본가는 평균보다 낮은 이윤밖에 실현하지 못할 것이다. 그러나 그것은 자본의 가치증식과 생산력의 발전이 이루어지기 위한 필요조건과 모순될 것이다. 자본의 유기적 구성이 높아야만 생산력 수준이 높을 것이기 때문이다. 따라서 잉여가치의 재분배는 자본의 가치증식 조건을 고려한다면 반드시 필요한 것이다. 마르크스는 가치법칙의 이런 필연적인 변형이 경쟁의 두 가지 기본 형태를 통해서 어떻게 관철되는지를 분석했다.

경쟁의 첫 번째 기본 형태는 동일한 생산부문 내에서 이루어지고 그것은

시장가치의 형성을 가져온다. 시장가치의 범주를 통해서 마르크스는 자본주의 생산양식의 조건에서 가치의 현상형태를 구체화했다. 『잉여가치론』에서 마르크스는 시장가치의 범주를 나중에 『자본』 제3권에서 다룬 것보다 더 포괄적으로 서술했다. 그는 개별 사업장 내에서의 노동에 의해 형성되는 개별가치와 하나의 사회적 가치인 시장가치를 분명히 구별했다. 그는 이렇게 쓰고 있다. "따라서 한편에서는 자본가들 사이에서, 그리고 또 다른 한편에서는 그들과 상품 구매자들 사이에서, 또 상품 구매자들 사이에서 이루어지는 이 경쟁은, 특정 생산영역의 모든 개별 상품가치가, **개별 상품의 개별가치** G23** (혹은 **특정** 생산자나 판매자가 개별 상품을 생산하는 데 지출한 노동시간)가 아니라 **사회적 노동시간의 총량**(즉 **이 특정 사회적 생산영역의 상품 총량**을 생산하는 데 필요한 총노동시간)에 의해서 결정되도록 만든다."(제11노트, 544쪽)

일반이윤율이 한 생산부문의 개별 자본들에 대해서 형성된다고 주장함으로써 생산가격의 형성과정과 시장가치의 형성과정을 혼동해버린 리카도와는 달리 마르크스는 한 생산부문의 개별 자본들 간에는 — 노동생산성이 서로 다르기 때문에 — 서로 다른 이윤율이 결정된 채로 존재한다는 것을 논증했다. 평균이윤율은 오로지 그 생산부문의 평균적인 생산조건하에서 생산을 수행하는 자본에만 적용된다. 이것은 초과이윤의 범주를 인식하는 데 결정적으로 중요한 것이다. 마르크스는 이렇게 말하고 있다. "그러므로 당연히 자본가들은 어떻게 해서든 자신의 생산조건을 평균적인 생산조건보다 더 유리하게 만들어서 이 생산부문의 일반이윤율을 **초과하는** 이윤을 얻으려고 노력한다."(제11노트, 544쪽) 초과이윤은 노동생산성의 발전을 이끄는 추동력이며 동시에 자본의 유기적 구성을 상승시키는 조건을 이룬다.

서로 다른 생산부문들 사이에서 최대한 유리한 자본의 가치증식 조건을 얻기 위해 벌어지는 경쟁의 두 번째 기본 형태는 각 생산부문들의 서로 다른 이윤율을 균등화하여 일반이윤율 혹은 평균이윤율로 만들고 시장가치를 생산가격으로 전화시킨다. 최고의 이윤을 얻고자 하는 각 생산부문의 모든 자본의 열망은 각 생산부문의 서로 다른 이윤율을 균등화하여 하나의 평균이윤율, 즉 모든 생산부문에 똑같은 일반이윤율로 만들어버린다. "그러나 이것은 바로 다음과 같은 말이다. 즉 자본가들은 그들이 노동계급으로부터 착취해낸 비지불노동량을 각 **개별** 자본이 직접 생산한 잉여노동의 비율이 아니라, 1) 총자본에서 각 개별 자본이 차지하는 비율과, 2) 총자본 전체가 생산한 잉여노동의 비율에 따라서 배분받기 위해 노력한다(그러나 이 노

력은 경쟁을 통해서 이루어진다). 자본가들은 노략질해 온 타인의 노동을 형제
애와 적대감이 뒤섞인 형태로 분배함으로써 결국은 평균적으로 모두가 똑
G24** 같은 양의 비지불노동을 갖는 것이다."(제10노트, 451쪽) 마르크스는 평균이
윤의 이론을 이용하여, 평균이윤의 크기가 사회 전체 자본가적 기업의 착취
도에 의해 결정되기 때문에, 개별 노동자가 개별 자본가와 투쟁을 벌이는 것
이 아니라 계급으로서의 노동자와 자본가가 서로 투쟁을 벌이고 있다는 사
실을 논증했다.

일반이윤율 혹은 평균이윤율의 형성이 가져온 결과는 시장가격을 변동시키는 중심이 상품의 가치(c+v+m)가 아니라 생산가격(c+v+평균이윤)이라는 사실이다.

그런데 평균이윤과 생산가격이 가치법칙의 변형이긴 하지만 그것이 상품의 가치가 사회적 필요노동시간에 의해 결정된다는 명제를 폐기하는 것은 아니다. 그것은 단지 잉여가치의 배분일 뿐 생산된 잉여가치의 총량은 평균이윤의 총량과 동일하다. 따라서 생산된 상품들의 가치 총액도 생산가격의 총액과 동일하다.

『잉여가치론』에서는 "생산가격"이라는 용어도 하나의 발전과정을 거치고 있다. 마르크스는 처음에는 이 용어를 사용할 자리에 "평균가격", "비용가격" 등의 개념을 사용하다가 나중에는 최종적으로 이 용어를 사용했다.

『잉여가치론』에서 시장가치, 평균이윤, 생산가격 등의 이론이 완성된 것은 매우 중요한 의미를 지닌다. 이들 이론은 마르크스가 이룩한 경제학 혁명을 나타내는 가장 중요한 인식에 해당한다. 그리고 그것들은 부르주아 고전경제학이 해결하지 못한 중요한 문제들을 해결할 수 있는 열쇠이기도 하다.

평균이윤과 생산가격 이론의 완성은 마르크스에게 절대지대와 그것의 원천을 논증할 가능성을 열어주었다. 제조업과는 달리 농업은 생산력 발전 수준이 낮고 그에 따라 농업에 사용된 자본의 유기적 구성도 낮다. 따라서 농업은 가치가 생산가격보다 높고 생산된 잉여가치가 사용된 자본에 돌아갈 평균이윤보다 더 큰 경제부문에 속한다. 토지의 사적 소유는 독점으로 작용하여 농업부문에서 생산된 잉여가치가 일반이윤율의 형성에 참여하는 것을 가로막는다. 그래서 농산물의 판매는 생산가격이 아니라 가치에 의해 결정된다. 그런데 자본가적 차지농은 평균이윤만을 요구할 수 있으므로 이로 인해 초과이윤이 발생하고 토지소유자는 이것을 절대지대로 가져갈 수 있는 것이다.

리카도는 가치와 생산가격이 일치하는 것으로 보았기 때문에 이윤율 저하 경향을 이론적으로 올바로 설명할 수 없었다. 그는 이윤율과 잉여가치율을 구별하지 못했기 때문에 임금의 상승을 이윤율 하락의 원인으로 간주했다. 반면에 마르크스는 자본의 유기적 구성의 상승이 이윤율 하락의 진짜 원인임을 밝혔다. 리카도는 자본의 유기적 구성에 대해서 알지 못했기 때문에, 자본의 유기적 구성이 잉여가치율보다 더 급속히 상승할 경우에는 잉여가치율이 상승하더라도 이윤율이 하락할 수 있다는 것을 설명할 수 없었다. 리카도는 임금의 상승 원인을, 맬서스의 반동적 명제 — 이른바 수확 체감의 법칙이라고 하는 — 와 뒤섞여서 결함투성이가 된 자신의 차액지대 이론을 통해서 설명했다. 즉 그의 설명에 의하면, 농산물에 대한 수요가 증가함에 따라 더 열등한 토지로의 경작이 진행되면 그것은 농산물 가격의 상승을 가져오고 이것이 바로 임금의 상승을 불러일으키는 원인이 된다는 것이다. 마르크스는 수확 체감의 법칙이 원칙적으로 틀린 명제라는 것을 지적하고, 생산력의 발전이 농업에서의 수확을 증가시킬 수 있다는 것을 입증했다. 즉 더 열등한 토지가 경작될 경우에도 전반적인 생산력의 발전에 의해 수확량의 절대적 증가는 있을 수 있다. 차액지대의 원인은 리카도와 맬서스가 주장한 것처럼 더 열등한 토지로의 경작이 진행되기 때문이 아니라 비옥도가 다른 토지들에서 동일한 크기의 자본 투하가 각기 다른 수확량을 얻기 때문이다. 농업에서는 사회적 가치가 왜곡되어 형성된다. 즉 여기에서는 사회적 가치가 보통의 평균적인 생산조건에 의해서 결정되지 않고, 농업생산물에 대한 수요를 충족하기 위하여 새롭게 경작되어야만 하는 최열등지에서의 생산물에 지출된 노동량에 의해 결정되는 것이다. 더 우등한 토지들에서 최열등지보다 많이 생산된 수확량은 초과이윤을 형성하고 이것이 곧 토지소유자의 차액지대로 나타나는 것이다. G25**

논의에서 약간 벗어나서 마르크스는 리카도의 것으로 알려진 차액지대의 "법칙"이 형성된 역사를 연구할 필요가 있다고 생각했다. 그는 이 지대이론을 만들어낸 사람이 리카도가 아니라 스코틀랜드 경제학자인 제임스 앤더슨(James Anderson)이라는 것을 밝혀냈다. 물론 앤더슨은 리카도와 달리 수확이 증가할 수 있는 가능성을 함께 생각했다.

마르크스는 『잉여가치론』에서 리카도가 불변자본의 본질을 모르고 있었다는 점도 분석했다. G26** 리카도는 자신의 선배인 애덤 스미스와 마찬가지로 사회적 총자본의 재생산에 대한 연구에서 불변자본을 제외해버렸는데 이는 불변자본도 노동으로 분해된다고 생각했기 때문이다. 반면에 마르크스는 "무엇보다도 **불변자본의 재생산**에 대해서 반드시 해명해야 한다"(제13노트, 694쪽)고 강조했다. 마르크스는 연간 생산물의 가치크기가 기본적으로 사용된 불변자본에 의해 결정된다는 사실을 강조했다. 불변자본은 연간 소비되는 소득으로 분해되지 않으며 오로지 생산적으로만 소비될 수 있다. 마르크스는 불변자본의 재생산과 관련하여 특히 생산수단의 생산영역 내부에서 유통되는 부분, 즉 생산수단의 생산에 사용되는 생산수단을 지적했다.

고정자본 때문에 총불변자본은 불변자본 가운데 소비된 부분보다 언제나 크다. 불변자본은 또한 앞의 생산기간에서 일정 크기가 다음 생산기간으로 이월되는 한, 그리고 축적에 의해 점점 큰 액수가 다음 생산기간에 투입되어야 하는 한, 전액이 연간 소득으로 사용될 수 없다. 이런 이월과 관련하여 마르크스는 사회적 총자본의 재생산에 관한 중요한 명제를 처음으로 발전시켰다. 즉 사회적 생산이 두 부문 — 생산수단을 생산하는 제I부문과 소비수단을 생산하는 제II부문 — 으로 분할된다는 중요한 명제가 바로 그것이다. 이를 통해서 마르크스는 사회적 총자본의 재생산에 대한 이론적 조건을 가치적 측면과 사용가치적 측면에서 모두 정확하게 분석해낼 수 있었다. 이 문제의 해법도 마르크스가 『잉여가치론』에서 이룩한 경제학적 발견 가운데 하나이다.

자본의 동기가 소비가 아니라 축적에 있다는 것을 밝히는 것과 관련하여, 마르크스는 축적이 단지 자본의 가변 부분의 축적일 뿐이라는 리카도의 잘못된 견해를 비판했다. 리카도의 이 견해는 그가 불변자본의 역할을 올바로 인식하지 못한 데서 비롯된 것이었다. 그리고 이 견해는 리카도가 경제위기의 가능성을 보지 못한 것과도 관련되어 있다. 그는 장-바티스트 세의 이론적 견해를 그대로 좇아서 전반적 과잉생산이란 불가능하다고 간주했는데, 그 이유는 모든 생산물이 언제나 서로 교환될 수 있으며 이를 통해 수요와 공급(즉 구매자와 판매자)의 균형이 항상 이루어지게 마련이라는 생각 때문
G27** 이었다. 마르크스는 이미 1859년 『경제학 비판을 위하여』에서 화폐의 등장과 함께 경제위기의 추상적 가능성이 만들어진다는 점을 논증한 바 있다. 즉 세나 리카도 등이 생각했던 것 같은 직접적인 생산물 교환은 이제 더는 일어나지 않으며 그 대신 상품유통이 이루어질 뿐인데 여기에서는 교환이 두 가지 서로 다른 독립적인 행위, 즉 구매와 판매로 분할된다는 것이다. 마르크스는 1859년 지불수단인 화폐의 기능으로부터 위기가 발생할 수도 있다

는 것을 지적했다. 마르크스는 그의 주저 『자본』에서 자본주의 생산양식의 표면에 대한 실제 과정을 다루는 부분(특히 신용과 관련된 부분), 그리고 세계시장을 다루는 그의 또 다른 저작을 통해서 비로소 경제위기의 문제를 완벽하게 분석할 계획이었다. 그러나 『잉여가치론』에서도 리카도 이론을 비판적으로 분석하면서 마르크스는 이미 자본주의에서 경제위기의 불가피성에 대한 문제에 원칙적인 해답을 제시했다.

마르크스는 자본주의의 총체적 모순, 특히 그것의 기본 모순에서 경제위기의 불가피성을 도출해냈다. 마르크스는 이렇게 쓰고 있다. "위기의 **일반적 조건**은 **가격 변동**과는 무관한 것으로서 … 자본주의적 생산의 일반적 조건에서 도출되어야만 한다."(제13노트, 770a쪽) 마르크스는 다음 구절에서 보듯이 이미 가장 중요한 모순(즉 기본 모순의 구성요소)에 주의를 기울이고 있다. "이 과잉생산의 기준을 이루는 두 요소는 **자본** 그 자체(현재의 생산조건 규모)와 자본가의 무한한 치부(즉 자본화)를 향한 동력이다. 처음부터 제약되어 있는 **소비**는 결코 그것의 한 요소가 될 수 없는데 왜냐하면 인구의 대부분을 이루는 노동자는 극히 제한된 범위 내에서만 자신들의 소비를 늘릴 수 있을 뿐인 데다, 또 다른 한편으로 자본주의가 발전하는 정도에 따라 노동에 대한 수요는 **절대적**으로는 증가할 수 있어도 **상대적**으로는 감소하기 때문이다. 게다가 모든 균형은 **우연히** 이루어지며, 특정 생산영역에서 자본의 사용 비율은 하나의 끊임없는 과정 — 바로 이 끊임없는 과정 그 자체는 다시 끊임없는 불비례를 전제로 하며 그 불비례는 끊임없이 종종 폭력적인 형태로 균형에 도달한다 — 을 통해서 균형에 도달한다."(제13노트, 704쪽)

『잉여가치론』 제3부에서 마르크스는 부르주아 경제학의 과학으로서의 몰락을 다루고 있다. 이 몰락은 이론적으로 볼 때 부르주아 고전경제학의 계급적이며 역사적인 인식의 한계에서 비롯된 것으로 이런 한계 때문에 이들 경제학은 잉여가치를 순수한 형태로 인식하고 연구할 수 없었다. 이로부터 다음과 같은 근본적인 두 개의 논리적 모순이 만들어지는데 부르주아 경제 G28**
학은 이들 모순을 해결할 수 없어서 결국 몰락했다. 즉 "1) 가치법칙에 따른 자본과 노동의 교환, 2) 일반이윤율의 형성. 잉여가치와 이윤의 동일시. 가치와 비용가격의 관계에 대한 몰이해."(제14노트, 851쪽)

부르주아 고전경제학의 전반적인 와해는 리카도가 살아 있을 때 이미 시작되었다. 속류경제학은 고전경제학의 결함과 불완전한 부분들, 즉 해결할 수 없는 문제들을 다루긴 했지만, 그것은 이 문제들을 해결하여 경제학을 더욱 발전시키기 위한 것이 아니었고 오히려 고전경제학의 노동가치론이 가지고 있던 과학적 요소를 경제학에서 배제하기 위한 것이었다.

마르크스는 부르주아 고전경제학이 이처럼 해체되어가는 과정의 주요 흐름들을 분석했다. 즉 첫째는 노동가치론을 공개적으로 반대하는 반동적인 방향의 비판적 흐름이며, 둘째는 리카도의 후계자들이 리카도 이론을 방어하려는 흐름인데 이들은 이 과정에서 리카도를 편협하게 해석하고 따라서 그의 몰락을 더욱 촉진했다. 셋째는 리카도 이론의 주요 성과를 수용하면서 리카도의 이론(특히 가치론)에서 곧바로 프롤레타리아트를 위한 유토피아 사회주의의 결론을 도출하려는 이론가들의 비판적 흐름이 그것들이었다.

노동자계급이 점차 강력한 독자적 정치세력으로 등장하기 시작하자 부르주아 경제학은 어쩔 수 없이 점점 더 속류경제학으로서 고전경제학의 과학적 성과(특히 노동가치론)를 부정할 수밖에 없게 되었다. 고전경제학이 경제 현상들의 본질을 파헤치려 했던 것과는 반대로 속류경제학의 시선은 표면적인 현상에 머물렀다. "속류경제학자들은 — 우리가 비판하는 경제학자들과는 완전히 다르게 — 자본주의적 생산에 사로잡혀 그것을 직접 수행하는 담당자들의 생각과 동기(이것들은 자본주의적 생산의 표면에 드러나 있는 겉모습들을 반영하는 것에 지나지 않는다) 등을 사실상 그대로 옮기고 있을 뿐이다. 이들은 이런 생각이나 동기를 편협한 방식으로 옮기는데, 특히 지배계급인 자본가계급의 시각에 서 있어서 순수하고 객관적이지 못하고 변호론적인 색깔을 드러내고 있다. 이 생산양식의 담당자들이 어쩔 수 없이 갖게 되는 편협하고 고루한 속류적 생각들은 중농주의자들이나 스미스, 리카도 같은 경제학자들이 사물의 내적 연관을 파악하려 애쓰던 그 열정과는 너무도 다른 것이다."(제15노트, 891쪽) 이처럼 속류경제학은 원래의 경제이론을 전
G29** 혀 더 발전시키지 않고 고전경제학의 과학적 모순들에 집중하면서 고전경제학의 취약한 측면을 변호론적 목적에 이용했다.

마르크스는 리카도 이후의 경제학에 대한 분석을 반동적 경제학자인 토머스 로버트 맬서스 — 리카도가 아직 살아 있을 때 이미 리카도의 이론을 비판하고 공개적으로 그와 논쟁했던 — 에 대한 가차 없는 비판으로 시작했다. 리카도가 "지주제, '국가와 교회', 연금생활자, 조세징수자, 십일조, 국채, 증권거래업자, 하급관리, 목사, 하인"(제14노트, 773쪽) 등을 반대하며 문제 삼은 반면 맬서스는 이들 기생계급의 이해를 옹호했다. 사실 맬서스는 자

본과 노동 사이에서 이루어지는 교환이 동등하지 않다는 것을 올바로 알고 있었지만 가치법칙을 토대로 이 문제를 해결하기 위해 어떤 노력도 하지 않았으며 가치법칙이 전반적으로 맞는 것인지를 문제 삼았다. 그는 가치와 생산가격을 동일시했고 노동과 함께 이윤도 가치를 창출하는 요소로 상정했다. 그에 의하면 이윤은 노동과의 내적 관련으로부터 분리되어 있고 중상주의자들의 경우와 마찬가지로 양도이윤으로 파악된다. 즉 이윤은 유통에서 발생한다. "따라서 맬서스는 세부적인 논의과정에서 리카도를 넘어서는 대신에 경제학을 다시 리카도 이전으로, 심지어 스미스와 중농주의자들보다 더 이전으로 되돌려버렸다."(제13노트, 754쪽) 맬서스는 노동계급의 착취 문제로부터 논의의 방향을 돌리려고 노력했을 뿐 아니라 사회적 기생계급의 정당성을 입증하려 했다. 즉 이들이 생산은 하지 않고 소비만 함으로써 사회적 생산물의 실현을 가능하게 만들어준다고 주장했다.

1820~30년 사이에 리카도 이론의 지지자와 반대자 사이에서 격렬한 논쟁이 발생했는데 이 논쟁은 "사실상 모두 가치 개념의 규정과 가치와 자본의 관계를 둘러싼"(제14노트, 806쪽) 것이었다. 논쟁은 주로 익명의 기고자들에 의해 수행되었다. 리카도의 지지자들은 반대자들의 공격에 대해서, 반대자들이 입증한 논리적 모순—이 모순은 자본주의적 현실 그 자체의 표현이었다—을 형식논리의 수단을 사용하여 반박하려고 했다. 지지자들의 출발점은 자본주의의 현실이 아니라 리카도 이론을 변형한 것이었다. 리카도의 이론이 명백하게 말해주는 사회적 모순을 이들은 통일성과 조화라고 강변하고 이런 모순의 존재를 부인했다.

마르크스는 리카도학파의 해체가 제임스 밀(James Mill)과 함께 이미 시작되었다는 것을 제시했는데 밀은 원래 리카도의 스승에서 그의 제자로 전환한 사람이었다. 밀은 "이치에 맞지도 않는 개념들"을 가지고 본질과 곧바 G30**
로 일치하지 않는 현상형태를 리카도의 "기본 원리에 억지로 맞추어 설명하려"(제11노트, 537쪽) 노력했다. 영국 경제학자 로버트 토런스는—애덤 스미스로 되돌아가서—가치법칙이 옛날 시기에만 타당할 뿐 자본주의에서는 작동하지 않는다고 주장함으로써 가치와 생산가격 간의 차이를 설명하려 했다. 제임스 밀, 에드워드 기번 웨이크필드(Edward Gibbon Wakefield), 패트릭 제임스 스털링(Patrick James Stirling) 등은 가치를 설명하기 위해 다시 수요와 공급의 속류 이론을 도입하려 했다. 마르크스는 신랄한 비웃음을 담아 존 램지 매컬럭의 변호론에 의해 리카도 이론의 속류화 과정이 최종적으로 “가장 저열한 해체의 모습”(제14노트, 840쪽)을 보였다는 것을 보여주었다. 매컬럭은 자신의 입신출세를 위하여 리카도 이론을 현존 체제의 옹호 수단으로 변형해버렸다. 그는 리카도의 가치론을 일관되게 설명하는 척하면서 실제로는 터무니없게도 자연 현상과 기계의 작용에 대해서 “노동”이라는 이름을 붙이고 이들이 가치를 창출하는 요소라고 설명함으로써 리카도의 가치론을 완전히 포기하고 말았다.

리카도의 이론과 그의 학파의 해체는 근본적으로 자본주의의 모순이 발전하면서 첨예화함에 따라 부르주아들이 새로운 형태의 변호론을 필요로 한 것에 뿌리를 두고 있다. 리카도의 노동가치론은 유토피아 사회주의자들이 바로 이 이론에서 자본주의 체제를 반대하고 노동자계급을 위한 결론을 도출하게 되면서 부르주아들에게 위험한 이론이 되었다. 즉 이윤이 노동자의 노동이 만들어낸 결과물의 가치 구성부분이라는 리카도의 명제에서 리카도학파 사회주의자들은 자본가들이 노동자들의 노동 성과물 가운데 상당한 부분을 빼앗아가고 있으며 노동자계급은 노동 성과물 전체에 대한 권리를 갖고 있다는 주장을 도출했던 것이다.

『잉여가치론』의 원래 집필 구상에서는 유토피아 사회주의와 유토피아 공산주의 저술가들을 다루지 않기로 되어 있었다. 그러나 “경제학의 전제들”(제14노트, 858쪽)에서 출발하여 부르주아 경제학을 부르주아 경제학 자체의 이론적 수단으로 비판한 사람들은 집필에 포함되었다. 마르크스는 이들 유토피아 사회주의자 그룹을 매우 중요하게 다루었으며 산업 프롤레타리아의 이해를 옹호하려는 이들의 등장을 매우 높이 평가했다. 그러나 마르크스는 동시에 이들을 엄격하게 검증하여 이들이 경제학의 속류화 과정을 벗어나지 못했다는 것을 지적했는데, 왜냐하면 이들은 리카도의 경제학에 머물러 있었고, 노동자계급을 위한 이들의 요구는 자본주의의 경제적 운동법칙에 근거한 것이 아니었으며, 또한 그 요구는 프롤레타리아트의 세계사적 사명을 인식한 것이 아니라, 단지 법적, 도덕적, 윤리적인 근거에서 나
G31** 온 것—이들의 요구가 처음부터 유토피아의 영역에서 나온 것임을 알려주는—이었기 때문이다.

마르크스는 부르주아 경제학의 전반적인 붕괴과정과 더불어 경제학의 과학적 발전과 관련된 순수한 요소들을 찾아내고 부르주아 경제학의 역사적 업적을—아무리 그것이 미미한 것이라 할지라도—정확하게 평가하기 위해 상당한 노력을 기울였다. 그래서 그는 스위스 경제학자 앙투안-엘

리제 셰르뷜리에(Antoine-Elisée Cherbuliez)가 불변자본과 가변자본을 구별하는 것에 이론적으로 접근했던 것을 부각했다. 그러나 셰르뷜리에는 동시에 이 구별이 잉여가치를 순수한 형태로 연구하는 데 얼마나 중요한 의미가 있는지를 이해하지 못하고 잉여가치를 단지 잉여생산물, 즉 사용가치로만 분석했다. 부르주아 고전경제학의 후기를 대표하는 조지 램지에게서 마르크스는 그가 불변자본을 재생산과정의 분석에 도입하려 했고 가치의 생산가격으로의 전화를 이해하는 데 중요한 단서를 제공했다는 것을 찾아냈다. 그러나 램지는 이들 요소가 갖는 이론적 중요성을 인식하지 못했다. 마르크스는 영국 경제학자 리처드 존스가 "생산양식의 **역사적** 차이에 대한 개념"(제18노트, 1121쪽)을 가지고 있었고 그런 점에서 이 사람이 리카도를 능가했다고 지적했다. 그러나 존스는 전체적으로 자신의 부르주아적 계급적 한계를 뛰어넘을 수 없었기 때문에 이 소중한 이론적 인식의 단초를 더 발전시키지 못했다.

램지, 셰르뷜리에, 존스에 대한 상세한 서술은 보유(補遺)에 들어 있는데 그것은 1861~63년 초고의 제18노트(1086~1157쪽)에 해당한다. 이것은 내용상으로는 『잉여가치론』의 제3부에 속하지만 마르크스가 제3권의 제5분책으로 출판하려고 표기해둔 자리에 들어가 있다.

마르크스는 『잉여가치론』의 끝부분을 "에피소드: 소득과 그 원천"으로 마무리하고 있다. 이 에피소드에는 마르크스 서술의 이론적 부분과 역사적, 비판적 부분이 서로 긴밀하게 결합되어 있다. 리카도학파가 완전히 해체되고 1830년부터 프롤레타리아트와 자본가계급 사이에 계급투쟁이 공개적이고 전반적인 형태로 불붙기 시작하자 과학적인 부르주아 경제학은 더는 있을 수 없게 되었다. 부르주아 경제학은 점점 더 속류화되었고 객관적으로 볼 때 변호론적인 것으로 변해갔다. 소득과 그 원천에 대한 서술을 통해서 마르크스는 속류경제학의 계급적, 인식론적 뿌리를 폭로했다. 속류경제학은 자본주의 생산양식의 표면적인 생각들로 되돌아가 이들 생각에 근거하여 토지는 지대의 원천, 자본은 이윤의 원천, 노동은 임금의 원천이라고 생각했다. G32**
이런 물신주의, 즉 생산관계를 그것의 물적 현상형태와 혼동하는 생각은 이윤이 이자와 기업가수익으로 분할되고 이자는 자본이 "자연적으로" 만들어낸 자손이며 기업가수익은 자본가의 "노동"의 소산이라고 말하는 데서 그 정점을 이룬다. 이윤에서는 아직 잉여가치의 원천이 희미하게 보이지만 이자를 보는 물신적 시선에서는 노동과 잉여가치의 관계가 완전히 지워져 있다. 자본의 물신성은 속류경제학의 놀이터가 되는데 이는 속류경제학이 사회적 관계의 물적 현상을 자신의 본질로 삼기 때문이다.

편집자 일러두기*

MEGA 제2부 제3권 제2분책은 『잉여가치론』의 제1부를 포함하는데 이는 1861~63년 초고의 제6노트부터 제10노트(444쪽)까지로 이루어져 있다. 이 편집자 일러두기는 이 부분에 대한 것이다. 제3권 제3분책과 제4분책의 편집자 일러두기는 해당되는 분책별로 각기 첨부될 것이다. G33**

본문은 초고의 배열에 그대로 따랐다. 맞춤법을 통일하거나 원문을 현대식으로 고쳐 쓰지는 않았지만 명백한 잘못을 없애기 위한 본문의 수정은 있었다. 명백히 틀리게 쓴 부분은 바로잡아 고쳐 썼다. 의미가 달라지는 편집상의 수정은 교정사항(부속자료에서 (k)로 시작됨 — 옮긴이) 목록에 모두 수록했다. 틀리게 쓴 부분 가운데 여러 가지 방식으로 수정할 수 있거나 명백한 오류라고 확정할 수 없는 부분은 많은 사람들이 하나의 정해진 의미로 읽는 경우에만 수정했고 그것이 명확하지 않은 경우에는 수정하지 않았다. 이들 두 가지 처리방법은 모두 교정사항 목록에 표기했다.

자필 원고의 구두점은 모두 그대로 유지했다. 구두점이 빠진 부분은 본문의 이해를 위해 반드시 필요하다고 생각되는 경우에만 보충했다. 교정사항 목록에는 보충된 쉼표와 줄표가 모두 표기되었고 기타 문장부호(마침표, 닫는 괄호, 인용부호 등이 빠져서 이를 보충한 경우)는 보충될 위치를 다른 곳으로 생각할 수도 있는 경우에만 목록에 포함시켰다.

사실에 대한 기술이 잘못되었거나 계산이 틀린 것은 수정했고 이를 모두

• MEGA 제2부 제3권은 하나의 원고(1861~1863년 초고)를 6권의 분책으로 편집한 것으로, 일러두기 내용이 거의 동일하게 반복되고 있기에 한국어판 편집위원회에서 통일하였음 — 옮긴이.

교정사항 목록에 표기했다. 거론된 사실관계가 분명하지 않거나 마르크스가 틀린 수치를 계속해서 사용한 경우에는 고치지 않고 그대로 두었다. 주석이 필요하다고 생각되는 부분은 해설(부속자료에서 (e)로 시작됨 — 옮긴이)을 달거나 교정사항 목록에 본문에 대한 비판적 주석을 달아두었다.

G34** 약어나 단축 표기된 것은 별도의 표기 없이 모두 완전한 표기로 풀어 썼는데 그렇게 풀어 쓸 필요가 없는 것들(혹은bzw., 즉d. h., 기타etc., 등등usw., 예를 들어z. B.)은 예외로 했다. 다르게 풀어 쓰기가 가능한 경우에는 약어를 그대로 두었다. 인명이나 참고문헌 인용에서 사용된 약칭은 그대로 두었다. 수학 기호는 그것이 말로 되어 있을 경우 모두 기호로 수정했다. 불분명한 철자는 작은 글자로 표기하고 아예 알아볼 수 없는 철자는 x로 표기했다. 초고의 종이가 찢어지거나 더럽혀져서 원문이 유실된 부분은 꺾쇠괄호 안에 말줄임표를 써서([…]) 표시했다. 원문을 확실하게 복원할 수 있는 부분은 꺾쇠괄호로 묶어 복원했다.

마르크스가 잉크로 밑줄을 친 부분은 다음과 같은 방식으로 표기했다. 즉 외줄은 이탤릭체로(한국어판에서는 굵은 글씨로 표기했음. 예를 들어 "**토지소유**" — 옮긴이), 두 줄은 자간 간격을 띄워서(한국어판에서는 굵은 글씨+ 방점으로 표기했음. 예를 들어 "**토지소유**" — 옮긴이), 세 줄은 이탤릭체로 자간 간격을 띄워서(한국어판에서는 굵은 글씨+ 방점+이탤릭체로 표기했음. 예를 들어 "***토지소유***" — 옮긴이) 표기했다. 마르크스가 연필과 빨간 연필로 밑줄을 친 부분은 나중에 추가로 작업한 부분을 나타내는 것으로 이 책에서도 밑줄을 그어서, 즉 연필 밑줄, 빨간 연필 밑줄의 방식으로 표시했다. 외곽선도 마찬가지 방식으로 잉크 |, 연필 |, 빨간 연필 ⁝, 갈색 연필 ¦과 같이 각기 다르게 표시했다. 그 외에 난외의 여러 가지 기호는 각각의 양식에 맞는 형태로 재현했다(한국어판에서는 외곽선을 비롯하여 난외의 기호는 표기하지 않았음 — 옮긴이).

처리 완료, 즉 수직이나 사선으로 지운 표시는 마르크스가 해당 부분을 나중에 초고로 옮긴 경우인데 이것들은 무시하고 그대로 두었다. 이것들은 변경사항(부속자료에서 (v)로 시작됨 — 옮긴이) 목록의 말미에 따로 실었다.

행 바꿈이 초고와 달라진 부분들은 교정사항 목록에 담았다.

이 책에서는 자필 원고 각 쪽의 처음과 끝을 모두 표시했다. 이때 마르크스의 쪽수 표기를 그대로 옮겼다(부속자료의 "약어, 약호, 부호 목록"을 보라). 각 노트가 시작되는 곳에 노트의 번호도 함께 표시했다.

이 책의 학술적 부속자료는 원문 자료에 대한 기록, 변경사항 목록(처리

완료 목록 포함), 교정사항 목록, 해설로 구성되어 있다. 집필과정과 전승과정은 초고 전체를 대상으로 MEGA 제2부 제3권 제1분책에 수록했다.

변경사항 목록에는 마르크스가 본문을 내용 면에서 혹은 집필방식에서
계속 발전시켜나가면서 변경한 내용을 모두 담았다. 이들 변경사항에는 텍
스트의 축약(본문의 원형을 해치지 않는 삭제), 텍스트의 보충(삽입, 추가), 텍 G35**
스트의 대체와 위치 변경이 담겨 있다. 따라서 다음 사항들은 여기에 수록되
지 않았다. 즉 마르크스가 수정한 오자, 아예 알아볼 수 없거나 필자의 원래
의도를 대강이라도 도저히 읽어낼 수 없는 필적, 초고를 쓰면서 그때그때 문
법이나 문체에서의 실수를 바로잡은 것으로서 내용상 본문의 서술을 바꾸
는 것이 아닐 뿐 아니라 전체 서술의 문체에서도 전혀 변화를 수반하지 않
는 수정이 바로 그런 것들이다.

변경사항 목록은 문제가 되는 단어를 기준으로 마르크스가 지우고 대체하거나 위치를 바꾼 모든 곳을 표시했다. 즉 본문의 해당 위치에서 변경된 내용을 모두 담았다. 해당 위치에서 이루어진 초고 집필 중의 변경 내용은 구별할 수 있는 형태로 뒷부분에 붙이거나 행을 바꾸어 나란히 병기하는 방식으로 수록했다(한국어판에서는 이러한 방식을 쓰지 않고 변경 내용이 있는 곳마다 주를 달아서 표시했음—옮긴이). 변경사항 목록은 본질적으로 논증적인(추론적인) 방식을 사용하였다. 다시 말해 텍스트 변경은 해당 부분의 내용에 맞추어 이루어졌고 그것의 형태에 따르지는 않았다.

텍스트 축소, 보충, 대체, 위치 변경 등은 구별될 수 있는 기호들을 사용하여 표시했다("약어, 약호, 부호 목록"을 보라). 집필 중 곧바로 변경한 것은 종종 '쓰다 만 것'의 형태로 나타나고 있다. 이렇게 쓰다 만 것들은 저자가 생각을 멈추고 생각을 새롭게 (대개 단어나 단어의 일부를 삭제하거나 바꾸고 활용어미를 바꾸거나 삽입하는 방식으로) 시작하는 형태의 텍스트 변경에 해당한다. 쓰다 만 형태의 이들 텍스트 변경이 지니는 그때그때의 의미는 현재의 본문과 비교해 보면 분명하게 드러난다. 외관상 단순하게 덧붙여 쓴 부분은 내용에서 보면 대부분 텍스트 연장에 해당한다. 잘못된 해석을 피하기 위해 자필 원고의 조사 결과에 따라 이러한 서술의 변경은 쓰다 만 것임을 표시했다.

자필 원고에서 쓰다 만 것이 완전히 삭제된 부분은 다음과 같은 형태로 표시했다. 즉 본문의 해당 부분에서 삭제된 부분을 홑화살괄호로 묶고 쓰다 만 부분이라는 것을 부호로 표기했다(MEGA의 변경사항 목록에서 쓰인 〈 〉/ 부호

를 말한다. 한국어판에서는 부호를 쓰지 않고 문장으로 풀어 썼다.—옮긴이). 본문에서는 이 부분을 이어 붙여 새로운 문장으로 만들어놓았다. 쓰다 만 것 가운데 일부가 바로 다음 서술 부분으로 옮겨져 쓰였을 경우에는 원칙적으로 이를 빠짐없이 표기했다. 이때 마르크스가 문장의 어느 위치에서 중단하고 변경한 것인지를 확실하게 식별하기 어려운 경우가 종종 있기 때문에 대개 가장 늦게 변경된 본문의 위치에 중단된 부분임을 표기했다. 따라서 이런
G36** 경우에는 처음에 중단된 문장 부분을 홑화살괄호로 처리한 본문에, 자필 원고에서 지워지지 않고 새로운 본문에 삽입된 단어나 단어의 일부가 포함되어 있다. 이 경우 홑화살괄호는 그 전체가 지워진 본문 부분임을 나타낸다. (한국어판에서는 이러한 변경을 'B ← A' 형식으로 나타내거나 문장으로 풀어 설명했다.—옮긴이)

여러 곳에 걸친 텍스트 변형, 특히 텍스트를 대폭 교체한 것은 행을 나란히 배치하는 방법으로 표기했다. 이때 해당 위치의 변경된 부분들은 각각 시간적 순서에 따라 오선지 악보와 비슷한 형태로 차례대로 행을 바꾸어 나란히 표기했는데, 왼쪽에 숫자가 표기된 각 행은 다음 행에 의해 대체된 것임을 나타낸다. 제일 마지막 행이 본문과 일치한다. 바뀌지 않은 단어는 반복해서 쓰지 않고 중복 기호(〃)로 표기했다. 가로로 그은 직선은 앞의 행에 대한 텍스트 축소를 나타내거나 다음 행에서 텍스트를 연장하기 위한 여백을 만들기 위해 그은 연장선일 뿐이다. 각 행은 서로 관련된 것으로 (수평으로) 읽을 수도 있고 해당 부분이 어떻게 변경되어갔는지를 행과 행을 통해 (수직으로) 개괄할 수도 있게 되어 있다. 한 행 내에서의 부분적인 텍스트 변경은 a, b, c 등으로 분리하여 표시했다. (한국어판에서는 이러한 방식을 쓰는 것이 번역상 불가능하여 'B ← A' 형식으로 나타내거나 문장으로 풀어 설명했다.—옮긴이)

해설(부속자료에서 (e)로 시작됨—옮긴이)은 본문의 이해를 위해서 필요한 설명이다. 이들은 마르크스가 어떤 문헌을 이용했는지를 보여준다. 출처를 알 수 없는 경우에는 해설에도 그렇게 언급해두었다. 마르크스의 인용이 인용된 원전과 다를 경우에는, 그것이 내용상 논란의 여지가 있을 때 혹은 본문의 수정(이미 완료되었거나 이후 있을지도 모르는)과 관련하여 중요하다고 판단되면 모두 표시해두었다. 그 밖에 인용된 원전에서 마르크스가 강조 표시를 한 것은 그대로 따랐다. 널리 알려진 세계문학 저작이 인용된 경우에는 특정 판본을 표기하지 않았다. 마르크스가 원본이 아니라 번역본을 이용한

경우에는 번역본을 표기했고 나머지 다른 경우에는 모두 원본을 표기했다.

마르크스가 번역한 인용문들은 모두 해설에서 원전의 해당 부분을 수록했다(한국어판에서는 번역이 원문과 차이가 있는 경우에만 수록했다. — 옮긴이). 라틴어 본문과 인용문은 독일어로 번역했다.

마르크스가 이미 스스로 손질을 해놓은 자료들에서 인용을 한 경우에는 그것을 해설에서 지적해두었다. 여기에서 그런 부분에 해당하는 자료들은 1861~63년 초고를 위해 마르크스가 미리 직접 준비해둔 자료들로서 런던에서 1859~62년에 작성한 제7노트와 「인용문 노트」이다. 이들 자료에서 인용하면서 마르크스는 몇몇 부분을 약간 변경하기도 했는데 이는 특히 자신이 직접 해당 내용을 설명한 경우이다. 또한 그는 인용을 하는 과정에서 인용문을 단축하거나 번역을 하기도 했고 때로는 강조 부분을 바꾸기도 했 G37** 다. 부속자료 해설 부분 분량을 줄이기 위해서 단지 형식적으로만 달라진 부분들은 일일이 표시하지 않았다. 반복을 피하기 위해 마르크스가 어떤 노트에서 인용문들을 발췌했는지는 문헌 찾아보기에서 표기했다.

문헌 찾아보기는 본문에서 직접 혹은 간접적으로 인용되고 언급된 모든 문헌(도서, 소책자, 잡지, 신문기사, 기록자료)을 수록했다. 익명으로 출판된 자료는 관사를 뺀 첫 글자의 알파벳순으로 배열했다(한국어판에서는 가나다순으로 배열했다. — 옮긴이).

인명 찾아보기는 본문에서 직접 혹은 간접으로 거명된 사람들의 이름을 수록했는데 여기에는 문학 작품과 신화에 나오는 이름도 모두 포함되었다. 본문에서 직접 거명되지는 않았더라도 저작이 직접 혹은 간접으로 거명되거나 인용된 경우 해당 문헌의 저자도 함께 수록했다. 이름은 알파벳순(한국어판에서는 가나다순으로 배열했다. — 옮긴이)으로 배열했는데 본인의 표기방식에 따랐고 그리스 문자와 키릴 문자는 변환철자법에 따랐다. 본인의 표기와 본문에서의 표기가 다른 것은 모두 둥근 괄호 안에 본문에서의 표기를 넣었다. 부호로 된 이름은 해설에서 설명을 덧붙였다.

책 전체에 대한 사항 찾아보기는 마지막 분책의 부속자료에 실릴 것이다.

이 분책의 작업은 독일 사회주의통일당(구 동독의 집권 정당 — 옮긴이) 중앙위원회 마르크스주의-레닌주의연구소의 하네스 스캄브락스(Hannes Skambraks)(책임자), 볼프강 포케(Wolfgang Focke), 바바라 리츠(Barbara Lietz), 크리스텔 잔더(Christel Sander)에 의해 이루어졌다. 서론의 작성에는 볼프강 얀(Wolfgang Jahn)이 수고를 해주었다. 자필 원고의 판독은 유타 라스코프스키(Jutta Laskowski)가 대조했다. 외국어 문장은 마들렌 부르갈레타(Madeleine Burgaleta)(프랑스어), 게르다 린트너(Gerda Lindner)(영어)가 검토를 맡았다.

이 분책은 편집위원회의 위임을 받아 롤란트 니촐트(Roland Nietzold)가 감수했다. 소련 공산당 중앙위원회 부속 마르크스주의-레닌주의연구소의 감수자는 라리사 미스케비치(Larissa Miskewitsch)와 비탈리 비고츠키(Witali Wygodski)였다.

편집자들은 소장하고 있던 자필 원고를 이용하게 해준 암스테르담 국제사회사연구소와 이 책의 작업을 지원해준 모든 과학자와 학술기관에 감사를 표한다.

MEW 목차•

• 아래의 소제목들은 『마르크스-엥겔스 저작집』(*Marx Engels Werke*) 제26권 『잉여가치론』에서 각 부분에 해당하는 소제목을 가져온 것이다. — 옮긴이

생산적 노동과 비생산적 노동에 관한 이론

경제학 비판을 위하여(1861~63년 초고) 제2분책

Zur Kritik der politischen Ökonomie (Manuskript 1861~63) Teil 2

VI — [앞표지 뒷면]

제6노트의 내용.

5) **잉여가치론.**

a) **제임스 스튜어트.**

b) **중농주의.**

c) **A. 스미스.**

VII — [앞표지 뒷면]

5) **잉여가치론.**

[1]c) **A. 스미스.** (계속)

(이윤과 임금 이외에 불변자본까지 포함하는[2] 연간 생산된 총상품을 연간 총이윤과 총임금이 어떻게 구매할 수 있는지에 대한 연구.)

VIII — [앞표지 뒷면]

5) **잉여가치론.**

c) A. 스미스. (결론.)[3]

IX — [앞표지 뒷면]

5) **잉여가치론.**

c) **A. 스미스.** 결론

d) **네케르.**

X — [앞표지 뒷면]

5) **잉여가치론.**

여록. 케네의 경제표.

e) **랭게.**

f) [4]**브레이.**

g) [5]**로트베르투스. 여록.**

새로운 지대이론.

|VI-220| 5) 잉여가치론[1]

G333

모든 경제학자들은 잉여가치를 순수한 그 자체로서의 형태로 파악하지 못하고 이윤과 지대라는 특수한 형태[2]로만 간주하는 오류에서 벗어나지 못했다. 이로 인해 어떤 이론적 오류가 필연적으로 발생할 수밖에 없었는지에 대해서는 앞으로 제3장[3]에서 다룰 것인데, 즉 거기에서는 잉여가치가 전화한 형태인 이윤이 분석될 것이다.

a) [제임스 스튜어트]

'양도이윤'과 부의 실질적인 증가의 구별

중농주의자들 이전에는 잉여가치 — 즉 이윤, 이윤의 모습 — 가 순전히 **교환**을 통해서, 즉 상품이 가치 이상으로 판매되는 것으로 설명되었다. 제임스 스튜어트는 전체적으로 이런 고루한 생각에서 벗어나지 못했고 오히려 그런 고루한 생각을 과학적으로 재생산한 사람으로 간주되어야만 한다. 나는 지금 그를 "과학적으로" 재생산한 사람이라고 표현했다. 그것은 스튜어트가, 개별 자본가가 상품을 그 가치 이상으로 판매함으로써 얻게 되는 잉여가치를 새로운 부의 창출[4]인 양 생각하는 환상에 동의하지 않았기 때문이다. 그래서 그는 **적극적** 이윤과 **상대적** 이윤을 구별하고 있다. [5]"**적극적 이윤**은 아무에게도 손실이 발생하지 않는 것을 의미한다. 그것은 노동과 근면 혹은 숙련의 **증가**로부터 나오는 것으로 **사회적 부**의 증가를 가져온다. … **상대적 이윤**은 누군가에게 손실을 유발하는 것을 의미한다. 그것은 사람들 사이의 부의 상태가 변동하는 것을 나타내지만 **사회적 부를 증가시키는 것은 아니라는** 것을 의미한다.[6] … **혼합이윤**은 쉽게 이해할 수 있다. 그것은 … 일부는 **상대적** 이윤으로 일부는 **적극적** 이윤으로 이루어진 이윤을 의미한다. … 이들 두 종류의 이윤은 하나의 거래 속에 함께 존재할 수 있다."(『**경제학 원리 연구**』, 그의 아들 제임스 스튜어트 장군 등 엮음, 『**제임스 스튜어트 저작집**』, 전 6권, 런던, 1805[7]년, 제1권, 275, 276쪽)

G334 **적극적** 이윤은 "노동, 근면, 숙련의 **증가**"로부터 나온다. 그것이 구체적으로 **어떻게** 발생하는지에 대해서 스튜어트는 아무 설명도 하려 하지 않는다. 그가 덧붙이는 말, 즉 이 이윤이 "**사회적 부**"를 증가시킨다고 했던 말은, 스튜어트가 그것을 노동생산력의 발전[8]으로 인한 사용가치의 증가로 생각했으며 [9]그의 경우 적극적 이윤을 자본가의 이윤 — 항상 교환가치의 증가를 전제로 하는 — 과 완전히 분리된 것으로 이해하고 있었다는 것을 보여주는 것으로 생각된다. 이것은 이어지는[10] 그의 말에서 그대로 확인된다.

즉 그는 이렇게 말하고 있다.

"상품의 **가격** 속에는 두 개의 사물이 실제로 존재하는데 이들은 서로 **전혀 다른** 것들이다. 상품의 **현실가치**[11]와 **양도이윤**이 바로 그것이다."[12](244쪽) 즉 상품의 가격은 서로 전혀 다른 두 요소로 이루어져 있다. 하나는 **현실**[13] **가치**이며 다른 하나는 **양도이윤**으로, 이것은 상품이 양도될 때 즉 판매될 때 실현되는 이윤이다.|

|221| 즉 이 **양도이윤**은 상품가격이 그것의 현실가치보다 더 크기 때문에, 다시 말해 상품이 자신의 가치 **이상으로** 판매되기 때문에 발생한다. 이 경우 한쪽의 이익은 언제나 다른 한쪽의 손실을 가져온다. 사회 전체의 부는 전혀 증가하지 않는다. 이윤, 즉 잉여가치는 상대적인 것이며 "사람들 사이의 부의 상태가 변동"하는 것으로 해소된다. 스튜어트 자신은 이것으로 잉여가치를 설명할 수 있다는 생각을 거부했다. "사람들 사이의 부의 상태가 변동"한다는 데 대한 그의 이론은 잉여가치의 본질이나 원천과는 상관이 없지만 잉여가치가 여러 계급들 간에, 즉 이윤, 이자, 지대 등의 항목으로 분배되는 문제를 고찰하는 데는 중요한 의미를 지닌다.

스튜어트는 개별 자본가의 모든 이윤을 이 "상대적 이윤", 즉 "양도이윤"에 국한했는데 그것은 다음에서 그대로 드러난다.

그는 이렇게 말한다. [14]"현실가치"는 첫째 "한 나라의 노동자가 보통 … 하루, 일주일, 한 달 동안에 … 수행하는 평균적인" 노동의 "양"에 의해 결정된다.[15] 둘째, 그것은 "노동자의 생존과 그 밖에 필요한 비용에 의해 결정된다. 즉 그의 개인적 욕망을 충족하는 데 들어가는 비용과 … 직업적으로 필요한

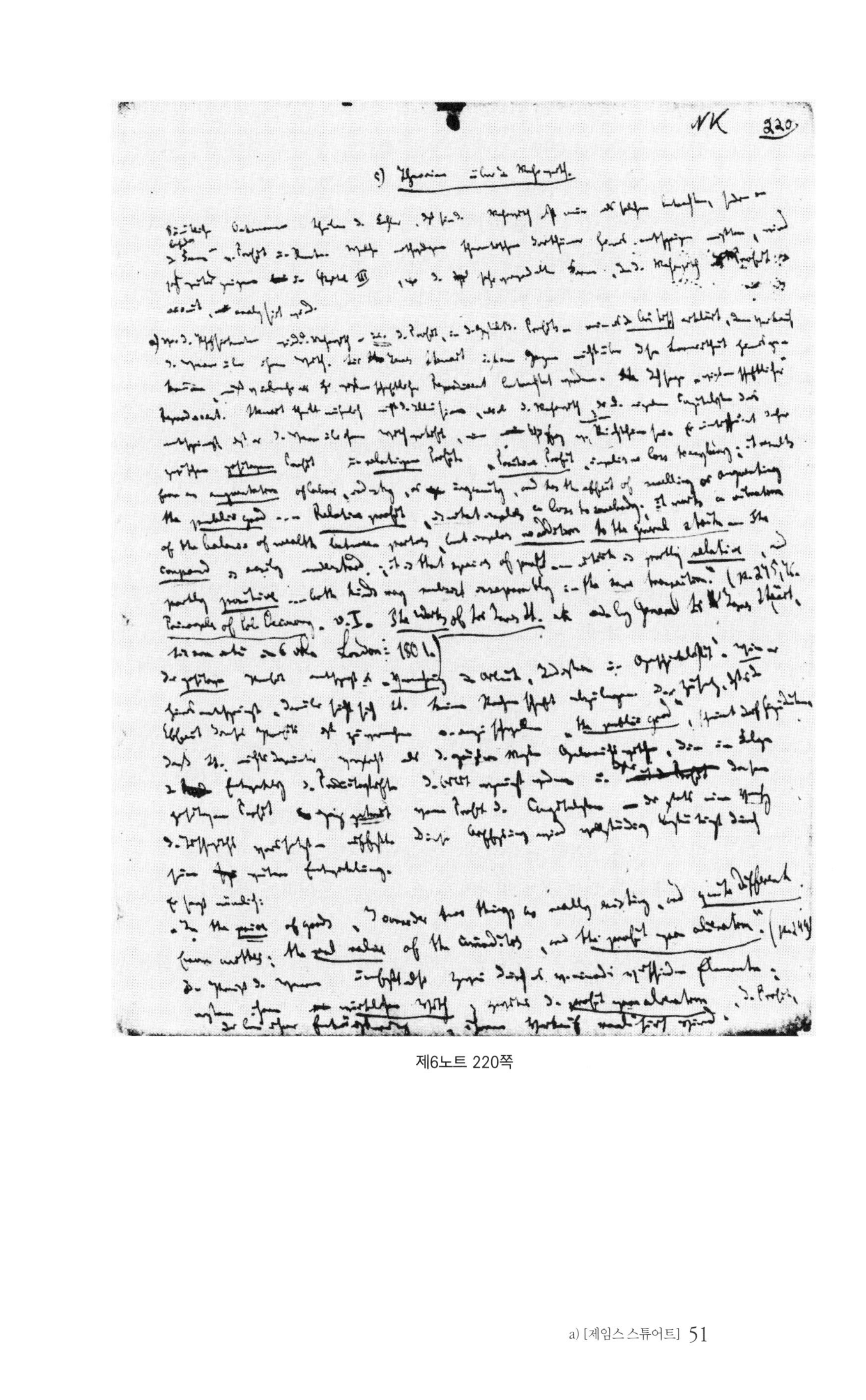

제6노트 220쪽

도구들에 지출되는 비용에 의해 결정되는데 이들도 역시 위에서 말한 바와 같은 평균치여야 한다.” 셋째, 그것은 “원료의 가치”에 의해 결정된다(244, 245쪽). “이들 세 항목을 알고 나면 생산물의 가격은 결정된다. 이 가격은 이들 세 항목의 총액, 즉 **현실가치**보다 결코 낮을 수 없다. **이 가격을 초과하는 것이 모두 제조업자의 이윤이다.** 그 이윤은 **수요**에 비례할 것이며 따라서 그 때그때의 상황에 따라 변동할 것이다.”[16](245쪽) “그렇기 때문에 제조업자의
G337 번영을 위해서는 큰 수요가 필요하게 된다. … 제조업자들은 그들의 이윤에 맞추어 자신들의 생활과 기타 비용을 조절한다.”(246쪽)

이리하여 다음과 같은 점이 분명해진다. “제조업자의”, 즉 개별 자본가의 이윤은 언제나 상대적 이윤, 즉 양도이윤으로, 이는 [17]상품가격 가운데 현실가치를 넘어서는 초과분으로부터, 곧 가치를 초과하는 판매로부터 나온다. 그러므로 만일 모든 상품이 자신의 **가치**대로 판매된다면 이윤은 존재하지 않는다.

스튜어트는 별도로 하나의 장을 할애하여 “이윤은 어떻게 생산비와 합쳐지는가”를 상세히 다루었다(제3권, 11쪽 이하).

스튜어트는 한편으로는 중금주의자 및 중상주의자의 생각, 즉 상품이 그 가치 이상으로 판매되어 이로부터 발생하는 이윤이 잉여가치를 만들어낸다는 생각, 즉 이것이 부를 실질적으로 증가시키는 것이라는 생각을 비판했다.[18] ** [19] 다른 한편 그는 개별 자본가들의 이윤이 가격 가운데 ||222| 가치를 초과하는 부분, 즉 양도이윤 — 그가 보기에는 **상대적** 이윤, 즉 한쪽의 이익이 다른 한쪽의 손실에 의해 상쇄되는 것으로서 “사람들 사이의 부의 상태가 변동”하는 것에 지나지 않는 것 — 일 뿐이라는 자신의 생각을 견지했다.

이런 점에서 스튜어트는 중금주의 및 중상주의를 합리적으로 표현한 사람에 해당한다.

자본을 올바로 이해하는 데 대한 그의 기여는 특정 계급의 소유물이 된 생산조건과 노동력이 어떻게 분리되는지를 보여준 데 있다. 이 자본의 **발생과**

** 그런데 중금주의 이론 자신도 이 이윤이 한 나라 안에서 만들어지는 것이 아니라 다른 나라와의 교역을 통해서만 만들어질 수 있다고 생각했다. 이 경우 중상주의 이론에서는 이 가치가 화폐(금와 은)로 표현되고 따라서 잉여가치는 화폐로 결산되는 무역수지로 표현되는 것이었다(마르크스가 쓴 각주 — 옮긴이).

정 — 물론 그는 이 과정을 곧바로 이해한 것은 아니었고 대공업의 조건으로 이해했다 — 에 그는 깊이 몰두했다. 그는 이 과정을 특히 농업을 통해 고찰했다. 그리고 그는 농업에서 이 분리과정이 이루어지고 나서야 비로소 매뉴팩처공업 그 자체가 등장하는 것이 맞다고 생각했다. A. 스미스의 경우에는 이런 분리과정이 이미 완료된 것으로 전제하고 있었다.

(스튜어트의 책은 **1767년** 런던에서, **튀르고의 책**은 **1766년**, Ad. 스미스의 책은 **1775년**에 출판되었다.)[20]

b) 중농주의

1. 잉여가치의 원천에 대한 연구를 유통영역으로부터 직접적 생산영역으로 변경. 지대를 잉여가치의 유일한 형태로 간주

부르주아의 시각으로 **자본**을 분석한 것은 본질적으로 중농주의자들의 업적에 속한다. 이 업적 때문에 이들은 진정한 의미에서 근대경제학의 아버지이다. 우선 그들은 자본이 노동과정 도중에 존재하면서 분해되는 갖가지
G338 다양한 **물적 구성부분들**을 분석했다. 중농주의자들이 다른 모든 그들의 후계자들과 마찬가지로 도구, 원료 따위의 이 물적 존재들을 자본주의적 생산에서 나타나는[1] 사회적 조건들과 분리하여 — 말하자면 그 사회적 형태와는 무관하게 노동과정 일반의 요소로서 그것들이 취하는 형태로 — 자본으로 파악하고, 따라서 자본주의 생산형태[2]를 하나의 영원한 자연적 생산형태로 간주했다고 해서 이를 비난할 수는 없다. 그들에게는 부르주아적 생산형태가 필연적으로 생산의 자연적 형태로 보인다. 그들이 이 형태를 사회의 생리적 형태 — 즉 생산 그 자체의 자연필연성으로부터 만들어진 형태, 다시 말해 의지나 정책 등과는 무관한 형태 — 로 파악한 것은 그들의 위대한 업적이다. 그것은 물적 법칙이다. 그들이 가지고 있던 결함은 단지 특정한 하나의 역사적 단계에 속하는 사회의 물적 법칙을 모든 사회형태에 똑같이 적용되는 추상적 법칙으로 파악했다는 점뿐이다.

노동과정 속에서 자본의 존재형태를 이루는 물적 요소들에 대한 이런 분석 외에도 중농주의자들은 유통영역에서 자본이 취하는 형태(중농주의자들은 다른 이름으로 부르긴 했지만 바로 고정자본과 유동자본을 가리킨다)와 자본의 유통과정과 재생산과정 간의 관련[3]도 분석했다.[4] 여기에 대해서는 유통에 관한 장[5]에서 다시 이야기하기로 한다.

이 중요한 두 가지 점을 A. 스미스는 중농주의자들에게서 물려받았다. 이 점과 관련하여 그의 업적은 단지 추상적 범주들을 확정하고 중농주의자들이 분석을 통해 구별해놓은 것에 확고한 세례명을 부여한 것뿐이었다.|

|223| 우리가 이미 보았듯이[6] 자본주의적 생산의 발전을 위한 기초는 **일반적으로** 노동자들에게 속한 **상품**인 **노동력**이 자본을 통해 고정되고 노동자들과 독립해서[7] 존재하는 상품인 노동조건과 서로 대립하는 데 있다. 여기에서 본질적인 것은 노동력 상품의 **가치**가 결정되는 부분이다. 이 가치는 노동력의 재생산에 필요한 생활수단을 생산하는 데 요구되는 노동시간(=노동자가 노동자로 존재하는 데 필요한 생활수단의 가격)과 같다. 이 기초 위에서만 노동력의 **가치**와 노동력에 의해 **증식된 가치** 간의 차이 — 다른 상품의

경우에는 이런 차이가 나타날 수 없는데 왜냐하면 어떤 상품의 사용가치(즉 그 상품의 사용)도 그 상품의 **교환가치**(혹은 그 상품이 만들어낸 교환가치)를 높일 수 없기 때문이다—가 나타날 수 있다. 그래서 자본주의적 생산을 분석하는 근대경제학의 기초는 **노동력의 가치**를 고정된 크기, 즉 주어진 크기 G341
로—현실적으로도 노동력의 가치는 일정한 조건하에서는 주어진 크기이다—이해하는 데 있다. 그러므로 **임금의 최저한도**가 중농주의 이론의 축을 이루는 것은 당연한 일이다. 중농주의가 가치의 본질을 아직 인식하지 못하고 있었음에도 불구하고 임금의 최저한도를 확정할 수 있었던 것은 이 **노동력의 가치**가 필요생활수단의 가격, 즉 일정한 사용가치의 총액으로 나타나기 때문이다. 그래서 가치의 본질을 밝히지 않고도 그들은 자신들의 연구에 필요한[8] 범위 내에서 노동력의 가치를 하나의 일정한 크기로 파악할 수 있었다. 게다가 그들이 이 **최저한도**를 하나의 불변의 크기로—즉 스스로 끊임없이 변동하는 크기로서 역사적 발전 단계에 의해 결정되는 크기가 아니라 자연에 의해서 결정되는 크기로—이해하는 결함을 가지고 있었다 하더라도 그것 때문에 그들이 도달한 결론의 추상적[9] 정당성이 훼손되지는 않는다. 왜냐하면 노동력의 가치와 노동력에 의해 증식된 가치 간의 차이는 노동력 가치의 크기가 얼마이든 그것과는 전혀 무관하기 때문이다.

중농주의자들은 잉여가치의 원천에 대한 연구를 유통영역에서 직접적 생산 그 자체의 영역으로 옮겨버렸고 그럼으로써 자본주의적 생산의 분석을 위한 토대를 마련했다.

그들은 **잉여가치**를 창출하는 노동만이 **생산적**이라는 기본 명제—즉 노동생산물에는 이 생산물의 생산에 소비된 가치의 합계보다 더 큰 가치가 포함되어 있다는—를 제기했는데 이것은 전적으로 옳은 것이었다. 원료와 재료의 가치가 주어져 있고 노동력의 가치는 임금의 최저한도와 같기 때문에 이 잉여가치는 오로지 노동자가 자신의 임금으로 받는 노동량을 초과하여 자본가에게 돌려주는 노동량으로만 구성될 수 있다는 것이 분명하다. 물론 중농주의자들에게서 잉여가치는 이런 형태로 나타나지는 않았는데 왜냐하면 그들은 가치를 아직 그것의 **단순한 실체**, 즉 노동량이나 노동시간으로 환원하지[10] 않았기 때문이다.|

|224| 중농주의자들의 서술방식은 물론 필연적으로 가치의 본질에 대한 그들의 일반적 이해에 의해 결정되었다. 즉 그들은 가치가 인간 활동(노동)의 일정한[11] 사회적 존재양식이 아니라 토지나 자연과 같은 소재 혹은 이들

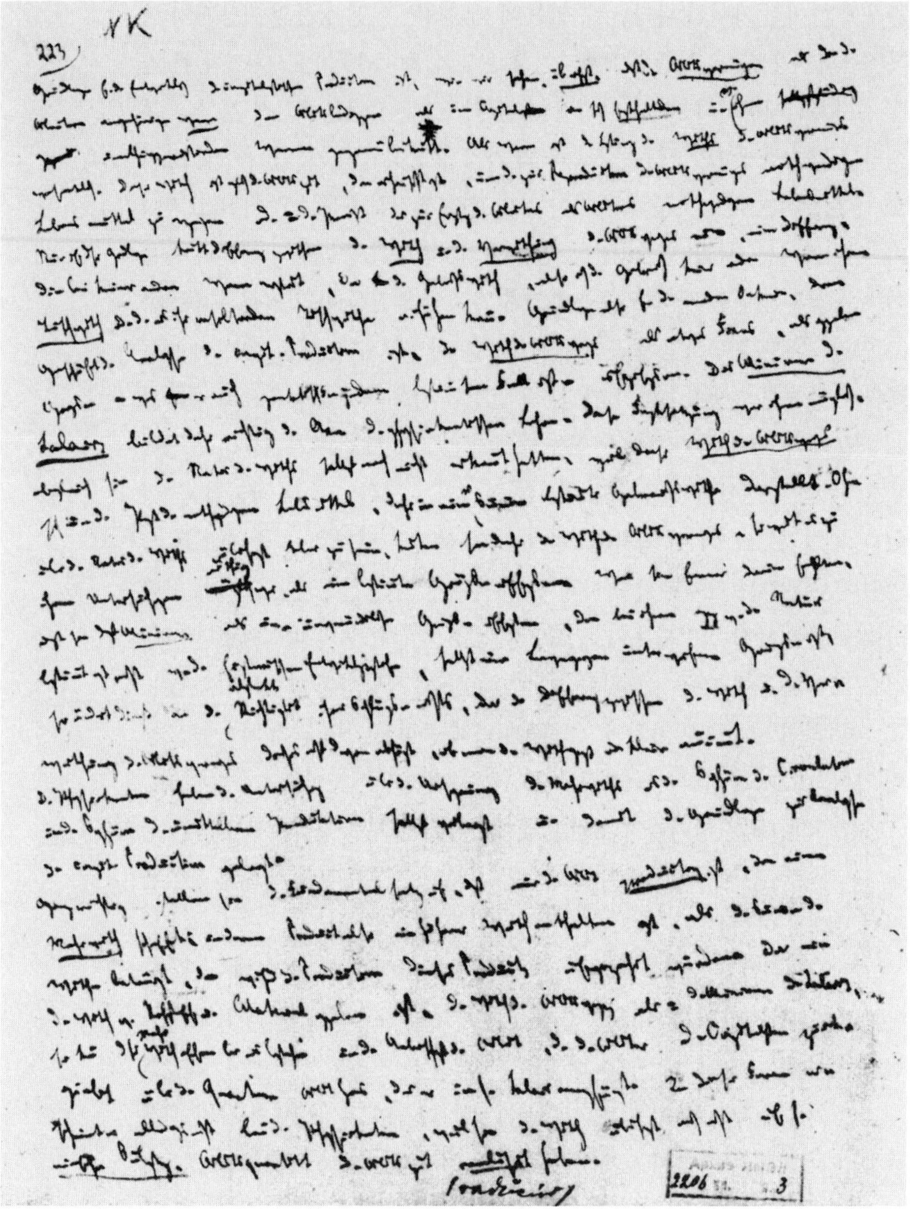

제6노트 223쪽

소재의 갖가지 변형된 형태들로 이루어진 것으로 이해했다.

노동력의 **가치**와 노동력에 의해 **증식된 가치** 간의 차이, 즉 노동력의 구매를 통해 노동력을 사용하는 사람에게 제공되는 잉여가치는 모든 **생산영역** 가운데 본원적 생산영역인 **농업**에서 가장 뚜렷하고 확실한 형태로 나타난다. 노동자가 매년 소비하는 생활수단의 총액[12] 혹은 그가 소비하는 소재의 G342
총량은 그가 생산하는 생활수단의 총액보다 적다. 공업부문에서는 일반적으로 노동자가 자신의 생활수단을 직접 생산하는 것도, 자신의 생활수단 이상의 초과분을 생산하는 것도 모두 직접 눈에 보이지 않는다. 이 과정은 구매와 판매, 즉 다양한 유통행위들에 의해 매개되어 있으며 이 과정을 이해하기 위해서는 가치 일반에 대한 분석이 필요하다. 농업에서는 이 과정이 노동자가 소비한 사용가치 이상으로 생산된 사용가치의 초과분으로 직접[13] 나타나고, 따라서 가치 일반에 대한 분석 없이도, 즉 가치의 본질에 대한 명확한 이해 없이도 그 과정을 이해할 수 있다. 그래서 가치가 사용가치로, 사용가치가 소재로 환원되어 있어도 이 과정은 이해될 수 있었다. 그렇기 때문에 중농주의자들에게는 농업노동이 유일하게 **생산적인 노동**이다. 왜냐하면 그것이 **잉여가치를 창출하는** 유일한 노동이며 **지대**야말로 그들이 알고 있는 **잉여가치의 유일한 형태**이기 때문이다. 공업부문의 노동자는 소재를 증가시키지 않는다. 그는 단지 소재의 형태를 변형할 뿐이다. 그에게 원료, 즉 소재의 양을 제공하는 것은 농업부문이다. 물론 그는 소재에 가치를 부가하는데 그러나 그것은 그의 노동에 의해서가 아니라 그의 노동의 생산비를 통해서이다. 즉 그가 노동하는 동안 소비한 생활수단의 총액(=임금의 최저한도)에 의해 그는 소재에 가치를 부가하는데, 이 생활수단을 그는 농업부문으로부터 얻는다. 농업노동이 유일하게 생산적 노동으로 이해되기 때문에, 농업노동을 공업부문의 노동과 구별해주는 잉여가치의 형태, 즉 **지대**는 잉여가치의 유일한 형태로 이해된다. 그러므로 중농주의자들에게는 고유한 의미에서 자본의 **이윤** — 지대 그 자체도 바로 여기에서 파생되어 나온 것에 지나지 않는 — 이란 것이 존재하지 않는다. 그들에게는 이윤이 단지 토지소유자들에 의해 지불되는 일종의 더 높은 임금(따라서 보통의 노동자들에게 해당되는 임금의 최저한도와 마찬가지로 그들의 생산비에 포함되는) — 자본가들이 소비하는 소득 — 으로만 나타난다. 이 이윤은 원료[14]의 가치를 증가시키는데, 왜냐하면 그것은 자본가가 생산을 수행하는 동안(즉 원료를 새로운 생산물로 전화시키는 동안) 소비비용에 들어가기 때문이다. 그래서 중농주의자들 가운

데 미라보 같은 사람은 **화폐이자**(Geldzins) 형태—이윤으로부터 파생된 또 하나의 형태—의 잉여가치를 자연을 거스르는 고리대업이라고 선언했다. 반면 튀르고는 화폐이자의 정당성을 주장했는데 화폐자본가가 토지, 즉 지대를 구매할 수 있기 때문에 그의 화폐자본은 만일 그가 그 화폐를 토지소유로 전환할 경우 그가 얻게 되는 만큼의 잉여가치를 창출해야만 한다고 주장했다. 그러므로 화폐이자도 새로 창출된 가치, 즉 잉여가치가 아니다. 그것은 단지 토지소유자가 획득한 잉여가치 가운데 일부가 이자의 형태로 화폐자본가에게 흘러가는 이유를 설명하는 것일 뿐이다. ||225| 이는 이 잉여가치 가운데 일부가 다시 이윤이라는 형태로 산업자본가에게 흘러가는 것
G343 을 다른 이유로 설명하는 것과 마찬가지이다. **농업노동**이 유일하게 생산적 노동(즉 잉여가치를 창출하는 유일한 노동)이기[15] 때문에 농업노동을 다른 영역의 노동들과 구별 짓는 **잉여가치의 형태**는 지대이며, **지대**가 곧 **잉여가치의 일반적 형태**이다. 산업이윤과 화폐이자는 지대가 분할된 것으로서 일정 부분 토지소유자의 수중에서 다른 계급의 수중으로[16] 넘겨진 항목들일 뿐이다. 이것은 A. 스미스 이후 경제학자들의 견해와는 정반대되는 것인데, 왜냐하면 이들 경제학자는 **산업이윤**을 **원래** 자본이 획득한 잉여가치의 [17]**모습**으로, 따라서 그것을 잉여가치의 원래의 일반적 형태로,[18] 올바르게 파악하고 이자와 지대를 산업이윤[19]에서 파생된 것으로, 말하자면 산업자본가가 다른 계급들(잉여가치를 함께 나누어 갖는)에게 배분해 준[20] 것으로 설명했기 때문이다.

이미 언급한 이유—농업노동이 유통과정과 무관하게 잉여가치가 창출되는 것이 물적으로 명확하게 드러나는 노동이라는 이유—외에도 중농주의자들은 자신들의 견해를 설명해주는 다른 많은 이유들을 가지고 있었다.

첫째, 농업에서는 지대가 제3의 요소로서, 즉 공업부문에는 존재하지 않거나 단지 일시적으로만 존재하는 잉여가치 형태로 나타나기 때문이다. 그것은 잉여가치(이윤)를 초과하는 잉여가치였으며, 따라서 가장 명확하고 눈에 띄는 잉여가치 형태로서 잉여가치의 잉여가치였다. [21]꾸밈없는 경제학자 **카를 아른트**는 『**자연적 국민경제**』(하나우, 1845년, 461, 462쪽)에서 이렇게 말하고 있다. "농업에서는 공업이나 상업에서는 볼 수 없는 가치(지대의 형태로)를 창출하는데 이 가치는 지출된 모든 임금과 소비된 모든 자본지대를 보전하고도 남는 부분이다."[22]

둘째, 대외무역을 무시한다면—중농주의자들이 부르주아 사회를 추상

적으로 고찰하기 위해서는 이 가정이 맞는 것이기도 했고 반드시 필요한 것이기도 했다—[23]공업부문에 고용되어 농업부문에서 완전히 분리되는 노동자들[24](스튜어트가 "자유로운 노동자들"이라고 불렀던)의 수[25]는 농업노동자들이 자신의 소비량 이상으로 생산한 농산물의 양에 의해 결정되는 것이 분명하다. "농업노동 없이 살아갈 수 있는 사람들의 상대적인 수가 전적으로 농업노동자들의 생산력에 의해 결정될 것이라는 점은 분명하다."(**R. 존스, 『부의 분배』, 런던, 1831년**, 159, 160[26]쪽)[27] 농업노동이 농업영역 내에서의 잉여노동을 위해서뿐 아니라 다른 모든 노동영역의 자립화를 위해서도(따라서 이들 노동부문에서 창출하는 잉여가치를 위해서도) 반드시 필요한 자연적 토대(여기에 대해서는 앞의 노트[28]를 보라)이기 때문에, 추상적 노동과 그 노동시간의 크기가 아니라 일정한 구체적 노동이 가치의 실체로 파악되는 한, 농업노동이 잉여가치를 창출하는 것으로 이해되어야 한다는 것은 분명한 일이다.| G344

|226| **셋째**, 상대적 잉여가치는 물론 절대적 잉여가치도 포함한 모든 잉여가치는 주어진 노동생산성에 기초해 있다. 노동생산성의 발전 수준이 한 사람의 노동시간으로 자신의 삶을 유지할(즉 자신의 생활수단을 생산하고 재생산할) 수 있을 정도일 뿐이라면[29] 잉여노동과 잉여가치는 존재하지 않을 것이고 노동력과 증식된 가치 간의 차이도 발생하지 않을 것이다. 그러므로 잉여노동과 잉여가치의 가능성은 주어진 노동생산력, 즉 노동력이 자신의 가치 이상을 만들어낼 수 있는 생산력, 다시 말해 자신의 생활에 요구되는 필요 이상으로 생산할 수 있는 힘에서 비롯된다. 더구나 이 생산력—혹은 출발점의 전제가 되는 이 생산력의 단계는 우리가 **두 번째** 이유에서 보았던 것과 같이 농업노동 속에 존재하는 것으로 무엇보다도 **자연의 선물, 자연의 생산력**으로[30] 간주하지 않으면 안 되는 것이다. 여기 농업에서는 처음부터 자연력의 협력—자연력의 이용과 개발을 통한 인간 노동력의 증가—이 대체로 자동적인 것으로 주어져 있다. 공업에서는 이런 자연력의 대규모 이용이 대공업이 발전하고 나서야 비로소 이루어졌다. 농업의 일정한 발전 단계—그것이 자기 나라에서 이루어진 것이든 다른 나라에서 이루어진 것이든 상관없이—는 자본의 발전을 위한 토대로 나타난다. 이 경우에는 절대적 잉여가치가 상대적 잉여가치와 일치한다. (중농주의에 대한 강력한 반대론자인 뷰캐넌[31]도 A. 스미스와는 견해를 달리하여 농업의 발전이 근대 도시공업의 등장보다 앞서 이루어졌다는 것을 입증하려 했다.)[32]

넷째, 가치와 잉여가치를 유통이 아니라 생산에서 도출하는 것이 중농주의자들의 특징이자 위대한 업적이기도 하기 때문에, 이들은[33] 중금주의나 중상주의와는 달리 유통(즉 교환)과 분리되고 독립된 것으로 생각할 수 있는 생산영역 — 인간과 인간 사이의 교환이 아니라 인간과 자연 사이의 교환만을 전제로 하는 — 에서 필연적으로 시작하고 있다.

이로부터 중농주의 체계의 모순이 나온다.

2. 중농주의 체계의 모순. 봉건적 외피와 부르주아적 본질. 잉여가치에 대한 이중적 설명

G345

중농주의는 사실상 자본주의적 생산을 분석하고 자본이 생산되고 자본을 생산하는 조건을 생산의 영원한 자연법칙으로 서술한 최초의 체계이다. 다른 한편 그것은 봉건제, 즉 토지소유를 부르주아적 재생산으로 간주한다. 그리고 자본이 최초로 독립적인 발전을 해나가는 공업부문을 단지 농업에 부속된 "비생산적" 노동부문으로 간주한다. 자본이 발전해나가는[34] 최초의 조건은 토지소유와 노동의 분리, 즉 자립적인 힘 — 특정 계급의 수중에 들어간 힘 — 으로서 토지(노동의 본원적 조건)가 자유로운 노동자와 대립하는 것이다. 따라서 이 설명에 따르면 토지소유자가 본래 의미의 자본가, 즉 잉여노동을 취득하는 사람으로 간주된다. 그리하여 봉건제는 부르주아적 생산의 성격으로 재해석되고 설명된다. 또한 농업은 자본주의적 생산, 즉 잉여가치의 생산이 이루어지는 유일한 생산영역으로 설명된다. 이처럼 봉건제가 부르주아적 성격을 띠게 됨으로써 부르주아 사회는 봉건적인 모습을 띠게 된다. 변덕스러운 가부장주의자인[35] 미라보같이 케네를 신봉하던 귀족들은 바로 이런 겉모습에 속아 넘어갔다. 그러나 중농주의자 가운데 조금 앞서나간 사람들, ||227| 특히 **튀르고** 같은 사람은 이런 겉모습에서 완전히 벗어났고 중농주의 체계는 봉건제의 틀 내부에서 자기를 관철해나가던 새로운 자본주의 사회를 표현하게[36] 되었다. 즉 그것은 봉건제를 벗어나는 시기의 부르주아 사회에 해당하는 것이었다. 바로 그렇기 때문에 중농주의의 출발점은 공업과 상업이 지배적인 항해국가 영국이 아니라 농업이 지배적인 프랑스가 되었다. 물론 영국에서는 자연히 유통에 시선이 쏠릴 수밖에 없었는데 왜냐하면 거기에서는 생산물이 일반적인 사회적 노동을[37] 나타내고 따라서 화폐, 즉 가치를 획득하면서 상품이 되어 있었기 때문이다. 그래서 영국에서는 가치의 형태가 중요한 것이 아니라 가치의 크기와 가치의 증식이 중요했기 때문에 **양도이윤**, 즉 스튜어트가 상대적 이윤이라고 불렀던 것이[38] 문제가 되었다. 그러나 잉여가치가 생산영역에서 창출된다는 것을 입증하려면 무엇보다도 잉여가치가 유통과는 무관하게 나타나는 노동영역, 즉 농업부

문으로 되돌아가지 않으면 안 된다. 그렇기 때문에 이 문제는 농업이 지배적인 나라에서 제기되어야만 했다. 중농주의자들과 비슷한 사상은 이들 이전의 저술가 가운데 프랑스의 부아기유베르와 같은 사람들에게서도 일부 단편적인 형태로 존재한다. 그러나 그런 사상이 비로소 하나의 의미 있는 체계로 확립된 것은 중농주의자들에 의해서였다.

꼭 필요한 최저 수준의 임금을 받는 농업노동자는 이보다 많은 것을 재생산하고 그 잉여분은 노동의 본원적 조건을 이루는 자연의[39] 소유자가 획득하는 **잉여가치**, 즉 지대가 된다. 그래서 중농주의자들은 노동자가 자신의 노동력을 재생산하는 데 필요한 노동시간 이상으로 노동하고 따라서 그가 창 G346
출하는 [40]가치는 그의 노동력 가치보다 크다고 말하지 않는다. 혹은 그가 제공하는 노동이 그가 임금의 형태로 받는[41] 노동량보다 더 크다고 말하지 않는다. 오히려 중농주의자들은 이렇게 말한다. 그가 생산기간 동안 소비하는 사용가치량은 그가 창출한 사용가치량보다 적기 때문에 사용가치의 잉여가 발생한다. 그런데 만일 그가 자신의 노동력을 재생산하는 데 필요한 시간만을 노동한다면 잉여는 발생하지 않을 것이다. 그러나 중농주의자들은 토지의 생산성이, 주어진 것으로 전제되어 있는 노동일을 넘어서서 노동자가 자신의 생존을 영위하는 데 필요한 것 이상을 생산할 수 있도록 만들어준다는 점만을 고집한다. 따라서 이 잉여가치는 **자연의 선물**로 나타나고, 노동은 이 자연의 도움을 받아 [42]일정량의 유기물—식물의 종자, 몇 마리의 동물—을 사용하여 더 많은 무기물을 유기물로 전화시킬 수 있게 된다. 다른 한편 토지소유자가 자본가로서 노동자와 대립한다는 것은 당연한 것으로 전제되어 있다. 토지소유자는 노동자가 자신에게 상품으로 제공하는 노동력에 대하여 대가를 지불하고, 그 지불의 대가로 그는 지불된 것의 등가는 물론 이 노동력이 증식한 가치도[43] 함께 획득한다. 이 교환에서 노동의 물적[44] 조건과 노동력이 소외되어 있다는 것은 이미 전제되어 있다. 교환의 출발점은 봉건적 토지소유자이지만 그는 이때 자본가로서 등장한다. 즉 그는 단지 상품소유자로서 [45]노동과 교환한 상품의 가치를 증식시키는데—즉 자신이 지불한 등가뿐 아니라 이 등가를 넘어서는 잉여도 함께 되돌려 받는데—이는 그가 노동력을 상품으로서만 지불했기 때문이다. 그는 상품소유자로서 자유로운 노동자와 대립한다. 즉 이 토지소유자는 본질적으로 자본가이다. 이 점에서도 중농주의 체계는 노동자가 토지와 토지소유에서 분리되는 것을 ||228| 자본주의적 생산과 자본 그 자체의 생산을 위한 본원적 조건으로

삼을 때에만 성립한다.

이로부터 이 체계의 모순이 드러난다. 즉 중농주의는[46] 처음에는 **잉여가치**를 타인 노동의 획득으로 설명하고 이런 타인 노동의 획득을 상품교환에 기초한 것으로 설명하다가 이제는 가치를 사회적 노동의 한 형태가 아닌 것으로, 그리고 잉여가치는 잉여노동이 아닌 것으로 설명하고 가치를 단지 사용가치[47]로, 즉 단순한 소재로 설명하고 잉여가치는 단순한 자연의 선물—일정량의 유기물 대신에 더 많은 양의 유기물을 노동에 되돌려 주는—로 설명한다. 그들은 한편으로는 지대[48]—즉 사실상 토지소유의 경제적 형태—를 봉건적 외피에서 벗겨내어 임금을 초과하는 잉여가치로 환원했다. 그러나 다른 한편으로 그들은 다시 이 잉여가치를 봉건적 형태로, 다시 말해 사회가 아니라 자연으로부터, 즉 교환이 아니라 토지와의 관계에서 도출
G347 하고 있다. 가치도 또한 단순한 사용가치로, 말하자면 하나의 소재로 환원해 버리고 있다. 또 다른 한편 그들이 이 소재에 대하여 갖는 관심은 단순한 양, 즉 소비된 사용가치를 초과하여 생산된 사용가치의 잉여인데, 이는 곧 사용가치들 상호 간의 양적 비율로서 결국 노동시간으로 귀착되는 이들 간의 교환가치이다.

이 모든 것은 자본주의적 생산의 모순들이지만, 이들 중농주의가 보았던 자본주의적 생산은 봉건사회로부터 막 만들어지고 있던 것이어서 이들은 봉건사회를 부르주아적인 것으로 해석하긴 했지만 부르주아 사회의 본격적인 형태는 아직 볼 수 없었다. 이는 마치 철학이 처음 종교적 의식형태로부터 만들어지기 시작할 때, 한편으로는 종교 그 자체를 파괴하지만 다른 한편으로는 아직 관념화되고[49]사유 속에 녹아들어간 이[50] 종교영역 내에서만 적극적으로 움직이는 것과 마찬가지이다.

그래서 중농주의자들이 스스로 내리는 결론에서도 외관상 토지소유에 대한 찬사는 경제적으로[51] 토지소유에 대한 부정과 자본주의적 생산에 대한 확인으로 바뀌고 있다. 한편으로 지대가 모두 세금으로 징수되고 혹은 토지소유가 부분적으로[52] 몰수되기도 하는데, 이것은 프랑스 혁명 때 국민의회가 실제로 시행하려 했던 조치들이었으며 가장 세련된 근대[53]경제학인 리카도 경제학의 최종 결론[54]이기도 했다. 지대만이 유일한 잉여가치이기 때문에 모든 지대에 대해서 세금을 부과한다는 이야기는, 곧 다른 소득형태들에 대한 세금 부과는 전부 우회적인 방식—따라서 경제적으로 해로운 방식, 즉 생산을 가로막는 방식—으로 토지소유에 대해 세금을 부과하는 것

일 뿐임을 의미하고, 이는 즉 공업 그 자체는 세금과 모든 국가의 간섭에서 벗어나서 해방된다는 것을 의미한다. 말하자면 이것은 마치 토지소유를 이롭게 하기 위해서, 즉 공업의 이해가 아니라 토지소유의 이해를 위해서 이루어진다. 요컨대 공업부문에 대한 자유방임, 아무런 구속도 받지 않는 자유로운 경쟁, 모든 국가 개입과 독점의 철폐 등이 바로 그런 것들이다.[55] 공업은 아무것도 창출하지 않고 농업으로부터 넘겨받은 가치 — 공업은 이 가치에 어떤 새로운 가치도 부가하지 않으며 자신이 넘겨받은 가치를 형태만 달리하여 동일한 크기의 가치로 되돌려 줄 뿐이다 — 를 단지 형태만 변화시킬 뿐이기 때문에, 이 전화과정은 당연히 아무런 장애 없이 순조롭고 최대한 저렴하게 진행되는 것이 바람직하다. 그리고 그런 바람직한 전화과정은 자본주의 생산을 가만히 내버려둠으로써 자유로운 경쟁이 이루어지도록 해야만 비로소 이루어질 수 있다. 그래서 봉건사회의 폐허 위에 건설된 절대주의로부터 부르주아 사회를 해방하는 것은 오로지 자본가로 전화하여 ||229| 치부에 골몰하는 봉건적 토지소유자의 이익을 위한 것이다. 자본가는 토지소유자의 이익을 위해서만 자본가일 뿐이며 이는 곧 미래의 발전된 경제학이 자본가를 노동계급의 이익을 위해서만 자본가로 존재하도록 만드는 것과 마찬가지이다.

따라서 중농학파에 대한 저술상을 받은 자신의 저작을 중농학파의 저작 G348
과 함께 묶어 편집한 외젠 데르 [같은] 근대 경제학자들이 중농주의자들을 이해한 방식, 즉 농업노동만이 생산적이고 지대만이 유일한 잉여가치이며 생산체계에서 토지소유자가 가장 우월한 지위를 차지한다는 등의 중농주의자들의 독특한 명제들을, 중농주의자들이 말한 자유경쟁이나 대공업(즉 자본주의적 생산)의 원칙[56] 따위와 아무런 관련이 없는 것으로(혹은 가끔씩만 우연히 관련된 것으로) 보는 것에서 그들의 이해가 얼마나 부족했는지를 알 수 있다. 동시에 우리는 많은 봉건영주들이 이 중농주의 이론 — 본질적으로 봉건체제의 폐허 위에서 부르주아 생산체계를 이야기했던 — 의 열렬한 지지자이자 전파자 역할을 수행해야만 했던[57] 까닭이 바로 이들의 이론체계가 외관상 봉건적 성격 — 마치 계몽주의가 귀족주의적인 색깔을 띠었던 것과 마찬가지로 — 을 띠었기 때문이라는 것을 이해할 수 있다.

3. 케네의 세 가지 사회적 계급. 튀르고에 의해 중농주의 이론이 더욱 발전. 자본주의적 관계의 심층적인 분석을 이루고 있는 요소들

우리는 이제 위에서 이야기한 것들을 해명하고 입증하기 위해 직접 해당되는 부분들을 자세히 살펴보기로 한다.

[58]**케네**의 『**경제표 분석**』에서 국민은 세 개의 계급으로 구성되어 있다. 즉

"**생산적 계급**(농업노동자), **토지소유자 계급**, 그리고 **비생산자 계급**(농업 이외의 다른 모든 분야의 노동과 서비스에 종사하는 사람들)."(**『중농주의』, 외젠 데르 엮음, 파리, 1846년, 제1부**, 58쪽) 농업노동자들만이 생산적 계급, 즉 잉여가치를 창출하는 계급으로 나타나고 토지소유자는 생산적 계급이 아니다. 토지소유자는 "잉여가치"를 대표하기 때문에 "비생산적" 계급은 아닌데, 따라서 이들이 갖는 의의는 이들이 잉여가치를 창출한다는 점과 관련된 것이 아니라 단지 이들이 잉여가치를 취득한다는 점과 관련되어 있다.

튀르고에게서 중농주의는 가장 발전된 형태를 취한다. 그에게서는 자연의 순선물이 여러 곳에서 **잉여노동**으로 표현되며, 또한 노동자가 자신의 임금을 초과하는 부분을 제공해야 할 필연성이 노동자가 노동조건에서 분리되었기 때문이라고 설명되는데, 이 노동조건은 그것을 매매하는[59] 계급의 소유물로서 노동자와 대립하는 것으로 이야기된다.

농업노동만이 생산적인 일차적 이유는 그것이 다른 모든 노동을 자립적으로 운영하기 위한 자연적 토대이자 전제이기 때문이다.

"그(토지경작자)의 노동이 다른 사회구성원들 사이에 배분된 다른 종류의 노동들보다 우위를 차지하는 까닭은 … 먹을 것을 얻는 데 필요한 노동이, 인간이 자신의 다양한 수요를 충족하기 위하여 혼자서 수행해야 했던 다양한 노동들 가운데 우위를 차지했던 것과 동일하다. 이 우위는 명예나 존엄성의 의미에서가 아니라 **물리적 필요**에 따른 것이다. … 그의 노동이 토지에서 자신의 필요를 초과하여 만들어내는 것은 사회의 다른 모든 구성원들이 자
G349 신의 노동과 교환하여 얻는 임금의 유일한 재원을 형성한다. 사회의 다른 모든 구성원들은 이 교환에서 얻은 임금을 이번에는 토지경작자의 생산물을 구매하는 데 사용함으로써 그들이 받은 만큼을 정확하게 토지경작자에게 (물적 형태로) 반환한다. 이것이 이들 두 종류의 노동 사이의 ||230| 본질적인 차이점이다."(**튀르고, 『부의 형성과 분배에 관한 고찰』**, 1766년, **『튀르고 저작집』 데르 엮음, 제1권, 파리, 1844년**, 9~10쪽)[60]

그러면 잉여가치는 어떻게 발생하는가? 그것은 유통에서 발생하지 않지만 유통에서 실현된다. 생산물은 자신의 가치대로 판매되고 자신의 가치를 **초과하여** 판매되지 않는다. 가치를 초과하는 가격의 잉여는 존재하지 않는다. 그러나 생산물이 가치대로 판매되기 때문에 판매자는 잉여가치를 실현한다. 이것이 그렇게 될 수 있는 까닭은 오로지 판매자가 자신이 판매하는 가치를 스스로 모두 지불하지 않았기 때문에, 혹은 생산물이[61] 판매자에게

서 지불받지 않은 가치 부분 — 즉 등가로 보전되지 않은 가치 부분 — 을 포함하기[62] 때문이다. 그리고 이것은 농업노동의 경우가 바로 그러하다. 판매자는 자신이 구매하지 않은 것을 판매한다. 튀르고는 처음에 이 구매하지 않은 것을 **자연의 순선물**로 표현한다. 그러나 우리는 그에게서 이 자연의 순선물이 토지소유자가 구매하지 않았으면서도 농업생산물로 판매하는 노동자의 잉여노동으로 슬그머니 바뀌어버리는 것을 보게 될 것이다.

"토지경작자가 자신의 노동으로 자신의 필요를 **초과하는 부분을 생산하기** 시작하면, 그는 곧 자**연으로부터** 자신의 노동에 대한 보수를 초과하는 **순선물로 제공받은** 이 잉여분으로 사회의 다른 구성원들의 노동을 구매할 수 있게 된다. 사회의 다른 구성원들은 그에게 자신의 노동을 판매함으로써 자신의 생활에 필요한 만큼을 벌어들인다. 그런데 토지경작자는 자신의 생존수단 외에 그가 별도로 자유롭게 처분할 수 있는 부, 즉 그가 **구매하지 않았지만 판매할 수 있는** 부를 더 번다. 그리하여 그는 유통을 통해서 사회의 다른 모든 노동을 작동시키는 부의 유일한 원천이다. **왜냐하면 그의 노동만이 노동에 대한 보수를 초과하는 잉여를 생산하기 때문이다.**"(같은 책, 11쪽)[63]

이 최초의 논의에서 첫째 잉여가치의 본질은, 판매자가[64] 그것에 대해 아무런 등가도 지불하지 않은, 즉 판매자가 구매하지 않은 가치이면서 판매를 통해서 실현되는 가치이다. 말하자면 **지불되지 않은 가치**이다. 그러나 둘째, **노동의 임금**을 초과하는 이 잉여 부분은 자연의 순선물로 간주된다.[65] 이는 곧 노동자가 자신의 노동일 동안 자신의 노동능력을 재생산하는 데 필요한 부분 — 그의 임금에 해당하는 — 보다 더 많은 것을 생산할 수 있는 것은 모두 자연의[66] 선물이라는 의미이다. 이 최초의 논의에서 총생산물[67]은 아직 노동자 자신이 취득한다. 그리고 이 총생산물은 두 부분으로 나뉜다. 첫 번째 부분은 그의 임금을 이룬다. 노동자는 자신에 대한 임노동자로 표현된다. 즉 그는 생산물 가운데 자신의 노동능력을 재생산하는 데 필요한, 다시 말해 자신의 생존에 필요한 부분을 지불받는다. 이 부분을 초과하는 두 번째 부분은 **자연의 선물**이며 잉여가치를 형성한다. 그러나 자연의 선물이라는 이 잉
여가치의 본질은 토지의 경작자가 곧 소유자라는 전제가 없어지고 생산물 G350
의 두 부분인 임금과 잉여가치가 서로 다른 두 계급, 즉 임노동자[68]와 토지소유자에게 분배되는 순간 분명하게 드러난다.

공업부문이든 농업부문이든, 임노동자라는 계급이 형성되기 위해서는[69] — 공업부문의 모든 노동자는 처음에는 토지소유자의 임노동자로만 나타

난다 — 노동조건이 노동력과 분리되어야 하는데, 이런 분리의 기초는 토지 그 자체가 사회구성원 가운데 일부의 사적 소유가 됨으로써 나머지 사회구성원들이 자신의 노동을 증식할 수 있는 이 자연적 조건에서 배제되는 것에 있다.

[70]"처음에 토지소유자는 토지경작자와 구별되지 않았다. … 이 시기에는 근면한 사람이라면 누구나 원하는 만큼의 토지를 발견할 수 있었고 ||231| 누구도 **타인을 위하여 노동할**[71] 이유가 없었다. … 그러나 마침내 모든 땅이 주인을 만나고 나면 토지를 얻지 못한 사람은 처음에는 **피고용**계급(즉 수공업자 계급, 요컨대 모든 비농업부문의 노동자)으로서 **자신의 노동을** 토지의 경작자이자 소유자인 사람들의 잉여생산물과 **교환하는**[72] 것 외에는 다른 도리가 없었다."(12쪽) 토지의 경작자이자 소유자인 사람은 토지가 그의 노동에 대하여 부여하는 상당한 양의 잉여를 가지고 "사람들을 고용하여 자신의 토지를 경작하도록" 시킬 수 있었다. "임금으로 생활하는[73] 사람들에게는 어떤 종류의 노동으로 임금을 얻든 아무 상관이 없었다. 그리하여 **토지소유는 경작노동과 분리되어야 했고 또 머지않아 그렇게 되었다.**[74] … 토지소유자는 … 자신이 고용한 경작자들에게 경작노동을 넘기게 되었다.[75]"(13쪽) 이리하여 자본과 임노동 사이의 관계가 농업부문에서 나타난다. 이 관계는 다수의 사람들이 노동조건 — 무엇보다도 첫째로 토지 — 의 소유에서 밀려나서 자신의 노동 외에는 아무것도 팔 것이 없게 되는 순간 비로소 나타난다.

그런데 [76]어떤 상품도 더는 생산할 수 없고 [77]자신의 노동 그 자체를 판매해야만 하게 된 임노동자에게 임금의 **최저 수준**, 즉 필요생활수단의 등가는 노동조건의 소유자[78]와 그의 교환에서 필연적인 법칙이 된다.[79]

"[80]노동능력과 근면 외에는 아무것도 없는 단순한 노동자는 자신의 노동을 타인에게 판매하여 얻을 수 있는 것 외에는 아무것도 갖지 못한다. … 모든 노동부문에서 노동자의 임금은 사실상 생계 유지에 필요한 수준으로 국한될 것이며 또 실제로 그러하다."(같은 책, 10쪽)

그런데 임노동이 나타나자마자, "토지생산물은 두 부분으로 나뉜다. 한 부분은 토지경작자의 생존수단과 이윤을 포함한다. 이것들은 그의 노동에 대한 보수와 그가 토지소유자의 토지를 경작해주는 조건을 이룬다. 나머지
G351 는 **토지경작자에게 제공되는 순수한 선물**[81]로, 그가 선대한 수단과 그의 노동에 대한 보수를 초과하여 토지가 별도로 제공하는 처분 가능한 부분이다. 그리고 이것은 토지소유자의 몫, 즉 그가 노동하지 않고도 마음대로 지출하

면서 생활할 수 있도록 만들어주는 소득을 이룬다."(14쪽) 그러나 이 토지의 순선물은 이제 이미 분명하게 토지가 "토지경작자에게" 주는 선물로 나타난다. 즉 그것은 토지가 노동에 주는 선물로서 말하자면 토지에 사용된 노동 생산력이면서 노동이 자연의 생산력을 이용한 결과 갖게 된 생산력으로, 그것은 토지로부터 창출되긴 하지만 오로지 노동으로서만 창출되는 생산력이기도 하다. 따라서 토지소유자의 수중에 들어간 잉여는 이미 "자연의 선물"이 아니라, 타인의 노동—자연의 생산력을 이용하여 자신이 필요로 하는 생존수단을 초과하여 생산할 수 있는 능력—에 대한 취득—그것도 아무런 등가도 지불하지 않은—으로 나타난다. 그리고 이 노동은 그것이 임노동이기 때문에 총노동생산물 가운데 자신의 생계에 필요한 수준만큼만 취득하도록 제한을 받는다. "**토지경작자**는 **자신의 임금**을 생산하며 그 외에 또 수공업자와 그 외 피고용계급 전체에 대한 보수를 생산한다. … **토지소유자는 경작자의 노동에 의해서만**(즉 자연의 선물에 의해서가 아니라) **모든 것을 얻는다.**[82] 그는 토지경작자에게서 ||232| 자신의 생존수단과 다른 피고용인들의 노동에 대해 지불해야 할 수단을 모두 얻는다. … 토지경작자가 토지소유자를 필요로 하는 까닭은 오로지 관습과 법률 때문이다."(같은 책, 15[83]쪽)

이처럼 여기에서는 잉여가치가, 경작자의 노동 가운데 토지소유자가 아무런 등가 없이 취득한 부분으로 나타나는데 이는 곧 토지소유자가 경작자의[84] 생산물을 구매하지 않고 판매한 부분을 가리킨다. 튀르고가 주의를 집중한 것은 교환가치 그 자체 즉 노동시간이 아니라, 경작자의 노동 가운데 그의 임금을 초과한 노동이 토지소유자에게 양도해주는 생산물의 잉여 부분이다. 하지만 이 잉여생산물은 경작자가 자신의 임금을 재생산하기 위해 노동한 시간 외에 토지소유자를 위해 무상으로 노동한 시간의 양이 대상화된 것에 지나지 않는다.

이리하여 우리는 **농업노동의 범위 내에서** 중농주의자들이 잉여가치를 올바로 이해하고 있었다는 것, 즉 그들이 잉여가치를 임노동자의 노동생산물로 이해하고 있었다는 것—비록 그들이 이 노동을 다시 사용가치로 표현되는 구체적인 형태로 이해하긴 했지만—을 알게 되었다.

덧붙여 말하자면 튀르고는 농업의 자본주의적 경영방식—즉 토지의 임대차—이 "가장 유리한 방식[85]이긴 하지만 그것은 이미 충분히 부유한 나라에서만 적용될 수 있는 것"(같은 책, 21쪽)이라고 언급했다.

〔잉여가치를 고찰하기 위해서는 유통영역에서 빠져나와 생산영역으로

넘어가야만 한다. 말하자면 잉여가치를 상품과 상품의 교환에서 도출할 것이 아니라 생산영역 내부에서 노동조건의 소유자와 노동자 사이에 진행되는 교환에서 도출해야만 한다. 또한 이들 둘은 상품소유자로서 서로 대립
G352 하기 때문에 여기에서 상정하는 생산영역은 교환과 무관한 것이 결코 아니다.〕

〔중농주의 체계에서 토지소유자는 고용주이며, 노동자와 다른 모든 부문의 공업생산자는[86] 모두 임금생활자, 즉 피고용인이다. 그래서 지배자와 피지배자라는 말도 여기에서 비롯된 것이다.〕

튀르고는 노동조건을 다음과 같이 분석한다.

"모든 노동부문에서 노동자는 미리 노동도구와 노동재료들을 가지고 있어야만 한다. 그런 다음 그는 자신의 생산물이 판매될 때까지 생존을 영위할 수 있어야만 한다."(34쪽) 이[87] 모든 선대, 즉 노동이 이루어질 수 있는 조건, 다시 말해 노동과정의 **전제**를 토지는 처음부터 무상으로 제공한다. 열매, 생선, 동물 등과 나뭇가지, 돌, 가축 — 가축은 번식을 통해 숫자가 늘어날 뿐 아니라 매년 우유, 양모, "피혁,[88] 기타 원료 등의 생산물을 제공하고 이것들은 산림에서 벌채된 목재와 함께 공업생산을 위한 초기 재원을 이룬다" — 등의 작업도구 형태를 띤 "최초의 선대 재원을 토지는 이미 경작이 이루어지기 전에 제공했다."[89](34쪽)

이들 노동조건, 즉 노동선대는 제삼자에 의해 노동자들에게 선대되는 순간 곧바로 **자본**이 되는데 이는 다시 말해 노동자들이 자신의 노동력 외에는 아무것도 갖지 못하게 되는 바로 그 순간을 가리킨다.

"사회구성원들 가운데 대다수가 **자신들의 노동능력만을 생존의 유일한 원천으로 의지하게 되자**, 임금으로 살아가게 된 이 사람들은 자신들이 작업할 원료를 조달하기 위해서, 혹은 임금을 지불받을 때까지 생활하기 위해서, **미리** 무엇인가를 손에 넣어야만 했다."(37, 38쪽)[90]

|233| [91]튀르고는 **"자본"**을 "축적된 동산(動産)"(같은 책, 38쪽)으로 규정한다. 처음에는(38, 39쪽) 토지소유자 혹은 경작자가 예를 들어 아마 방적공에게 매일 직접 임금을 지불하고 재료를 공급한다. 그러나 공업이 발전하면 더 많은 선대가 필요하고 이 생산과정이 지속될 필요가 있다. 그럴 경우 이것은 자본소유자가 수행하게 된다. 자본소유자는 자신의 생산물 가격을 통해서 자신이 지출한 모든 **선대**와 이윤 — 즉 "그가 자신의 화폐를" (토지의) "구매에 사용했을 경우 그 화폐가 자신에게 가져다주었을" 이윤 — 과 자신의 임

금을 보전해야만 하는데 "왜냐하면 그는 동일한 이윤을 얻을 경우라면, 당연히 같은 자본으로 구입할 수 있는 토지에서 나오는 소득으로 편안하게 사는 방식을 선택할 것이기 때문이다."(39[92]쪽)

공업부문에 종사하는 계급은 이제 "자본주의적 기업가와 보통의 노동자"로 구분된다[93] 운운(39쪽). 자본주의적 기업가의 사정은 기업가적 차지농의 경우와 마찬가지이다. 이들도 역시 위에서 말한 것과 같이 이윤과 함께 모든 선대를 보전받아야 한다. "이 모든 것은 토지생산물의 가격에서 미리 공제되어야만 한다. **잉여분**[94]은 토지경작자가 자신이 경작하는 토지의 사용을 허락해준 대가로 토지소유자에게 지불하는 데 사용된다. 그것은 임차료이며 토지소유자의 소득이며 **순생산물**이다. 왜냐하면 토지가 생산한 것 가운데 모든 종류의 지출된 선대와 그 선대를 행한 사람의 이윤에 해당하는 액수까지는 소득으로 간주할 수 없고 단지 **토지 경작비의 보전 부분**으로만 간주할 수 있을 뿐이기 때문이다. 만일 토지경작자가 이 부분을 얻지 못한다면 그는 자신의 선대와 노동을 다른 사람의 토지를 경작하는 데 쓰지 않게 될 것이다."(같은 책, 40쪽) G353

마지막으로,

"물론 자본의 일부는 노동계급의 이윤 가운데 절약된 부분으로 형성되기도 한다. 그러나 이 이윤은 언제나 토지에서 비롯된 것인데 이는 그것이 모두 소득에서 지불된 것이거나 혹은 소득의 생산에 들어간 비용에서 지불된 것이기 때문이다. 그래서 자본도 소득과 마찬가지로 토지에서 비롯된 것이 분명하다. 혹은 자본은 바로 다름 아닌 토지에서 생산된 가치 가운데 소득의 소유자 혹은 그 소득을 나누어 갖는 사람들이 매년 자신들의 필요를 충족하는 데 사용하지 않고 남겨두는 부분의 축적이다."(66쪽)

지대[95]가 유일한 잉여가치이기 때문에 축적도 바로 이 지대를 통해서만 이루어진다는 것은 너무도 당연한 일이다. 그 외에 자본가들이 축적하는[96] 것은 그들이 자신들의 임금에서 떼어낸 것이다. (즉 그들의 소비 용도로 결정되어 있는 소득에서 떼어낸 것이다. 그런 소득이 바로 이윤으로 이해되기 때문이다.)

이윤은 임금과 마찬가지로 경작비로 계산되며 잉여만이 토지소유자의 소득을 이루기 때문에 토지소유자는 사실상 리카도학파의 이론에서와 마찬가지로 그에게 부여된 명예로운 지위에도 불구하고 경작비의 계산에 참여하지 않고 따라서 생산담당자에서 제외된다.

중농주의의 등장은 콜베르주의와의 대립은 물론 특히 존 로의 금융사기

파산과도 관련이 있다.[97] |

4. 파올레티가 가치와 물적 소재를 동일시

|234| 가치와 물적 소재를 혼동하거나 혹은 양자를 동일한 것으로 간주하는 견해, 그리고 이런 견해가 중농주의자들의 전체 사고방식과 어떤 관련이 있는지를 잘 보여주는 대표적 사례는 **페르디난도 파올레티**의 저서『**사회를 행복하게 만드는 올바른 방법**』[98](부분적으로는 중농주의자들을 공격한 베리의 저서『**경제학 고찰**』(1771)[99]에 대한 반론을 겨냥하여 집필한 책이다)(토스카나의 파올레티, **쿠스토디** 엮음, **근세 편**, 제20권)에 나오는 다음 부분이다.

토지생산물과 같이[100] "**물적 소재가** 그처럼 **증가하는 일은** 공업을 통해서는 결코 발생한 적이 없으며 발생할 수도 없다. 공업은 소재에 단지 형태를 부여하거나 그것을 변형할 뿐이다. 따라서 공업을 통해서는 아무것도 창출되지 않는다. 그러나 사람들은 이렇게 반박하기도 한다. 즉 공업은 소재에 형태를 부여하고 따라서 생산적이라는 것이다. 말하자면 공업은 소재를 생산하지는 않지만 형태를 생산한다는 것이다. 좋다, 나도 그것을 부인하지는

G354 않는다. 그러나 **그것은 부의 창출이 아니라 오히려 그 반대로 부의 지출일 뿐이다**. … 경제학은 농업에서만 볼 수 있는 소재의 현실적 생산을 연구의 전제이자 대상으로 삼는다. 왜냐하면 농업만이 부를 이루는 소재와 생산물을 증가시키기 때문이다. … 공업은 농업으로부터 원료를 구매하여 그것을 가공한다. 공업부문의 노동은 우리가 이미 본 바와 같이 바로 이 원료에 형태를 부여하지만 거기에 어떤 것도 더 부가하지 못하며 양을 늘리지도 못한다."(196, 197쪽) "요리사에게 일정량의 완두콩을 주고 그것으로 점심을 만들어 달라고 했다고 하자. 그는 그 콩을 잘 요리해서 먹기 좋게 식탁에 차려줄 것이다. 하지만 이때 그가 내놓는 양은 그가 원래 받았던 양과 똑같은 양일 것이다. 그런데 만일 이 완두콩을 경작자에게 주었다고 하자. 그는 이 콩을 땅에 심어서 일정한 기간이 지나고 나서 적어도 원래 받았던 양의 4배 이상을 돌려줄 것이다. 이것이야말로 유일하게 진정한 생산인 것이다."(197쪽) "물건은 사람들의 필요에 따라 가치를 갖는다. 즉 상품의 가치 혹은 가치의 증가는 공업노동의 결과가 아니라 노동하는 사람들의 지출의 결과이다."(198쪽) "새로운 공업제품이 등장하면 그것은 곧바로 국내외로 신속하게 보급된다. 그리고 얼마 지나지 않아 다른 공업생산자들과 상인들 간의 경쟁으로 그것의 가격은 보통의 수준으로 하락하는데 … 이 수준은 원료의 가치와 노동자들의 생계비에 의해 결정된다."(204, 205쪽)[101]

자연력이 대규모로 사용되는 것은 모든 생산부문 가운데 무엇보다도 농

업부문에서이다. 공업부문에서는 이런 자연력의 대규모 사용이 그것의 발전 수준이 현저하게 높아진 후에야 비로소 나타난다. 다음의 인용문을 통해서 우리는 A. 스미스가 어떻게 아직 대공업의 선행 시기에 해당하는 중농주의의 견해를 보이며 리카도가 근대 공업의 관점에서 여기에 어떻게 답하는지를 볼 수 있다.|

|235| A. 스미스는 (『국부론』—옮긴이) 제2편 제5장에서 지대에 관하여 이렇게 말하고 있다.[102] "지대는 인간의 산물로 간주될 수 있는 모든 것을 공제하거나 보전한 후에 남는 자연의 산물이다. 지대가 총생산물의 4분의 1 이하를 차지하는 경우는 드물며 총생산물의 3분의 1 이상을 차지하는 경우가 잦다. 공업부문에 투입된 생산적 노동은 결코 그만한 크기의 가치를 생산해 낼 수 없다. **공업부문에서는 자연이 수행하는 것이 아무것도 없으며 모든 것을 인간이 수행한다.** 그리고 재생산은 보통 그것을 수행하는 주체의 힘의 크기에 비례할 수밖에 없다." 리카도는 여기에 대해 (『경제학과 조세의 원리』—옮긴이) 1819년 제2판, 61, 62쪽의 주에서 이렇게 말하고 있다.

"공업부문에서는 자연이 인간을 위해 아무것도 하지 않는 것일까? 우리의 기계를 움직이고 배의 항해를 도와주는 바람과 물의 힘이 아무것도 아닌 것일까? 우리에게 놀라운 동력을 작동시켜주는 공기의 압력과 증기의 힘 — 그것은 곧 자연의 선물이 아닌가? 금속을 유연하게 만들고 용해시키는 열의 작용과, 염색과 발효 과정에서 이루어지는 공기의 작용에 대해서는 더더욱 말할 필요도 없는 것이 아닌가? 자연이 인간에게 도움을 그것도 아낌없이 무상으로 제공하지 않는 그런 공업부문이란 어디에도 존재하지 않는다."

리카도는 또한 중농주의자들이 이윤을 오로지 지대에서 공제된 것으로만 간주한다는 점도 다음과 같이 지적하고 있다. G357

"중농주의자들은 예를 들어 레이스 한 조각의 가격에 대해서 이렇게 말한다. 즉 그중 한 부분은 노동자가 소비한 부분을 보전하고 다른 한 부분은 한 사람(즉 토지소유자)[103]의 수중에서 다른 사람의 수중으로 옮겨 갈 뿐이라는 것이다."(『최근 맬서스가 주장하는 **수요의 성질과 소비의 필요에 대한 원리 연구**』, 런던, 1821[104]년, 96쪽)[105]

A. 스미스와 그 후계자들의 견해, 즉 자본축적이 자본가 개인의 근검, 절약, 금욕에서 비롯된다는 견해도 이윤(이자를 포함하는)이 단지 자본가들이 소비하는 소득일 뿐이라는 중농주의자들의 견해에서 나온 것이다. 중농주

제6노트 235쪽

의자들이 그렇게 이야기할 수 있었던 것은 그들이 지대만을 축적의 진정한 경제적 — 다시 말해 정당한 — 원천이라고 간주했기 때문이다.

튀르고는 이렇게 말한다. "그것은", 즉 토지경작자의 노동은 "**노동에 대한 보수를 이루는 것보다 더 많은 것**[106]을 생산하는 유일한 노동이다."(**튀르고**, 앞의 책, 11쪽)[107] 그러므로 여기에서 이윤은 모두 노동에 대한 보수에 포함되어 있다.|

|236| "토지경작자는 이 보상(자신의 임금)을 넘어서서 토지소유자의 소득을 생산한다. 반면 수공업자는 자신은 물론 타인을 위해서도 아무런 소득을 생산하지 않는다."(같은 책, 16쪽) "모든 종류의 선대액과 거기에 수반되는 이윤을 보전하는 수준까지의 토지 생산액은 **소득으로 간주될 수 없고 단지 경작비의 보전으로만 간주할 수 있다**.[108]"(같은 책, 40쪽)[109]

A. 블랑키는 『**유럽 경제학의 역사**』(**브뤼셀, 1839년**)[110] 139쪽에서 (중농주의자들의 견해에 대하여 — 옮긴이) 이렇게 말하고 있다.

"토지 경작에 사용되는 노동은, 노동이 이루어지는 전 기간 동안 노동자가 자신의 생계를 유지하는 데 필요한 부분뿐 아니라 **가치의 잉여분**[111](잉여가치) — 기존 부의 양에 추가될 수 있는 부분 — 도 함께 생산한다. 이들(중농주의자들을 가리킴 — 옮긴이)은 이 잉여분을 **순생산물**이라고 불렀다. (따라서 이들은 잉여가치를 그것이 취하는 형태인 사용가치로 이해했다.) 순생산물은 반드시 토지소유자에게 귀속되어야만 하고 그의 수중에서 그가 자유롭게 처분할 수 있는 소득을 이루는 것이어야만 했다. 그렇다면 다른 산업부문의 순생산물은 무엇이었는가? … 공업생산자, 상인, 노동자 — 이들 모두는 농업생산자(모든 부를 궁극적으로 창출하고 분배하는)에게 **고용된 사람들**일 뿐이다. **경제학자들**[112](중농주의자들 — 옮긴이)의 체계에 따르면 이들의 노동생산물은 그들이 노동을 수행하는 동안 소비하는 부분의 등가를 나타낼 뿐이며, 따라서 이들이 노동을 모두 마친 후 부의 총량은 — **노동자든 고용주든 이들이 원래 소비하도록 되어 있던 부분 가운데 일부를 남기지**(즉 저축하지)[113] **않는 한**[114] — 처음과 똑같은 것이었다. 따라서 토지에 사용된 노동만이 유일하게 부를 생산하는 노동이며 다른 산업부문의 노동은 **비생산적인 것**[115]으로 간주되었다. G358 **왜냐하면 이들 노동은 사회적 자본에 어떤 증가도 가져오지 않기 때문이었다.**"[116] (이리하여 중농주의자들은 자본주의적 생산의 본질을 잉여가치의 생산으로 보았다. 그들은 이 현상을 설명해야만 했다. 그들이 중상주의의 양도이윤을 폐기하고 나자 이것은 당장 문제가 되었다. **메르시에 드**

라 리비에르는 이렇게 말한다. "화폐를 얻기 위해서 사람들은 그것을 구매해야 하는데 이 구매를 통해서는 원래보다 부가 전혀 늘어나지 않는다. 사람들은 단지 그가 상품으로 양도해준 것과 똑같은 크기의 가치를 화폐로 갖게 되었을 뿐이다."(**메르시에 드 라 리비에르**, 『**정치 사회의 자연적 · 본질적 질서**』, 제2권, 338쪽) 이것은 ||237| 구매와 판매는 물론 상품의 모든 형태변화의 결과, 그리고 서로 다른 상품들 간의 가치대로의 교환, 즉 등가물들 간의 교환에 모두 해당된다. 그렇다면 잉여가치는 어디에서 오는가? 즉 자본은 어디에서 오는가? 이것이 바로 중농주의자들이 당면한 문제였다. 그들의 오류는 식물의 자연적 성장과 동물의 자연적 번식을 통해 농업과 목축을 공업과 구별시켜주는 **물적 소재의 증식**을 **교환가치의 증식**과 혼동한 점에 있었다. 그들은 사용가치에 기초해 있었다. 그리고 모든 상품의 사용가치 — 스콜라학파가 이야기했던 것과 같은 하나의 보편적 존재로 환원되는 — 는 자연소재 그 자체였으며, 그것의 주어진 형태 그대로의 증식은 오로지 농업부문에서만 이루어질 수 있는 것이었다.)

A. 스미스의 번역자이자 그 자신 중농주의자였던 G. 가르니에는 중농주의의 **절약설**을 제대로 제기했다. 먼저 그는 단지 이렇게 말한다. 즉 중상주의자들이 모든 생산에 대해서 주장했던 것처럼, 공업은 상품을 그 가치 이상으로 판매함으로써, 말하자면 **오로지** 양도이윤을 통해서만 잉여가치를 창출할 수 있으며, 따라서 공업에서는 이미 창출된 가치의 새로운[117] 재분배만 일어날 뿐 새로 창출된 가치가 추가되는 일은 일어나지 않는다는 것이다. "부의[118] 아무런 새로운 원천도 열어주지 않는 수공업자와 공업생산자의 노동은 **오로지 유리한 교환을 통해서만 이윤을 얻을 수 있으며**, 이 이윤은 순수하게 상대적인 가치, 즉 만일 **교환을 통해 이익을 얻을** 기회가 다시 나타나지 않는다면 더는 존재하지 않을 가치에 불과하다."[119](애덤 스미스의 『국부론』, 가르니에의 번역판, 제5권, 파리, 1802년, 266쪽)[120] 그렇기 때문에 공업생산자들의 절약 부분, 즉 그들이 지출 부분을 공제한 후에 남긴 가치는 그들 자신의 소비를 줄여야만 얻을 수 있는 것이다. "물론 수공업자와 공업생산자의 노동은 자신들의 절약 — 즉 임노동자와 자본가가 수행하는 방법인데 그들도 물론 이 방법을 통해 사회적 부의 총량을 증가시키는 데 기여할 수 있다 — 이외의 방법으로는 사회적 부의 총량에 아무것도 부가할 수 없다."(같은 책, 266쪽) 그는 이것을 좀 더 자세히 다음과 같이 이야기한다.

"농업부문의 노동자는 자신의 노동이 만들어내는 생산물 그 자체를 통해서 국가를 부유하게 만든다. 반면에 공업과 상업 부문의 노동자들은 **자신들**

의 소비를 절약함으로써만 국가를 부유하게 할 수 있다. 경제학자들의 이런 주장은 이들 양자를 구별한 그들의 논리적 귀결이며 전혀 논란의 여지가 없 G359 는 것처럼 보인다. 사실 수공업자와 공업생산자의 노동은 그들 자신의 노동의 **가치**—다시 말해서 이 노동이 이루어지고 있는 나라에서 전반적으로 ||238| 통용되는 비율에 따라 주어지는 임금과 이윤의 가치—이외에는 어떤 가치도 소재의 가치에 더 부가할 수 없다. 그런데 이 임금은 그것이 얼마가 되었든 노동에 대한 보수이다. 그것은 노동자가 소비하도록 되어 있는 것이고 또 실제로 그렇게 소비되기도 한다. 왜냐하면 그는 소비를 통해서만 노동의 결실을 누릴 수 있으며 이런 그의 소비야말로 사실상 그의 모든 보수를 나타내는 것이기 때문이다. 이와 마찬가지로 이윤도 그것이 얼마가 되었든 바로 자본가의 일상적 소비로 간주되며, 자본가의 이 소비는 자본가가 자본을 투하한 대가로 얻는 소득에 맞추어져 있다는 것이 당연한 것으로 전제되어 있다. 따라서 만일 노동자가 **자신의 노동에 대한** 대가로 주어진 임금률에 따라 자신이 누릴 수 있는 권리로 인정된 소비 가운데 일부분을 포기하지 않는다면, 그리고 만일 자본가가 자본을 투하한 대가로 얻는 소득 가운데 일부를 절약하지 않는다면, 노동자도 자본가도 모두 노동이 끝나는 순간 바로 이 노동으로부터 얻어낸 가치 전체를 소비하게 될 것이다. 결국 만일 이들이 소비할 권리를 가진 것—즉 이들이 낭비자로 간주되지 않으면서 소비할 수 있는 것—가운데 일부를 **절약하지 않는다면** 이들의 노동이 끝난 다음 사회적 부의 총량은 이전에 비해 아무런 변함이 없을 것이다. 이 경우 사회적 부의 총량은 **이들이 절약한 가치의 크기**만큼 증가할 것이다. 그러므로 우리는 공업과 상업에 종사하는 사람들이 **기존의 사회적 부의 총량을 증가시킬 수 있는 것은 오로지 자신들의 절약을 통해서일 뿐이라고** 당연히 말할 수 있다."(같은 책, 263, 264쪽)[121]

가르니에는 절약을 통해 축적이 이루어진다는 A. 스미스의 이론이(A. 스미스는 중농주의에 심하게 물들어 있었는데 그것을 가장 잘[122] 보여주는 것이 그의 중농주의 비판이었다) 이런 중농주의적 기초 위에 서 있었다는 것을 올바로 느끼고 있었다.

가르니에는 이렇게 말한다.

"결국 경제학자들(중농주의자들을 가리킴—옮긴이)은 공업과 상업이 국가의 부를 증가시킬 수 있는 것은 오로지 그들의 절약을 통해서일 뿐이라고 주장했고, 스미스도 이와 마찬가지로 만일 경제가 스스로의 절약을 통해 자

본을 증가시키지 않는다면 한 나라의 자본은 결코 증가할 수 없으며 공업의 운용도 아무런 의미가 없이 헛된 것이 된다고 말하고 있다.(제2편, 제3장)[123] 따라서 스미스는 경제학자들과 전적으로 의견이 일치한다 등등."(같은 책, 270쪽)|

6. 자본주의적 대규모 농업을 지지하는 중농주의

|239| 중농주의의 확대와 그것의 등장 자체도 촉진한 직접적인 역사적 상황에 대해서 블랑키는 앞에서 인용한 책에서 이렇게 말하고 있다.

(존 로의) "**금융사기**의 들뜬 분위기 속에서 화려하게 피어난 모든 가치들

G360 [124] 가운데 파멸과 절망 그리고 파산 외에는 아무것도 남지 않았다. 그러나 [125]**토지소유 하나만은** 이 폭풍우 속에서도 몰락하지 않았다." 〔바로 이 때문에 프루동의 『빈곤의 철학』에서는 토지소유가 신용 바로 다음에 자리를 잡고 있다.〕 "토지소유의 상태는 심지어 개선되기까지 했는데 이는 아마도 봉건제 이후 **최초로** 토지가 여러 사람의 손을 거치게 되었고 **상당한 정도로 세분화되었기** 때문이다."(같은 책, 138쪽) 즉 "이 체제의 영향을 받아 진행된 무수히 많은 소유권의 변경을 통해 토지소유는 세분화되기 시작했다. … 토지소유는 봉건체제 아래 그렇게 오랫동안 묶여 있던 고착된 상태에서 처음으로 벗어났다. 그것은 진정한 의미에서 농업을 위한 각성이었다. … 토지는 죽은 손의 체제로부터 유통의 체제로 넘어갔다."(137, 138쪽)

튀르고도 **케네**와 그의 추종자들과 마찬가지로 농업부문 내부에서의 **자본주의적** 생산을 원하고 있다. 그래서 튀르고는 이렇게 말한다. "토지의 임대 … 이 방식(근대적 임대제도에 기초한 대규모 농업)은 가장 유리한 방식이긴 하지만 이미 충분히 부유한 나라에나 적용될 수 있는 것이다."(**튀르고**, 앞의 책, 21[126]쪽을 보라)[127] 그리고 케네는 그의 『농업국가의 경제정책의 일반적 원칙』에서 이렇게 말한다. "곡물 경작에 사용되는 토지는 부농(즉 자본가)이 경작하는 대규모 차지농장에 최대한 통합되어야만 한다. 왜냐하면 대규모 농장에서는 소규모 농장의 경우보다 건물의 유지 보수에 대한 지출이 적고 생산비도 상대적으로 훨씬 적게 들어서 순생산물이 훨씬 늘어나기 때문이다." 동시에 케네는 이 부분에서 농업노동의 생산성 증가가 "순소득"에 해당하고 따라서 그것은 우선적으로 토지소유자, 즉 잉여가치의 소유자에게 돌아간다는 것, 그리고 이 잉여가치의 상대적인 증가는 토지로부터 나오는 것이 아니라 노동생산성을 높이는 사회적 조치들로부터 나오는 것이라는 점을 인정한다. ||240| 왜냐하면 그는 방금 언급한 부분에서 이렇게 말하고 있기 때문이다. "동물, 기계, 수력 등의 도움을 받아 수행될 수 있는 그

런 노동의 모든 유리한〔즉 순생산에 유리한〕 절약은 주민들의 이익이 된다."[96/97쪽] 또한 메르시에 드 라 리비에르도 앞의 책 407쪽에서 공업부문의 잉여가치는 적어도(위에서 언급했듯이 튀르고는 이것을 모든 산업부문으로 확대했다) 공업노동자 자신과 어떤 관계가 있다는 생각을 어렴풋이 했다. 즉 이 부분에서 그는 이렇게 말하고 있다.

"겉만 번드레한 공산품을 맹목적으로 찬양하는 사람들이여, 그 열정을 좀 식히라. 공업의 기적을 찬양하기 전에 먼저 20수(sou: 5상팀에 해당하는 동전의 이름, 1프랑=100상팀 ― 옮긴이)의 가치를 1천 에퀴(écu: 5프랑에 해당하는 은화의 이름 ― 옮긴이)로 전화시키는 기술을 가진 노동자들[128]이 얼마나 가난하며 궁핍하게 사는지를 눈을 크게 뜨고 보라. **가치의 이런 엄청난 증가로부터 이익을 보는 사람은 도대체 누구인가? 보라! 자신의 손으로[129] 그 부를 만들어내는 사람은 아무런 혜택도 누리지 못하고 있다. 이 대비되는 현상에 주의를 기울이도록 하라!**"[130]

7. 중농주의자들의 정치적 견해의 모순. 중농주의자들과 프랑스 혁명

중농주의 경제학자 전체의 모순은 케네도 그러했듯이 절대주의를 지지하고 있었다는 점이다.

G361

"권력은 유일한 것이어야 한다.[131] … 통치에서 서로 대립되는 세력이 존재하는 체계는 파멸적인 것이다. 그런 체계는 상층계급 사람들 간의 분열과 하층계급에 대한 억압을 알려주는 것일 뿐이다."(위에서 인용한 케네의 『농업국가의 경제정책의 일반적 원칙』, [81쪽]) 메르시에 드 라 리비에르는 이렇게 말한다. "인간은 이미 사회 속에서 살도록 되어 있기 때문에 전제군주제 아래에서 살도록 되어 있다."[132](메르시에, 『정치 사회의 자연적·본질적 질서』, 제1권, 281[133]쪽) 게다가 "인민의 벗"인 미라보도 역시 그러했다! 아버지 미라보! 그리고 바로 이 학파는 자유방임주의를 지지하면서 콜베르주의를 배격하고 부르주아 사회의 활동에 대한 정부의 모든 개입을 반대했다. 이들은 국가를 이 사회의 틈새 속에서만 겨우 연명하도록 했는데 이는 마치 에피쿠로스가 신들을 세계의 틈새 속에서만 존재하게 만들었던 것과 마찬가지이다.[134] 그러나 토지소유에 대한 찬양은 실천적으로 지대에만 과세하라는 요구로 바뀌었는데 이것은 국가가 토지소유를 사실상 몰수할 수 있는 것을 의미하고 이는 곧 급진적인 리카도학파의 주장과 동일하다. 뢰더러를 위시한 많은 사람들의 반대에도 불구하고 프랑스 혁명은 이 조세이론[135]을 실제로 채택했다.

튀르고[136] 자신은 프랑스 혁명을 이끌어낸 [137]급진적인 부르주아 장관이

었다. 중농주의자들은 잘못된 온갖 봉건적 외피를 두르고 있었음에도 불구하고 백과전서파[138]와 긴밀하게 손을 잡고 있었다.|

(MEW에서는 G361쪽의 마지막 단락 "튀르고는 프랑스 혁명이 … G362 … 단일 조세를 도입하려 했다"를 이 자리로 옮겨놓았음 — 옮긴이)

|241| 우리는 나중에 자본의 분석에 관한 중농주의자들의 위대한 업적을 다시 한번 살펴보게 될 것이다.[139]

그래서 여기에서는 단지 이 점만을 언급해두고자 한다. 즉 (중농주의자들에 의하면)[140] 잉여가치는 특정한 종류의 노동인 농업노동의 생산성으로부터만 나온다는 것이다. 그리고 전체적으로 이 특정한[141] 생산성은 자연 그 자체에서 비롯된 것이다.

————[142]

중상주의에서 잉여가치는 단지 상대적인 것일 뿐이다. 한쪽의 이익은 다른 쪽의 손실이다. 즉 양도에[143] 의한 이윤 혹은 두 사람 사이의 부의 변동이 있을 뿐이다. 그러므로 총자본의 관점에서 본다면 한 나라 안에서 잉여가치의 형성이란 사실상 존재하지 않는다. 잉여가치의 형성은 오로지 나라와 나라 사이의 관계에서만 있을 수 있다. 한 나라가 다른 나라에 대해서 실현하는 잉여는 화폐(무역 차액)로 나타나는데 이는 바로 화폐야말로 교환가치의 직접적이고 자립적인 형태이기 때문이다. 이와 반대로 — 왜냐하면 중상주의 체계는 사실상 절대적 잉여가치의 형성을 부인하기 때문에 — 중농주의는 절대적 잉여가치, 즉 **순생산물**을 설명하려 한다. 그리고 중농주의는[144] 사용가치에 매달려 있기 때문에 농업만이 바로 그런 순생산물을 형성하는 유일한 산업부문이 된다.

————

튀르고는 프랑스 혁명이 시행할 조치들을 앞질러 시행하고자 노력했다. **1776년 2월** 포고령을 통해서 그는 동직조합을 철폐했다. (이 포고령은 포고된
G362 지 3개월 후 철회되었다.) 또한 그는 도로 부설에 대한 농민의 부역도 철폐했으며 지대에 대한 단일 조세를 도입하려 했다.

145

중농주의를 보여주는 극히 소박한[146] 표현 가운데 하나로 — 튀르고와는 상당한 거리가 있지만 — 대중선동가[147]를 적발해내는 노회한 인물로서 프로이센 왕실[148] 추밀원 의원이던 슈말츠를 들 수 있다. 예를 들어 그는 이런 말을 하고 있다. "만약 자연이 그(부동산 임대인, 토지소유자)에게 **법정 이자보다 두 배 높은 이자**[149]를 지불한다면[150] 어떤 이유로 그의 이 소득을 박탈할 수 있겠는가?"(『**경제학**』, 앙리 조프루아 옮김, 제1권, 파리, 1826년, 90쪽)

8. 프로이센의 반동가 슈말츠가 중농주의 이론을 속류화

임금의 최저한도에 대한 중농주의자들의 생각은, 노동자들의 소비(혹은 지출)는 **그들이 받는** 임금과 같다는 형태로 표현된다. 슈말츠는 이것을 더 일반화하여 표현하는데 그것은 다음과 같다(같은 책, 120쪽). "어떤 직종의 평균임금은 이 직종에 종사하는 사람이 자신이 노동하는 기간 동안 평균적으로 소비하는 것과 동일하다."

"**지대**는 국민소득의 유일한 요소이다. ||242| 자본투자에 대한 이자는 물론 온갖 종류의 노동에 대한 임금도 모두 이 지대의 산물이 다른 사람들의 수중으로 옮겨 간 것일 뿐이다."(**슈말츠**, 앞의 책, 제1권, 309, 310쪽) "토지의 사용, 토지의 능력, 즉 매년 지대를 생산하는 그 능력이야말로 국부를 이루는 모든 요소이다."(같은 책, 310쪽) "만일 어떤 물건이든 모든 물건의 **가치**[151]의 토대, 즉 궁극적인 요소를 이야기한다면 우리는 이 가치가 다름 아닌 오로지 자연생산물의 가치일 뿐이라는 점을 인정해야만 한다. 다시 말해서 노동이 어떤 물건에 대해 새로운 가치를 부가하고 따라서 그 가격을 상승시킨다 하더라도 이 새로운 가치 혹은 가격은 오로지 모든 자연생산물 — 노동자가 이런저런 방식으로 소비했거나, 혹은 노동이 이 물건에 새로운 형태를 부여하기 위해 파괴하거나 소비한 — 의 가치의 총액으로만 이루어진다."(같은 책, 313쪽)

"이런 종류의 노동(진정한 의미에서의 농업노동)만이 **새로운 물체**[152]를 창출하는 데 기여하는 유일한 노동이다. 그러므로 이 노동만이 어느 정도까지 생산적이라고 간주할 수 있는 유일한 노동이기도 하다. 가공이나 공업부문의 노동은 … 자연이 만들어낸 물체에 새로운 형태를 부여할 뿐이다."(**슈말츠**, 앞의 책, 15, 16쪽)

G363 중농주의자들의 편견에 대한 반론.

9. 중농주의자들의 편견에 대한 반론

[153]**베리**(**피에트로**): 『**경제학 고찰**』(1771년 초판 인쇄) 제15권(**쿠스토디** 엮음, 근세 편), [21,] 22쪽. "천지 만물의 모든 현상은 그것이 인간의 손에 의한 것이든, 자연의 일반적 법칙에 의한 것이든 모두 사실상 새로운 **창출**이 아니라 단지 소재의 **변형**에 지나지 않는다. **결합**과 **분리**는 인간의 정신이 **재생산**을 분석할 때 반복적으로 나타나는 유일한 요소이다. 토지와 공기, 그리고 물이 경작지에서 밀로 전화하고, 사람의 손을 통해 곤충의 몸에서 나온 실이 비단으로 바뀌고, 몇 개의 금속 조각이 조립되어 회중시계가 되는 것은 모두 똑같이 **가치**와 **부의 재생산**과 관련되어 있다." 또한 중농주의자들은 "공업노동자계급을 **비생산적**"이라고 말하는데[154] "왜냐하면 중농주의자들의 견해에 따르면 **공업생산물의 가치**는 **원료**에다 **공업노동자들이 노동하는 동안 소비한 식량수단을 합한 것과 같기**[155] 때문이다."(같은 책, 25쪽)|[156]

|243| 한편 베리는 공업생산자들이 점차 부유해지는 것과는 반대로 농민들은 계속해서 빈곤에 처해 있는 점에 주의를 기울이고 계속해서 이렇게 말한다. [157]"이것은 공업생산자가 받는 가격에 [158]**그가 지출한 소비의 보전 부분뿐** 아니라 **그것을 초과하는 일정한 부분이 포함되어 있다**는 것을 보여준다. **그리고 이 초과 부분은** 연간 생산에서 **창출된 새로운 가치량**[159]이다."(같은 책, 26쪽) [160]"즉 새로 창출된 가치는 농업 혹은 공업 부문 생산물의 가격 가운데 이들이 원료의 **원래 가치**와 노동기간 동안 소요된 비용을 **초과하는** 부분이다. 농업에서는 종자와 토지경작자의 소비 부분이 공제되어야 하고 공업부문에서도 마찬가지로 원료와 공업노동자의 소비 부분이 공제되어야 한다. 그리고 **새로운 가치는 이들 공제분을 제외한 나머지 부분**만큼 매년 창출된다."(같은 책, 26, 27쪽)

c) A. 스미스

우리가 다룰 만한 가치가 있는 모든 경제학자와 마찬가지로 A. 스미스도 그가 임금의[1] 자연가격이라고 부른 평균임금의[2] 개념을 중농주의에서 취했다. "인간은 항상 자신의 노동으로 살아가야만 하고 그의 임금은 적어도 그의 생계를 영위하기에 충분해야 한다. 대부분의 경우 이 임금은 그의 생계를 위한 것보다 더 커야 하는데, 만일 그렇지 않을 경우에는 노동자가 자신의 가족을 부양할 수 없게 되어 노동자는 한 세대 이상 존속할 수 없게 될 것이기 때문이다."(제1권, 제1편, 제8장, 136쪽)[3] 1. 스미스의 이중적인 가치규정

A. 스미스는 노동생산력의 발전이 노동자 자신에게는 이익이 되지 않는다고 명시적으로 밝히고 있다. 그는 이렇게 말한다.

제1편, 제8장(매컬럭 엮음, 런던, 1828년). "노동생산물은 노동의 자연적 보수, 즉 임금을 이룬다. **토지소유**와 **자본축적**이 이루어지기 전인 원시 상태에서는 모든 노동생산물이 노동자에게 귀속된다. 노동생산물을 함께 나누어야 할 토지소유자나 자본가는 아직 존재하지 않는다. 만일 이런 상태가 계속되었다면 임금은 **분업**을 통한 **노동생산력의 온갖 증대와 함께 증가했을 것이다**. 모든 물건의 가격은 점차 하락했을 것이다. 〔어떤 경우든 재생산에 필요한 노동량이 감소한 물건은 모두 가격이 하락하게 되어 있었고 실제로도 그렇게 하락했다.〕 이들 물건은 모두 더 적은 노동량에 의해 생산되었을 것이다. 그리고 이런 상태에서 당연히 동일한 노동량에 의해 생산된 상품들이 서로 교환될 것이므로 이들 상품은 역시 ||244| 더 적은 노동량의 생산물과 교환되었을 것이다. 그러나 노동자가 자신의 노동생산물을 모두 취하는 이런 원시 상태는 **토지소유와 자본축적이 도입되자마자 더는 유지될 수 없었다**. 따라서 그것은 노동생산력의 현저한 발전이 이루어지기 훨씬 전에 이미 사라졌고, 이런 상태가 노동의 보수나 임금에 어떤 영향을 미쳤을지를 계속 연구하는 것은 무의미한 일일 것이다."(제1권, 107~109쪽)[4] G364

A. 스미스는 여기에서 사실상 노동생산력의 현저한[5] 발전이, 노동이 임노동으로 전화하고[6] 이 임노동에 대하여 노동조건이 한편에서는 토지소유로, 다른 한편에서는 자본으로 대립하고 나서야 비로소 시작된다는 것을 잘 지적하고 있다. 즉 노동생산력의 발전은 노동자가 자신의 노동 결과물[7]을 더는 취할 수 없는 조건에서 비로소 시작된다. 따라서 노동생산물(또는 생산물의 가치)이 노동자 자신에게 귀속된다는 가정 아래 노동생산력의 증대가

"임금"(여기에서는 곧 노동생산물을 가리킨다)에 어떤 영향을 미쳤으며 또 앞으로 미치게 될 것인지를 연구하는 것은 전혀 쓸모없는 일이다.

A. 스미스는 중농주의자들의 생각에 매우 깊이 물들어 있었고,[8] 종종 중농주의자들의 생각이 통째로 그의 저작에 들어와 있는 경우도 있었는데 이들 생각 가운데에는 애덤 스미스 자신의 견해와 완전히 모순되는 것들도 있었다. 예를 들어 지대이론 같은 것들이 바로 그렇다. 애덤 스미스의 저작 가운데 그의 독자적인 생각이 아니라 단순히 중농주의자들의 생각을 반영하고 있을 뿐인 이런 부분들은 여기에서 우리의 논의 목적상 모두 배제하기로 한다.

이 저작의 첫 부분에서 상품[9]을 분석하면서 나는 이미 다음과 같은 사실을 보여준 바 있다.[10] 즉 A. 스미스는 교환가치[11]의 결정요인에 대해 오락가락하는데, 특히 **상품**[12]가치의 결정요인에 대해서 그것의 생산에 필요한 노
G365 동량이라는 요인과 상품을 구매할 수 있는 살아 있는[13] 노동의 양[14] — 혹은 같은 말이지만 일정량의 살아 있는 노동을 구매할 수 있는 상품량[15] — 이라는 요인 사이에서 이들을 서로 혼동하거나 또는 배제하는 방식으로 오락가락하고 있었다. 이 후자의 경우 그는 노동의 **교환가치**[16]를 상품가치의 척도로 삼고 있다. 그것은 사실상 **임금**을 가리키는데 왜냐하면 임금은 일정량의[17] 살아 있는 노동으로 구매하는 상품량 — 혹은 일정량의 상품으로[18] 구매할 수 있는 노동량 — 과 같기 때문이다. 노동의 가치 혹은 노동력의 가치는 다른 모든 상품과 마찬가지로[19] 변동하며 다른 모든 상품과 전혀 구별되지 않는다. 여기에서는 가치가 가치의 척도이자 그것을 설명하는 근거로 사용되고 있고, 따라서 그것은 순환 논법이다.

그러나 앞으로의[20] 서술에서 드러나겠지만 이들 서로 다른 가치결정요인[21]에 대한 혼란은 잉여가치의 본질과 원천에 대한 스미스의 연구를 전혀 방해하지 않았다. 왜냐하면 그는 그가 논의를 전개하는 모든 곳에서 사실상 — 그것을 알지 못하면서도[22] — 상품의 교환가치의 올바른 결정요인[23]에 대한 견해, 즉 상품생산에 들어간 노동량(혹은 노동시간)에 의해 그것이 결정된다는 견해를 고수했기 때문이다.|

(MEW에는 G416쪽의 "〔애덤 스미스가 그의 저작에서 … 교환되었다는 것을 의미한다. (제2권, 156쪽)〕"이 이 자리에 삽입되어 있음 — 옮긴이)

|245| 그런데 이 모순과 두 설명방식 사이에서 거듭 오락가락하는 혼란은 A. 스미스에게서 더 깊은 뿌리를 가지고 있다. 리카도는[24] 이 모순을 폭로했

을 때 그것의 의미를 간과하고 올바로 평가하지 못했고 따라서 그것을 해결하지도 못했다. 모든 노동자가 상품생산자로서 자신의 상품을 생산할 뿐 아니라 그것을 판매하기도 한다고 가정하자. 이 상품의 가치는 그 속에 포함된 필요노동시간에 의해 결정된다. 따라서 상품이 가치대로 판매된다면 노동자는 12시간의 노동을 통해 생산된 어떤 상품으로 다른 상품의 형태를 취하는 똑같은 12시간의 노동—즉 다른 사용가치로 실현된 12시간의 노동—을 구매할 것이다. 그리하여 그의 노동의 가치는 그의 상품의 가치, 즉 12시간의 노동생산물과 같을 것이다. 판매와 구매(즉 전체 교환과정, 혹은 상품의 형태변화)는 이 과정에서 아무것도 변화시키지 않는다. 그것은 단지 12시간의 노동으로 표현되는 사용가치의 모습만을 바꿀 뿐이다. 따라서 노동의 가치는 노동생산물의 가치와 동일하다. 첫째 상품들을 통해서—그것들이 자신들의 가치대로 교환되는 한—동일한 양의 대상화된 노동이 교환된다. 그리고 둘째 일정량[25]의 살아 있는 노동이 같은 양의 대상화된 노동과 교환된다. 왜냐하면 첫째[26] 살아 있는 노동이 하나의 생산물(즉 노동자에게 귀속되는 하나의 상품)로 대상화되고, 둘째 이 상품이 다시 같은 크기의 노동량을 포함하는 다른 상품과 교환되기 때문이다. 그리하여[27] 사실상 일정량의 살아 있는 노동이 같은 크기[28]의 대상화된 노동과 교환된다. 결국 단지 상품과 상품이 대상화된 같은 크기의 노동시간을 나타내는 비율에 따라 교환될 뿐 아니라 일정량의 살아 있는[29] 노동[30]이 같은 크기의 노동을 대상화한 상품과 교환된다. 이런 전제하에서는 노동의 가치(주어진[31] 양의 노동으로 구매할 수 있는 상품량, 혹은 주어진 양의 상품으로 구매할 수 있는 노동량)는 상품에 포함된 노동량과 마찬가지로 상품의 가치척도로 간주될 것이다. 왜냐하면 노동의 가치는 언제나 이 상품의 생산에 필요한 살아 있는 노동과 같은 양의 노동을 대상화한 것이기 때문이다. 혹은 일정량의 살아 있는 노동시간은 언제나 같은 크기의 노동시간으로 대상화된 일정량의 상품을 지배하기 때문이다. 그러나 노동의 대상적[32] 조건이 하나 혹은 몇몇[33] 계급에 속하고 다른 계급(즉 노동자계급)은 노동력만을 가지고 있는 모든 생산양식(자본주의 생산양식도 포함하여)에서는 이것이 반대로 나타난다. 노동생산물 혹은 노동생산물의 가치는 노동자에게 귀속되지 않는다. 일정량의 살아 있는 노동은 같은 크기의 대상화된 노동을 지배하지 않으며, 일정량의 상품으로[34] 대상화된 노동은 상품에 포함된 것보다 더 많은 양의 살아 있는 노동을 지배한다. G366

그런데 A. 스미스는 상품과 상품교환으로부터 올바로 출발하기 때문에,

즉 생산자들은 원래 단지 상품소유자(즉 상품판매자와 상품구매자)로서만 서
로 마주 보기 때문에, 그는 자본과 임노동(즉 ||246| 대상화된 노동과 살아 있
는 노동) 사이의 교환에서는 교환의 일반적 법칙이 곧바로 폐기되어버리고[35]
상품들[36](왜냐하면 노동도 그것이 매매되는 한에서는 상품이기 때문이다)은 그
것들이 나타내는 노동량의 비율대로 교환되지 않는다는 것을 발견하고 있
다(그에게는 그렇게 보인다). **그래서** [37]그는 노동조건이 토지소유와 자본의 형
태를 띠고 임노동자와 마주 서는 순간 노동시간은 상품의 교환가치를 규제
하는 내재적인 척도가 아니라고 결론을 내린다. 그러나 그는 사실 리카도
가[38] 올바로 지적했듯이 정반대의 결론을 내렸어야만 했다. 즉 "노동량"과
"노동가치"라는 [39]표현은 이제 더는 같은 의미가 아니게 되었으며, 따라서
상품의 상대적 가치는 비록 그것에 포함된 노동시간에 의해 규제되기는 하
지만, 노동가치에 의해 규제되지는 않게 되었다고 — 왜냐하면 상품의 상대
적 가치가 노동가치에 의해 규제되는 것은 오로지 상품에 포함된 가치가 노
동가치와 일치할 경우에만 성립하는 것이기 때문에 — 했어야만 했던 것이
다. 노동자가 자신의 생산물(즉 자신의 생산물의 가치)을 직접 취하는 경우에
도 이 가치(혹은 노동의 가치)를 가치의 척도로 삼는 것 — 노동시간 혹은 노
G367 동 그 자체가 가치의 척도이고 가치를 창출하는 요소라는 생각[40] — 은 잘못
된 생각인데 [41]그것은 나중에 맬서스를 다루면서[42] 다시 이야기하게 될 것이
다. 그럴 경우에도 상품을 가지고 구매할 수 있는 노동은 그 상품에 포함된
노동과 같은 의미의 척도로서 간주될 수 없을 것이다. 후자는 단지 전자의
지표일 뿐일 것이다.

어쨌든 A. 스미스는 상품교환[43]을 규정하는 법칙에서, 이 법칙과는 전적으로 대립되고 모순되는[44] 원칙들에 기초한 것처럼 보이는 자본과 노동 간의 교환을 도출해내는 것이 어렵다는 것을 느끼고 있었다. 또 자본이 노동력이 아니라 노동과 직접 마주 서 있는 한 이 모순은 설명될 수도 없었다. 노동력이 자신을 유지하고 재생산하는 데 소요되는 노동시간과 노동력이 직접 수행할 수 있는 노동이 매우 다르다는 것을 A. 스미스는 잘 알고 있었다. 그래서 그는 캉티용의 『상업 일반의 성질에 대한 고찰』을 다음과 같이 인용하기도 했다. "이 저자(캉티용 — 옮긴이)는 건장한 노예의 노동은 그 노예를 유지하는 데 들어가는 비용에 비해 2배의 가치를 갖는다고 덧붙이고 있다. 또한 그는 아무리 약한 노동자의 노동이라도 이 건장한 노예에 비해서 결코 못지 않은 가치를 가지고 있다고 생각한다."(『국부론』, **가르니에** 옮김, 제1권, 제1편,

제8장, 137쪽)

한편 A. 스미스가, 그가 부딪힌 이 문제가 상품교환을 규제하는 법칙과 아무런 관련이 없다는 것을 알지 못했다는 것은 특이한 일이다. 상품 A와 B가 그 속에 포함된 노동시간의 비율에 따라 교환된다는 사실은, A와 B의 생산자들이 생산물 A와 B(혹은 A와 B의 가치)를 서로 배분하는 비율과는 아무런[45] 관련이 없다. A 가운데 일부가 토지소유자에게, 다른 일부가 자본가에게, 그리고 나머지 일부가 노동자에게 돌아간다는 사실은, 이들 간의 배분 비율이 어떻게 되든, A가 자신의 가치에 따라 B와 교환된다는 사실에 아무런 영향도 미치지 않는다. 상품 A와 B에 포함된 노동시간의 비율은 A와 B에 포함된 노동시간이 사람들 사이에서 어떻게 배분되는지에 의해서는 아무런 영향도 받지 않는다. "아마포와 직물이 서로 교환된다면 직물 생산자는 그가 원래 직물에 대해서 가지고 있던 비율과 동일한 비율을 아마포에서 갖게 될 것이다."(마르크스, 『철학의 빈곤』, 29쪽) 리카도학파가 나중에 ||247| A. 스미스에게 올바르게 제기한 반론도 바로 이것이었다. 맬서스주의자 존 카제노브도 이렇게 말했다. "상품의 교환과 분배는 마땅히 구별되어야 한다.[46] … 전자에 영향을 끼치는 요인이 언제나 후자에도 영향을 끼치는 것은 아니다. 예를 들어 어떤 한 상품의 생산비 감소는 다른 모든 상품에 대한 이 상품의 비율을 변화시킬 것이다. 그러나 그것이 반드시 이 상품 자체의 분배를 변화시키거나 어떤 경로를 통해 다른 상품의 분배에 영향을 끼치지는 않을 것이다. 또한 모든 상품들에서 **똑같이** 이루어지는 가치의 전반적인 하락은 이들 상품 상호 간의 비율에 아무런 변화도 가져오지 않을 것이다. 그것은 이들 상품가치의 분배에 영향을 끼칠 수도 있고 끼치지 않을 수도 있을 것이다 등등."(**존 카제노브, 맬서스의 『경제학의 주요 개념』**, 카제노브 엮음, 런던, 1853년, 서문[6쪽])[47]

그러나 자본가와 노동자 간의 생산물가치의 "분배"는 상품들—즉 상품과 노동력—간의 교환에 기초하기 때문에 A. 스미스의 혼란은 당연한 일이다. 어떤 때는 노동가치를, 또 어떤 때는[48] 한 상품(또는 화폐)이 구매할 수 있는 노동량을 그때그때 모두 가치의 척도로 삼았던 스미스의 혼란은 그의 논의들—예를 들어 가격이론을 제기하거나 경쟁이 이윤율에 끼치는 영향을 논의하는[49] 등의 경우—에서 통일성을 흐트러뜨려 놓았고 결국 그의 연구에서 본질적인 문제들을 상당 부분 배제해버리고 말았다. 그러나 우리가 이제 곧 보게 되듯이 이런 혼란은 **잉여가치 전반**에 대한 그의 논의에는 아무런 G368

영향도 끼치지 않았는데, 그것은 그가 이 논의에서는 가치를 상품에 들어간 노동시간으로 계속 견지하는 올바른 입장을 취했기 때문이다.

그러면 이제 그의 서술로 들어가 보기로 하자.

그런데 잠시 그 전에 한 가지 사항을 더 언급해두어야겠다. A. 스미스가 서로 다른 사항을 혼동하는 것이 있는데 우선 첫째로 그는 제1편, 제5장에서 이렇게 말하고 있다.[50]

"어떤 사람이 부유한지 가난한지는 생활수단, 즉 생활의 편의와 안락을 제공하는 수단을 소유하는지의 여부에 따라 결정된다. 그러나 일단 모든 부문에서 분업이 이루어지고 나면 사람들은 바로 그런 수단 가운데 극히 적은 일부분만을 자신의 노동으로 직접 만들어낼 수 있을 뿐이고 나머지 대부분은 **타인의 노동에** 의존해야만 한다. 따라서 그가 부유한지 가난한지는 그가 **지배하거나 구매할 수 있는 노동량에 따라** 결정된다. 그렇기 때문에 어떤 상품을 소유하고 있지만 그것을 사용하거나 소비하지 않고 **다른 상품과 교환하려고** 하는 사람에게서, 그 **상품의 가치**는 그 **상품으로 구매하거나 지배할 수 있는 노동량과 같다.** 결국 노동이 모든 상품의 **교환가치**의 실질적인 척도인 것이다."(제1권, 59, 60쪽) 이어서 "**그것들(상품들)은 우리가 교환하는 일정량의 노동가치를 포함하는데** ||248| **여기에서 우리의 전제는 이들 상품이 서로 동일한 양의 노동가치를 가지고 있다는 것이다.** … 세상의 모든 부는 원래 금이나 은이 아니라 노동에 의해 구매되었다. 그리고 그 부를 소유하고 있으면서 그것을 다른 새로운 생산물과 교환하려고 하는 사람에게는, 그 부의 가치가 그가 구매하거나 지배할 수 있는 노동량과 정확히 일치한다."(제1편, 제5장, 60, 61쪽) 마지막으로.[51]

"홉스가 말한 것처럼 **부**는 곧 **권력**이다. 그러나 어떤 사람이 큰 재산을 획득하거나 상속받았다고 해서 곧바로 반드시 그만한 정치적 권력 — 시민적 권력이든 군사적 권력이든 — 을 얻게 되는 것은 아니다. … 이런 부의 소유를 통해 그 사람이 곧바로 얻게 되는 권력은 어떤 것을 구매할 수 있는 힘이다. 그것은 **시장에 존재하는 타인의 전체 노동 혹은 이 노동의 생산물 전체**[52]를 지배할 수 있는 권리이다."(같은 책, 61쪽)

G369 우리는 이들 서술을 통해 스미스가 **타인의 노동**과 **이 노동의 생산물**을 혼동하고 있다는 것을 알 수 있다. 분업이 확립되고 나면 어떤 사람이 소유하는 상품의 교환가치는 그가 구매할 수 있는 다른 상품[53]으로 이루어진다. 즉 이 상품에 포함된 타인의 노동량, 다시 말해 물화된 타인의 노동량으로 이

루어진다. 그리고 이 타인의 노동량은 자신의 상품에 포함된 노동량과 같다. 그는 이것을 다음과 같이 분명하게 말하고 있다. "상품들은 우리가 교환하는 일정량의 노동가치를 포함하는데 여기에서 우리의 전제는 이들 상품이 서로 **동일한 양의 노동가치**[54]를 가지고 있다는 것이다."

여기에서는 **분업**에 의해 발생하는 변화가 강조된다. 즉 여기에서는 이미 부가 자신의 노동생산물로 이루어지지 않고 이 생산물이 지배하는 타인의 노동량, 다시 말해 그것이 구매할 수 있는 사회적 노동의 양 — 생산물에 포함된 노동량에 의해 그 크기가 결정되는 — 으로 이루어진다는 것이다. 사실 여기에는 교환가치의 개념이 포함되어 있는데, 이는 곧 나의 노동이 오로지 사회적 노동 — 따라서 이 노동의 산물이 곧 같은 양의 사회적 노동을 지배하는 — 으로서만 나의 부를 규정한다는 것이다. 일정량의 필요노동시간을 포함하는 나의 상품은 내게 동일한 가치의 다른 모든 상품[55]에 대한 지배권을 부여하는데 이는 곧 다른 사용가치로 실현되어 있는 같은 양의 타인의 노동에 대한 지배권을 가리킨다. 여기에서 강조되는 것은 분업과 교환가치를 통해 **나의** 노동과 **타인의** 노동이 등치된다는, 달리 말해 사회적[56] 노동이 등치된다는 사실이다.[57] (**나의** 노동 혹은 내 상품에 포함된 노동이 이미 **사회적으로** 규정되고 있으며 그것의 성격이 본질적으로 변화되었다는 점을 애덤은 간과하고 있다.) 반면 **대상화된** 노동과 **살아 있는 노동** 사이의 구별, 그리고 이들 간의 교환이 갖는 특수한 법칙은 여기에서 전혀 강조되지 않는다. 사실 여기에서 A. 스미스가 말하는 것은 단지 [58]상품의 가치가 그 속에 포함된 노동시간에 의해 결정된다는 사실, 그리고 상품소유자의 부가 그가 지배할 수 있는 사회적 노동의 양이라는 사실뿐이다. 그러나 여기에서 **노동**과 **노동생산물**을 등치시킴으로써 ||249| 그는 이미 상품의 가치에 대한 두 가지 규정 — 즉 상품가치가 그 속에 포함된 노동량에 의해 결정된다는 것과 상품가치가 상품이 구매할 수 있는 살아 있는 노동의 양, 다시 말해 노동가치에 의해 결정된다는 것 — 에 대한 혼동의 첫 빌미를 제공한다. A. 스미스가 [59]"사람의 부는 그것의 힘의 크기, 즉 그것이 지배할 수 있는 타인의 노동량, 혹은 **같은 말이지만** (그러나 이것은 사실 같은 말이 아니다!) 그것이 구매할 수 있는 **타인의 노동생산물**에 정확히 비례한다"(같은 책, 61쪽)고 말했을 때 그것은 곧 다음 G370
과 같은 말이기도 하다. 즉 사람의 부는 그가 가지고 있는 상품에 포함된 사회적 노동의 양에 비례한다는 것이다. 실제로 그는 스스로도 그렇게 말하고 있다. "그것들(상품)은 일정량의 노동가치를 포함하는데, 우리는 그것들을

똑같은 양[60]의 노동가치를 포함한다고[61] 생각하는 상품과 교환한다.” (여기에서 **가치**라는 말은 불필요하며 의미도 없는 말이다.) 잘못된 결론은 바로 이 제5장에 이미 다음과 같이 나타나고 있다.

“그래서 노동은 그 **본래의 가치**[62]가 결코 변하지 않기 때문에 언제 어디에서나 모든 상품의 가치를 평가하고 비교할 수 있는 유일하고 실질적이며 결정적인 척도이다.”(66쪽) 노동 그 자체와 그것의 척도인 노동시간에 적용되는 이야기, [63]즉 [64]상품의 가치는 **노동가치**가 아무리 변동하더라도 항상 상품에 실현된 노동시간에 비례한다는 이야기는 여기 바로 이 변동하는 노동가치 그 자체에 대해서도 그대로 적용된다.

여기에서 A. 스미스는 처음에 상품교환 일반—즉 교환가치, 분업 및 화폐의 본질—을 논의하고 있다. 교환 당사자들은 아직 서로 상품소유자로서만 마주 보고 있다. 그들은 타인의 노동을 상품형태로 구매하고 그들 자신의 노동도 상품형태로 나타난다. 그러므로 그들이 지배하는 사회적 노동의 양은 그들 자신이 구매하는 상품에 포함된 노동량과 동일하다. 그러나 스미스는 그다음 장[65]에서 대상화된 노동과 살아 있는 노동 사이의, 즉 자본가와 노동자 사이의 교환을 다루게 되고 거기에서는 이제 상품의 가치가 그것에 포함된 노동량에 의해 결정되는 것이 아니라 그것과는 다른 노동량,[66] 즉 그 상품이 지배할 수 있는—즉 구매할 수 있는—타인의 살아 있는 노동의 양에 의해 결정된다고 **강조**한다. 그럼으로써 그는 이제 사실상 상품이 상품에 포함된 노동시간에 비례하여 교환되지 않는다는 사실을 이야기하는 것이 아니라 **치부**—즉 상품에 포함된 가치의 증식—와 이 치부의 정도는 대상화된 노동이 동원하는 살아 있는 노동의 양에 의존한다는 사실을 이야기하고 있다. 그리고 그의 이런 이야기는 맞는 이야기이다. 그러나 스미스에게는 여전히 불분명한 점이 남아 있다.|

2. 잉여가치에 대한 스미스의 일반이론. 이윤, 지대, 이자를 노동자의 노동생산물로부터 공제된 것으로 간주

|250| A. 스미스는 제1편 제6장에서 생산자들이 상품 판매자와 소유자로서만 대립하고 있는 것을 가정한 관계로부터 노동조건 소유자와 노동력 소유자 사이의 교환관계로 넘어간다.

“**자본축적과 토지에 대한 사적 소유가 이루어지기 전**인 아직 원시적인 사회 상태에서는 **서로 다른 교환 대상을 얻는 데 필요한 노동량**이 교환의 기준

G371 을 제공할 수 있는 명백하게 유일한 요소였다. … 보통 이틀 혹은 2시간이 소요되는 생산물이 보통 하루 혹은 1시간이 소요되는 생산물에 비해 2배의 가치를 갖는 것은 너무도 당연한 일이다.”(가르니에 옮김, 제1권, 제1편, 제6장,

94, 95쪽)[67]

따라서 서로 다른 상품을 생산하는 데 필요한 노동시간이 이들이 서로 교환되는 비율, 즉 **교환가치**를 결정한다.

"이런 상태에서는 노동생산물 전체가 노동자에게 귀속되고, 교환되는 물건을 취득하거나 생산하는 데 통상적으로 소요되는 노동량은 이 물건이 구매하고, 지배하고, 교환할 수 있는 노동량을 결정하는 유일한 요소가 된다."(같은 책, 96쪽)[68]

즉 이런 조건에서는 노동자는 단순한 상품판매자일 뿐이고, 한 사람이 다른 사람의 노동을 지배하게 되는 것은 단지 그가 자신의 상품으로 타인의 상품을 구매하는 경우뿐이다. 말하자면 그는 자신의 상품을 가지고 그 상품에 포함된 것과 똑같은 양의 타인의 노동만을 지배한다. 왜냐하면 두 사람은 단지 상품을 교환할 뿐이며 두 상품의 교환가치는 이들 상품에 포함된 노동시간 혹은 노동량에 의해 결정되기 때문이다.

그러나 애덤은 계속해서 이렇게 말한다.

"**개인들의 수중에 자본이 축적**되면 이들 가운데 몇몇은 자연히 그 자본을 사용하여 근면한 사람들을 고용해서 이들에게 원료와 생활수단을 제공한 다음 **이들의 노동생산물을 판매하여 — 혹은 이들의 노동이 그 원료[69]에 부가한 가치를 통해 — 이윤을 획득하게 된다**."(같은 책, 96쪽)[70] 잠깐, 다음 구절로 넘어가기 전에 이 구절을 한번 살펴보기로 하자. 첫째, 생활수단도 노동할 원료도 소유하지 못한 이 근면한 사람들은 도대체 어디에서 나타난 것일까? 스미스의 표현에서 그 소박한 치장들을 벗겨내면 그것은 바로 다음을 의미한다. 즉 자본주의적 생산은 한 계급에게 노동조건[71]이 귀속되고 다른 계급은 노동력에 대한 처분권만을 갖게 되는 순간 시작된다는 것이다. 노동이 노동조건에서 이처럼 분리되는 것이 바로 자본주의적 생산의 전제를 이루는 것이다.[72]

그리고 둘째, 고용주가 노동자를 이용하여 "노동**생산물을 판매하여 — 혹은** 이들의 노동이 ||251| 그 원료에 부가한 가치를 통해 — **이윤을 획득하게**[73] 된다"는 이야기를 할 때 A. 스미스는 무엇을 생각한 것일까? 그는 여기에서 이윤이 **판매**를 통해서 얻어진 것, 즉 상품이 가치 **이상**으로 판매된 것 — 다시 말해 스튜어트가 양도이윤[74]이라고 이름 붙인 바로 그것, 즉 두 사람 사이에서 부의 이동에 불과한 것 — 이라고 생각한 것일까? 그의 답변을 직접 들어보기로 하자.

"**완성된 노동생산물**이 교환될 경우에는, 그 교환 대상이 무엇이든—그것이 화폐든 **노동이든**(이것도 다시 새로운 오류의 원천이 된다) 혹은 다른 상품이
G372 든—반드시 원료의 가격과 노동자의 임금에 대한 지불 이외에 다시 이 사업에 자신의 자본을 투하한 기업가의 이윤을 위해 **얼마간의 액수가 더 추가되어야만** 한다."[75](이 투하행위에 대해서는 나중에 제7노트의 173쪽, 이윤의 변호론에 대한 장에서[76] 다시 다루게 될 것이다.)[77](같은 곳) 완성된 노동생산물이 교환될 때 기업가의 **이윤**을 이루는 이 얼마간의 액수는 상품이 자신의 가치 이상으로 판매됨으로써 얻어지는 것일까? 즉 그것은 스튜어트가 말하는 양도이윤인 것일까?

애덤은 곧바로 이어서 이야기한다. "그러므로 **노동자가 원료에 부가하는 가치는 이제** [78](자본주의적 생산이 등장하게 되면) **두 부분으로 분할된다. 즉 한 부분은 자신의 임금으로 지불되고 다른 한 부분은 고용주가 지출한 원료와 임금 총액에 대하여 고용주에게 지불되는 이윤을 이루게 된다.**"(같은 책, 96, 97쪽)[79]

따라서 여기에서 스미스는 명확하게 다음과 같이 설명하고 있는 셈이다. 즉 완성된 노동생산물의 판매에서 얻어지는 이윤은 **판매** 그 자체와는 아무런 상관이 없고 따라서 상품은 가치 **이상**으로 판매되지 않았으며 그 이윤은 양도이윤이 아니라는 것이다. 가치 즉 노동자가 원료에 부가하는 노동량은 두 부분으로 분할된다. 한 부분은 자신의[80] 임금으로 지불되거나 이미 지불되었다. 이 부분을 통해 노동자들은 자신들이 임금으로 받은 만큼의 노동량을 되돌려 주게 된다. 다른 한 부분은 자본가의 이윤을 이루는데, 즉 그 부분은 노동자가 판매한 노동량 가운데 자본가가 지불하지 않은 부분이다. 따라서 자본가가 상품을 그것의 가치—그것에 포함된 노동시간—대로 판매한다면, 즉 그가 가치법칙에 따라 자신의 상품을 다른 상품과 교환한다면 그의 이윤은 그가 자신의 상품에 포함된 노동 가운데 일부를 **지불**하지 않고 **판매**했다는 사실에 근거한 것이다. 그리하여 A. 스미스는 노동자가 자신의 노동생산물 전체를 소유하지 못하는 상태, 즉 그가 자신의 노동생산물 혹은 그것의 가치를 자본의 소유자와 나누어 가져야 하는 상태가, 상품이 서로 교환되는 비율, 즉 교환가치가 상품에 들어간 노동시간의 양에 의해 결정된다는 법칙을 폐기한다는 점을 스스로 부인했다. 게다가 그는 오히려 자본가가 상품에 부가된 노동 가운데 일부를 지불하지 않았고 상품의 판매를 통해 그가 얻은 이윤이 바로 거기에서 비롯된 것이라는 사실에서 자본가의 이윤을 도

출해내고 있다. 우리는 그가 나중에 말 그대로 이윤을 노동자가 수행한 노동 가운데 그가 임금으로 **지불받은** 노동, 즉 임금의 등가로 보전되는 노동의 양을 초과하는 노동에서 이끌어내는 것을 보게 될 것이다.[81] 그럼으로써 그는 잉여가치의 참된 원천을 인식하고 있었다. 또한 그는 잉여가치가 ||252| 선대된 재원, 즉 그 가치 — 실제 노동과정에서 이 재원이 아무리 쓸모가 많다 하더라도 — 가 생산물을 통해서 단순히 재현되는 것에 불과한 재원으로부터 나오는 것이 아니고, 오로지 그 재원이 노동수단 혹은 노동도구로 등장하는 새로운 생산과정에서 노동자가 **원료에 부가하는** 새로운 노동으로부터만 G373
나오는 것이라고 확고하게 이야기했다.

그러나 다음 문장은 잘못된(도입부에서 언급했던 혼동 때문이다) 것이다.

"완성된 노동생산물이 교환될 경우에는, 그 교환 대상이 무엇이든 — 그것이 화폐든 **노동이든**[82] 혹은 다른 상품이든."

자본가가 상품을 화폐 혹은 다른 상품과 교환할 경우 그의 이윤은 그가 지불한 것보다 더 많은 노동을 판매하기 때문에, 즉 그가 [83]대상화된 노동과 살아 있는 노동을 같은 양으로 교환하지 않기[84] 때문에 발생한다. 그러므로 A. 스미스는 화폐 혹은 다른 상품과의 교환을 노동과 완성된 노동생산물의 교환과 동일한 것으로 간주해서는 안 된다. 전자의 경우에서는 잉여가치[85]가 발생하는 원인이, 상품들이 그 가치대로,[86] 즉 그 속에 포함된 노동시간대로 교환되긴 하지만 그중 일부가 **지불되지 않았기** 때문이다. 이 경우에는 자본가가 동일한 양의 과거노동을 동일한 양의 살아 있는 노동과 교환하지 않는다는 것, 즉 그가 취득한 살아 있는 노동의 양은 그가 지불한 살아 있는 노동의 양보다 크다는 것을 가정하고 있다. 그렇지 않다면 노동자의 임금은 그의 생산물가치와 같아질 것이다. 그러므로 완성된 노동생산물을 화폐 혹은 상품과 교환할 경우, 이윤은 [87]만일 이들이 모두 가치대로 교환된다면 완성된 노동생산물과 살아 있는 노동 사이의 교환이 가치법칙과는 다른 법칙 — 즉 등가대로 교환되지 않는다는 — 을 따르기 때문에 발생한다. 따라서 이들 경우를 서로 같은 것으로 간주해서는 안 되는 것이다.

따라서 이윤은 노동자가 노동재료에 부가한 가치에서 공제된 것에 지나지 않는다. 그런데 노동자가 노동재료에 부가하는 것은 새로운 노동량 이외에 아무것도 아니다. 그래서 노동자의 노동시간은 두 부분으로 분할된다. 한 부분은 노동자가 자본가에게서 받은 임금의 등가에 해당하고 다른 한 부분은 노동자가 자본가에게 무상으로 제공하는 것으로 바로 **이윤**을 이루는 부분이다.[88] A. 스미스는 노동자가 원료에 새로 부가하는 노동(가치) 부분만이 임금과 이윤으로 분할되고[89] 따라서 새로 창출된 잉여가치는 (원료와 도구에) 지출된 자본 부분과 아무런 관련이 없다는 것을 정확하게 지적하고 있다.

A. 스미스는 이처럼 이윤이 타인의 노동 가운데 지불되지 않은 부분이라는 점을 정리한 다음 곧바로 이어서 이렇게 말한다. "사람들은 자본에 대한 이윤이 감독노동, 혹은 관리노동이라는 특수한 종류의 노동에 대한 임금을 가리키는 또 다른 명칭이라고 생각할 수도 있다."(97쪽)[90] 그런 다음 그는 이 감독노동이라는 잘못된 견해를 반박하고 있다.[91] 우리는 이에 관한 내용을 다음 장에서 다시 다루게 될 것이다.[92] 여기에서 단지 중요한 것으로 강조해 둘 점은 A. 스미스가 이윤에 대한 이 변호론과 자신의 이윤의 원천에 대한
G374 견해가 대립된다는 것을 매우 정확하게 알고 있었고 그것을 거듭 강조했다는 점이다. 그는 이런 대립을 다시 한번 강조하고 있다.|

|253| "이런 상태에서는 언제나 노동생산물이 노동자에게 모두 귀속되지 않는다. 노동자는 대개의 경우 자신을 고용한 **자본소유자**와 이 노동생산물을 나누지 않으면 안 된다. 그리고 어떤 상품을 구매 혹은 지배할 수 있고 또 교환을 통해 획득할 수 있는 노동량도 이제 더는 그 상품을 창출하거나 완성하는 데 들어가는 노동량에 의해서만 결정되지 않는다. **추가적인 노동량**[93]이 임금과 원료에 지출된 자본의 이윤을 위해 주어져야 한다는 것은 분명한 사실이다."(같은 책, 99쪽)[94]

이것은 전적으로 맞는 말이다. 자본주의적 생산을 전제로 한다면 대상화된 노동—화폐 혹은 상품으로 표현되는—은 언제나 자신의 내부에 포함된 노동량 이외에 다시 "자본의 이윤을 위해" 살아 있는 노동의 "추가적인 노동량"을 구매하는데, 이는 곧 대상화된 노동이 살아 있는 노동 가운데 일부를 무상으로 취득한다는 것, 즉 대가를 지불하지 않고 취득한다는 것을 의미한다. 스미스가 리카도보다 뛰어난 것은, 바로 이런 변화가 자본주의적 생산의 등장과 함께 발생한다는 점을 그가 극력 강조했다는 사실이다. 반면에 그가 자신의 연구과정에서 스스로 반대했던 견해, 즉 물화된 노동과 살아 있는 노동 사이의 이 변화된 관계로 인해서 상품들 간의 상대적 가치—물화된 노동, 즉 실현된 일정량의[95] 노동으로 서로 표현되는 것에 지나지 않는—의 결정에 변화가[96] 발생한다는 견해를 계속[97] 견지했던 것은[98] 그가 리카도에 비해 뒤처진 부분이다.

스미스는 이처럼 잉여가치의 한 형태인 이윤을 노동자가 자신의 노동 가운데 임금으로 지불받은 부분을 초과하는 부분으로 표현한 다음 잉여가치의 또 다른 형태인 **지대**에 대해서도 마찬가지 입장을 보인다. 노동으로부터 소외된 — 따라서 타인의 소유로서 노동과 대립해 있는 — 대상적 노동조건 가운데 하나가 곧 **자본**이다. 그리고 다른 하나는 **토지** 그 자체, 즉 **토지소유**로서의 토지이다. 그리하여 A. 스미스는 **자본소유자**에 대한 이야기를 끝낸 다음 이어서 이렇게 말하고 있다.

"한 나라의 토지가 모두 사적 소유로 되고 나면 토지소유자는 **다른 사람들과 마찬가지로** 자신이 씨앗을 뿌리지 않은 곳에서 수확을 하고 싶어 하고 토지의 자연적 생산물에 대해서도 지대를 요구한다. … 그(노동자)는 토지소유자에게 **자신의 노동이 채취하거나 생산한 것 가운데 일부를 양도해야만** 한다. 이 부분, 혹은 같은 말이지만 이 부분의 가격이 곧 **토지의 지대**를 이룬다."(같은 책, 99, 100[99]쪽)[100]

따라서 본래 의미의 산업이윤과 마찬가지로 지대[101]도 노동자가 노동재료에 부가하는 노동 가운데 일부분, 즉 그가 무상으로 토지소유자에게 **양도하는** 부분 — 말하자면 그가 자신이 수행한 노동시간 가운데 임금으로 지불받은 부분의 대가로 수행한 부분(혹은 임금에 포함된 노동시간에 대한 등가를 제공하는 부분)을 초과하는 잉여노동 가운데 일부 — 에 지나지 않는다. G375

이처럼 A. 스미스는 **잉여가치**, 즉 잉여노동 — 수행된 노동으로서 상품에 대상화된 노동 가운데 지불된 노동을 **초과하는** 부분, 따라서 임금에 대한 등가를 초과하는 부분 — 을 **일반적 범주**로 파악하고 ||254| 본래 의미의 이윤과 지대가 단지 거기에서 분할되어 나온 것에 지나지 않는다는 점을 인식하고 있었다. 그럼에도 불구하고 그는 잉여가치 그 자체를 그것의 특수한 형태 — 이윤과 지대라는 형태 — 와 구별되는 고유한 범주로 파악하지 않았다. 그로 인해 그의 연구에서는 리카도의 경우보다 훨씬 더 많은 오류와 결함이 드러나고 있다.

잉여가치가 취하는 또 다른 형태는 **자본이자**(화폐이자)이다. 그러나 이 **화폐이자**는(스미스는 같은 장에서 말하고 있다) [102]"**항상 파생적인 소득이며**,[103] 만일 그것이 화폐의 투하로부터 발생한 **이윤**[104]에서 지불되지 않는다면 다른 소득 원천(즉 지대나 임금을 가리킨다. 만일 그것이 임금이고 이때의 임금이 평균[105]임금이라면[106] 이자는 잉여가치에서 온 것이 아니라 임금 그 자체의 공제분이거나[107] 이윤의 다른 형태[108] — 이것은 나중에 종종 보게 되겠지만 자본주의적 생산이 아직 발달하지 않은 곳에서 나타난다[109] —에 불과하다)으로부터 지불되어야만 하는 것이다. 차용인이 앞서 빌린 돈의 이자를 갚기 위해 다시 빚을 얻는 낭비자가 아니라면 말이다."(같은 책, 105, 106쪽) 그러므로 이자는 우선 대부된 자본을 이용하여 얻은 **이윤** 가운데 일부이다. 그럴 경우 이자는 이윤 그 자체의 파생적인 형태이며 이윤의 형태로 취득된 잉여가치가 추후에 여러 사람들 사이에 배분되는 형태에 지나지 않는다. 이자는 또한 지대로부터도 지불된다. 이 경우에도 사정은 마찬가지이다. 혹은 이자는 차용인이 자신의 자본이나 타인의 자본에서 지불할 수도 있다. 그럴 경우[110] 이자는 결코 잉여가치가 아니며 단지 기존의 부를 다르게 배분하는 것에 지나지 않는다. 즉 양도이윤의 경우처럼 두 사람 사이에서 부가 자리를 옮기는 것에 지나지 않는 것이다. 이자가 잉여가치의 형태를 취하지 않는 후자의 경우를 제외한다면,[111] 그리고 이자가 임금의 공제분이거나 이윤의 다른 형태인 경우(애덤은 이 경우를 언급하지 않고 있다)도 제외한다면 이자는 단지 잉여가치의 파생적인 형태, 즉 이윤이나 지대의 일부에 지나지 않으며(단지 이들 이윤과 지대의 분배와 관련된 것일 뿐이다) 따라서 또한 지불되지 않은 잉여노동의 일부를 나타낼 뿐이기도 하다. "이자를 조건으로 대부되는 자금은 언제나 대부자에게 자본으로 **간주된다**. 그는 만기가 되면 그 화폐가 자신에게 반환되는 것으로 기대하며 또한 그 기간 동안 차용인이 그것을 사용한 대가로 일정한
G376 연간 지대를 자신에게 지불할 것을 기대한다. 차용인은 그것을 **자본**으로 사용할 수도 있고 **직접적 소비를 위한 예비재원**으로 사용할 수도 있다. 만일 그가 그것을 자본으로 사용한다면 그는 그것을 생산적 노동자를 유지하는 데 사용할 것이고 이 생산적 노동자는 **가치를 재생산하여 이윤을 만들어줄 것이다**. 이 경우 그는 어떤 다른 소득 원천도 양도하거나 훼손당하지 않은 채 자본의 상환은 물론 이자도 지불할 수 있을 것이다. 만일 그가 그것을 직접적 소비를 위한 재원으로 사용한다면 그는 낭비자의 역할을 수행하는 것이며 근면한 사람들의 부양에 쓰이도록 되어 있는 것을 게으른 자들의 유지를 위해 낭비하는 것이 될 것이다. 이 경우 그는 자산이나 지대와 같은 다른 소득 원천을 양도하거나 훼손하는 방식 외에는 자본을 상환하거나 이자를 지불할 수 없을 것이다."(매컬럭 엮음, 제2권, 제2편, 제4장, 127쪽)[112]|

|255| 이처럼 화폐(여기에서는 자본)를 차용하는 사람은 스스로 그것을 자본으로 사용하고 그것을 통해 이윤을 만들어낸다. 이 경우 그가 대부자에게 지불하는 이자는 **특수한 명칭**을 붙인 이윤의 일부에 불과하다. 혹은 그는 차

용한 화폐를 소비할 수도 있다. 그럴 경우 그는 자신의 재산을 줄여서 대부자의 재산을 늘려줄 것이다. 여기에서는 차용자의 수중에서 대부자의 수중으로 부가 이전되는 분배의 변동이 있을 뿐 잉여가치가 형성되는 일은 없다. 그래서 이자가 잉여가치를 나타내는 것인 한 이자는 이윤의 일부일 뿐이며 이윤 그 자체는 잉여가치(즉 지불되지 않은 노동)의 일정한 형태에 지나지 않을 것이다.

마지막으로 A. 스미스가 지적하고 있는 것은 [113]세금에 의존해서 살아가는 사람들의 모든 소득도 임금에서 지불되는 것 — 즉 임금 그 자체에서의 공제분 — 이거나 이윤 또는 지대에서 비롯된 것 — 즉 그 자체 잉여가치의 여러 형태에 지나지 않는 이윤과 지대를 함께 소비할 수 있는 다양한 신분[114]의 사람들이 가지고 있는 권리 — 일 뿐이라는 점이다.

"모든 세금과 그것에 기초한 소득(즉 봉급, 연금, 각종 급여금)은 결국 이 세 개의 본원적인 소득 원천 중 어딘가에서 파생된 것으로, 직접적이든 간접적이든 노동의 임금, 자본의 이윤, 토지의 지대로부터 지불된 것들이다."(같은 책, 제1편, 제6장, 106쪽)[115]

이처럼 세금 혹은 세금에서 파생된 소득 — 그것이 임금 그 자체의 공제분이 아닌 한 — 과 마찬가지로 화폐이자도 이윤과 지대에 대한 단순한 지분이며 이윤과 지대 그 자체는 다시 잉여가치(즉 지불되지 않은 노동시간)로 정리된다.

이것이 잉여가치에 대한 A. 스미스의 일반 이론이다.

A. 스미스는 다시 한번 자신의 전체 견해를 요약하고 있는데 거기에서 비로소 분명히 드러나는 사실은, 노동자가 생산물에 부가하는 가치(생산비인
원료와 노동도구의 가치를 공제한 다음의 가치)가 이제 더는 생산물에 포함된
노동시간에 의해 결정되지 않는다는 점 — 왜냐하면 노동자는 이 가치를 혼 G377
자 모두 갖는 것이 아니라, 그 가치 혹은 생산물을 자본가 및 토지소유자와 나누어 가지기 때문이다 — 을 그가 어떤 방식으로도 입증하려 하지 않는다는 것이다. 어떤 상품의 가치가 그 상품의 생산자들 사이에서 분배되는 방식은 물론 가치의 본질이나 각 상품들 사이의 가치 비율에 아무런 영향을 미치지 않는다.

"토지가 사적 소유로 되고 나면 토지소유자는 노동자가 토지로부터 수확하거나 채취할 수 있는 거의 모든 생산물에 대하여 몫을 요구한다. **그의 지대는 토지에 사용된 노동의 생산물에 대한 첫 번째 공제분을 이룬다.** 토지를

경작하는 사람이 수확을 할 때까지 자신의 생계를 스스로 유지하는 경우는 매우 드물다. 그의 생계비는 보통 그를 고용하는 농부인 차지농업가의 자본에서 미리 지출되는데 이 차지농은 만일 경작자의 노동생산물을 그가 나누어 갖지 않거나 혹은 그의 자본이 일정한 이윤과 함께 그에게 반환되지 않는다면 이 경작자를 고용할 하등의 이유가 없을 것이다. **이 이윤은 토지에 사용된 노동에** ||256| **대한**[116] **두 번째 공제분을 이룬다.** 거의 모든 다른 노동생산물에서도 **이와 비슷한 이윤의 공제**가 이루어진다. 온갖 수공업과 매뉴팩처에 종사하는 대부분의 노동자들은 그들의 작업이 완료될 때까지 그들의 작업 원료와 임금을 자신들에게 미리 지출해줄 주인을 필요로 한다. **이 주인은 그들의 노동생산물 혹은 그들이 원료에 부가한 가치를 나누어 갖는데 바로 이 몫이 주인의 이윤을 이룬다.**"(같은 책, 제1권, 제1편, 제8장, 109, 110쪽)[117]

이처럼 여기에서 A. 스미스는 지대와 자본이윤이 노동자의 생산물, 혹은 그의 생산물가치—그가 원료에 부가한 노동량과 동일한—에서 **공제된 것**에 불과하다고 솔직하게 털어놓고 있다. 그러나 이 공제분은 A. 스미스가 앞서 스스로 이야기했던 바와 같이 노동자의 노동 가운데 노동자가 자신의 임금이 지불한 노동량(혹은 임금에 대한 등가)을 초과하여 그가 원료에 부가한 부분으로만 이루어질 수밖에 없다. 즉 그것은 잉여노동이며 그의 노동 가운데 지불되지 않은 부분이다. (그러므로 덧붙여 이야기하자면 이윤과 지대 혹은 자본과 토지소유는 결코 **가치의 원천**이 될 수 없다.)

3. 스미스가 모든 사회적 노동 영역에서 잉여가치 생산을 발견

우리는 A. 스미스가 잉여가치(따라서 자본)의 분석에서 중농주의자들을 뛰어넘는 상당한 진보를 이룩했다는 것을 알 수 있다. 중농주의자들에게는 잉여가치를 창출하는 것이 오로지 일정한 유형의 구체적 노동(농업노동)뿐이었다. 그래서 그들은 노동시간, 즉 가치의 유일한[118] 원천인 일반적인 사회적 노동이 아니라 노동의 사용가치를 고찰했다. 그러나 이 특수한 노동의 경우에는 사실상 잉여가치—물적 소재(유기적인 성질을 가진)의 증가로 이해되는—를 창출하는 것이 토지라는 **자연**이다. 즉 잉여가치는 소비된 물적 소재를 초과하여 생산된 물적 소재의 잉여이다.[119] 그들은 사물을 극히 제한된 형태 내부에서, 즉 비현실적인 개념에 의해 왜곡된 형태로 파악했다. 그
G378 러나 A. 스미스에게서는 가치를 창출하는 것이 일반적인 사회적 노동, 즉 오로지 필요노동량일 뿐이며, 그것이 어떤 사용가치의 형태를 띠느냐는 전혀 문제가 되지 않는다. 잉여가치는 그것이 이윤, 지대 혹은 이자라는 파생적

인 형태 가운데 어떤 형태로 나타나든, 대상적 노동조건의 소유자[120]가 살아 있는 노동과의 교환에서 취득한 노동 가운데 일부일 뿐이다. 그러므로 중농주의자들에게는 잉여가치가 지대의 형태로만 나타나지만, A. 스미스에게는 지대, 이윤, 이자가 단지 잉여가치의 여러 형태에 지나지 않는다.

만일 내가 선대된 자본 총액과 관련된 잉여가치를 **자본이윤**이라고 부른다면 그것은 [121]바로 생산에 직접 참여한 자본가가 잉여노동을 **직접** 취득하기 때문인데 이것은 이 자본가가 나중에 이 잉여가치를 다시 어떻게 배분해야 하는가(즉 토지소유자와 배분하든, 자본의 대부자와 배분하든) 하는 것과는 무관하다. 차지농업가도 이와 마찬가지로 토지소유자에게 직접 지대를 지불한다. 그리고 공업자본가도 역시 이와 마찬가지로 자신이 취득한 잉여가치로부터 자신의 공장이 서 있는 토지의 소유자에게 지대를 지불하고 자본을 선대해준 자본가에게 이자를 지불한다.|

|257| [122]〔여기에서 더 살펴보아야 할 점은 다음과 같다. 1) A. 스미스가 보이는 잉여가치와 이윤의 혼동, 2) 생산적 노동에 대한 그의 견해, 3) 그가 지대와 이윤을 어떻게 **가치의 원천**으로 만드는지, 그리고 자연가격에 대한 그의 분석의 오류(이 분석에서 그는 원료와 작업도구의 가치가 소득의 세 가지 원천과 분리되어 존재하지 않는다고 간주한다).〕

4. 스미스가 자본임노동 간의 교환에서 가치법칙의 작용을 이해하지 못하다

자본가가 노동력에 대한 일시적인 처분권[123]을 구매하는 임금(혹은 그 등가)은 직접적인 형태의 상품이 아니라 형태변화를 거친 상품, 즉 화폐이다. 다시 말해 그것은 교환가치(사회적 노동, 즉 일반적 노동시간의 직접적인 물적 형태)의 자립적 형태를 띤 상품이다. 물론 노동자는 이 화폐를 가지고 다른 모든 화폐소유자와 마찬가지로 같은 가격으로 상품을 구매한다. 〔예를 들어 노동자가 더 불리한 조건과 상태에서 구매한다는 등의 세부 사항은 여기에서 무시하기로 한다.〕[124] 노동자는 다른 모든 화폐소유자와 마찬가지로 구매자로서 상품 판매자와 마주 선다. 상품유통 그 자체에서 그는 노동자로서 나타나는 것이 아니라 한쪽에 존재하는 상품에 마주 서는 다른 한쪽의 화폐로서, 즉 언제든지 교환될 수 있는 일반적 형태를 띤 상품의 소유자로서 나타난다. 그의 화폐는 그가 사용가치로 사용하게 될 상품[으로] 다시 전화하고 이 과정에서 그는 상품을 시장의 가격(일반적으로 말하자면 그것의 가치)에 따라 구매한다. 여기에서 그가 수행하는 것은 단지 G—W의 행위일 뿐이고 이 행위는 일반적인 의미에서 하나의 형태변화를 나타내는 것일 뿐 결코 가치크기의 변동을 나타내는 것이 아니다. 그런데 노동자는 생산물에 대상 G379

화하는 자신의 노동을 통해서 그가 받은 화폐에 포함된 만큼의 노동시간(즉 등가)을 부가할 뿐 아니라 바로 이윤의 원천을 이루는 잉여노동까지도 함께 무상으로 제공하기 때문에, 그는 **사실상**(노동력의 판매에 포함된 매개적인 운동은 그 결과를 논의하는 과정에서는 사라진다) 자신의 임금을 이루는 화폐액의 가치보다 더 큰 가치를 제공한다. 그는 자신에게 임금으로 흘러들어온 화폐로 실현된 노동량을 구매하면서 그보다 더 많은 노동시간을[125] 돌려주었다. 따라서 그는 모든 상품 — 그가 화폐(일정량의 사회적 노동시간에 대한 자립적인[126] 표현에 지나지 않는)를 주고 구매하는 상품 — 을 구매하면서 간접적으로 그 상품에 포함된 노동시간보다 더 많은 노동시간을 제공한다고(비록 상품의 첫 번째 전화과정에서는 다른 모든 상품의 구매자나 소유자들과 마찬가지로 상품을 동일한 가격에 구매하지만) 말할 수 있다. 반대로 자본가가 노동을 구매하는 화폐는 노동자가 생산한[127] 상품에 포함된 노동량(혹은 노동자의 노동시간)보다 더 적은 노동량, 혹은 더 적은 노동시간을 포함하고 있다. 즉 임금을 이루는 이 화폐액에 포함된 노동량 외에 그는 추가적인 노동량을 구매했는데 이 노동량에 대해서 그는 아무것도 지불하지 않았고 그것은 그가 지불한 화폐에 포함된 노동량을 초과하는 잉여분이다. 그리고 이 추가적인 노동량이 바로 자본이 창출한 잉여가치를 이루는 부분이다. 그러나 자본가가 ||258| 노동을 구매한 화폐는([128]결국 실제로는 노동을 직접 교환한 것이 아니라 노동력을 교환한 것이긴 하지만) 다름 아닌 **모든 다른 상품**(즉 교환가치로서의 자립적 현존재)의 전화한 형태이기 때문에 살아 있는 노동과 교환되는 모든 상품은 그것이 포함하고 있는 것보다 더 많은 노동을 구매한다고 말할 수밖에 없다. 이 추가적인 노동이 바로 잉여가치이다. A. 스미스의 위대한 업적은 그가 제1편의 여러 장들(제6장, 제7장, 제8장)에서 단순상품교환과 그 가치법칙에서 대상화된 노동과 살아 있는 노동 사이의 교환으로, 즉 자본과 임노동 사이의 교환으로, 그리고 [129]이윤과 지대 전반(요컨대 잉여가치의 원천)에 대한 고찰로 넘어가는 과정에서 여기에 하나의 균열이 나타난다는 점을 느끼고 있었다는 점이다. 즉 그는 어떻게 매개되어 있는지 알 수는 없지만 어떤 하나의 매개고리가 가치법칙을 결과적으로 사실상 폐기한다는 사실, 말하자면 더 많은 노동이 더 적은 노동과 교환되고(노동자의 관점에서) 더 적은 노동이 더 많은 노동과 교환된다(자본가의 관점에서)는 사실, 그리고 **자본축적** 및 **토지소유**(즉 노동 그 자체에 대한 노동조건의 자립화)와 함께 하나의 새로운 전환 — 외견상(그리고 결과적으로는 사실상) 가치법칙이 거꾸로

뒤집히는—이 발생한다는 점을 강조하면서 자신이 명백히 혼란에 빠진 점을 느끼고 있었던 것이다. 그의 이론적 강점은 그가 이런 모순을 느끼고 그 G380 것을 강조했다는 것이며 반면 그의 이론적 약점은 단순상품교환의 경우에도 그가 이 일반적 가치법칙에 대해서 혼란스러워했다는 것이다. 그는 이 모순이 노동력 그 자체가 상품이 되면서 발생하는 것이며 또한 이 노동력이라는 특수한 상품의 경우에는 그 사용가치(그것의 교환가치와는 아무런 관련이 없는)가 바로 교환가치를 창출하는 힘이라는 것에 의해서 발생한다는 점을 파악하지 못했다. 리카도가 A. 스미스보다 뛰어난 점은 이 외견상의(결과적으로는 사실상의) 모순으로 인해 혼란에 빠지지 않았다는 것이다. 그러나 바로 여기에 문제가 존재한다는 것을 전혀 깨닫지 못하고 그렇기 때문에 자본의 형성과 함께 가치법칙이 겪게 되는 [130]**특수한** 발전에 대해서 그가 전혀 눈길을 주지 않고 가치법칙에만 매진했던 것은 그가 A. 스미스보다 뒤처지는 부분이다. A. 스미스에게서 천재적인 부분이었던 것이 리카도의 견해와 반대 입장을 취한 맬서스에게서는 왜 반동적인 것으로 되는지에 대해서는 뒤에서[131] 다시 살펴보게 될 것이다.

그러나 A. 스미스를 취약하고 불안정하게 만든 것은 물론 그의 확고한 기반을 와해시켜서 리카도와는 달리 그가 부르주아 체제의 추상적이고 일반적인 토대에 대한 통일적이고 총체적인[132] 이론적 인식에 도달하지 못하게 만들었던 것도 바로 그의 이 견해였다.|

|259| 위에서 이야기한 A. 스미스의 이야기, 즉 상품이 스스로 포함하는 것보다 더 많은 노동을 구매한다는(혹은 노동이 상품에 대해서 상품에 포함된 것보다 더 큰 가치를 지불한다는) 이야기를 호지스킨은 자신의 책 『대중 경제학』에서 다음과 같이 표현하고 있다. "**자연가격**(혹은 **필요**가격)이란 인간이 어떤 상품을 생산하는 데서 자연이 그에게 요구하는 총**노동량**을 의미한다.[133] … 노동은 자연과의 거래에서 최초의 구매수단이었으며 그것은 지금은 물론 미래에도 역시 그러할 것이다. 어떤 상품을 생산하는 데 필요한 노동량이 얼마가 되든, 현재와 같은 사회 상태에서 노동자가 그 상품을 취득하고 소유하기 위해서는 그는 항상 자연으로부터 그것을 구매하는 데 필요한 것보다 훨씬 더 많은 양의 노동을 제공해야만 한다. 이처럼 노동자에게 증가하는 자연가격은 **사회적 가격**이다. 이들 두 가격은 언제나 서로 구별되어야만 한다.[134]"(**토머스 호지스킨, 『대중 경제학』, 런던, 1827년**, 219, 220쪽) 호지스킨의 이 견해는 A. 스미스의 견해 가운데 맞는 부분은 물론 혼란스러운 부분까

지도 그대로 재현하고 있다.

5. 잉여가치와 이윤의 혼동—스미스 이론의 속류적 요소

우리는 지금까지 A. 스미스가 **잉여가치** 일반에 대해서, 그리고 이윤과 지대가 잉여가치의 서로 다른 형태이자 구성요소일 뿐이라는 것을 어떻게 이야기하는지 살펴보았다. 그의 서술에 의하면 자본 가운데 원료와 생산수단을 이루는 부분은 잉여가치의 창출과 아무런 관련이 없다. 잉여가치는 오로지 노동자가 자신의 노동 가운데 자신의 임금에 대한 등가 부분을 **초과하여** 제공하는 추가적인 노동량으로만 이루어진다.[135] 따라서 잉여가치가 직접적으로 발생하는 것은 자본 가운데 오로지 임금을 구성하고 임금에 지출된 부분뿐이기도 하다. 왜냐하면 바로 이 부분만이 자본을 단순히 재생산하는 데
G381 그치지 않고 잉여분도 생산하는 유일한 부분이기 때문이다. 그러나 이윤의 경우 잉여가치는 투하된 자본 총액에 대하여 계산되고, 이런 변화 외에도 다시 자본의 여러 생산영역들 사이에서 이윤이 균등화되는 새로운 변화가 추가된다. 애덤은 사실상 잉여가치를 논의하면서도 그것의 특수한 형태들과 구별되는 일정한 범주들[136]을 명시적으로 다루지 않았기 때문에, 뒤이어 곧바로 더 발전된 이윤형태를 잉여가치와 직접 혼동해버린다. 이런 오류는 리카도와 그 후의 모든 후계자들에게서도 그대로 나타난다. 이로 인해 일련의 불일치와 해결되지 못한 모순, 불합리성 등이 나타나는데(이것은 특히 리카도에게서 더욱 그러한데 왜냐하면 그에게서는 가치법칙이 더 체계적이고 일관된 통일을 이루어서 불일치와 모순도 더욱 확연하게 드러나기 때문이다) 리카도학파는 (우리가 나중에 이윤 편에서 살펴보게 되겠지만)[137] 이들 모순을 스콜라 철학풍의 말장난으로 해결하려 했다. 조잡한 경험주의는 잘못된 형이상학, 즉 스콜라 철학으로 빠져들어, 아무리 해도 부인할 수 없는 경험적 현상을 단순한 형식적 추상을 통해 곧바로 일반적 법칙으로부터 추론해내거나 그 법칙에 억지로 끼워 맞추려 노력했다.

바로 그런 예를 우리는 A. 스미스에게서 볼 수 있는데 여기에서 그것을 하나 들어보고자 한다. 스미스의 혼동은 그가 잉여가치의 특수한 형태인 이윤과 지대를 별도로 다루는 곳이 아니라 이것들을 단지 잉여가치 일반의 [138]형태(즉 노동자들이 원료에 부가한 노동에서의 **공제분**)로서만 파악하는 곳에서 발생하기 때문이다.|

|260| A. 스미스는 제1편 제6장에서

[139]"그리하여 노동자가 원료에 **부가하는** 가치는 이제 두 부분으로 분할되어 한 부분은 노동자의 임금으로 지불되고 다른 한 부분은 원료와 임금에

선대된 자본 총액에 대한 이윤으로 기업가에게 지불된다"고 한 다음 계속해서 이렇게 말하고 있다.

"만일 그(기업가)가 노동자들이 만든 물건을 판매하면서 자신의 자본을 보전하는 데 필요한 것 이상의 어떤 것을 기대할 수 없다면 그는 이 노동자들을 고용할 이유가 전혀 없을 것이다. 또한 만일 그의 이윤이 선대된 자본의 크기에 대해 일정한 비율에 도달하지 못한다면 그는 더 적은 자본 대신 더 큰 자본을 투하할 이유가 전혀 없을 것이다."

우선 다음 사실에 유의해 보자. A. 스미스는 잉여가치 — 기업가가 자신의 자본을 보전하는 데 필요한 가치액을 초과하여 얻어내는 잉여 — 가, 노동자가 원료에 부가한 노동 가운데 자신의 임금에 지불된 가치액을 초과하는 부분이라고, 다시 말해 이 잉여가 오로지 임금에 지불된 자본 부분에서만 발생하는 것이라고 이야기한 다음, 곧바로 이어서 이 잉여를 이윤의 형태 — 즉 자본 가운데 잉여가 발생한 부분과 관련시키는 것이 아니라 선대된 자본의 총가치[140](즉 "원료**와** 임금에 선대된[141] 자본 총액") (여기에서 생산수단에 지출된 부분이 빠진 것은 잘못된 것이다)를 넘어서는 초과분 — 로 파악하고 있다. 따라서 그는 잉여가치를 곧바로 이윤형태로 이해하고 있다. 바로 이 때문에 다음과 같은 어려움이 발생한다. G382

A. 스미스는 이렇게 말한다. 자본가는 "만일 노동자들이 만든 물건을 판매하면서 자신의 자본을 보전하는 데 필요한 것 **이상의 어떤 것**[142]을 기대할 수 없다면 이 노동자들을 고용할 이유가 전혀 없을 것이다."

일단 자본주의적 관계를 전제로 한다면 이것은 전적으로 맞는 말이다. 자본가는 생산물로 자신의 필요를 충족하기 위하여 생산하는 것이 아니다. 즉 그는 기본적으로 소비를 직접적으로 겨냥하여 생산을 하는 것이 아니다. 그는 잉여가치를 생산하기 위하여 생산을 수행한다. 그러나 A. 스미스는, 이후 그의 숱한 미련한 후계자들과 마찬가지로, **잉여가치**가 바로 이 전제에서, 즉 자본가가 잉여가치를 위해 생산을 수행한다는 바로 이 자본주의적 생산의 전제에서 비롯된 것이라고 **설명하지** 않는다. 다시 말해 그는 잉여가치의 현존재가 자본가의 이해, 즉 잉여가치를 향한 그의 욕망에서 비롯된 것이라고 설명하지 않는다. 오히려 그는 잉여가치를 노동자가 원료에 부가한 가치 가운데 자신의 임금에 지불된 가치액을 초과하는 부분에서 비롯된 것이라고 설명한다. 그런 다음 그는 곧바로 이렇게 말한다. 즉 자본가는 만일 자신의 이윤이 선대된 자본의 크기에 대해 일정한 비율에 도달하지 못한다면

더 적은 자본 대신 더 큰 자본을 투하할 이유가 전혀 없으리라는 것이다. 여기에서 이윤은 이제 잉여가치의 본질을 통해서가 아니라 자본가의 "이해관계"를 통해서 설명된다. 얼마나 앞뒤가 맞지 않는 횡설수설인가. A. 스미스는 자신이 이처럼 잉여가치를 이윤과, 이윤을 잉여가치와 직접적으로 혼동함으로써 잉여가치의 기원에 대해서 자신이 방금 세운 법칙을 ||261| 스스로 뒤집어버린 것을 깨닫지 못하고 있다. 만일 잉여가치가, 노동자가 원료에 **부가한** 노동 가운데 자신의 임금에 지불된 가치액(혹은 노동량)을 **초과하는** 부분일 뿐이라면, 왜 한 경우의 선대자본 가치가 다른 경우보다 더 크다는 이유만으로 이 두 번째 부분(잉여가치 — 옮긴이)이 그에 따라 똑같이 커져야 한단 말인가? 모순은 A. 스미스가 바로 그 다음에서 이윤이 "이른바 감독노동"[143]에 대한 임금이라는 견해에 반론을 제기하는 곳에서 다시 한 번 드러난다. 즉 그는 이렇게 말하고 있다.

"그러나 그것(자본이윤)은 본질적으로 임금과 전혀 다르다. 그것은 임금과 전혀 다른 법칙에 따라 움직이며 이른바 이 감독 및 관리 노동의 크기나 성질과 아무 관계도 없다. **그것은 전적으로 사용되는 자본의 가치에 따라 결정되며** 그 자본의 크기에 따라 함께 변동한다. 예를 들어 매뉴팩처의 **평균 자본**
G383 **이윤이 연 10퍼센트인**[144] 곳에 서로 다른 두 매뉴팩처가 있고, 이들 매뉴팩처가 각각 20명씩의 노동자를 고용하고 각 노동자가 임금으로 연간 15리브르를 지불받는다고 한다면 각 매뉴팩처는 연간 총 300리브르를 임금으로 지불하게 될 것이다. 그리고 이들 가운데 한 매뉴팩처에서는 연간 700리브르어치의 질이 낮은 원료를 가공하고 다른 한 매뉴팩처에서는 연간 7,000리브르어치의 질이 좋은 원료를 가공한다고 하자. 그러면 전자의 매뉴팩처에서 연간 사용된 자본은 1,000리브르에 불과하겠지만 후자의 매뉴팩처에서 사용된 자본은 연간 7,300리브르에 달할 것이다. 따라서 10퍼센트의 비율에 따라 전자의 매뉴팩처 자본가는 연간 100리브르의 수익을, 후자의 매뉴팩처 자본가는 연간 730리브르의 수익을 기대할 것이다. 그러나 이윤의 이런 엄청난 차이에도 불구하고 이들 두 자본가의 감독 및 관리 노동은 거의 똑같을 것이다."[145]

우리는 일반적 형태의 잉여가치로부터 곧바로 그것과는 아무 관련이 없는 평균이윤율에 도달한다. 그러나 좀 더 앞으로 나아가보기로 하자! 두 공장에서는 모두 20명의 노동자를 고용한다. 이들의 임금은 두 공장에서 모두 300리브르이다. 따라서 한 공장에서 사용된 노동이 다른 공장에서

사용된 노동보다 더 질이 높은 것이 아니라면 노동시간은 물론 잉여노동시간[146]도 한 공장의 것이 다른 공장의 것에 비해 몇 배가 되지는 않을 것이다. 오히려[147] 두 공장에서는 모두 임금이 서로 같다는 것으로부터 알 수 있듯이[148] 동일한 평균노동이 가정되어 있다. 그러면 도대체 어떻게 해서 한 공장의 잉여노동(즉 노동자가 자신의 임금에 지불된 가치액을 초과하여 부가한 부분)이 다른 공장의 잉여노동에 비해 7배의 가치를 가질 수 있단 말인가? 또는 왜 한 공장의 노동자는 단지 자신이 가공하는 원료가 다른 공장의 원료보다 7배가 비싸다는 이유만으로 — 똑같은 임금을 받는데도, 즉 임금을 재생산하기 위해 ||262| 똑같은 시간 동안 노동하는데도 — 다른 공장보다 7배나 더 많은 잉여노동을 제공해야 한단 말인가? 따라서 한 공장이 다른 공장에 비해 7배의 이윤을 얻는다는 것 — 혹은 일반적으로 말해 이윤법칙, 즉 이윤이 투하된 자본의 크기에 비례한다는 것 — 은 잉여가치 혹은 이윤(A. 스미스는 이 둘을 곧바로 동일시하고 있으므로)이 노동자의 노동 가운데 지불되지 않은 부분일 뿐이라는 잉여가치(혹은 이윤)의 법칙과 명백하게 모순된다. A. 스미스는 이런 모순을 전혀 깨닫지 못한 채 이들 이야기를 너무도 순진하게 내뱉고 있다. 그의 뒤를 이은 모든 경제학자는 — 이들 가운데 어느 누구도 잉여가치를 그것의 특정한 형태에서 분리하여 일반적인 형태로 살펴보지 않음으로써 — 이 점에서 그의 뒤를 충실하게 따랐다. 이미 지적했듯이 리카도의 경우에는 그것이 더욱 두드러졌다. A. 스미스는 잉여가치를 이윤뿐 아니라 지대로도 분해하기 때문에(이들 둘은 잉여가치의 특수한 두 유형[149]이고 서로 전혀 다른 법칙에 따라 움직인다) 그는 바로 이것 때문에라도 일반적인 추상적[150] 형태를 그것의 특수한 형태와 직접 혼동해서는 안 된다는 것을 알았어야만 했다. 그의 경우와 마찬가지로 이후의 모든 부르주아 경제학에서도 경제적 관계의 여러 형태들을 구별[151]하는 것에서 필요한 이론적 개념은 부족한 것으로 드러나며 이들은 모두 경험적으로 주어진 소재들 G384
에 대해서만 맹목적으로 매달리고 관심을 갖는 경향을 보인다. 이로 인해 이들은 화폐의 성질 — 여기에서는 가치크기가 불변인 상태에서 단지 교환가치의 형태가 다양하게 전화하는 것[152]만이 문제가 된다 — 도 올바로 파악해 낼 수 없었다.

6. 이윤, 지대, 임금을 가치의 원천으로 간주하는 스미스의 잘못된 견해

로더데일은 『**사회적 부의 본질과 기원**』(**라장티 드 라바이스 옮김, 파리, 1808년**)에서 A. 스미스의 잉여가치 이론에 대하여 반론을 제기하면서 — 그는 애덤 스미스의 잉여가치 이론이 이미 로크가 제기했던 견해와 같은 것이라고 주

장하고 있다 — 스미스의 이론에 따르면 막상 자본은 스미스가 주장하듯이 부의 본원적인 원천이 아니라 하나의 파생적인 원천에 불과하다고 주장했다. 관련된 구절을 보면 다음과 같다.

"한 세기 이상 전에 로크는 이미 이것(A. 스미스의 견해)과 거의 똑같은 견해를 제기했다. … 그는 이렇게 말했다. 화폐는 어떤 것도 생산하지 않는 비생산적인 물건이다. 사람들이 화폐로부터 얻어낼 수 있는 쓸모란 단지 서로 간의 합의에 의해 한 사람의 노동이 얻어낸 수익을 다른 한 사람의 호주머니로 옮기는 것에 지나지 않는다."(**로더데일**, 116쪽) "만일 자본이윤에 대한 이런 견해가 엄밀한 의미에서 맞는 것이라면 이로부터 이윤이 부의 본원적인 원천이 아니라 하나의 파생적인 원천에 지나지 않는다[153]는 결론을 얻을 수 있다. 또한 그에 따라 자본은 부의 원천 가운데 하나로 간주될 수 없을 것이다. 왜냐하면 자본이윤은 노동자의 호주머니에서 자본가의 호주머니로 수익을 옮긴 것에 지나지 않기 때문이다."(같은 책, 116, 117쪽)

자본의 가치[154]가 생산물에 재현되는 한 우리는 자본을 "부의 원천"이라고 부를 수 없을 것이다.[155] 이 경우 자본은 단지 축적된 노동(즉 일정량의 물화된 노동)으로서 자신의 가치를 생산물에 부가하는 것에 불과하다.

자본이 가치를 생산하게 되는 것은 오로지 **관계**로서, 즉 그것이 임노동에 대한 강제로서 임노동으로 하여금 잉여노동을 강제하거나 노동의 생산력을 이용하여 상대적 잉여가치를 창출하도록 만드는 경우에 한해서이다. 두 경우[156] 모두 자본은 단지 ||263| 노동의 대상적 조건이 노동에 대하여 행사하는 (노동으로부터 소외된) 힘 — 일반적으로 말해서 임노동의 한 형태, 즉 임노동의 조건 — 으로서만 가치를 생산한다. 경제학자들 사이에서 통용되는 의미로 말한다면 자본은 [157]화폐 혹은 상품의 형태로 존재하는 축적된 노동으로서 다른 모든 노동조건(무상으로 주어진 자연력도 포함하여)과 마찬가지로 노동과정(즉 사용가치의 창출)에서 생산적으로 작용하긴 하지만 결코 가치의 원천이 되지는 않는다. 자본은 결코 새로운 가치를 창출하는 것이 아니며 단지 생산물에 교환가치를 — 자본이 교환가치를 가지고 있고(즉 스스로 대상화된 노동시간으로 분해되고) 따라서 노동이 바로 그 가치의 원천인 한 — 부가할 뿐이다.

로더데일의 옳은 점은, A. 스미스가 잉여가치 및 가치의 본질을 논의한 다
G385 음 자본과 토지를 교환가치의 자립적인 원천으로 서술한 것이 잘못이라고 지적한 것이다. 이것들은 노동자가 자신의 임금을 보전하는 데 필요한 노동

시간을 초과하여 노동해야만 하는 일정량의 잉여노동에 대한 권리를 나타내는 것인 한, 이들 소유자의 소득의 원천이다. 그래서 예를 들어 A. 스미스는 이렇게 말하고 있다. "**임금, 이윤, 지대**는 다른 **모든 교환가치**는 물론 모든 소득의 **세 가지 본원적 원천**이다."[158](제1편, 제6장[105쪽]) 이것들이 모든 소득의 세 가지 원천이라는 말은 맞지만 그것들이 **모든 교환가치**의 본원적 원천이라는 말은 틀렸다. 왜냐하면 상품의 가치는 오로지 상품에 포함된 노동시간에 의해서만 결정되기 때문이다. A. 스미스는 이윤과 지대를 노동자가 원료에 부가한 가치(혹은 노동)에서 공제된 것에 지나지 않는다고 서술한 직후에 어떻게 그것들을 다시 교환가치의 본원적 원천이라고 부를 수 있었을까? (이윤과 지대가 그런 의미를 가질 수 있는 것은 오로지 이들이 본원적 원천을 움직인다는 의미에서만, 즉 노동자들로 하여금 강제로 잉여노동을 수행하도록 함으로써만이다.) 이들이 가치(즉 상품에 대상화된 노동) 가운데 일부를 취득하기 위한 권리(조건)인 한 이들은 그 소유자들의 소득의 원천이다. 그러나 가치의 분배 혹은 취득이 바로 취득되는 그 가치의 원천은 결코 아니다. 만일 이런 취득이 발생하지 않고 노동자가 자신의 노동생산물 전체를 임금으로 획득해버린다면, 생산된 상품의 가치는 그것이 토지소유자와 자본가에게 분배되지 않는다 하더라도 전혀 변함이 없을 것이다. 토지소유와 자본은 그것들이 소유자들에게 소득원을 이룬다는 이유만으로, 즉 그들 소유자에게 노동자가 창출한 가치 가운데 일부를 취득할 수 있는 힘을 그들에게 제공한다는 이유만으로 그들이 취득하는 가치의 원천이 되지는 않는다. 또한 이와 마찬가지로 임금이 교환가치의 본원적 원천이라고 — 노동력의 끊임없는 판매가 노동자의 소득원을 이루는 것이긴 하지만 — 말하는 것도 틀린 것이다. 가치를 창출하는 것은 노동자의 임금이 아니라 노동이다. 임금은 이미 만들어져 있는 가치일 뿐이며, 생산 전체의 관점에서 본다면 노동자가 창출한 가치 가운데 일부, 즉 노동자 자신이 취득하는 가치 부분이지만 이런 취득이 가치를 창출하는 것은 아니다. 그러므로[159] 그의 임금은 그가 생산한 상품의 가치와 상관없이 변동할 수 있다.

(MEW에서는 G388쪽의 "〔위의 글에 덧붙여야 할 … 가치의 원천이 아니다〕"를 이곳으로 옮겨놓았음 — 옮긴이)

7. 가치와 소득의 관계에 대한 스미스의 이중적인 견해. '자연가격'을 임금, 이윤, 지대의 합으로 간주하는 그의 견해

여기에서 우리는 A. 스미스가 어느 정도까지 지대를 상품가치의 구성요소로 간주하고 있었는지는 무시하고자 한다. 이 문제는[160] 여기 우리의 논의에서는 전혀 중요하지 않은데 왜냐하면 그는 지대를 이윤과 마찬가지로 잉여

가치 가운데 일부로, 노동자가 원료에 부가한 노동에서의 공제분으로 이해하기 때문이다. 그래서 ||264| 그에게 지대는, 지불되지 않은 잉여노동을 모두 노동과 대립하는 자본가가 **직접** 취득하는 한 — 자본가가 나중에 이 잉여가치를 생산조건의 소유자들(이들이 토지의 소유자이든, 자본의 대부자이든)에게 어떤 항목으로 배분하든 상관없이 — 사실상 이윤의 일부로 간주된다. 그래서 우리는 논의를 단순화하기 위하여 새로 창출된 가치가 분배되는 항목으로 임금과 이윤에 대해서만 언급하고자 한다.

G386

어떤 상품에(그것의 생산에 소비된 원료와 노동도구의 가치는 **무시하기로** 한다) 12시간의 노동이 물화되었다고 가정해보자. 그러면 이 상품의 가치는 단지 **화폐**로만 표현될 수 있다. 그에 따라 12시간의 노동은 5실링으로 물화되었다고 가정하자. 그러면 이제 상품가치는 5실링이다. A. 스미스가 생각한 상품의 자연가격은 다름 아닌 화폐로 표현된 그 상품의 가치이다. (물론 상품의 시장가격은 그 가치보다 높거나 낮을 수 있다. 그리고 뒤에서 다시 이야기하겠지만 상품의 평균가격[161]이란 것도 **항상** 그 가치와는 **구별된다**. 그러나 A. 스미스는 자연가격을 고찰하면서[162] 이와 관련하여 아무 이야기도 하지 않았다. 게다가 가치의 본질에 대한 통찰이 없이는 상품의 시장가격은 물론 그 평균가격의 변동도 올바로 이해할 수 없다.) 상품에 포함된 잉여가치가 그것의 총가치의 20퍼센트라고 한다면, 혹은 같은 말이지만 상품에 포함된 필요노동의 25퍼센트라고 한다면 상품의 자연가격인 이 5실링의 가치는 4실링의 임금과 1실링의 잉여가치(여기에서는 A. 스미스를 따라서 이윤이라고 부르고자 한다)로 분해될 것이다. 임금 및 이윤과는 별개로 결정되는 상품의 가치크기[163](혹은 상품의 자연가격)가 4실링의 임금(임금가격)과 1실링의 이윤(이윤가격)으로 분해될 수 있다[164]고 하는 것은 맞는 말일 것이다. 그러나 상품가치가 상품가치와는 별개로 규제되는 임금가격 및 이윤가격[165]으로 구성되거나 혹은 그 둘의 합이라고 하는 것은 틀린 말일 것이다. 후자의 경우 임금이 5실링, 이윤이 3실링 등이 된다고 가정하면 상품의 총가치가 8실링, 10실링 등으로 되지 않을 이유는 어디에도 존재하지 않을 것이다. 임금의 "자연율" 혹은 "자연가격"에 대해서 연구할 때 A. 스미스가 생각했던 것은 무엇이었을까? 노동력의 재생산에 필요한 생활수단의 자연가격이 바로 그것이었다. 그런데 그는 이 생활수단의 자연가격이 무엇에 의해 결정된다고 했을까? 그가 이것을 일반적으로 규정하는 한 그는 올바른 가치규정으로, 즉 이 생활수단의 생산에 필요한 노동시간으로 도로 돌아가고 있다. 그러나 스미스는 이 올바

른 길을 벗어나면서 악순환으로 빠져들어갔다. 임금의 자연가격을 결정하는 생활수단의 자연가격은 무엇에 의해 결정되는가? 다른 모든 상품과 마찬가지로[166] 그 생활수단의 자연가격을 구성하는 "임금", "이윤", "지대"의 G387 자연가격에 의해 결정된다. 그리하여 그것은 무한히 계속되는 순환론에 빠져버린다. 수요와 공급의 법칙에 대한 요란한 설법도 이 순환론에서 탈출하는 데는 아무런 도움이 되지 못한다. 왜냐하면 "자연가격"(혹은 상품가치에 해당하는 가격)이란 수요와 공급이 일치하는 바로 그때—즉 상품가격이 수요 공급의 변동에 의해 그 가치 이상 혹은 이하가 되지 않을 바로 그때, 다시 말해 상품의 비용가격[167](혹은 판매자[168]가 공급하는 상품의 가치)이 곧 수요자가 지불하는 가격과 일치하는 바로 그때—존재하는 것이어야 하기 때문이다.|

|265| 그러나 이미 보았듯이 임금의 자연가격에 대한 연구에서 A. 스미스는 사실상—적어도 몇 군데에서—상품의 올바른 가치규정으로 도로 돌아왔다. 반면 이윤의 자연율 혹은 자연가격을 다루는 장에서는, 본연의 과제에 관한 한, 아무런 내용도 없는 상투적인 문구와 동어반복에 빠져버리고 있다. 사실 처음에 그에게서 임금, 이윤, 지대를 규제하는 것은 상품가치였다. 그러나 그런 다음 그는 입장을 정반대로 뒤집어서(그것은 표면적인 경험적 현상과 일상적인 생각에 더 가까이 가 있는 것이다) 상품의 자연가격이 임금, 이윤, 지대의 자연가격의 합으로 계산되어야[169] 한다고 주장한다. 이 혼란을 종식시킨 것은 리카도의 주요한 업적이다. 리카도를 다룰 때[170] 우리는 이 점을 다시 한번 간단히 언급하게 될 것이다.

여기에서는 단지 다음과 같은 점만 지적해두기로 한다. 즉 상품가치의 **주어진 크기**(임금과 이윤을 지불해야 할 재원)는 산업자본가에게 경험적으로—임금의 온갖 변동에도 불구하고—상품의 일정한 시장가격이 상당 기간 동안 꾸준히 지속되는 형태로 나타난다[171]는 것이다.[172]

그래서 A. 스미스의 책에서 이 혼란의 과정이 어떻게 진행되는지 유념할 필요가 있다. 먼저 그는 상품의 가치를 연구하고 곳곳에서 그것을 올바로 규정하고 있다. 즉 그는 일반적인 수준에서 잉여가치와 그 특수한 형태들의 원천을 찾아내고 이 가치로부터 임금과 이윤이 파생되어 나온다고 올바로 규정한다. 그러나 그런 다음 그는 방향을 거꾸로 뒤집어 (임금과 이윤이 파생되어 나온다고 했던) 상품의 가치를 임금, 이윤, 지대의 자연가격의 합에서 도출해내려 한다. 이 두 번째 상황이 벌어지게 된 원인은 그가 임금, 이윤 등의 변동[173]이 상품가격에 미치는 영향을 — 그에게는 이것을 논의할 기초가 갖추어져 있지 않기 때문에 — 어디에서도 올바로 분석하지 못했기 때문이다.

(MEW에서는 G530쪽의 첫 단락 "〔애덤 스미스, 가치와 그 구성부분 … 곡물가격의 결과물이다(『국부론』 제1편, 제11장)〕"를 이 자리에 옮겨놓았음 — 옮긴이)

8. 사회적 생산물의 총가치를 소득으로 분해하는 스미스의 오류. 총소득과 순소득에 대한 그의 견해에서 드러나는 모순

이제 우리는 상품의 가격 혹은 가치(이 둘은 여기에서 아직 동일한 것으로 간주하기로 한다)의 분해와 관련된 또 다른 문제로 넘어가기로 한다. 일단 A. 스미스가 옳게 계산했다고 가정해보자. 즉 상품의 가치가 주어져 있고, 그가 그것을 각 구성부분들로 분해했다고 가정해보자. 말하자면 그가 이 가치를
G388 여러 생산담당자들에게 분배했고, 그와 반대로 이 구성부분들의 가격에서 상품가치를 도출하려고는 하지 않았다고 가정해보자. 즉 이 후자의 경우는 배제하기로 하자. 마찬가지로 임금과 이윤을 단지 분배형태로만(즉[174] 이 둘을 모두 그 소유자들이 소비하는 소득이라는 의미로만) 서술하는 일면적인 사고방식도 여기에서는 배제하기로 하자. 이 모든 경우를 배제한 상태에서 A. 스미스는 스스로 하나의 의문을 제기하고 있는데 여기에서 그가 다시 리카도보다 우월한 점은 그가 스스로 제기한 이 의문에 대해 올바른 해답을 찾아내서라기보다는 이 의문을 일반적인 형태로 제기했기 때문이다.

〔위의 글에 덧붙여야 할 인용문이 있는데 그것은 A. 스미스가 상품의 가치로부터 취득되는 항목들[175]을 상품가치의 원천으로 만드는 것과 관련된 부분이다. 그는 이윤이 자본가의 임금(즉 감독노동에 대한 임금)에 대한 또 다른 이름에 불과하다는 견해에 반론을 제기한 뒤 다음과 같이 결론을 내리고 있다. "따라서 상품**가격**의 측면에서 재원(혹은 자본)에 대한 **이윤**은 임금[176]과는 전혀 다른 원리에 의해 규제되는 전혀 **다른 가치의 원천**을 이룬다."(제1편, 제6장 [99쪽])[177] [178]그런데 방금 전 스미스는 노동자가 원료에 부가한 가치가 임금과 이윤이라는 형태로 노동자와 자본가 사이에 분배된다고 했다. 즉 노동이 유일한 **가치의 원천**이며 이 가치의 원천으로부터 임금의 가격과 이윤의 가격이 비롯된다고 이야기했던 것이다. 그러나 이 가격 그 자체는(즉 임금은 물론 이윤도) **가치의 원천**이 아니다.〕|

|266| 즉 A. 스미스는 이렇게 말하고 있다.

"이들 세 구성부분(임금, 이윤, 토지소유자의 지대)은 직접적으로 혹은 궁극적으로 곡물(혹은 상품[179] 일반)(A. 스미스가 여기에서 곡물을 예로 드는 것은, 어떤 상품에는 가격의 구성요소로 지대[180]가 포함되지 않는다고 생각했기 때문이다)의 **총**가격을 이루는 것처럼 보인다. 여기에 다시 차지농의 자본을 보전하기

위해, 혹은 역축과 다른 농기구의 마모를 보전하기 위해 **제4의 구성부분**이 반드시 추가되어야 할 필요가 있을 것처럼 보인다. 그러나 역축과 같은 농기구의 가격도 그 자체는 다시 위에서 이야기한 세 부분—즉 그 역축을 키우는 데 필요한 토지의 지대와 노동, 그리고 차지농(이 토지의 지대와 이 노동에 대한 임금을 선대한)의 이윤—으로 구성되어 있다는 점이 고려되어야만 한다.[181] 〔여기에서는 이윤이 지대도 포함하는 본원적 형태로 나타나고 있다.〕 따라서 곡물의 가격은 역축의 가격과 그것의 사육비를 보전해야 하긴 하지만 그 **총**가격은 직접적으로 혹은 궁극적으로 이들 세 부분(지대, 노동, 이윤)으로 항상 분해된다."(제1편, 제6장 [101, 102쪽])(여기에서 애덤 스미스가 지대와 이윤을 토지소유 혹은 자본이라고 부르지 않으면서 임금을 갑자기 노동이라고 부르고 있는 것은 매우 황당한 일이다.)[182]

그러나 이와 마찬가지로 애덤 스미스는 다음과 같은 점도 명백히 고려했어야만 하는 것이 아니었을까? 즉 차지농업가가 역축과 쟁기의 가격[183]을 밀의 가격에 포함시킨 것과 마찬가지로 역축 사육업자와 쟁기 제조업자(차지농업가가 역축과 쟁기를 구매한)도 역축과 쟁기의 가격에 생산도구(특히 역 G389
축 사육업자의 경우에는 다른 역축)와 원료(사료나 철과 같은)의 가격을 포함시킬 것이고 한편 또 역축 사육업자와 쟁기 제조업자가 임금과 이윤(그리고 지대)[184]을 **지불하는** 재원은 그들의 생산영역에서 그들의 불변자본의 기존 가치액에 그들이 **부가하는** 새로운 노동으로만 이루어지지 않는가? 따라서 만일 A. 스미스가 차지농업가의 경우에 대하여, 그가 자신의 곡물 가격에 자신과 다른 사람에게[185] 지불한 임금, 이윤, 지대[186] 이외에 **제4의 구성부분**과 또 이들과는 구별되는 별도의[187] **구성부분**(역축이나 농기구 등 그가 이용한 불변자본의 가치)까지 모두 포함된다는 것을 인정한다면, 역축 사육업자와 농기구 제조업자에게도 똑같은 사정이 인정되어야 할 것이며, 스미스가 공연히 우리를 이리저리로 끌고 다닌다(von Pontius zu Pilatus)고 하더라도 그것은 아무 소용이 없을 것이다. 게다가 차지농업가의 사례는 우리를 이리저리 끌고 다니기에 특히 불리한 사례이다. 왜냐하면 차지농업가의 경우에는[188] 불변자본 항목 가운데 다른 사람에게서 구매할 필요가 전혀 없는 항목이 하나 들어가기 때문인데 그것은 곧 종자 곡물이다. 이 종자 곡물의 가치 구성부분이 도대체 누구에게 임금, 이윤, 혹은 지대로 분해되겠는가?

그러나 일단은 좀 더 앞으로 나아가서 스미스가 자신의 견해—모든 상품의 가치가 소득의 원천인 임금, 이윤, 지대 가운데 하나 혹은 모두로[189] 분

해될 수 있다는 견해, 따라서 모든 상품이 소비 용도나 이런저런 개인 용도로(산업적 소비가 아니라) 사용될 수 있다는 견해—를 과연 끝까지 견지하는지 여부를 살펴보기로 하자. 그런데 미리 ||267| 이야기해둘 것이 하나 있다. 예를 들어 산딸기를 채취하는 경우 산딸기의 가치는—대개 이럴 경우에도 역시 바구니와 같은 몇몇 도구들이 노동수단으로 필요하긴 하겠지만—단지 임금으로만 분해될 것이라고 우리는 쉽게 생각할 수 있다. 그렇지만 여기에서는 자본주의적 생산을 문제로 삼고 있기 때문에 이런 사례들은 전반적으로 아무런 의미를 갖지 않는다.

먼저 제1편 제6장에서 이야기된 견해가 반복되고 있다.

[190]**제2편 제2장**(**가르니에** 옮김, 제2권, 212[191]쪽)에서 스미스는 이렇게 말하고 있다.

"대부분의 상품가격은 세 부분으로 분해되는데 그중 하나는 임금, 다른 하나는 이윤, 그리고 나머지 셋째는 지대로 지불된다는 것을 … 알게 되었다." 그에 따라 모든 상품의 총가치는 소득으로 분해된다. 즉 그것은 이들 소득에 의존하여 살아가는 여러 계급들의 소비재원으로 귀속된다. 그러면 이제 예를 들어 한 나라의 연간 총생산은 오로지 생산된 상품가치의 총액[192]으로만 이루어지고 이들 각 상품의 개별 가치[193]는 소득으로 분해되기 때문에 그것들의 총액(즉 연간 노동생산물, 다시 말해 총소득)도 연간 이런 형태로만 소비될 수 있을 것이다. 그리하여 스미스는 곧바로 이렇게 이야기
G390 한다. "개별 상품들에 해당되는 사정은 이들 모든 상품의 **합계**—즉 각 나라의 토지 및 노동의 연간 **총**생산물을 이루는—에도 똑같이 해당되어야만 한다. 이들 연간 생산물의 **총가격 혹은 총교환가치**는 똑같은 세 부분으로 분해되어 그 나라의 여러 주민에게, 그들의 노동에 대한 임금, 그들의 자본에 대한 이윤, 그들의 토지소유에 대한 지대로 분배되어야만 한다."(같은 책, 213쪽)[194] 이것은 사실상 필연적인 결론이다. 개별 상품들에 해당되는 내용은 상품 총액에 대해서도 그대로 해당되어야만 한다.[195]

그러나 그것은 그렇지 않다고 애덤은 말한다. 그는 이어서 말한다.

"한 나라의 토지 및 노동의 연간 총생산물 가치가 이런 방식으로 각 주민들에게 분배되어 그들의 소득을 이룬다 하더라도, 우리는 사적 토지의 소득에서 **총소득**과 **순소득**[196]을 구별하는 것과 마찬가지로 한 나라의 **모든 주민**[197]의 소득에 대해서도 마찬가지의 구별을 할 수 있다."[198] (그런데 잠깐! 여기에서 그는 이전과 정반대되는 말을 우리에게 하고 있다. 개별 차지농에게서 우

리는 예를 들어 그의 밀의 가치가 분해되는 제4의 구성부분(즉 소비된 불변자본을 보전하는 부분)을 구별할 수 있다. 이것은 개별 차지농에게는 **직접적으로** 맞는 말이다. 그런데 조금 더 깊이 들어가면 그에게 불변자본인 것이[199] 그보다 앞선 시점에서는(즉 그것이 그의 수중에서 자본이 되기 전에는) 다른 사람의 수중에서 임금, 이윤 등의 소득으로 분해된다. 따라서 개별 생산자의 수중에 있는 것으로 간주되는 상품의 가치 가운데 소득을 이루지 않는 부분이 존재한다는 것은 맞는 말이지만 "한 나라의 모든 주민"에 대해서는 그것이 틀린 말이 된다. 왜냐하면 한 사람의 수중에서 가치를 창출하는 불변자본은 그보다 앞서 다른 사람의 수중에서는[200] 임금, 이윤, 지대의 총가격을 이루던[201] 것이기 때문이다. 이제 그는 다시 정반대를 이야기한다.) 계속해서 A. 스미스는 이렇게 말한다.|

|268| "사적 토지의 **총**소득은 일반적으로 차지농업가가 지불하는 모든 것을 포괄한다. **순소득**[202]은 관리, 보수에 대한 지출과 기타 필요한 비용을 공제한 다음 **토지소유자에게 남는 것,**[203] 즉 토지소유에 어떤 피해도 입히지 않은 채 직접적 소비(식사 등) 용도의 재원으로 사용할 수 있는 것이다." 등등. "[204]토지소유자의 실질적인 부는 그의 **총**소득이 아니라 그의 **순**소득에 달려 있다."[205](첫째 여기에서 스미스는 적절하지 않은 것을 끌어들이고 있다. 차지농업가가 토지소유자에게 지대로 지불하는 것은 그가 노동자에게 임금으로 지불하는 것은 물론 그의 이윤과 마찬가지로 상품의 가치 혹은 가격 가운데 소득으로 분해되는 부분이다. 문제는 바로 이 상품이 그 외에 또 다른 가치구성 부분을 포함하는지의 여부이다. 여기에서 애덤 스미스는 그가 차지농업가의 경우에 그 부분을 인정한 것과 마찬가지로 역시 그 부분을 인정한다. 그러나 그러면서도 그는 또한 차지농업가의 곡물(즉 그 곡물의 가격 **혹은** 교환가치)은 단지 소득으로만 분해 G391
된다고 말한다. 둘째 거기에 덧붙여야 할 이야기가 있다. **차지농업가로서** 개별 차지농업가가 처분할 수 있는 실질적인 부의 크기는 그의 이윤에 달려 있다. 그러나 다른 한편 상품소유자로서 그는 자신의 경작지나 혹은 (그 토지가 그의 소유가 아닐 경우) 경작지에 딸린 불변자본(역축, 농기구[206] 등) 모두를 판매할 수 있다. 이렇게 하여 그가 실현할 수 있는 가치(즉 그가 처분권을 가진 부)는 그가 소유한 불변자본의 가치 혹은 그것의 크기에 의해 제약된다. 그런데 그는 이것을 다른 차지농업가에게만 판매할 수 있고 다른 차지농업가의 수중에 들어가고 나면 이들 부는 처분 가능한 부가 아니라 그냥 불변자본이 된다.) 〔따라서 우리는 한 발자국도 움직이지 않은 셈이다.〕[207] "한 나라 주민 전체의 **총**소득은 이들의 토지 및 노동의 연간 **총**생산물[208]로 파악된다(조금 전에 우리는 이 총액(그것의 가치)이

임금, 이윤, 지대라는 순소득의 형태로만 분해된다고 들었다). 그리고 **순**소득은 첫째는 **고정자본**, 둘째는 **유동자본**의 유지비를 공제한 다음 이들 주민이 처분할 수 있는 부분이거나(즉 이제 작업도구와 원료가 공제된다) 그들이 자신들의 자본을 훼손하지 않고 자신들의 **소비재원**으로 삼을 수 있는 부분이다. … "[209] (그리하여 우리는 이제 상품의 가격 혹은 교환가치의 총액이 개별 자본가의 경우와 마찬가지로 한 나라 전체의 경우에서도 어느 누구의 소득도 이루지 않는, 즉 임금, 이윤, 지대로 분해되지 않는 제4의 구성부분으로 분해된다는 이야기를 듣게 된다.)

"**고정자본**의 유지를 위한 모든 지출이 사회의 **순**소득에서 공제되어야 한다는 것은 분명하다. 그러나 사용되는 기계나 작업도구, 사업용 건물 등을 유지하는 데 **들어가는 재료**[210]와, 이들 재료를 필요한 형태로 가공하는 데 **들어가는 노동생산물**[211]은 모두 이 **순**소득의 일부가 될 수 없다. 이들 **노동의 가격**[212]은 물론 이 일에 종사한 노동자가 **그가 받은 임금의 총가치**[213]를 ||269| **자신의 소비재원**에 넣을 수 있기 때문에 소득의 한 부분을 이룰 수 있다. 그러나 다른 종류의 노동의 측면에서는 노동의 가격은 물론 그 생산물도 이 소비재원에[214] 포함된다. 즉 노동의 가격은 노동자의 소비재원에 포함되고 노동생산물은 다른 사람의 소비재원으로 들어가서 (이 노동자의 노동을 통해) 그들의 생활, 편의 및 향락을 증가시키게 된다."(같은 책, 213~15쪽)[215] 이것은 다른 학자들보다는 조금 더 올바른 견해에 가까운 것이다.[216]

여기에서 A. 스미스는 그가 대답해야 할 문제, 즉 상품의 총가격 가운데 임금, 이윤, 지대로 분해되지 않는 제4의 구성부분에 대한 문제로부터 다시 벗어나고 있다. 먼저 완전히 틀린 부분을 보자. 기계 제조업자의 경우, 다른
G392 모든 산업자본가의 경우와 마찬가지로 기계의 원료를 필요한 형태로 가공하는 노동은 필요노동과 잉여노동으로, 즉 노동자의 임금은 물론 자본가의 이윤으로도 분해된다.[217] 그러나 원료의 가치와, 노동자가 그 원료를 필요한 형태로 가공하면서 사용하는 작업도구의 가치는 임금은 물론 이윤으로도 분해되지 않는다. 자연적 성질 때문에 개인적 소비가 아니라 산업적 소비의 용도로 지정된 생산물이 소비재원으로 들어가지 않는 것은 이 문제와 아무 상관이 없다. 예를 들어 종자 곡물(밀 가운데 파종에 사용될 부분)은 그 자연적 성질상 소비재원으로도 들어갈 수 있지만 경제적 이유 때문에 생산재원에 들어가야만 한다. 그런데 [218]개인적 소비 용도로 정해진 생산물들에서 그것의 가격 전체가 생산물과 함께 **소비재원**으로 들어간다는 것은 완전히 틀

린 이야기이다. 예를 들어 아마포는, 만일 그것이 돛이나 다른 생산 용도로 사용되지 않는다면, 생산물로는 모두 소비 용도에 들어갈 것이다. 그러나 그것의 가격은 그렇게 되지 않을 것인데 왜냐하면 그것의 가격 가운데 일부는 아마실을, 다른 일부는 직기 등을 보전하게 될 것이고 결국 가격 가운데 나머지 일부만이 일정한 종류의 소득으로 될 것이기 때문이다.

지금 막 애덤은 기계, 사업용 건물 등을 만드는 데 들어가는 재료는[219]이 재료를 가공하여 만든 기계와 마찬가지로 "**순**소득의 일부를 이룰 수 없고", 총소득에 들어간다[220]고 말했다. 그런데 바로 뒤인 제2편 제2장 220쪽에서 그는 정반대의 이야기를 하고 있다. "개별 자본가나 사회 전체의 **고정자본**을 이루는 기계와 작업도구는 화폐와 마찬가지로 어느 누구의 **총소득**의 일부도 **순소득**[221]의 일부도 **되지 않는다** 등등."[222]

애덤의 이런 혼란과 모순, 그리고 문제의 핵심으로부터의 일탈 등은 그가 임금, 이윤, 지대를 생산물의 교환가치 혹은 총가격의 구성요소로 만든 다음에 여기에서 좌초할 수밖에 없었다는 사실을 잘 보여주고 있다.

세는 자신의 상투적인 천박함[223]을 은폐하기 위하여 A. 스미스의 불완전성과 오류를 완전히 일반적인 상투적 문구로 해소하려 했다. 그는 이렇게 말하고 있다. "한 나라의 국민을 하나의 전체로 고찰하면 이들에게는 순생산물이 존재하지 않는다. **생산물**의 가치는 그것의 생산에 들어간 **비용**과 같기 때문에 이 **비용**을 공제하면 그것은 곧 **생산물의 가치** 전체를 공제하는 것이 되기 때문이다. … **연간 소득**이란 곧 **총소득**[224]이다."(『경제학 **개론**』, 제3판, 제2권, 파리, 1817년, 469쪽) 9. 스미스의 이론을 속류화한 세이. 세는 사회적 총생산물과 사회적 소득을 동일시. 시토르흐와 램지는 이들 둘을 구별하려고 노력

연간 총생산물의 가치는 이 생산물에 물화된 ||270| 노동시간의 양과 동일하다. 이 연간 생산물의 총가치를 공제하고 나면 가치에 관한 한 사실상 아무 가치도 남지 않으며 따라서 순소득은 물론 총소득도 남지 않게 된다. 그런데 세는 연간 생산된[225] 가치가 매년 모두 소비된다고 생각한다. 따라서 G393
한 나라 전체의 측면에서는 순생산물은 존재하지 않으며 총생산물만 존재한다. 첫째, 연간 생산된[226] 가치가 매년 모두 소비된다는 것은 틀린 말이다. 고정자본의 대부분이 여기에 해당되지 않는다. 매년 생산된 고정자본의 가치 가운데 대부분은 가치증식과정 없이 노동과정에 들어간다. 즉 총가치가 매년 소비되지 않는 것이다. 그리고 둘째, 소비재원에 들어가는 것이 아니라 생산수단으로,[227]자신이 원래 만들어진 바로 그 생산영역에 자신의 현물형태나 그 등가를 되돌려 주는 생산수단으로 소비되는 가치는 매년 소비되

는 가치의 일부를 이룬다. 이 부분을 넘어서서 개인적 소비에 들어갈 수 있는[228] 가치가 두 번째 부분을 이룬다. 이것이 순생산물[229]이다.

시토르흐는 세의 이 쓰레기 같은 이야기에 대해서 이렇게 말한다.

"연간 생산물의 가치가 일부는 자본으로 다른 일부는 이윤으로 분할된다는 점, 그리고 **연간 생산물의 이들 가치 부분**이, **한 나라 국민들이** 자신들의 자본을 유지하고 자신들의 소비재원을 갱신하기 위해서 **필요로 하는 생산물을 규칙적으로 구매해준다**는 점은 분명한 사실이다."(**시토르흐**, 『경제학 강의』, 제5권, 『**국민소득의 성질에 관한 고찰**』, 파리, 1824년,[230] 134, 135쪽)[231] "러시아의 많은 사례들에서 볼 수 있듯이 자신들의 노동으로 자신들의 필요를 모두 충족하는 어떤 가족의 소득이 … 이런 가족의 **소득**[232]이 그 가족의 토지, 자본, 노동의 총생산물과 과연 같을까? 이들 가족이 헛간이나 외양간에서 잠을 자고 종자 곡물과 가축 사료를 먹고 역축의 가죽으로 옷을 해 입고 농기구로 놀이를 할 수 있을까? 세의 명제에 따르면 이 모든 물음에 대한 답은 '그렇다'이다."(같은 책, 135, 136쪽) "세는[233] 사회의 총생산물을 그 사회의 소득으로 간주한다. 그래서 그는 그 사회가 이 생산물과 동일한 가치를 소비할 수 있다고 결론 내리고 있다."(같은 책, 145쪽) "한 나라 국민의 (순)소득은 세가 생각했던 것처럼 **소비된 총가치**를 초과하여 생산된 잉여가 아니라 **생산에 소비된 가치**를 초과하는 잉여이다.[234] 따라서 한 나라의 국민이 한 해 동안에 이 잉여를 모두 소비한다면 이들 국민은 그들의 (순)소득 전체를 소비하는 셈이다."(같은 책, 146쪽) "만일 이들 국민의 소득이 그들의 총생산물과 동일하다는 것, 즉 거기에서 공제를 통해 어떤 **자본**[235]도 만들어내지 않는다는 것을 인정한다면, 이들 국민이 자신들의 미래 소득을 조금도 훼손하지 않은 채 그들의 연간 생산물의 총가치를 비생산적으로 소비할 수 있다는 것도 역시 인정해야만 할 것이다. (같은 책, 147쪽) **한 나라 국민의 자본**(불변자본)[236] **을 이루는 생산물은 소비될 수 없다.**"[237](같은 책, 150쪽)

램지(조지)는 『**부의 분배에 관한 고찰**』(**에든버러, 1836년**)에서 같은 문제, 즉
G394 A. 스미스가 총가격의 제4의 구성부분이라고 불렀던 것(내가 임금에 지출된 자본과 구별하여 불변자본이라고 부르는 것)에 대하여 다음과 같이 말하고 있다.|

|271| "리카도는 총생산물이 임금과 이윤으로 분할될 뿐 아니라 고정자본을 보전하기 위해 또 한 부분이 필요하다는 사실을 잊고 있다."(174쪽, 주)[238] 램지는 "고정자본"을 생산도구 등과 같은 것이자 원료도 함께, 요컨

대 내가 모든 생산영역 내에서 불변자본이라고 부르는 것으로 이해하고 있다. 리카도는 생산물이 이윤과 임금으로 분할되는 것에 대해 말할 때에는 항상 생산 그 자체에 선대되어 생산과정에서 소비된 자본은 이미 공제되었다는 것을 가정하고 있다. 그럼에도 불구하고 램지의 이야기는 기본적으로 옳다. 리카도는 불변자본에 대해 그 이상 아무런 분석도 하지 않고 내버려둠으로써 중요한 오류를 범한 셈이며 특히 이윤율의 변동 등에 대한 연구에서도 이윤과 잉여가치를 혼동하고 있다.

이제 램지 자신의 이야기를 직접 들어보기로 하자.

"생산물과 거기에 지출된 자본은 어떻게 비교되는가?[239] … 한 나라 전체를 생각한다면[240] … 지출된 자본의 온갖 다양한 요소들이 모두 어딘가에서 재생산되어야 한다는 것은 분명하다. 만일 그렇지 않다면 그 나라의 산업은 이전과 같은 형태로 계속될 수 없을 것이다. 공업의 원료, 공업과 농업에 사용된 도구, 공업에 사용된 온갖 기계, 생산물을 제조하고 저장하는 데 필요한 건물 등은 전부 생산을 주도한 모든 자본가의 선대자본과 한 나라의 총생산물을 구성해야만 한다. 그렇기 때문에 전자의 양은 후자의 양과 비교될 수 있으며 각각의 품목들은 똑같은 종류의 다른 품목들과 나란히 존재하는 것으로 생각될 수 있다."(같은 책, 137~139[241]쪽)(**램지**) "개별 자본가들의 경우, 이들은 자신들의 지출을 현물로 직접 **보전**할 수 없고, 그 대부분을 교환을 통해 획득해야 하기 때문에, 따라서 이 교환을 위해 생산물 가운데 상당 부분이 필요하기 때문에 개별 자본가들은[242] 모두 생산물의 양보다는 그것의 교환가치에 더 많은 주의를 기울이게 된다.(같은 책, 145, 146쪽) **생산물의 가치**가 선대된 **자본의 가치**를[243] 더 많이 초과할수록 이윤은 더욱 커질 것이다. 그러므로 자본가는 양을 비교하는 것이 아니라 가치를 비교하여 이윤을 추정할 것이다. … 이윤은 총생산물(혹은 그것의 **가치**) 가운데 **선대자본을 보전**하는 데 필요한 부분이 감소 혹은 증가하는 데 정확히 비례하여 함께 증가 혹은 감소할 것이 틀림없다. 따라서 이윤율은 두 가지 요소에 의존한다.[244] 즉 첫째 총생산물 가운데 노동자들에게 돌아가는 부분, 둘째 고정자본의 보전을 위해서 (현물이든 교환에 의해서든) 따로 떼어두는 부분."(같은 책, 146~48쪽)(램지가 여기에서 이윤율이라고 말하는 부분은 이윤을 다루는 제3장[245]에서 고찰하게 될 것이다. 그가 이 요소를 올바르게 강조한 것은 중요하다. 불변자본(램지가 고정자본이라고 이해했던 것)[246]을 이루는 상품의 가격 하락은 항상 기존 자본 일부의 가치를 감소시킨다고 했던 리카도의 이야기는 일면 맞는 것이다. 이것은 G397

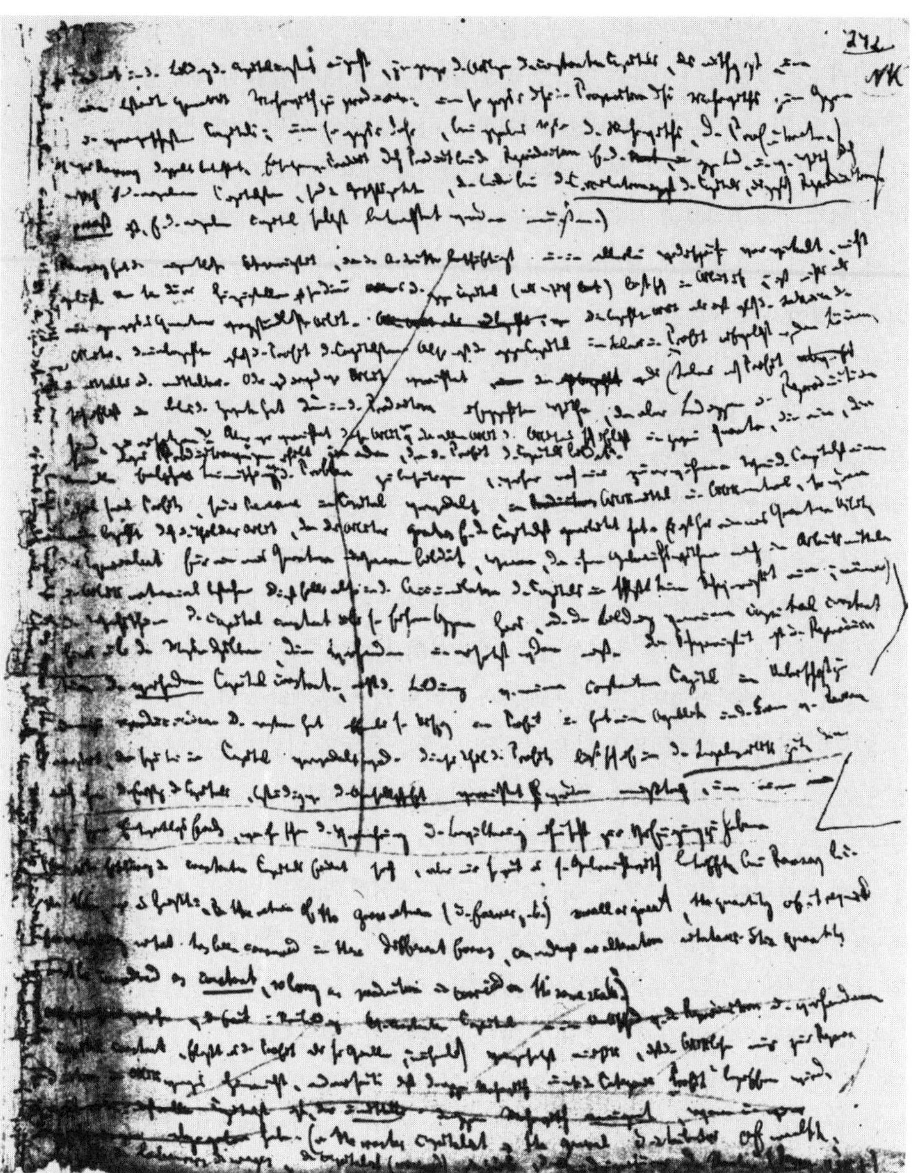

제6노트 272쪽

특히 기계와 같은 본래 고정자본의 경우에는 그대로 적용된다. 총자본에 대한 잉여가치 비율의 증가는, 만일 이 비율의 증가가 불변자본(가치가 하락하기 전에 이미 자본가가 소유하고 있던)의 총가치가 하락함으로써 발생한 것이라면, 개별 자본가들에게 전혀 이익이 되지 못한다. 그러나 원료나 완제품으로 이루어진 자본 부분(고정자본에 들어가지 않는)의 경우 리카도의 이야기는 극히 미미한 정도로만 적용된다. 그처럼 가치가 하락할 수 있는 이들 자본 부분의 현존하는 양은 총생산에 비하면 언제나 극히 미미한 크기에 지나지 않는다. 리카도의 이야기는 모든 자본가에게서 그의 유동자본 부분에 대해서는 극히 미미한 정도로만 적용된다. 반면에 이윤은 선대된 총자본에 대한 잉여가치의 비율이므로, 그리고 흡수될 수 있는 노동량은 가치가 아니라 원료의 양과 생산수단의 효율에 달려 있으므로, 즉 그것들의 교환가치가 아니라 사용가치에 의존하므로, ||272| 불변자본의 형성에 들어가는 산업부문이 생산적이면 생산적일수록, 즉 일정량의 잉여가치를 생산하는 데 필요한 불변자본의 지출이 감소하면 할수록, 총선대자본에 대한 이 잉여가치의 비율은 더욱 커지고 그에 따라 잉여가치량이 주어져 있을 때 이윤율은 더욱 커질 것이 분명하다.)

(램지가 이중으로 고찰하고 있는 것, 즉 한 나라 전체에 대한 재생산의 관점에서[247] 생산물에 의한 생산물의 보전과 개별 자본가의 관점에서 가치에 의한 가치의 보전은, 둘 다 **자본의 유통과정**(**바로 재생산과정**이기도 하다)에 존재하는 두 가지 관점으로 개별 자본을 고찰할 경우에도 모두 필요한 관점이다.)[248]

램지는 A. 스미스가 온갖 모순에 뒤엉켜 빠져나오지 못했던 본래의 어려움들을 해결하지 못했다. 이 어려움의 골자를 추려보면 그것은 다음과 같다. 총자본(가치로서의)은 노동으로 분해된다. 즉 그것은 다름 아닌 일정량의 대상화된 노동이다.[249] 그러나 지불된 노동은 노동자의 임금과 동일하고 지불되지 않은 노동은 자본가의 이윤과 동일하다. 따라서 총자본은 직접적이든 간접적이든 임금과 이윤으로 분해될 수 있어야 한다. 그렇지 않은 노동, 즉 임금과 이윤으로 분해되지 않고[250] 단지 생산에 소비된 가치(바로 재생산의 조건이기도 한)만을 보전할 목적으로 이루어지는 노동이 도대체 어디에 있단 말인가? 노동자의 모든 노동이 두 부분으로, 즉 하나는 자신의 노동력을 보전하는 부분으로, 다른 하나는 자본가의 이윤을 이루는 부분으로 분할되는데 도대체 누가 그런 노동을 수행한단 말인가?[251]

G398

10. 연간 이윤과 임금이, 이윤과 임금 이외에 불변자본까지 포함하는 연간 상품을 어떻게 구매할 수 있는지에 대한 연구
a) 소비수단 생산자들은 자신들 간의 교환을 통해 자신들의 불변자본을 보전할 수 없다

[연간 이윤과 임금이, 이윤과 임금 이외에 불변자본까지 포함하는 연간 상품을 어떻게 구매할 수 있는지에 대한 연구]

이 문제에 잘못 뒤섞인 온갖 오류들을 제거하기 위하여 먼저 언급해두어야 할 것이 한 가지 있다. 자본가가 자신의 이윤(소득) 가운데 일부를 자본(노동수단[1]과 노동재료)으로 전화시킨다면 이들 두 요소는 모두 노동자가 자본가를 위해 무상으로 제공한 노동 가운데 일부에 의해 지불된다. 여기에서 그것은 하나의 새로운 노동량, 즉 하나의 새로운 상품량—이들 상품은 그 사용가치의 측면에서 노동수단과 노동재료로 이루어진다—에 대한 등가이다. 따라서 이것은 자본축적에 해당하는 것이고 여기에는 아무런 어려움도 존재하지 않는다. 즉 그것은 불변자본이 자신의 이전 규모를 넘어서서 증가하는 것이며 새로운 불변자본이 기존의 불변자본, 즉 보전해야 할 불변자본의 크기를 넘어서서 형성되는 것을 의미한다. 어려움은 **기존** 불변자본의 재생산에 있는 것이지, 재생산되어야 할 불변자본의 크기를 넘어서는 새로운 불변자본의 형성에 있는 것이 아니다. 새로운 불변자본은 명백히 이윤에서 비롯된 것이며 잠깐 소득의 형태로 존재하다가 나중에 자본으로 전화한다. 이윤 가운데 이 부분은 궁극적으로 잉여노동시간으로 분해되는데 그것은 자본이 존재하지 않더라도 이른바 발전재원—이미 인구 증가 때문에라도 필요한—을 마련하기 위해 끊임없이 사회가 수행해야 하는 것이다.

(단지 사용가치와 관련된 것일 뿐이긴 하지만 램지는 앞의 책 166쪽에서 불변자본에 대해 훌륭하게 설명하고 있다. "총소득(예를 들어 농부의)의 크기[2]가 변동하더라도 이 소득 가운데 생산과정에서 이들 여러 형태로 소비된 것들을 보전하는 데 필요한 부분의 크기는 변화가 있을 수 없다. 이 크기는 생산이 동일한 규모로 반복되는 한 **불변**[3]인 것으로 간주되어야만 한다.")

[4]따라서 우선 다음과 같은 사실에서 출발해야 한다. 기존 불변자본의 재생산과는 달리 불변자본의 새로운 형성은 이윤을 그 원천으로 한다. 즉 여기에서는 한편에서 임금은 노동력의 재생산만을 충족하고 다른 한편에서 모든 잉여가치는 "이윤"의 범주에 포괄되는 것이 전제되어 있는데 이는 잉여가치 전체를 **직접적으로 취득하는** 사람이—나중에 그가 이 잉여가치의 일부를 어디의 누구에게 양도한다 [하더라도]—바로 산업자본가이기 때문이다. ("산업자본가는 부의 일반적 분배자이다. 그는 노동자에게는 임금을, (화폐)자본가에게는 이자를, 토지소유자에게는 지대를 지불한다."[5] (**램지**, 218쪽[219쪽])

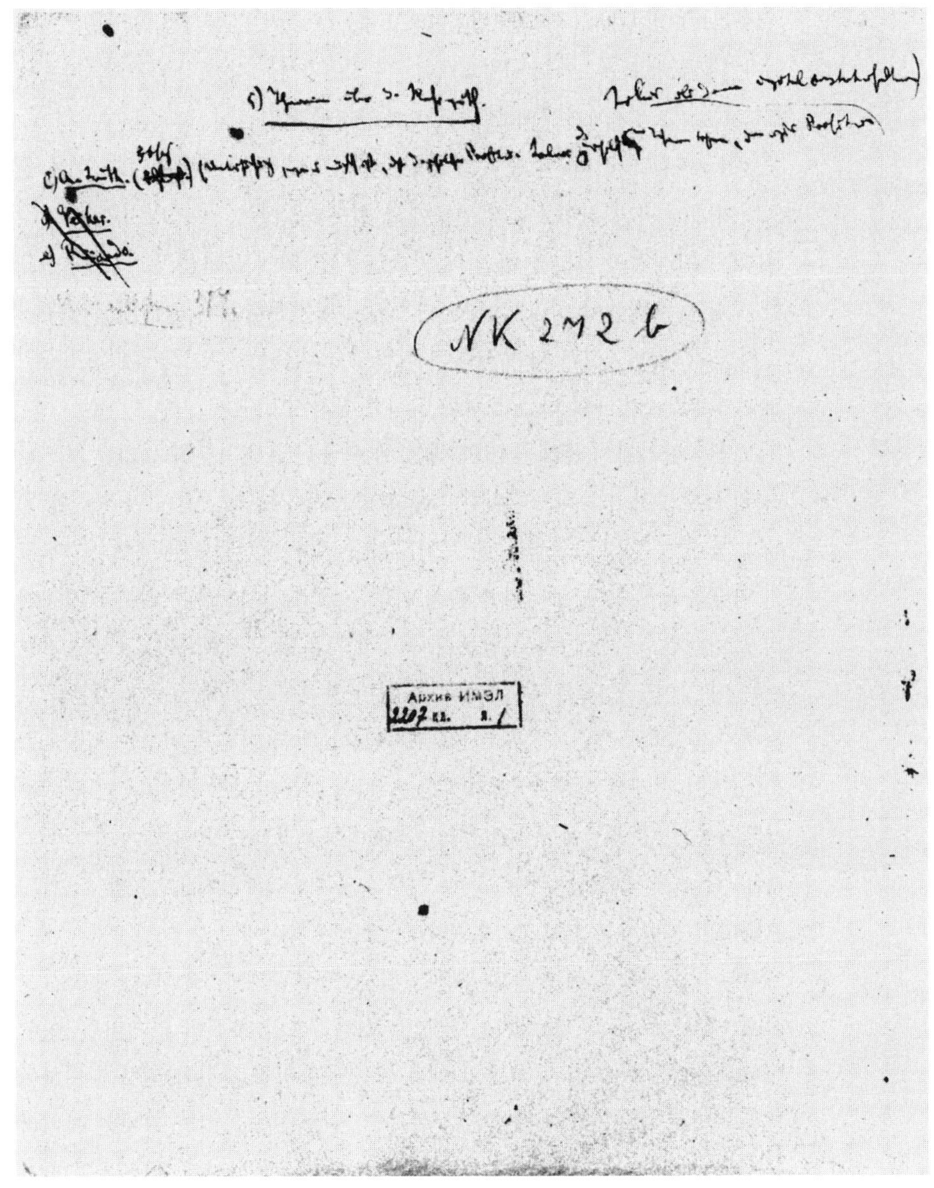

제7노트 앞표지 뒷면

[우리는] 잉여가치 [전체를] 이윤이라고 부름[으로써] 자본가를 1) 창출된 총잉
G401 여가치를 곧바로 획득하는 사람으로, 2) 이 잉여가치를 자기 자신과 화폐자본가, 그리고 토지소유자에게 분배하는 사람으로 간주한다.)[6]|

|VII-273| 그러나 이 새로운 불변자본이 이윤에서 비롯된다는 것은 곧 그것이 노동자의 잉여노동의 일부에서 비롯되었다는 것을 의미한다. 이것은 마치 미개인이 사냥을 하는 데 필요한 시간 외에도 활을 만드는 데 필요한 시간을 소비해야 하는 것과 마찬가지이며 가부장제적 농업에서 농부가 토지를 경작하는 시간 외에 자신의 작업도구 대부분을 만드는 데 일정량의 노동시간을 소비해야 하는 것과도 역시 마찬가지이다.

그러나 여기에서 문제는 이미 생산[7]에 사용된 불변자본의 등가를 보전하기 위하여 누가 노동하느냐이다. 노동자의 노동 가운데 노동자가 자신을 위해 노동한 부분은 그의 임금을 보전하거나 전체 생산의 관점에서 볼 때 그의 임금을 창출한다. 그러나 이윤을 이루는 그의 잉여노동은 일부는 자본가의 소비재원으로 들어가고 일부는 추가적 자본으로 전화한다. 그러나 자본가는 이 잉여노동 혹은 이윤으로부터 이미 자신이 생산에 사용한 자본을 보전하지 않는다.[8] 그런데 임금을 이루는 필요노동과 이윤을 이루는 잉여노동은 노동일 전체를 이루고 그 외에 노동은 더 이루어지지 않는다. (가령 자본가의 감독노동은 임금에 포함된다. 이런 측면에서 보면 자본가는 임노동자 — 비록 다른 자본가에 대해서는 아니고 바로 자신의 자본에 대해서이긴 하지만 — 이다.) 그렇다면 불변자본을 보전하는 원천인 노동은 어디에서 오는 것일까?

자본 가운데 임금에 지출된 부분은(잉여노동은 무시하기로 한다) 새로운 생산에 의해 보전된다. 노동자는 임금을 소비하지만 자신이 없애버린 낡은[9] 노동만큼의 노동량을 새로 부가한다. 분업으로 인한 혼란을 피하기 위하여 노동자계급 전체의 관점에서 고찰한다면, 노동자는 동일한 가치뿐 아니라 동일한 사용가치도 재생산하고, 따라서 그의 노동생산성에 따라 동일한 가치, 동일한 노동량은 동일한 사용가치의 더 큰 양이나 더 적은 양으로 재생산된다.

어떤 시대의 사회를 보더라도 모든 생산영역에는 비록 비율은 서로 상당히 다를지라도 일정한 불변자본이 동시에 존재하는데 그것은 항상 생산에 속해 있으면서 언제나 생산으로 되돌아와야 하는(마치 종자 곡물이 토지로 되돌아오듯이) 생산조건으로 전제되어 있는 것이다. 이 불변자본의 **가치**는 그것을 이루는 상품들[10]의 재생산 비용이 하락 혹은 상승함에 따라 함께 하락

혹은 상승한다. 그러나 이런 **가치변동**에도 불구하고 그것은 그 불변자본이 생산조건으로 투입되는 생산과정에서 언제나 생산물의 가치를 통해 재현되어야만 하는 가치로 전제되어 있다. 따라서 불변자본 그 자체의 이런 가치변동은 여기에서 무시할 수 있다. 여기에서 불변자본은 어떤 경우에도 생산물 G402
의 가치를 결정하는 과정에서 이전되는 일정량의 **과거**노동, 즉 **대상화된** 노동이다. 따라서 우리는 문제를 좀 더 분명하게 하기 위해서 불변자본 부분의 생산비[11] 혹은 가치도 역시 불변인 상태로 머물러 있다고 가정하자.[12] 또한 예를 들어 불변자본의 총가치가 한 해 동안에 모두 생산물에 이전되지 않고 고정자본의 경우처럼 수년에 걸쳐 생산물들에 조금씩 이전된다고 하더라도 사정은 전혀 변하지 않을 것이다. 왜냐하면 여기에서 문제가 되는 것은 불변자본 가운데 1년 동안 실제로 소비되는 부분, 즉 1년 동안에 보전되어야 하는 부분뿐이기 때문이다.

불변자본의 재생산에 관한 문제는 분명 자본의 재생산과정 혹은 유통과정 편[13]에 속하는 것이지만 여기에서 핵심적인 사항들을 처리해도 무방하리라고 생각된다.|

|274| 먼저 노동자의 임금을 살펴보기로 하자. 노동자가 자본가를 위하여 12시간을 노동하면 노동자는 10시간의 노동으로 물화된 일정 화폐액을 받는다. 이 임금은 생활수단으로 분해된다. 이들 모든 생활수단은 상품이다. 이들 상품의 가격은 그 가치와 같다고 가정하자. 그런데 이 상품들의 가치 속에는 상품에 포함된 원료와 상품을 생산하는 데 사용된 생산수단의 가치에 해당하는 부분이 존재한다. 이들 상품가치의 모든 구성부분을 전체적으로 살펴보면 거기에는 노동자가 지출한 임금과 마찬가지로 10시간의 노동만이 포함되어 있다. 이들 상품가치 가운데 $\frac{2}{3}$는 상품에 포함된 불변자본의 가치로 이루어지고 $\frac{1}{3}$은 생산물을 최종적으로 생활수단으로 만들어버린 노동으로 이루어진다고 가정하자. 그리하여 노동자는 자신의 살아 있는 노동[14] 10시간으로, $\frac{2}{3}$의 불변자본과 동시에 $\frac{1}{3}$의 살아 있는 노동(1년 동안에 노동대상에 부가한)을 보전한다. 만일 그가 구매하는 상품인 생활수단이 불변자본을 전혀 포함하지 않았다면, 즉 그 상품의 생산에 원료가 전혀 들어가지 않았고 어떤 노동수단도 사용되지 않았다면 두 가지 경우가 있을 수 있다. 첫째 그 상품은 여전히 똑같은 10시간의 노동을 포함한다. 그럴 경우 노동자는 10시간의 살아 있는 노동에 의해 10시간의 살아 있는 노동을 보전한다. 둘째 그의 임금을 이루면서 그의 노동력을 재생산하는 데 필요한 양과

똑같은 사용가치가 단지 $3\frac{1}{3}$시간의 노동만을 필요로 한다(그 자체가 이미 노동생산물인 작업도구와 원료가 전혀 들어가지 않기 때문이다). 이 경우 노동자는 필요노동으로 $3\frac{1}{3}$시간만 노동하면 되고 그의 임금은 사실상 $3\frac{1}{3}$시간의 대상화된 노동으로 감소할 것이다.

상품이 아마포이고 12엘레 = 36실링, 즉 1파운드 16실링이라고 하자(여기에서 실제 가격[15]은 얼마가 되든 상관이 없다). 이 가운데 $\frac{1}{3}$은 부가된 노동이
G403 고 $\frac{2}{3}$는 원료(실)와 기계 마모분이다. 필요노동시간은 10시간이고 그에 따라 잉여노동시간은 2시간이며, 1시간의 노동을 화폐로 나타내면 1실링이 된다. 그러면 이 경우 12시간의 노동 = 12실링, 임금 = 10실링, 이윤 = 2실링이 될 것이다. 노동자와 자본가가 임금과 이윤 전체, 즉 12실링 — 원료와 기계에 부가된 총가치, 즉 실에서 아마포로 전화하는 과정에서 물화된 새로운 노동시간 총량 — 을 이 아마포에(소비품목으로서) 지출했다고 가정하자. (나중에 자신의 생산물을 구매하는 데 1노동일 이상을 지출하는 경우도 있을 수 있다.) 아마포 1엘레는 3실링이므로 노동자와 자본가는 임금과 이윤을 합한 금액인 12실링으로 단지 4엘레의 아마포만 구매할 수 있다. 이 4엘레의 아마포에는 12시간의 노동이 포함되어 있고, 그중 4시간은 새로 부가된 노동을 나타내고 8시간은 불변자본을 통해 실현된 노동을 나타낸다. 임금과 이윤을 합한 12시간의 노동으로는 이 총생산물[16] 가운데 $\frac{1}{3}$만을 구매하게 되는데 이는 총생산물[17] 가운데 $\frac{2}{3}$가 불변자본을 이루기 때문이다. 12시간의 노동은 4+8로 분해되는데 그 가운데 4는 자신을 보전하고 8은 방직과정에 부가된 노동과는 별개의 노동 — 이미 물화된 형태로(즉 실과 기계로) 방직과정에 들어간 — 을 보전한다. 생산물 가운데 이 부분 — 즉 소비품목으로서(혹은 재생산 그 자체를 위한 어떤 목적이라고 해도 상관없는데 이는 상품의 구매 목적은 이 문제에 아무런 영향을 미치지 않기 때문이다) 임금 및 이윤과 교환되는 상품 — 과 관련하여 분명한 사실은 생산물의 가치 가운데 불변자본을 이루는 부분이 새로 부가된 노동의 재원(즉 임금과 이윤으로 분해되는)으로부터 지불된다는 점이다. 임금과 이윤에 의해 불변자본은 얼마나 구매되고, 최종 생산과정에서 부가된 노동은 얼마나 구매될지, 즉 최종적으로 부가된 노동과 불변자본을 통해 실현된 노동이 각각 얼마의 비율로 지불될 것인지는 이것들이 가치구성 부분으로 완성된 상품에 들어간[18] 처음의 비율에 달려 있다. 문제를 단순화하기 위해 우리는 이들 두 요소 간의 비율을, 불변자본을 통해 실현된 노동[19]이 $\frac{2}{3}$, 새로 부가된 노동이 $\frac{1}{3}$이라고 가정한다.|

|275| 이제 두 가지 점은 분명하다.

첫째, 우리가 아마포에서 가정했던 비율, 즉 노동자와 자본가가 임금과 이윤을 자신들이 생산한 상품으로 실현하는 경우, 즉 자신들이 생산한 상품 가운데 일부를 도로 구매하는 경우의 비율 — 이 비율은 그들이 동일한 가치액을 다른 상품에 지출할 경우에도 변하지 않는다. 모든 상품은 $\frac{2}{3}$의 불변자본과 $\frac{1}{3}$의 부가된 노동을 포함한다는 가정에 따라 임금과 이윤의 합계로는 항상 생산물 가운데 $\frac{1}{3}$만 구매할 수 있다. 12시간의 노동 = 4엘레의 아마포 G404
이다. 이 4엘레의 아마포가 화폐로 전화한다면 그것은 12실링이 될 것이다. 만일 이 12실링이 아마포가 아닌 다른 상품으로 전화한다면 그것은 12시간의 노동가치를 가진 상품을 구매하게 될 것인데 그 12시간 가운데 4시간은 새로 부가된 노동을, 8시간은 불변자본을 통해 실현된 노동을 나타낼 것이다. 즉 아마포와 마찬가지로 다른 상품들에서도 부가된 노동과 불변자본을 통해 실현된 노동 사이의 원래 비율이 동일하다고 가정한다면 이 비율은 일반적인 것이 될 것이다.

둘째, 하루에 부가되는 노동이 12시간이라면 이 12시간 가운데 단지 4시간만이 노동 자신, 즉 살아 있는 부가된 노동을 보전하고 8시간은 불변자본을 통해 실현된 노동을 지불한다. 그런데 자신에 의해 보전되지 않는 이 8시간의 살아 있는 노동시간을 도대체 누가 지불한단 말인가? 그것은 곧 불변자본에 포함되어 있으면서 8시간의 살아 있는 노동과 교환되는 바로 그 8시간의 실현된 노동이 지불한다.

따라서 완성된 상품 가운데 임금과 이윤의 합계에 의해 구매되는 부분(이것은 바로 불변자본에 새로 부가된 노동 총량을 의미한다)은 의심할 나위 없이 자신의 모든 요소를 통해 보전된다. 즉 이 부분에 포함된 새로 부가된 노동은 물론 불변자본에 포함된 노동량도 모두 보전된다. 또한 이때 불변자본에 포함된 노동이 자신의 등가를 자신에게 새로 부가된 살아 있는 노동의 재원으로부터 획득했다는 것도 분명한 사실이다.

그러나 여기에서 어려움이 등장한다. 12시간 방직노동의 **총생산물** — 이 총생산물은 이 방직노동 자체가 생산한 것과는 전혀 다른 것이다 — 은 12엘레의 아마포, 즉 36시간의 노동 혹은 36실링의 가치에 해당한다. 그러나 임금과 이윤을 합한 것, 즉 12시간의 총노동은 이 36시간의 노동 가운데 12시간**만**을, 즉 총생산물 가운데 단지 4엘레만을 다시 구매할 수 있을 뿐이며 그 이상은 단 한 조각도 더 구매할 수 없다.[20] 그렇다면 나머지 8엘레는 어떻

게 되는가? (포르카드, 프루동)[21]

먼저 지적해야 할 것은 8엘레가 바로 투하된 불변자본을 나타낸다는 점이다. 그러나 그것의 사용가치 형태는 변화되었다. 그것은 새로운 생산물의 형태로 존재한다. 그것은 이제 실이나 방직기가 아니라 아마포의 형태로 존재한다. 이 8엘레의 아마포는 임금과 이윤으로 구매되는 다른 4엘레와 마찬가지로 가치의 측면에서 볼 때 $\frac{1}{3}$은 방직과정에서 부가된 노동을, $\frac{2}{3}$는 불변자본을 통해 물화된 과거노동을 포함한다. 그러나 이전에 4엘레의 경우 새로 부가된 노동 가운데 $\frac{1}{3}$은 4엘레에 포함된[22] 방직노동, 즉 자기 자신을 보전하고 나머지 $\frac{2}{3}$의 방직노동은 4엘레에 포함된 불변자본을 보전했는데, 이제 8엘레의 아마포에서는 거꾸로 불변자본 가운데 $\frac{2}{3}$가 8엘레에 포함된 불변자본을 보전하고 $\frac{1}{3}$의 불변자본이 8엘레에 포함된 새로 부가된 노동을 보전한다.

G405 그러면 이제 이 8엘레의 아마포 — 모두 12시간의 방직노동을 통해 획득한[23] 가치[24] 혹은 생산에 투입된 불변자본 전체의 가치가 들어가 있고, 이제는 직접적인 개인적 소비(생산적 소비가 아닌) 용도로 지정된 생산물의 형태를 취하는 — 는 어떻게 되는 것일까?

이 8엘레는 자본가의 소유가 된다. 자본가가 자신의 이윤을 ||276| 나타내는 $\frac{2}{3}$엘레처럼 이것을 소비하려 한다면 그는 12시간의 방직과정에 포함된 불변자본을 재생산할 수 없게 될 것이다. 즉 일반적으로 말해서 이 12시간의 방직과정에 들어간 자본에 관한 한 그는 자본가로 기능할 수 없게 될 것이다. 따라서 그는 8엘레의 아마포를 판매하여 그것을 24실링(혹은 24시간의 노동에 해당하는 액수)의 화폐로 전화시킨다. 그런데 여기에서 우리는 어려움에 부딪힌다. 그는 이것을 누구에게 팔 것인가? 그는 아마포를 누구의 화폐로 전화시킬 것인가? 우리는 곧 이 문제로 다시 돌아올 것이다. 우선 그보다 먼저 이것을 조금만 더 진행시켜 보기로 하자.

8엘레의 아마포 — 즉 자신의 생산물가치 가운데 그가 선대한 불변자본의 가치에 해당하는 부분[25] — 를 화폐로 전화시키자마자, 즉 아마포를 판매하여 교환가치의 형태로 전화시키자마자, 자본가는 그 화폐를 가지고 원래 그의 불변[26]자본을 구성하고 있던 것과 같은 종류(사용가치의 측면에서)의 상품을 다시[27] 구매한다. 즉 그는 실과 방직기 등을 구매한다. 그는 24실링[28]을 새로운 아마포를 생산하는 데 필요한 비율에 따라 원료와 생산수단으로 나누어 구매한다.

따라서 그의 불변자본은 사용가치의 측면에서 원래 그것을[29] 이루고 있던 것과 같은 새로운 노동생산물에 의해 보전된다. 즉 그는 불변자본을 재생산한다.[30] 그러나 이 새로운 실과 방직기 등도 똑같이 (가정에 따라)[31] $\frac{2}{3}$의 불변자본과 $\frac{1}{3}$의 새로 부가되는 노동으로 이루어져 있다. 따라서 만일 처음의 4엘레의 아마포(부가된 노동과 불변자본)가 새로 부가된 노동에 의해서만 지불된다면[32] 이 8엘레의 아마포는 새로 생산된[33] 자신의 생산요소들(즉 일부는 새로 부가된 노동으로 또 다른 일부는 불변자본으로 이루어진)에 의해 보전될 것이다. 그래서 적어도 불변자본의 일부는 다른 형태의 불변자본과 교환되는 것처럼 보인다. 생산물의 보전은 현실적인 것인데 이는 실이 아마포로 가공될 때 그와 동시에 아마가 실로 가공되고 아마씨는 아마로 가공되며, 이와 마찬가지로 방직기가 마모되고 있을 때 새로운 방직기가 만들어지고, 새로운 방직기가 만들어지는 동안 새로운 목재와 철재가 채취되고 있기 때문이다. 이들 각 요소는 한 생산영역에서 생산되고 있는 동안 다른 생산영역에서 가공되고 있다. 그러나 **동시에** 진행되는 이들 모든 생산과정에서 — 비록 이들 생산과정이 생산물의 더 진전된 국면들을 나타내는 것이긴 하지만 — 불변자본은 제각기 다른 비율로 소비된다.

그리하여 완성된 생산물인 아마포의 가치는 두 부분으로 분해되는데 그중 G406
한 부분은 동시에 생산된 불변자본 요소들을 다시 구매하는 데 사용되고 다른 한 부분은 소비품목을 구매하는 데 지출된다. 논의를 단순화하기 위해 여기에서는 이윤 가운데 일부가 재전화하는 문제는 완전히 무시하기로 한다. 즉 이 연구 전체에서는 임금 + 이윤, 말하자면 불변자본에 부가된 노동 총액이 모두 소득으로 소비된다고 가정한다.

이제 남은 문제는 단지 총생산물[34] 가운데 그동안 새로 생산된 불변자본 요소들을 다시 구매하는 데 지출되는 가치 부분을 누가 구매할 것인가 하는 문제뿐이다. 즉 도대체 8엘레의 아마포를 누가 구매할 것인가? 논의가 분산되는 것을 피하기 위해 이 아마포가 돛[35]과 같이 생산적 소비를 위한 것이 아니라 특별히 개인적 소비를 위한 것이라고 가정하자. 그리고 단순히 중개만을 담당하는 상업행위도 여기에서는 모두 배제하기로 한다. 예를 들어 이 8엘레의 아마포가 상인에게 판매된 다음 상인 1명이 아니라 20명을 거친다고 하더라도, 즉 20번을 구매되었다가 다시 판매된다 하더라도, 결국 20번째에는 상인에게서 실질적인 소비자에게 판매되어야 할 것이다. 따라서 이 소비자는 사실상 생산자 혹은 **마지막** 20번째 상인(소비자에 대하여 **첫**

번째 상인, 다시 말해 사실상 생산자를 대신하는 상인)에게 지불하게 될 것이다. 이런 중개행위는 최종 거래를 미루는 것이거나 (표현하기에 따라) 매개하는 것일 뿐, 최종 거래를 설명해주는 것은 아니다. 결국 문제는 똑같이 남게 된다. 도대체 누가 8엘레의 아마포를 아마포업자에게서 구매할 것인가? 혹은 ||277| 일련의 거래를 거쳐서 아마포를 손에 넣은 20번째 상인에게서 도대체 누가 그 아마포를 구매할 것인가?

이 8엘레의 아마포는 처음의 4엘레와 마찬가지로 소비재원으로 넘어가야만 한다.[36] 즉 그것은 임금과 이윤에 의해서만 지불될 수 있는데 왜냐하면 이 임금과 이윤이 생산자(여기에서는 또한 유일한 소비자이기도 한)의 유일한 소득원이기 때문이다. 이 8엘레의 아마포는 24시간의 노동을 포함하고 있다. 방직업의[37] 노동자와 자본가가 그들의 하루 노동(일반적으로 통용되는 표준노동시간은 12시간이라고 하자) 전체를(노동자는 자신의 10시간 노동을, 자본가는 노동자에게서 얻은 2시간의 잉여가치, 즉 10시간에 대한 2시간의 잉여가치를) [가지고] 아마포에 지출하는 것과 마찬가지로 다른 두 산업부문의 노동자와 자본가도 자신들의 임금과 이윤을 모두 아마포에 지출한다고 가정하자. 그럴 경우 아마포 방직업자는 8엘레를 판매할 것이고 12엘레에 해당되는 자신의 불변자본 **가치**를 보전하게 될 것이다. 그리고 이 가치는 불변자본을 구성하는 일정 상품들[38]에 다시 지출될 수 있을 것이다. **왜냐하면** 시장에 나와 있는 실이나 방직기 등[39]과 같은 이들 상품은 실과 방직기가 아마포를 가
G407 공하는 바로 그 시간에 똑같이 생산되었기 때문이다. 실과 방직기가 생산물로 만들어지는 것이 아니라 생산물로 투입되는 생산과정이 진행되고 있는 바로 그 시간에 실과 방직기가 생산물로[40] **동시에 생산된다는** 사실은 아마포의 **가치** 가운데 아마포를 가공하는 데 들어간 원료와 방직기 등의 가치 부분이 다시 실과 방직기 등으로 분해될 수 있다는 것을 설명해준다. 만일 아마포[41] 생산요소들의 생산이 아마포 그 자체의 생산과 동시에 이루어지지 않는다면 8엘레의 아마포는 설사 그것이 판매되어 화폐로 전화한다고 하더라도 화폐로부터 다시 아마포의 불변자본[42] 요소로 재전화할 수 없을 것이다. 예를 들어 지금 미국의 면직업자들이 남북전쟁 때문에 면사와 면직물의 생산에서 당면한 어려움이 바로 이런 경우에 해당한다. 시장에 면화가 없기 때문에 그들은 자신들의 생산물을 판매하고도 그것을 생산요소로 재전화시키지 못하고 있는 것이다.[43] 그러나 다른 한편 새로운[44] 실과 방직기가 시장에 나와 있다 하더라도, 즉 실과 방직기의 완제품이 아마포로 전화하고 있는 동

안에 새로운 실과 방직기의 생산이 이루어지고 있다 하더라도(다시 말해 이처럼 아마포의 생산과 실과 방직기의 생산이 동시에 이루어진다고 하더라도), 8엘레의 아마포가 판매되기 전에는(즉 그것이 화폐로 전화하기 전에는) 이 8엘레의 아마포는 방직업자의 불변자본의 이들 소재적인 요소로 재전화할 수 없다.[45] 따라서 만일 우리가 8엘레의 아마포를 구매할(그것을 화폐형태로, 자립적인 교환가치 형태로 재전화시킬) 재원이 어디에서 오는지를 알지 못한다면, 아마포 자체의 생산과 함께 아마포 요소들의 생산이 실제로 끊임없이[46] 이루어진다는 사실만으로는 불변자본의 재생산을 설명할 수 없을 것이다.

이 마지막 어려움을 해결하기 위해서 우리는 B와 C(이들을 제화업자와 정육업자라고 하자)가 자신들의 임금 및 이윤 총액(즉 그들이 처분권을 가진 24시간의 노동)을 모두 아마포에 지출한다고[47] 가정했다. 그리하여 우리는 아마방직업자 A의 어려움을 해결했다. 그의 총생산물, 즉 36시간의 노동이 실현된 12엘레의 아마포는 임금과 이윤만으로, 즉 생산영역[48] A, B, C에서 불변자본에 새로 부가된 노동시간의 합계만으로 모두 보전되었다. 아마포에 포함된 총노동시간(그것의 불변자본에 이미 들어가 있던[49] 과거노동시간과 방직과정에서 새로 부가된 노동시간을 모두 포괄하는)은 어떤 한 생산영역의[50] 이미 주어진 불변자본을 이루고 있던 과거노동시간이 아니라 A, B, C 세 생산영역에서 동시에 불변자본에 **새로**[51] 부가된 노동시간과 서로 교환되었다. 따라서 아마포의 처음 가치가 단지 임금과 이윤으로만 분해된다고 말하는 것은 여전히 틀린 이야기인 반면—왜냐하면 이 처음 가치는 임금과 이윤을 합한 가치(즉 12시간의 방직노동)와 24시간의 노동(방직과정과는 무관하게 실과 방직기에 포함된, 다시 말해 불변자본에 포함된 노동시간)이라는 두 요소로 G408 분해되기 때문이다—[52]12엘레 아마포의 등가(즉 그것을 판매하여 얻은 36실링)가 임금과 이윤으로만 분해된다고 말하는 것, 즉 방직노동뿐 아니라 실과 방직기에 포함된 노동도 모두 새로 부가된 노동(즉 A의 12시간, B의 12시간, C의 12시간의 노동)에 의해서만 보전된다고 말하는 것은[53] 맞는 말이 될 것이다. 판매된 상품 그 자체의 가치는 ||278| 새로 부가된 노동(임금과 이윤)과 과거노동(불변자본의 가치)으로 분해된다. 즉 그것은 판매가치(사실상의 상품가치)이다. 반면 구매자가 판매자에게[54] 지불하는 구매가치는 단지 새로 부가된 노동, 즉 임금과 이윤으로만 분해된다. 그런데 판매되기 전의 모든 상품은 앞으로 판매되어야 할 상품이고 단순한 형태변화만으로 화폐로 전화하는 것이기 때문에 판매되는 상품으로서의 모든 상품은 구매되는 상품(즉

화폐)과는 다른 가치구성 부분들로 이루어져야만 한다. 그러나 이것이 말이 되는 이야기인가. 게다가 또 있다. 예를 들어 1년 동안 한 사회가 수행한 노동은 그 자체를 보전할 뿐 아니라 — 그래서 만일 총상품량[55]을 이등분하면 연간노동의 절반은 다른 절반의 등가를 이룰 것이다 — 연간 생산물에 포함된 총노동 가운데 $\frac{1}{3}$의 노동(즉 1년 동안 수행된 노동)[56]이 $\frac{3}{3}$의 노동(즉 자신의 3배에 해당하는 노동)을 보전하게 될 것이다. 이것은 더 기가 막힌 이야기가 아닌가.

위에서 든 예에서 우리는 어려움을 A에서 B와 C로 옮겨놓았다. 그러나 어려움은 단순해진 것이 아니라 오히려 더 커졌을 뿐이다. 첫째 우리는 A에서, 실에 부가된 것과 똑같은 노동시간을 포함하는 4엘레(즉 A에서의 임금과 이윤의 합계)가 아마포 그 자체(즉 자신의 노동생산물)로[57] 소비되는 출구를 가지고 있었다. 그런데 이것은 B와 C에서는 이루어질 수 없다. 왜냐하면 B와 C에서는 자신들이 부가한 노동시간의 합계(즉 임금과 이윤의 합계)를 A의 생산물인 아마포(즉 B와 C의 생산물이 아닌)를 통해서 소비하기 때문이다. 따라서 이들 두 영역은 자신들의 생산물 가운데 불변자본인 24시간을 대표하는 부분만이 아니라 불변자본에 새로 부가된 노동인 12시간을 대표하는 부분도 판매해야 한다. B는 A처럼 24시간이 아니라 36시간을 판매해야 한다. C의 사정도 B와 마찬가지이다. **둘째** A의 불변자본을 판매하기 위해서는(즉 그것을 누군가에게 넘겨주고 화폐로 전화시키기 위해서는) B뿐 아니라 C에서의 새로 부가된 노동까지도 모두 필요하다. **셋째** B와 C는 자신의 생산물 가운데 어떤 부분도 A에게 판매할 수 없다. 왜냐하면 A의 생산물 가운데 소득으로 분해된 부분은 모두 이미 A의 생산자들[58]에 의해 A에 지출되었기 때문이다. B와 C는 또한 자신들의[59] 생산물 가운데 어떤 부분으로도 A의 불변자본 부분을 보전해줄 수 없다. 왜냐하면 가정에 따라 이들의 생산물은 A의
G409 생산요소가 아니라 개인적 소비에 들어가는 상품들이기 때문이다. 여기에서 좀 더 들어가면 어려움은 더욱 커진다.

A의 생산물에 포함된 36[60]시간(즉 $\frac{2}{3}$에 해당하는 불변자본 24시간과 $\frac{1}{3}$에 해당하는 새로 부가된 노동 12시간)이 불변자본에 부가된 노동으로만 교환되기 위해서는 A의 임금과 이윤(즉 A에서 부가된 12시간의 노동)이 A의 생산물 가운데 $\frac{1}{3}$에 소비되어야만 했다. 총생산물 가운데 나머지 $\frac{2}{3}$인 24시간의 노동 은 불변자본에 포함된 가치를 나타낸다. 이 가치는 B와 C의 임금 및 이윤 총액(즉 새로 부가된 노동)과 교환되었다. 그러나 B와 C가 그들의 생산물

가운데 임금으로 분해되는 24시간의 노동으로 아마포를 구매할 수 있으려면 그들은 각자 자신들의[61] 생산물 형태를 취하는 이 24시간의 노동을 판매해야만 한다. 거기에다 그들은 48시간에 해당하는 자신들의 불변자본을 보전하기 위해 또한 자신들의 생산물을 판매해야 한다. 따라서 이들은 72시간에 해당하는 B와 C의 생산물을 다른 생산영역 D, E 등의 임금 및 이윤 총액과 교환하여 판매해야만 한다. 그리하여 (표준노동일이 12시간이라면) 12×6시간(=72시간)의 노동(즉 6개의 생산영역에서 새로 부가된 노동)이 B와 C의 ||279| 생산물을 실현하는 데 사용되어야 한다. 말하자면 D, E, F, G, H, I에서 각각의 불변자본에 부가된 노동의 합계, 즉 이들의 임금과 이윤 총액이 모두 여기에 사용되어야 하는 것이다. 이런 조건하에서 B+C의 총생산물 가치는 D, E, F, G, H, I 생산영역에서 새로 부가된 노동(즉 임금과 이윤의 합계)에 의해서만 지불될 것이다. 그러나 이제는 이 6개의 생산영역에서 (이들 생산영역의 생산자들은 이미 각자의 모든 소득을 B와 C의 생산물에 지출했기 때문에 이들은 자신들의 생산물 가운데 자신들이 스스로 소비하는 부분을 전혀 가지고 있지 않다) 총생산물이 판매되어야 하는데, 그중 이들 생산영역 내부에서 스스로 해결될 수 있는 부분은 전혀 존재하지 않는다. 즉 6×36시간(=216시간)의 노동에 해당하는 생산물이 판매되어야 하는데 그중 불변자본은 144시간, 새로 부가된 노동은 72시간(6×12)이다. 이제 D를 비롯한 6개 생산영역의 생산물이 다시 비슷한 방식으로 임금 및 이윤(즉 새로 부가된 노동)으로 전화하기 위해서는 18개의 생산영역(K^1-K^{18})에서 새로 부가된 총노동(즉 이 18개 생산영역의 임금 및 이윤의 총액)이 D, E, F, G, H, I 생산영역의 생산물들에 모두 지출되어야 한다.[62] 이 18개 생산영역 K^1-K^{18}의 생산물들도 판매되어야 하는데 왜냐하면 이들의 생산물 가운데 이들 생산영역에서 스스로 소비하는 부분은 하나도 없고 이들은 자신들의 소득 모두를 이미 D-I의 생산영역에 지출해버렸기 때문이다. 이들 생산영역이 판매해야 하는 생산물의 가치는 18×36시간의 노동, 즉 648시간의 노동이고 이 가운데 18×12시간, 즉 216시간은 새로 부가된[63] 노동이며 432시간은 불변자본에 포함된 노동이다. 따라서 K^1-K^{18}의 총생산물이 다른 생산영역에서 부가된 노동(즉 임금과 이윤의 합계)으로 분해되기 위해서는 L^1-L^{54}의 생산영역에서 부가된 노동(즉 12×54=648시간의 노동)이 필요할 것이다. L^1-L^{54}의 생산영역이 자신들의 총생산물 1,944시간(그중 648=12×54시간이 새로 부가된 노동이며 1,296시간은 불변자본에 포함된 노동이다)을 새로 부가된 노동과 교환 G410

하기 위해서는 M^1-M^{162}(162×12=1,944시간이므로)의 생산영역에서 새로 부가된 노동을 흡수해야 한다. 그리고 이것은 다시 N^1-N^{486}의[64] 생산영역에서 새로 부가된 노동을 필요로 한다 등등. 이것은 훌륭한 형태의 무한수열인데, 그것은 우리가 모든 생산물이 임금과 이윤(즉 새로 부가된 노동)으로 분해되고, 또한 그것이 상품에 부가된 노동뿐 아니라 그것의 불변자본까지도 다른 생산영역에서 새로 부가된 노동에 의해 지불되어야 한다고 한 데서 비롯된 것이다.

A의 생산물에 포함된 36시간의 노동(그중 $\frac{1}{3}$은 부가된 노동이고 $\frac{2}{3}$는 불변자본이다)을 새로 부가된 노동으로 분해하기 위해서는, 즉 임금과 이윤으로 지불하기 위해서는, 먼저 생산물 가운데 $\frac{1}{3}$(그것의 가치는 임금과 이윤의 합계와 같다)을 A의 생산자 자신이 소비하거나 구매해야만 했다. 그 후의 진행과정은 다음과 같았다.[65]

1) **생산영역 A.** 생산물=**36**시간의 노동. 24시간의 노동은 불변자본, 12시간의 노동은 부가된 노동. 생산물 가운데 $\frac{1}{3}$은 12시간의 노동을 분배받는 사람들, 즉 노동자와 자본가에 의해(임금과 이윤으로) 소비됨. A의 생산물 가운데 $\frac{2}{3}$(=불변자본에 포함된 24시간의 노동)는 판매되어야 할 부분으로 남아 있음.

2) **생산영역 B¹–B².** 생산물=**72**시간의 노동. 그중 24시간은 부가된 노동, 48시간은 불변자본. 부가된 노동으로 A의 생산물 가운데[66] A의 불변자본 가치를[67] 보전하는 $\frac{2}{3}$를 구매함. 그러나 자신의 총생산물 가치를 구성하는 72시간의 노동은 판매되어야 할 부분으로 남아 있음.

3) **생산영역 C¹–C⁶.** 생산물=**216**시간의 노동. 그중 **72**시간이 부가된 노동(임금과 이윤). 이것으로 B^1-B^2의 생산물 전체를 구매. 그런데 이제 216시간의 노동이 판매되어야 하고 그중 144시간은 불변자본임.|

|280| 4) **생산영역** D^1-D^{18}. 생산물=648시간의 노동. 그중 216시간은 부가된 노동, 432시간은 불변자본. 부가된 노동으로 생산영역 C^1-C^6의 총생산물=216시간을 구매함. 그러나 이제 판매해야 할 것은 648시간이 되었음.

5) **생산영역** E^1-E^{54}. **생산물**=1,944시간의 노동. 그중 648시간은 부가된 노동, 1,296시간은 불변자본. D^1-D^{18}의 생산물을 모두 구매하지만 1,944시간을 판매해야 함.

6) **생산영역** F^1-F^{162}. **생산물**=5,832시간의 노동. 그중 1,944시간은 부가

된 노동, 3,888시간은 불변자본. 1,944시간을 가지고 $E^1 - E^{54}$의 생산물을 모두 구매하고 5,832시간을 판매해야 함.

7) **생산영역** $G^1 - G^{486}$.

여기에서는 논의를 단순화하기 위해 모든 생산영역의 표준노동일이 12시간이고 이것을 자본가와 노동자가 분배한다고 가정하고 있다. 노동일을 다양하다고 가정하는 것은 문제 해결에는 아무런 도움도 되지 않고 오히려 쓸데없이 문제를 더욱 복잡하게 만들 뿐이기 때문이다.

이에 따라 이 수열의 법칙은 다음과 같이 더 명확하게 표현된다. G411

1)[68] **생산물 A**＝36시간. 불변자본＝24시간. **임금과 이윤의 합계** 혹은 **부가된 노동**＝12시간. 후자의 노동은 자본과 노동에 의해 A 자신의 생산물로 소비된다.

판매되어야 할 A의 생산물＝A의 불변자본＝24시간.

2) $\mathbf{B^1 - B^2}$.[69] A의 판매되어야 할 생산물 24시간을 지불하기 위해 여기에서는 2노동일, 따라서 2개의 생산영역을 필요로 한다.

생산물＝2×36＝72시간이고 그중 24시간이 부가된 노동, 48시간이 불변자본.

B^1과 B^2의 판매되어야 할 생산물＝72시간이며 그중 어느 부분도 스스로 소비하지 않는다.

6) $\mathbf{C^1 - C^6}$. 여기에서는 6노동일이 필요한데 왜냐하면 72＝12×6이고 $B^1 - B^2$의 생산물 모두가 $C^1 - C^6$에서 부가된 노동에 의해 소비되어야 하기 때문이다. 생산물 ＝6×36＝ 216시간이고 그중 72시간이 부가된 노동, 144시간은 불변자본.

18) $D^1 - D^{18}$. 여기에서는 18노동일이 필요한데 왜냐하면 216＝12×18이기 때문이다. $\frac{2}{3}$의 불변자본이 1노동일에 해당되기 때문에 총생산물은 18×36＝ 648(불변자본 432)이 된다.

등등. 1, 2 따위의 괄호 안 숫자는 노동일의 숫자 혹은 각 생산영역에서 각각의 노동을 의미하는데 이는 우리가 모든 생산영역의 1노동일을 똑같은 것으로 가정하고 있기 때문이다.

그리하여 1) A. **생산물 36**시간, 부가된 노동 **12**시간. **판매되어야 할 생산물**(불변자본)＝24시간.

혹은

1) **A. 판매되어야 할 생산물** 혹은 **불변자본**＝24시간. 총생산물 36시간.

부가된 **노동 12시간은 A 자체에서 소비됨.**

2) B^1-B^2. 부가된 노동으로 A의 24시간을 구매. **불변자본** 48시간. **총생산물** 72시간.

6) C^1-C^6. 부가된 노동으로 B^1-B^2의 **72**(=12×6)시간을 구매. **불변자본** =144시간. 총생산물 = 216시간 등등.|

|281| 즉 1) A. 생산물= 3노동일[=]36시간.[70] 부가된 노동 12시간. 불변자본 **24시간.**

2) B^{1-2}. 생산물=2×3=6노동일[=]**72시간.**[71] 부가된 노동 =12×2=**24시간. 불변자본**=48=2×24시간.

6) C^{1-6}. **생산물**=3×6노동일=3×72시간=216시간. **부가된 노동=6×12**=72시간.[72] **불변자본**=2×72=144시간.[73]

18) D^{1-18}. **생산물**=3×3×6노동일=3×18노동일=54노동일[74]=648시간. 부가된 노동=12×18=**216시간. 불변자본**=432시간.

G412 54) E^{1-54}. **생산물**=3×54노동일=162노동일=[75]1,944시간. 부가된 노동=54노동일=648시간. 불변자본 1,296시간.

162) F^1-F^{162}. **생산물**=3×162[=]486노동일=5,832시간. 부가된 노동=162노동일=1,944시간. 불변자본 3,888시간.

486) G^{1-486}.[76] **생산물=3×486노동일**. 부가된 노동=486노동일 =5,832시간. 불변자본 11,664시간 등등.

여기서 우리는 서로 다른 생산영역의 각기 다른 노동일 1+2+6+18+54+162+486의 합계 729를 얻게 되는데 이 다양한 생산영역들은 사회가 이미 상당히 분화되었다는 것을 보여준다.

A — 단지 12시간의 노동(1노동일)만이 2노동일의 불변자본에 부가되고 임금과 이윤이 자신의 생산물을 소비하는 — 의 총생산물에서 24시간의 불변자본을 판매하기 위해서는, 더욱이 그것이 단지 새로 부가된 노동(임금과 이윤)으로만 다시 분해될 수 있으려면, 우리는 B^1과 B^2에서 2노동일을 필요로 한다. 그러나 이 2노동일은 4노동일의 불변자본을 필요로 하기 때문에 B^{1-2}의 총생산물=6노동일이 된다. 이 총생산물은 **남김없이** 판매되어야만 하는데 왜냐하면 **여기에서부터** 이후에 이어지는 모든 생산영역이 자신의 생산물을 전혀 소비하지 않고 자신의 임금과 이윤을 오로지 선행하는 생산영역의 생산물[77]에만 모두 지출한다고 가정하기 때문이다. 6노동일에 해당되는 B^{1-2}의 이 생산물을 보전하기 위해서는 6노동일이 필요한데 그것은 다시

12노동일의 불변자본을 전제로 한다. 그렇기 때문에 [78]C^{1-6}의 총생산물 = 18노동일이 된다. 이것을 새로 부가된 노동으로 보전하기 위해서는 D^{1-18}의 18노동일이 필요한데 그것은 다시 36노동일의 불변자본을 전제로 한다. 그리하여 총생산물은 54노동일이 된다. 이것을 보전하기 위해서는 E^{1-54}의 54노동일이 필요한데 이것은 108노동일의 불변자본을 전제로 한다. 그리하여 생산물은 162노동일이 된다. 결국 이것을 보전하기 위해서 필요한 162노동일은 324노동일의 불변자본을 전제로 하고 그에 따라 총생산물은 486노동일이 된다 등등.[79] 이것이 바로 $F^{1} - F^{162}$이다. 마지막으로 이 F^{1-162}의 생산물을 보전하기 위해서는 G^{1-486}의 486노동일이 필요하고 그것은 972노동일의 불변자본을 전제로 한다. 그리하여 G^{1-486}의 총생산물 = 972 + 486 = 1,458노동일이 된다.

그러나 이제 생산영역 G에서 더 옮겨 갈 곳이 없다고 가정하자. ||282| 실제로 어떤 사회에서든 이런 생산영역의 이동에는 결국 한계가 있을 것이다. 그러면 어떻게 될까? 우리가 가지고 있는 생산물에는 1,458노동일이 포함되어 있을 것이고, 그중 486노동일은 새로 부가된 노동이고 972노동일은 불변자본으로 실현된 노동일 것이다. 그런데 486노동일은 선행하는 생산영역 F^{1-162}에 지출될 수 있다. 그러나 불변자본에 포함된 972노동일은 무엇으로 구매되어야 할 것인가? G^{486} 이후에는 새로운 생산영역이 더는 존재하지 않 G413
으며 따라서 새로운 교환영역도 존재하지 않는다. 그것이 마지막으로 교환해 준 $F^{1} - F^{162}$를 제외하고는 이제 어떤 것도 교환될 수 없다. G^{1-486}에 포함된 임금과 이윤은 한 푼도 남김없이 모두 F^{1-162}에 지출되었다. 따라서 G^{1-486}의 총생산물에[80] 실현된 972노동일(거기에 포함된 불변자본의 가치와 동일한)은 판매될 수 없다. 따라서 우리가 A의 8엘레의 아마포(그것의 생산물 가운데 불변자본의 가치를 나타내는 24시간의 노동, 즉 2노동일)에서 부딪힌 어려움을 거의 800개에 가까운 생산영역으로 이동시킨 것은 아무런 쓸모가 없었다.

혹시 A가 자신의 이윤과 임금을 모두 아마포에 지출하지 않고 그중 일부를 B와 C의 생산물에 지출한다면 계산이 달라질 것이라고 생각하는 것은 아무 쓸모가 없는 일이다. A, B, C에 포함된 부가적인 노동시간은 지출의 한계를 이루고 있고, 이들 노동시간은 항상 그것과 동일한 크기의 노동시간에 대해서만 처분권을 가질 수 있을 뿐이다. 이들 노동시간으로 어떤 한 생산물의 구매를 늘리면 그만큼 다른 생산물의 구매가 줄어들 수밖에 없다. 이것은 단지 계산만 복잡하게 만들 뿐 결과는 전혀 변화시키지 못한다. 그러면 도대체 어떻게 해야 한단 말인가?

위의 계산을 정리해보면 다음과 같다.[81]

		노동일	부가된 노동	불변 자본	
생산물 A	=	3	1	2	(A의 생산물 가운데 $\frac{1}{3}$은 자체 내에서 소비된다)
B	=	6	2	4	이 계산에서 마지막 불변자본의 324노동일을 농
C	=	18	6	12	부가 자신의 생산물에서 공제하여 토지에 돌려
D	=	54	18	36	줌으로써 스스로 보전한다면 이 계산은 맞을 것
E	=	162	54	108	이다. 그러나 그것이 그렇게 되기 위해서는 반드
F	=	486	162	324	시 불변자본 가운데 일부가 자신을 보전해야만 한다.
합계[82]		729	243	486	

여기에서는 사실상 새로 부가된 노동에 해당하는 243노동일이 소비되었다. 최종 생산물의 가치인 486노동일은 A－F에 포함된 불변자본의 총가치, 즉 486[83]노동일과 같다. 이것을 설명하기 위하여 G에 새로 부가된 노동 486일이 있다고 가정하자. 그러나 그것을 통해서 얻을 수 있는 것은 486노동일의 불변자본에 대한 ||283| 계산을 해결하는 것이 아니라 G의 생산물(불변자본 972노동일＋부가된 노동 486일＝1,458노동일에 해당하는)에 포함된 972노
G414 동일에 해당하는 불변자본의 문제를 새롭게 해결해야 하는 것뿐이다. 만일 G에서는 불변자본 없이 생산이 이루어지고 따라서 G의 생산물이 단지 새로[84] 부가된 노동 486[85]노동일만으로 이루어진다고 가정한다면 물론 계산은 해결되겠지만 이때 그 문제는 생산물의 가치 가운데 불변자본을 이루는 부분을 누가 지불하느냐는 문제를 불변자본＝0인(따라서 생산물의 가치에서 불변자본을 이루는 부분이 없다는) 경우를 [86]가정함으로써만 해결한 것이 될 것이다.

A의 총생산물[87]을 모두 판매하기 위해서는, 즉 그것을 새로 부가된 노동과 교환하기 위해서는(즉 그것을 이윤과 임금으로 분해하기 위해서는) **A, B, C 에서[88] 새로 부가된 노동 전체**가 A의 생산물로 실현된 노동에 지출되어야만 한다. 그리고 **B＋C**[89]의 총생산물이 판매되기 위해서는 $D^1 - D^{18}$에서 새로 부가된 모든 노동이 지출되어야만 한다. 마찬가지로 $D^1 - D^{18}$의 총생산물을 구매하려면 E^{1-54}에서 부가된 모든 노동이 지출되어야 하고 E^{1-54}의 총생산물을 구매하기 위해서는 [90]F^{1-162}에서 부가된 모든 노동이 지출되어야 한다.

그리고 마지막으로 F^{1-162}[91]의 총생산물을 구매하기 위해서는 G^{1-486}에서 부가된 총노동시간이 지출되어야 한다. G^{1-486}로 표현되는 이 486개의 생산영역에서 부가된 총노동시간은 F의 162개 생산영역의 총생산물과 같고 노동에 의해 보전되는 이 생산물 총액은 A, B^{1-2}, C^{1-6}, D^{1-18}, E^{1-54}, F^{1-162}의 불변자본 총액과 같다. 그러나 G 생산영역의 불변자본([92]A – F^{1-1602} 에서 사용된 불변자본의 2배에 해당하는)은 보전되지 않으며 보전될 수도 없다.

[93]사실 우리가 이미 보았듯이 우리는 모든 생산영역에서 새로 부가되는[94] 노동과 과거노동 간의 비율을 1 : 2[95]로 가정했기 때문에 선행하는 생산영역의 생산물을 구매하기 위해서는 언제나 2배의 새로운 생산영역[96]에서 새로 부가된 노동 전체가 필요했다. A의 총생산물을 구매하기 위해서는 A, B^{1-2}, C^{1-6}[97]의 부가된 노동이 필요하고, A, B, C의 총생산물을 구매하기 위해서는 18D 혹은 $D^{1-18(2\times9)}$의 부가된 노동이 필요하다. 요컨대 항상 생산물에 포함된 것보다 2배의 새로 부가된 노동이 필요하고 따라서 마지막 생산영역 G의 총생산물을 판매하기 위해서는 부가되는 노동이 그 총생산물의 2배가 되어야만 한다. 말하자면 마지막 생산영역 G[98]에서 우리는 첫 생산영역 A에 이미 존재하던 문제, 즉 새로 부가된 노동은 자신의 생산물 가운데 자신의 크기 이상을 결코 구매할 수 없다는 것, 다시 말해 새로 부가된 노동은 불변자본에 포함된 과거노동을 구매할 수 **없다**는 것을 보게 된다.

따라서 소득의 가치가 생산물의 총가치를 보전하는 것은 불가능하다. 그러나 소득 외에는 생산자가 (개별) 소비자에게 판매하는 이 생산물에 대해서 지불할 수 있는 재원은 어디에도 존재하지 않기 때문에 생산물의 총가치에서 소득의 가치를 뺀 나머지 부분[99]은 판매될(지불될) 수도, (개인적으로) 소비될 수도 없다. 그러나 다른 한편 모든 생산물은 반드시 판매되어야 하고 자신의 가격(가정에 따라 여기에서 가격 = 가치)을 지불받아야 한다.

한편 우리는 여러 생산영역의 상품들(혹은 생산자들) 사이의 구매와 판매, G415
즉 교환행위를 끼워 넣는 것으로는 문제 해결의 진전을 보지 못하리라는 것을 처음부터 예상할 수 있었다. A의 경우, 즉 첫 번째 상품인 아마포의 경우, 새로 부가된 ||283a| 노동은 $\frac{1}{3}$, 즉 12시간이었고 불변자본에 포함된 과거노동은 2×12, 즉 24시간이었다. 임금과 이윤은 생산물 가운데 상품 A(혹은 다른 상품의 형태를 취하는 상품 A의 등가)로부터 12시간에 해당하는 부분만을 도로 구매할 수 있었다. 그것들은 24시간에 해당되는 자신의 불변자본(즉 다른 상품의 형태를 취하는 이 불변자본의 등가)은 도로 구매할 수 없었다.

상품 B에서는 부가되는 노동과 불변자본의 비율이 다를 수 있다. 그러나 서로 다른 생산영역들에서 불변자본과 새로 부가된 노동 사이의 비율이 아무리 다르다 하더라도 우리는 그 평균치를 계산해낼 수 있다. 즉 사회(혹은 자본가계급) 전체의 생산물[100](말하자면 자본의 총생산물)에서 새로 부가된 노동=a, 불변자본에 포함된 과거노동=b로 계산해낼 수 있다. 혹은 우리가 아마포 A에서 가정했던 1:2[101]의 비율은 바로 이 a:b의 상징적인 표현일 뿐이고 그것은 곧 이들 두 요소 — 해당 연도(혹은 임의의 어떤 기간) 동안 새로 부가된 살아 있는 노동과 불변자본에 포함된 과거노동의 형태로 존재하는 — 간의 일정하게 정해진(혹은 정해질 수 있는) 어떤 비율을 나타낼 뿐이라고 말해야 할 것이다. 실에 부가된 12시간의 노동이 모두 아마포만을 구매하는 것이 아니라 예를 들어 4시간만 구매한다면, 그것은 8시간에 해당하는 다른 상품을 구매할 수 있을 것이고 — 물론 이 둘을 합쳐 12시간이 넘어서는 안 될 것이다 — 그럴 경우에는 32[102]시간에 해당하는 A의 아마포가 판매되어야 할 것이다. 따라서 A의 예는 사회 전체의 총자본에 대해서도 그대로 적용될 것이고 여러 상품들 사이의 교환을 중간에 끼워 넣는 것은 문제를 더욱 혼란스럽게 만들 뿐이고 문제의 본질을 전혀 변화시킬 수 없다. A가 사회의 총생산물이라고 한다면 이 총생산물의 $\frac{1}{3}$은 생산자들이 자신의 임금과 이윤의 합계(=새로 부가된 총노동=그들의 총소득의 합계)를 가지고 자신들의 소비를 위해 구매(지불)할 수 있을 것이다. 그러나 나머지 $\frac{2}{3}$에 대해서는 그것을 구매(지불 혹은 소비)할 수 있는 재원이 그들에게[103] 없다. 따라서 새로 부가된 노동, 즉 임금과 이윤[104]으로 분해될 수 있는 총생산물의 $\frac{1}{3}$[105]이 자신의 생산물(생산물의 가치 부분)로 보전되는 것과 마찬가지로, 즉 생산물의 가치 가운데 총노동의 $\frac{1}{3}$(부가된 노동, 혹은 그것의 등가)이 포함하는 부분을 도로 회수하는 것과 마찬가지로, $\frac{2}{3}$의 과거노동도 자신의 생산물로 보전되어야 한다. 말하자면 불변자본이 여전히 동일한 크기를 유지해야 하고 총생산물에서 자신을 대표하는 가치 부분으로부터 자신을 보전해야 하는
G416 것이다. 여러 상품들 사이의 교환, 즉 여러 생산영역 사이의 일련의 구매와 판매는, 단지 여러 생산영역의 불변자본이 원래 각자의 생산영역에 포함되어 있던 비율에 따라 서로를 보전하는 의미에서만 형태상의 차이를 드러낼 뿐이다.

이것을 이제 좀 더 자세히 살펴볼 필요가 있다.

〔A. 스미스가 그의 저작에서 현실을 설명하면서 얼마나 자주[106] 생산물

에 포함된 노동량을 가치(그리고 가치를 결정하는 요소)로 이해하고 있었는지를 보여주는 예는 매우 많다. 그중 일부는[107] 리카도에게서도[108] 인용되고 있다. 분업과 기계의 개량이 상품가격[109]에 미치는 영향에 대한 그의 모든 이론은 바로 여기에 기초를 두고 있다. 여기에서 하나만 인용해본다면 제1편 제11장에서 A. 스미스는 많은 공산품[110]의 가격 하락을 당시와 그 이전 세기를 비교해서 설명하면서 다음과 같은 말로 끝을 맺는다. "이전 세기에는 상품을 시장에 내보내기 위해 ||283b| 지금보다 더 많은 양의 노동이 들어가야만 했다. 그래서 이전 세기에 상품이 시장에 내보내졌다는 것은 틀림없이 그 상품이 더 많은 양의 노동의 가격으로 구매되거나 교환되었다는 것을 의미한다."(제2권, 156쪽)〕

한 나라의 연간 생산물이 임금과 이윤(지대와 이자도 여기에 포함된다)으로 분할된다는 똑같은 견해를 A. 스미스는 제2편 제2장의 화폐유통과 신용제도에 대한 고찰에서 반복하고 있다[111](여기에 대해서는 뒤에 나오는 **투크** 부분을 참조할 것).[112] 거기에서 그는 이렇게 말하고 있다.

b) 사회 전체의 불변자본은 소비수단 생산자들과 생산수단 생산자들 사이의 교환을 통해 모두 보전될 수 없다

"한 나라의 유통은 서로 다른 두 영역으로 나누어 고찰할 수 있다. 즉 기업가들 상호 간의 유통(가르니에[113]의 설명에 따르면 스미스가 여기에서 기업가로 생각하는 사람은 모든 상인, 제조업자, 수공업자 등이다. 한마디로 말하면 한 나라의 상업과 공업의 모든 담당자들을 의미한다)[114]과 기업가와 소비자들 사이의 유통이 곧 그것이다. 금속 화폐든 지폐든 똑같은 화폐액은 유통의 두 부문 모두에서 사용될 수 있지만, 두 유통과정은 언제나 동시에 진행되기 때문에 두 유통이 각자의 유통을 진행하기 위해서는 어떤 종류의 화폐든 일정한 화폐액을 각기 필요로 한다. **서로 다른 기업가들 사이에서 유통되는 상품의 가치는 기업가와 소비자들 사이에서 유통되는 상품의 가치를 결코 초과하지 않는다. 왜냐하면 기업가가 구매하는 모든 것은 결국 소비자에게 판매하기 위한 것이기 때문이다.**[115]"(제2권, 제2편, 제2장, 292, 293쪽) 투크에 대한 이야기와 함께 이에 관해서는 나중에[116] 다시 이야기하기로 한다.[117]

우리의 예로 다시 돌아가기로 하자. 아마포를 방직하는 생산영역[118] A의 하루 생산물은 12엘레＝36실링＝36시간의 노동이고 그중 임금과 이윤으로 분해될 수 있는 부가된 노동은 12시간이며[119] 불변자본의 가치는 24시간 혹은 2노동일이다. 그런데 불변자본은 이제 실과 방직기의 옛날 형태가 아니라 아마포의 형태로 존재하고 이 아마포의 양은 2시간＝24실링에 달한다. 이 아마포의 양은 아마포로 바뀐 실과 방적기에 포함된 것과 동일한 크 G417

기의 노동량을 포함하며 따라서 그것으로는 같은 양의 실과 방직기를 다시 구매할 수 있다(실과 방직기의 가치는 불변이고 이 산업부문의 노동생산성도 변하지 않는 것으로 가정한다). 방적업자와 방직기 제조업자는 자신들의 연간 생산물(혹은 하루 생산물)(여기 우리의 논의에서는 어느 것이든 마찬가지이다)을 방직업자에게 모두 판매해야 하는데 이는 그들의 상품이 유일하게 방직업자에게만 사용가치[120]를 갖기 때문이다. 즉 그가 그들의 유일한 소비자인 것이다. 그런데 만일 방직업자의 불변자본이 2노동일(그가 매일 소비하는 불변자본)이라고 한다면 방직업자의 1노동일은 방적업자 및 방직기 제조업자의 2노동일 — 이것은 이들에게서 서로 다른 비율로 다시 부가적인 노동과 불변자본으로 분해될 수 있다 — 과 같다. 그러나 방적업자와 방직기 제조업자(방직기 제조업자는 방직기만 생산한다고 가정한다)의 하루 총생산물(불변자본과 부가된 노동)은 모두 합해 2노동일을 넘을 수 없는 반면 방직업자의 총생산물(그가 새로 부가한 12시간 노동의 결과물)은 3노동일에 달한다.[121] 방적업자와 방직기 제조업자가 소비하는 살아 있는 노동의 양과 방직업자의 그것은 같을 수 있다. 그럴 경우 이들(두 사람 가운데 한 사람 혹은 두 사람 모두)의 불변자본에 포함된 노동시간은 더 적어야 한다. 이들은 어떤 경우에도 방직업자와 똑같은 양(두 노동의 합계)의 대상화된 노동과 살아 있는 노동을 사용할 수 없다. 방직업자가 방적업자보다 상대적으로 더 적은 살아 있는 노동시간을 사용할 수도 있다(예를 들어 방적업자는 아마 재배업자보다는 분명히 더 적은 노동을 사용할 것이다). 그럴 경우 방직업자의 가변자본을 넘어서는 불변자본의 초과분은 그만큼 더 커질 것이 분명하다.|

|284| 따라서 방직업자의 불변자본은 방적업자와 방직기 제조업자의 총자본, 즉 그들의 불변자본뿐 아니라 그들이 방적과 기계 제조 과정에서 새로 부가한 노동도 모두 보전한다. 그리하여 이 경우 새로운 불변자본은 다른 불변자본들을 모두 보전할 뿐 아니라 그 불변자본들에 새로 부가된 노동까지도 모두 보전한다. 방적업자와 방직기 제조업자는 방직업자에게 자신들의 상품을 판매[122]함으로써 자신들의 불변자본을 보전할 뿐 아니라 거기에 새로 부가된 노동도 함께 지불받는다. 방직업자의 불변자본은 그의 불변자본을 보전하고 그의 소득(임금과 이윤을 합한)을 실현한다. 방직업자의 불변자본이 그들에게 그들 자신의 불변자본(그들이 방직업자에게 실과 방직기의 형태로 넘겨주는)을 보전할 뿐이라면 그것은 한 형태의 불변자본이 다른 형태의 불변자본과 교환된 것일 뿐이다. 불변자본에서는 사실상 아무런 가치의

변동도 발생하지 않았다. 이제 좀 더 위로 거슬러 가보자. 방적업자의 생산물은 두 부분, 즉 아마, 방직기, 석탄 등의 불변자본과 새로 부가된 노동으로 G418 분해된다. 방직기 제조업자의 총생산물도 마찬가지이다. 방적업자는 자신의 불변자본을 보전할 때 방직기 제조업자의 총자본뿐 아니라 아마 재배업자의 총자본도 함께 지불한다. 그의 불변자본=그들의 불변자본+부가된 노동 가운데 일부이다. 아마 재배업자의 경우 농기구 등을 공제한 다음 그의 불변자본은 아마씨, 비료[123] 등으로 분해된다. 차지농업가의 불변자본 가운데 이 부분은 그의 생산물 가운데 매년 공제되는 부분, 즉 매년 자신의 생산물에서 토지(즉 생산 그 자체)로 되돌려지는 부분이라고 가정하자(농업에서는 많든 적든 언제나 이것이 실제로 그렇기도 하다). 여기에서 우리는 불변자본 가운데 자신을 보전하고 결코 판매되지 않는(즉 지불되지도 않고 소비되지도 않는, 따라서 개인적 소비에 들어가지 않는) 부분을 보게 된다. 아마씨 등은 일정량의 노동시간과 동등하다. [124]그래서 아마씨 등의 가치는 총생산물의 가치에 포함된다. 그런데 바로 이 가치에 해당하는 생산량(노동생산성은 불변이라고 가정한다)은 총생산물에서 공제되어 생산에 다시 투입되기 때문에 이 가치는 유통에 들어가지 않는다. [125]여기에서 우리는 불변자본 가운데 적어도 일부분(즉 농업에서 원료로 간주될 수 있는 것)은 자신을 보전한다는 것을 보게 된다. 그리하여 우리는 여기에서 연간 생산 가운데 그 규모나 투입된 자본량의 측면에서 상당히 중요한 부문에서 불변자본 가운데 원료(인공비료같은 것은 제외한다)로 이루어진 상당히 큰 부분이 자신을 보전하고 유통에 투입되지 않는다(소득의 어떤 형태에 의해서도 보전되지 않는다)는 것을 보게 된다. 따라서 방적업자는 아마 재배업자의 불변자본 가운데 이 부분(아마 재배업자가 스스로 보전하고 지불하는 부분)을 그에게 되돌려 주지 않는다. 마찬가지로 방직업자도 이 부분을 방적업자에게 지불하지 않으며 아마포 구매자도 방직업자에게 지불하지 않게 된다.[126]

직접적이든 간접적이든 12엘레의 아마포(=36실링=3노동일=36시간의 노동) 생산에 들어가는 모든 것이 아마포 자신에 의해 스스로 보전된다고 가정하자. 일단 분명한 것은 아마포의 불변자본을 이루는 생산요소의 생산자들이 **자신들의 생산물을 소비할 수 없다**는 것이다. 왜냐하면 이 생산물들은 생산을 위해 생산되었고 ||285| 직접적 소비에는 들어가지 않기 때문이다. 그래서 그들은 자신들의 임금과 이윤을 아마포(즉 최종적으로는 개인적 소비에 들어가는 생산물)에 지출해야만 한다. 그들이 아마포에 소비하지 않는 부

분은 모두 다른 상품(아마포와 교환되는 상품)에 소비되어야만 한다. 그래서 아마포 생산요소의 생산자들이 (가치를 기준으로 볼 때) 아마포 대신 다른 생산물을 소비하는 만큼의 아마포는 다른 생산자들에 의해 소비된다. 그것은
G419 마치 아마포 생산요소의 생산자들이 아마포를 직접 소비하는 것과 같은데 왜냐하면 그들이 다른 생산물로 소비하는 것만큼을 다른 생산물의 생산자들이 아마포로 소비하기 때문이다. 따라서 수수께끼 전체는 교환을 모두 무시한 채로 12엘레의 아마포가 아마포(혹은 아마포 생산요소)의[127] 생산에 관여한 모든 생산자들 사이에서 어떻게 배분되는지를 살펴봄으로써 풀어야만 한다.[128]$5\frac{1}{3}$[129]엘레(혹은 16시간의 노동)는 방적업자와 방직기 제조업자[130]의 불변자본을 나타낸다.[131] 만일 방적업자의 불변자본 가운데 원료가 $\frac{2}{3}$를 차지한다면(즉 $\frac{2}{3}$가 아마에 지출된다면) 아마 재배업자는 이 $\frac{2}{3}$를 모두 아마포에 소비할 수 있을 것이다. 왜냐하면 그는 자신의 불변자본을〔여기에서 그의 작업도구 등[132]의 마모=0이라고 가정한다〕 유통에 투입하지 않고 그것을 이미 생산물에서 공제하여 재생산[133]을 위해 유보해두었기 때문이다. 그래서 그는 $5\frac{1}{3}$[134]엘레의 아마포[135](혹은 16시간의 노동)의 $\frac{2}{3}$[136]인 $3\frac{5}{9}$[137]엘레(혹은 $10\frac{2}{3}$시간의 노동)를 구매할 수 있다. 따라서 이제 남은 계산은 $5\frac{1}{3} - 3\frac{5}{9}$[138]엘레(혹은 $16-10\frac{2}{3}$시간의 노동), 즉 $1\frac{7}{9}$[139]엘레(혹은 $5\frac{1}{3}$시간의 노동)에 대한 것뿐이다. 이 $1\frac{7}{9}$[140]엘레(혹은 $5\frac{1}{3}$시간의 노동)는 방직기 제조업자의 불변자본[141]과 방적기 제조업자의 총생산물[142]로 분해되는데 이 두 사람은 같은 사람이어야 한다.[143]|

|286| 그래서 다시 한번 정리하면 다음과 같이 된다. 1시간의 노동=1실링, 12엘레=36실링, 1엘레=3실링이다.[144]

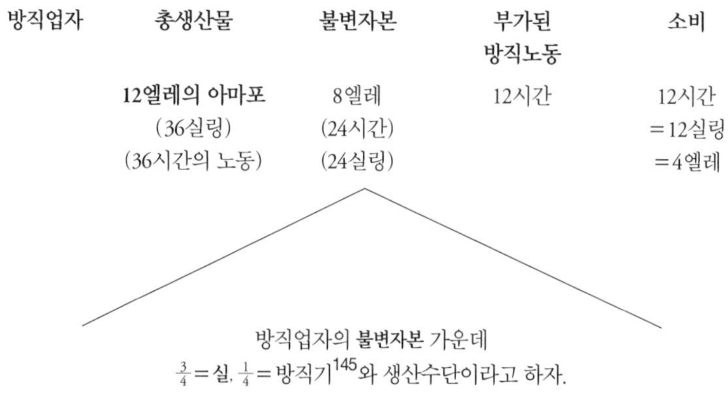

방직업자	총생산물	불변자본	부가된 방직노동	소비
	12엘레의 아마포	8엘레	12시간	12시간
	(36실링)	(24시간)		=12실링
	(36시간의 노동)	(24실링)		=4엘레

방직업자의 **불변자본** 가운데
$\frac{3}{4}$=실, $\frac{1}{4}$=방직기[145]와 생산수단이라고 하자.
그래서 방직업자는 방적업자에게 6엘레(혹은 18시간)를 지불하고
기계 제조업자에게 2엘레(혹은 6시간)를 지불한다 등.

방적업자				기계 제조업자			
총생산물	불변자본	부가된 방적노동	소비	총생산물	불변자본	부가된 노동	소비
6엘레 (18실링) (18시간)	4엘레 (12시간) (12실링)	2엘레 6실링 6시간	2엘레 =6실링	2엘레 6실링 6시간	$\frac{4}{3}$ 엘레	$\frac{2}{3}$ 엘레	$\frac{2}{3}$ 엘레

그에 따라 방직업자의 불변자본을 보전하는 8엘레 가운데 2엘레=6실링 =6시간은 방적업자에 의해, $\frac{2}{3}$ 엘레(2실링, 2시간의 노동)는 방직기 등의 기계 제조업자에 의해 소비된다. G420

이제 남은 계산은 $8-2\frac{2}{3}$ 엘레=$5\frac{1}{3}$ 엘레(=16실링=16시간의 노동)이다. 이 남겨진 $5\frac{1}{3}$ 엘레(=16실링=16시간의 노동)는 다음과 같이 분해된다. 방적업자의 불변자본(즉 실의 생산요소들)을 대표하는 4엘레에서 $\frac{3}{4}$은 아마, $\frac{1}{4}$은 방적기라고 하자.[146] 방적기의 ||287| 요소들은 나중에 방직기 제조업자의 불변자본과 함께 계산하기로 한다. 이 두 사람은 동일 인물이라고 가정한다.

그리하여 방적업자의 불변자본을 보전하는 4엘레 가운데 $\frac{3}{4}$=3엘레는 **아마**로 분해된다. 그런데 아마의 생산에 사용되는 불변자본 가운데 상당 부분은 다시 보전될 필요가 없다. 왜냐하면 아마 재배업자가 이미 스스로 아마씨, 비료, 가축사료, 가축 등의 형태로 그것들을 토지에 되돌려 주었기 때문이다. 따라서 아마 재배업자가 판매하는 생산물 가운데 불변자본으로 계산되어야 하는 부분은 작업도구의 마모분 정도뿐이다. 여기에서 우리는 최소한 $\frac{2}{3}$를 부가된 노동으로, 최대 $\frac{1}{3}$을 보전해야 할 불변자본으로 계산해야만 한다.

그리하여,

아마	총생산물	불변자본	경작노동	소비
	=3엘레	1엘레	2엘레	2엘레
	9실링	3실링	6실링	6실링
	9시간의 노동	3시간의 노동	6시간의 노동	6시간의 노동

남은 계산은,

1 엘레(3실링, 3시간의 노동)=아마 재배업자의 불변자본.

$1\frac{1}{3}$ 엘레(4실링, 4시간의 노동)=방직기 제조업자의 불변자본.

마지막으로,

1엘레(3실링, 3시간의 노동)는 방적기에 포함된 **총생산물**에 해당한다.

먼저 기계 제조업자가 방적기를 통해서 소비할 수 있는 부분을 공제해야 한다.

방적기	총생산물	불변자본	부가된 **기계노동**	소비
	=1엘레	$\frac{2}{3}$엘레	$\frac{1}{3}$엘레	$\frac{1}{3}$엘레
	3실링	2실링	1실링	1실링
	3시간의 노동	2시간의 노동	1시간의 노동	1시간의 노동[147]

G421 다음으로 아마 재배업자의 불변자본을 이루는 경작기계가 소비될 수 있는 부분 등으로 분해되어야 한다.

경작기계	총생산물	불변자본	기계노동	소비
	=1엘레	$\frac{2}{3}$ 엘레	$\frac{1}{3}$ 엘레	$\frac{1}{3}$ 엘레
	3실링	2실링	1실링	1실링
	3시간의 노동	2시간의 노동	1시간의 노동	1시간의 노동

방직업자의 총생산물 가운데 기계로 분해되는 부분을 모두 합하면 방직기에 2엘레, 방적기에 1엘레, 경작기계에 1엘레로 합계 4엘레(12실링, 12시간의 노동 혹은 총생산물인 12엘레의 아마포 가운데 $\frac{1}{3}$)가 된다. 이 4엘레 가운데 기계 제조업자가 소비할 수 있는 것은 방직기에 대한 부분 $\frac{2}{3}$엘레, 방적기에 대한 부분 $\frac{1}{3}$엘레, 경작기계에 대한 부분 $\frac{1}{3}$엘레로 합계 $1\frac{1}{3}$엘레이다. 나머지는 $2\frac{2}{3}$엘레로 이는 즉 방직기의 불변자본 $\frac{4}{3}$엘레, 방적기의 불변자본 $\frac{2}{3}$엘레, 경작기계의 불변자본 $\frac{2}{3}$엘레들의 합계 $\frac{8}{3} = 2\frac{2}{3}$엘레이다(=8실링 =8시간의 노동). 이것이 곧 기계 제조업자의 불변자본에서 보전되어야 할 부분을 이룬다. 그러면 이 불변자본은 무엇으로 분해되는 것일까? 한편으로는 철, 목재, 피대 등의 원료로 분해된다. 다른 한편으로는 그가 기계를 만드는 데 필요한 작업기계(그가 스스로 만든 것일 수도 있다)의 마모분으로 분해된다. 이 불변자본에서 $\frac{2}{3}$가 원료이고 $\frac{1}{3}$[148]이 기계를 만드는 기계라고 하자. 후자의 이 $\frac{1}{3}$[149]은 나중에 다루기로 한다. 목재와 철로 이루어진 $\frac{2}{3}$는[150] ||288| $2\frac{2}{3}$엘레[151] = $\frac{8}{3}$엘레 = $\frac{24}{9}$엘레의 $\frac{2}{3}$이다. 그것 가운데 $\frac{1}{3}$은 $\frac{8}{9}$엘레이고 $\frac{2}{3}$는 $\frac{16}{9}$엘레이다. 여기에서 기계가 $\frac{1}{3}$이고 부가된 노동이 $\frac{2}{3}$라고 가정한다면(철과 목재의 원료는 존재하지 않기 때문에) $\frac{16}{9}$엘레의 $\frac{2}{3}$는 부가된 노동을 보전하고 $\frac{1}{3}$은 기계를 보전한다. 그리하여 다시 기계에 대한 $\frac{16}{27}$엘레가

남는다. 철과 목재의 생산자(즉 채취산업)의 불변자본은 생산도구(우리가 여기에서 일반적으로 기계라고 부르는 것)만으로 이루어지고 원료는 포함되지 않는다.[152]

그리하여 $\frac{8}{9}$엘레는 기계를 만드는 기계를 보전하고 $\frac{16}{27}$엘레는 철과 목재의 생산자가 사용하는 기계를 보전한다. 그래서 $\frac{24}{27}+\frac{16}{27}=\frac{40}{27}=1\frac{13}{27}$엘레이다. 이것은 다시 기계 제조업자에게서 계산되어야 한다.

기계.[153] $\frac{24}{27}$엘레는 기계를 만드는 기계를 보전한다. 이것은 다시 원료(철, 목재 등)와 기계를 만드는 기계를 만드는 과정에서 마모된 기계 부분, 그리고 부가된 노동 등으로 분해된다. 따라서 만일 이들 세 요소가 균등하게 $\frac{1}{3}$씩으로 이루어져 있다면 부가된 노동은 $\frac{8}{27}$엘레에 해당되고 나머지 $\frac{16}{27}$엘레는 기계를 만드는 기계를 보전하는 **불변자본**—즉 원료에 $\frac{8}{27}$엘레, 이 원료 G422
를 가공하는 데 사용된 기계[154]의 가치구성 부분을 보전하는 데 $\frac{8}{27}$엘레(둘을 합쳐서 $\frac{16}{27}$엘레)—에 해당할 것이다.

다른 한편 철과 목재 생산자의 기계를 보전하는 $\frac{16}{27}$엘레도 똑같이 원료, 기계, 부가된 노동으로 분해된다. 부가된 노동$=\frac{1}{3}$이라면 그것은 $\frac{16}{27\times3}=\frac{16}{81}$엘레이고 기계 가운데 이 부분의 불변자본은 $\frac{32}{81}$엘레로 분해되는데 그중 $\frac{16}{81}$엘레는 원료를 $\frac{16}{81}$엘레는 기계의 마모분을 보전한다.

이리하여 기계 제조업자의 수중에는 자신의 기계 마모분을 보전하기 위한 불변자본 $\frac{8}{27}$엘레와, 철과 목재 생산자에 의해 보전되어야 할 기계 마모분 $\frac{16}{81}$엘레가 남는다.

한편 그는 자신의 불변자본으로 원료(기계를 만드는 기계에 포함된) $\frac{8}{27}$엘레를 보전하고 철과 목재 생산자의 기계에 포함된 원료 $\frac{16}{81}$엘레를 보전해야 한다. 그리고 그중 다시 $\frac{2}{3}$는 부가된 노동으로, $\frac{1}{3}$은 기계의 마모분으로 분해될 것이다. 따라서 $\frac{24}{81}+\frac{16}{81}=\frac{40}{81}$ 가운데 $\frac{2}{3}$, 즉 $\frac{26\frac{2}{3}}{81}$가 노동에 지불된다. 이 원료에서 나머지는 ||289| 다시 기계 $\frac{13\frac{1}{3}}{81}$을 보전해야만 한다. 따라서 이 $\frac{13\frac{1}{3}}{81}$엘레는 기계 제조업자에게 되돌아간다.

이제 기계 제조업자의 수중에는 다시 기계를 만드는 기계의 마모분을 보전하기 위한 $\frac{8}{27}$엘레, 목재와 철 생산자가 보전해야 하는 기계의 마모분 $\frac{16}{81}$엘레, 그리고 철 등의 원료로 기계를 보전해야 하는 가치구성 부분 $\frac{13\frac{1}{3}}{81}$엘레가 들어와 있다.

우리는 계속해서 더 작은 분수를 만들면서 이 계산을 이어나갈 수 있지만 12엘레의 아마포는 결코 정산되지 않을 것이다.

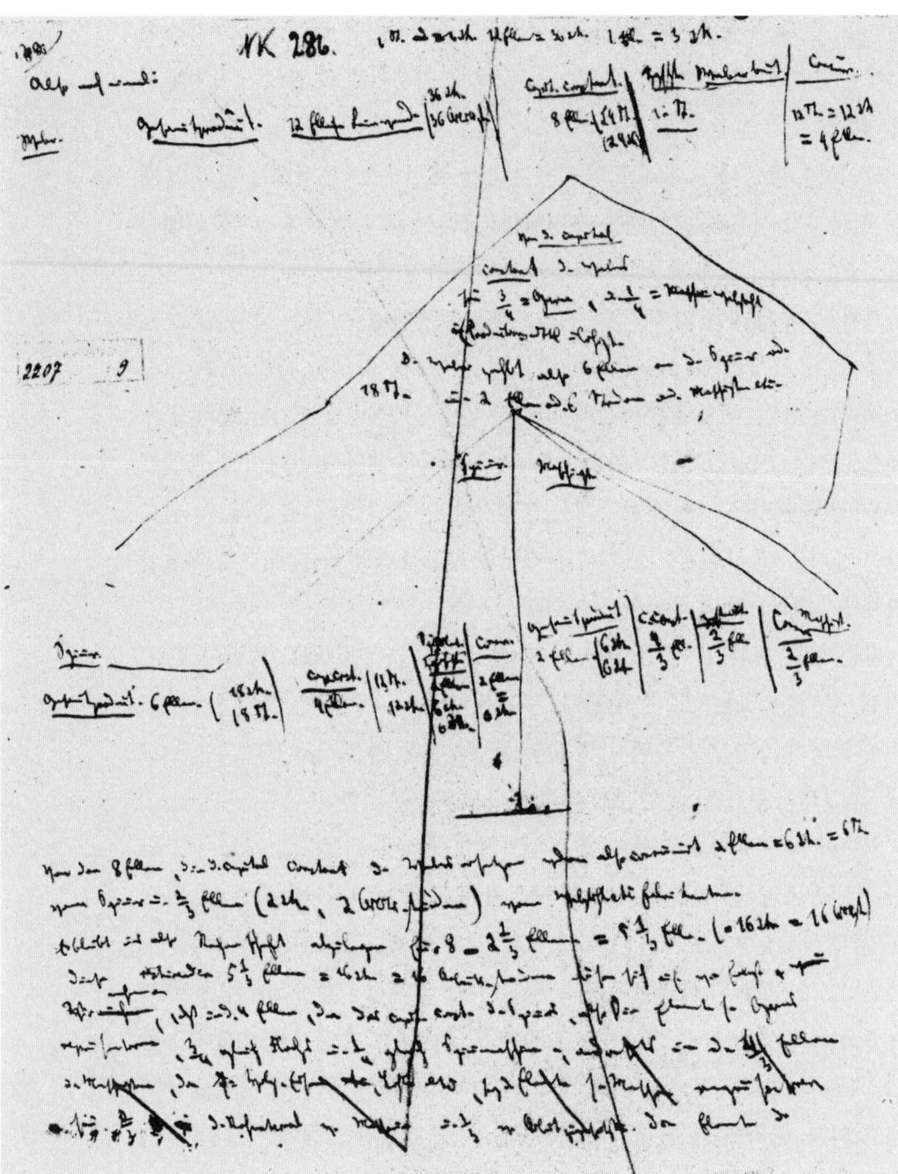

제7노트 286쪽

방금 이루어진 계산과정을 종합해 보기로 하자.

처음 우리는 여러 생산영역에서 새로 부가된 노동(일부는 임금에 지출된 가변자본을 보전하고 일부는[155] 지불되지 않은 잉여노동인 이윤을 이루는)과[156] 불변자본(바로 이 노동이 부가되는) 사이의 비율이 각기 다르다고 말했다. 그러나 우리는 이들 비율의 평균(예를 들어 부가된 노동 a, 불변자본 b로, 혹은 둘 간의 비율을 2 : 1 = $\frac{2}{3}$: $\frac{1}{3}$로)을 생각할 수 있었다. 만일 각 생산영역에서 자본의 비율이 이렇다면[157] 어떤[158] 생산영역에서 부가된 노동(임금과 이윤의 합)은 G425
언제나 자신의 생산물 가운데 $\frac{1}{3}$만을 구매할 수 있을 것이다. 왜냐하면 임금과 이윤의 합은 생산물에 실현된 총노동시간의 $\frac{1}{3}$을 이룰 뿐이기 때문이다. 물론 생산물 가운데 그의 불변자본을 보전할 나머지 $\frac{2}{3}$도 자본가의 소유이다. 그러나 생산을 계속하고자 한다면 그는 자신의 불변자본을 보전해야 한다. 즉 그의 생산물 가운데 $\frac{2}{3}$를 불변자본으로 재전화해야만 한다. 그러기 위해 그는 이 $\frac{2}{3}$를 판매해야만 한다.

그러나 누구에게 판매한단 말인가? 우리는 임금과 이윤의 합계로 구매할 수 있는 $\frac{1}{3}$의 생산물을 이미 공제했다. 이 합계액이 1노동일(혹은 12시간)을 나타내는 것이라면 생산물 가운데 불변자본의 가치에 해당하는 부분은 2노동일(혹은 24시간)을 나타낼 것이다. 그래서 우리는 생산물 가운데 $\frac{1}{3}$이 임금과 이윤에 의해 제2의 생산영역에서 구매되고 마지막 $\frac{1}{3}$이 다시 임금과 이윤에 의해 제3의 생산영역에서 구매된다고 가정했다. 그러나 그런 다음 우리는 생산물 II와 생산물 III의 부가된 노동 전체를 생산물 I의 소비에 사용하도록 함으로써 생산물 I의 불변자본이 임금과 이윤(즉 새로 부가된 노동)으로만 교환되도록 했다. 생산물 II와 생산물 III에 포함된(새로 부가된 노동은 물론 과거노동의 형태 모두) 6노동일 가운데 생산물 I은 물론 생산물 II와 생산물 III에 포함된 노동에 의해서 보전(혹은 구매)되는[159] 것은 하나도 없었다. 그래서 우리는 다시 다른 생산물의 생산자들이 그들의 부가된 노동 전체를 생산물 II와 생산물 III에 지출하도록 했다 등등. 결국 우리는 부가된 노동의 크기가 선행하는 모든 생산물의 불변자본 크기와 같은 생산물 X에서야 비로소 멈출 수 있었다. 그러나 이 생산물 자신의 불변자본 가운데 $\frac{2}{3}$는 판매될 수 없었다. 따라서 문제는 조금도 진척되지 않았다. 생산물 X에서도 생산물 I과 마찬가지로 생산물 가운데 불변자본을 보전할 부분이 도대체 누구에게 판매될[160] 것인지의 문제 ― 즉 생산물에 새로 부가된 $\frac{1}{3}$의 노동이, 생산물에 포함된 $\frac{1}{3}$의 새로운 노동 + $\frac{2}{3}$의 과거노동을 과연 보전할 것인가, 즉 $\frac{1}{3} = \frac{3}{3}$ 이 될 것인가의 문제 — 는 여전히 남아 있는 것이다.

그래서 어려움을 생산물 I에서 생산물 II 등으로 옮기는 것, 요컨대 단순한 상품교환에 의한 매개로는 어려움을 해결하는 데 아무런 쓸모가 없다는 것이 여기에서 드러났다.|

|290| 그렇다면 이제 다른 방식으로 문제를 살펴보기로 하자.

우리는 12엘레(=36실링=36시간의 노동)의 아마포가 방직업자의 12시간 노동(혹은 1노동일)을 포함하는(필요노동과 잉여노동의 합계=이윤과 임금의 합계) 생산물이고 그중 $\frac{2}{3}$가 아마포에 포함된 불변자본(실, 기계 등)의 가치를 나타낸다고 가정했다. 또한 우리는 갖가지 핑곗거리와 중간 거래의 개입을 통해 빠져나갈 가능성을 차단하기 위해 아마포가 개인적 소비로만 용도가 한정되어 있고 새로운 생산물의 원료로는 다시 들어가지 않는다고 가정
G426 했다. 그럼으로써 우리는 아마포가 임금과 이윤에 의해 지불되는 생산물, 즉 소득하고만 교환되는 생산물이라고 가정했다. 마지막으로 논의를 단순화하기 위하여 우리는 이윤 가운데 다시 자본으로 전화하는 부분이 없고 이윤이 모두 소득으로 지출된다고 가정했다.

처음의 4엘레, 즉 생산물 가운데 처음의 $\frac{1}{3}$(=방직업자가 부가한 12시간의 노동)의 경우 우리는 금방 문제를 해결했다. 그것은 임금과 이윤으로 분해되었고 그것의 가치는 방직업자의 임금 및 이윤의 총가치와 동일했다. 따라서 그것은 그와 그가 고용한 노동자들에 의해 모두 소비되었다. 4엘레는 이것으로 완전히 해결되었다. 임금과 이윤이 아마포가 아니라 다른[161] 생산물을 통해 소비되었다면 그것은 단지 다른 생산물의 생산자들이 자신의 생산물 가운데 자신이 소비할 수 있는 부분을 자신의 생산물 대신 아마포로 소비했기 때문이다. 예를 들어 만일 4엘레의 아마포 가운데 1엘레만이 아마포 방직업자에 의해 소비되고 나머지 3엘레는 고기, 빵,[162] 면포로 소비된다면, 이 경우 4엘레의 아마포의 가치는 여전히 아마포 방직업자에 의해 소비되는 것이지만 단지 방직업자가 이 가치 가운데 $\frac{3}{4}$을 다른 상품으로 소비하는 한편 바로 이 다른 상품의 생산자들은 그들의 임금과 이윤으로 소비할 수 있는 고기, 빵, 면포를 아마포의 형태로 소비하는 것뿐이다. 〔여기에서도 물론 우리는 이 연구 전체에 걸쳐 항상 유지되고 있는 가정에 따라 상품이 모두 판매되고 그것도 가치대로 판매된다고 가정한다.〕

이제 우리는 본래의 문제에 도달했다. 방직업자의 불변자본은 8엘레의 아마포(=24시간의 노동=24실링) 형태로 존재한다. 만일 그가 생산을 계속할

생각이라면 그는 이 8엘레의 아마포를 1파운드 4실링[163]의 화폐로 전화시킨 다음 이 화폐를 가지고 시장에서 자신의 불변자본을 구성하는 상품(새로 생산된)을 구매해야만 한다. 문제를 단순화하기 위해서 방직업자가 자신의 기계를 몇 년에 한 번씩 보전하는 것이 아니라 매일 자신의 생산물 판매액으로부터 기계의 가치에서 매일 소멸되어가는 것과 같은 가치액만큼을 보전한다고 가정한다. 그는 자신의 생산물 가운데 그 생산물을 통해 소비된 불변자본의 가치에[164] 해당하는 부분을 이 불변자본의 요소들(혹은 자신의 노동의 물적 생산조건)에 의해서 보전해야만 한다. 한편 그의 생산물인 아마포는 다른 생산영역의 생산조건으로 투입되는 것이 아니라 개인적 소비로 들어간다. 따라서 그는 오로지 자신의 생산물을 소득(혹은 다른 생산자의 생산물 가운데 임금과 이윤, 즉 새로 부가된 노동으로 분해되는 가치[165] 부분)과 교환함으로써만, 자신의 생산물 가운데 자신의 불변자본을 나타내는 부분[166]을 보전할 수 있다. 이리하여 문제는 올바른 형태로 잘 정리되었다. 이제 남은 문제는 단지 이 문제가 어떤 조건에서 해결될 수 있는가 하는 것뿐이다.

처음의 논의에서 발생한 한 가지 어려움은 이제 부분적으로 이미 해결되었다.[167] 가정에 따라 모든 생산영역에서 부가된 노동 = $\frac{1}{3}$, 불변자본 = $\frac{2}{3}$이긴 하지만 이 $\frac{1}{3}$의 부가된 노동 혹은 소득(임금과 이윤)(이미 언급했듯이 여기에서 이윤 가운데 자본으로 다시 전화하는 부분은 무시하기로 한다)의 가치 총액은 곧바로 개인적 소비를 지향하는 산업부문의 생산물을 통해서만 소비될 수 있다. 다른 모든 산업부문의 생산물은 자본으로만 소비될 수 있고 오로지 산업적 소비[168]에만 들어갈 수 있다.| G427

|291| 8엘레(=24시간의 노동=24실링)로 표시되는 불변자본은 실(원료)과 기계로 이루어져 있다. 그중 원료가 $\frac{3}{4}$이고 기계가 $\frac{1}{4}$이라고 하자(원료에는 그 밖에 윤활유나 석탄 등의 온갖 보조재료도[169] 포함시킬 수 있지만 여기에서는 논의를 단순화하기 위해 이런 것들은 모두 무시하기로 한다). 그러면 실은 18실링(=18시간의 노동=6엘레), 기계는 6실링(=6시간의 노동=2엘레)이 될 것이다.

그러므로 만일 방직업자가 자신의 8엘레를 가지고 6엘레의 실과 2엘레의 기계를 구매한다면, 그는 8[170]엘레에 해당하는 자신의 불변자본을 가지고 방적업자와 기계 제조업자의 불변자본을 보전할 뿐 아니라 그들이 새로 부가한 노동도 함께 보전하게 될 것이다. 즉 방직업자의 불변자본으로 나타난 것 중 일부는 방적업자와 기계 제조업자의 입장에서는 새로 부가된 노동

으로 나타나고 따라서 그것은 그들에게 자본이 아니라 소득으로 분해될 것이다.

방적업자는 6엘레의 아마포[171] 가운데 그 $\frac{1}{3}$인 2엘레(새로 부가된 노동, 즉 이윤과 임금)를 스스로 소비할 수 있다. 그러나 4엘레는 단지 그의 아마와 기계를 보전할 뿐이다. 예를 들어 3엘레가 아마, 1엘레가 기계를 보전한다고 하자. 그는 이것들을 계속 지불해야만 한다. 2엘레 가운데 기계 제조업자는 $\frac{2}{3}$엘레를 스스로 소비할 수 있다. 그러나 $\frac{4}{3}$엘레는 그의 철과 목재(요컨대 원료와 기계를 만드는 데 사용되는 기계)를 보전한다. $\frac{4}{3}$엘레 가운데 1엘레는 원료를, $\frac{1}{3}$엘레는 기계를 보전한다고 하자.

우리가 지금까지 12엘레 중에서 소비해온 것은 1) 방직업자가 4엘레, 2) 방적업자가 [2엘레], 3)[172] 기계 제조업자가 $\frac{2}{3}$엘레로 총 $6\frac{2}{3}$엘레이다. 나머지 $5\frac{1}{3}$엘레는 다음과 같이 분해된다.

방적업자는 4엘레의 가치로부터 3엘레의 아마와 1엘레의 기계를 보전해야만 한다.

기계 제조업자는 $\frac{4}{3}$엘레의 가치로부터 1엘레의 철과 $\frac{1}{3}$엘레의 기계(그가 기계를 만드는 과정에서 사용한)를 보전해야만 한다.

따라서 아마를 보전하는 데 들어가는 3엘레는 방적업자로부터 아마 재배업자에게 지불된다. 그런데 아마 재배업자의 경우는 특이한 점이 있는데 그의 불변자본 가운데 일부(즉 아마씨, 비료 등 그가 토지에 다시 되돌려 주는 온갖
G428 토지생산물)는 유통에 들어가지 않는다는 것이다. 즉 그가 판매하는 생산물에서 공제될 필요가 없다는 것이다. 이 생산물은 부가된 노동만을 나타내며 따라서 임금과 이윤으로만 분해된다(기계와 인공비료 등을 보전하는 부분은[173] 제외). 만일 우리가 지금까지와 마찬가지로[174] 총생산물 가운데 $\frac{1}{3}$이 부가된 노동이라고 가정한다면 이 3엘레 가운데 1엘레가 이 범주에 들어가게 될 것이다. 나머지 2엘레의 경우에도 지금까지와 마찬가지로 그중 $\frac{1}{4}$이 기계를 보전하는 부분이라면 그것은 $\frac{2}{4}$엘레가 될 것이다. 그런데 나머지 $\frac{6}{4}$엘레도 역시 부가된 노동에 해당될 것이다. 왜냐하면 아마 재배업자의 생산물 가운데 이 부분에는 불변자본이 전혀 포함되어 있지 않기 때문이다(그는 이것을 앞서 이미 공제했다). 따라서 아마 재배업자에게서 임금과 이윤은 모두 $2\frac{2}{4}$엘레가 된다. 기계를 보전할 부분으로 남은 것은 $\frac{2}{4}$엘레이다. (그리하여 우리가 소비해야 할 부분으로 남겨두었던 $5\frac{1}{3}$엘레 가운데 $2\frac{2}{4}$엘레가 처리되었다($5\frac{4}{12} - 2\frac{6}{12} = 2\frac{10}{12} = 2\frac{5}{6}$엘레).) 그래서 이 마지막 $\frac{2}{4}$엘레를 아마 재배업자는 기계를

구매하는 데 사용할 것이다.

기계 제조업자의 계산은 이제 다음과 같을 것이다. 그는 방직기에 해당하는 불변자본 가운데 1엘레를 철 등에 지출했다. 그리고 방직기의 생산과정에서 기계를 만드는 기계의 마모분으로 $\frac{1}{3}$ 엘레를 지출했다.

그런데 다시 기계 제조업자로부터 방적업자는 1엘레로 방적기[175]를 구매하고 아마 재배업자는 $\frac{2}{4}$ 엘레로 경작기계를 구매한다. 이 $\frac{6}{4}$ 엘레로부터 기계 제조업자는 부가된 노동에 대하여 $\frac{1}{3}$을 소비하고 방적기와 경작기계[176]에 지출된 불변자본에 $\frac{2}{3}$를 지출했는데, $\frac{6}{4}=\frac{18}{12}$이다. 따라서 $\frac{6}{12}$ 엘레는 다시 기계 제조업자가 ||292| 소비해야 하고 $\frac{12}{12}$ 엘레, 즉 1엘레는 불변자본으로 분해되어야 한다(따라서 아직 소비되지 않은 $2\frac{5}{6}$ 엘레 가운데 $\frac{1}{2}$ 엘레가 공제되고 $\frac{14}{6}$ 엘레 혹은 $2\frac{2}{6}$ 엘레, 즉 $2\frac{1}{3}$ 엘레가 남는다).

여기에서 기계 제조업자는 $\frac{3}{4}$을 철과 목재 등의 원료에 지출하고, $\frac{1}{4}$을 기계를 만드는 기계를 보전하기 위해 자신에게 지불해야만 한다.

그 리하여 이제 전체 계산은 다음과 같이 된다.

기계 제조업자의 불변자본

방직기: 원료에 대하여 **1엘레**,
자신의 기계 마모분에 대하여 $\frac{1}{3}$**엘레**

방적기와 경작기계: 원료에 대하여 $\frac{3}{4}$**엘레**,
자신의 기계 마모분에 대하여 $\frac{1}{4}$엘레

따라서: 원료에 대하여 $1\frac{3}{4}$엘레
자신의 기계 마모분에 대하여 $\frac{1}{3}+\frac{1}{4}$엘레

따라서 기계 제조업자는 $1\frac{3}{4}$ 엘레(혹은 $\frac{7}{4}$ 엘레)로 제철업자와 목재업자로부터 이 가치만큼의 철과 목재를 구매한다. $\frac{7}{4}=\frac{21}{12}$이다. 그런데 여기에서 새로운 문제가 발생한다. 아마 재배업자의 경우에는 불변자본 가운데 원료[177]에 해당하는 부분이 그가 판매하는 생산물에 들어가지 않았다. 왜냐하 G429
면 그것은 그 전에 이미 공제되었기 때문이다. 우리는 총생산물을 부가된 노동과 기계로 분해해야만 한다. 우리는 생산물 가운데 부가된 노동$=\frac{2}{3}$, 기계$=\frac{1}{3}$이라고 가정했기 때문에 소비될 수 있는 것은 $\frac{14}{12}$가 된다. 그리고 나머지 $\frac{7}{12}$은 불변자본인 기계를 보전한다. 이 $\frac{7}{12}$은 기계 제조업자에게 되돌아갈 것이다.

그리하여 12엘레에서 남은 부분은 기계 제조업자가 자신의 기계 마모분

에 대해서 지불해야 할 $\frac{1}{3}+\frac{1}{4}$ 엘레와 제철업자와 목재업자가 기계의 대가로 기계 제조업자에게 되돌려 주는 $\frac{7}{12}$엘레가 될 것이다. 즉 $\frac{1}{3}+\frac{1}{4}=\frac{4}{12}+\frac{3}{12}=\frac{7}{12}$이고 거기에 다시 제철업자와 목재업자가 되돌려 주는 $\frac{7}{12}$이 추가되어 합계 $\frac{14}{12}=1\frac{2}{12}=1\frac{1}{6}$이 된다.

제철업자와 목재업자의 기계와 작업도구는 방직업자, 방적업자, 아마 재배업자의 경우와 마찬가지로 모두 기계 제조업자에게서 구매되어야 한다. 따라서 $\frac{7}{12}$엘레 가운데 $\frac{1}{3}$이 $\frac{2}{12}$엘레의 부가된 노동이 된다. 그러면 이 $\frac{2}{12}$엘레가 더 소비될 수 있다. 나머지 $\frac{5}{12}$(정확하게 말하면 $\frac{4}{12}+\frac{\frac{2}{3}}{12}$[178]이지만 여기에서는 그렇게 엄밀하게 계산하지 않기로 한다)는 목재업자의 도끼와 제철업자의 기계에 포함된 불변자본을 나타내고, 그중 $\frac{3}{4}$[179]은 선철, 목재 등이고 $\frac{1}{4}$[180]은 기계 마모분이다($\frac{14}{12}$엘레에서 남은 것은 $\frac{12}{12}$엘레, 즉 1엘레=3시간의 노동=3실링이다). 그리하여 1엘레 가운데 $\frac{1}{4}$엘레는 기계를 만드는 기계를 보전하는 데 들어가고 $\frac{3}{4}$엘레는 목재와 철을 보전하는 데 들어간다.

따라서 기계를 만드는 기계의 마모분은 $\frac{7}{12}+\frac{1}{4}=\frac{7}{12}+\frac{3}{12}=\frac{10}{12}$엘레가 된다. 한편 목재와 철을 보전하는 데 들어가는 $\frac{3}{4}$엘레는 아무런 쓸모 없이 다시 그것들의 구성부분들로 분해되고 그중 일부는 다시 기계 제조업자에게 되돌아가는데 그중 일부는 다시 제철업자와 ||293| 목재업자에게 되돌아간다. 남는 부분은 계속해서 발생할 것이고 이 과정은 끝없이 계속될 것이다.

c) 생산수단 생산자들 간의 자본과 자본의 교환. 연간 노동생산물과 연간 부가된 노동의 생산물

이제 문제를 있는 그대로 살펴보기로 하자.

기계 제조업자는 마모된 기계를 보전하기 위해 $\frac{10}{12}$(혹은 $\frac{5}{6}$)엘레의 가치[181]를 스스로 간직해야만 했다.

$\frac{3}{4}$(혹은 $\frac{9}{12}$)엘레는 목재와 철에 대한 가치를 나타낸다. 기계 제조업자는 자신의 원료를 보전하기 위해 이것을 제철업자와 목재업자에게 주었다. 남은 아마포는 $\frac{19}{12}$(혹은 $1\frac{7}{12}$)엘레[182]이다.

기계 제조업자가 자신의 기계 마모분을 보전하기 위해 잔여분으로 남겨둔 $\frac{5}{6}$엘레는 $\frac{15}{6}$실링=$\frac{15}{6}$시간의 노동=$2\frac{3}{6}$실링=$2\frac{1}{2}$실링=$2\frac{1}{2}$시간의 노동이다. 기계 제조업자는 이 가치를 아마포로 보전할 수 없다. 그래서 그는 $2\frac{1}{2}$실링을 가지고 자신의 기계 마모분을 보전하기 위해(요컨대 기계를 만드는 기계를 새로 제작하기 위해) 아마포를 다시 판매해야만 했다. 그러나 이것을 누구에게 판매할 것인가? 다른 생산물의 생산자들에게? (철과 목재 이외의?) 그러나 이들 생산자는 그들이 아마포로 소비할 수 있는 것은 이미 모두 아마포로 소비했다. 다른 생산물과 교환할 수 있는 것은(그들의 불변자본에 포함
G430

된 것 혹은 불변자본으로 분해되는 노동을 제외하고[183]) 방직업자의 임금과 이윤을 이루고 있는 4엘레뿐이다. 그런데 이 4엘레는 이미 계산되었다. 그렇다면 그는 이것을 노동자에게 지불해야 할까? 그러나 우리는 그의 생산물에서 노동이 부가한 것은 모두 이미 공제했고 그것이 모두 아마포로 소비된 것으로 가정했다.

사정을 다른 형태로 표현하면 다음과 같이 된다.

	기계를 위해 보전해야 할 부분
방직업자	= 2엘레 = 6실링 = 6시간의 노동
방적업자	= 1엘레 = 3실링 = 3시간의 노동
아마 재배업자	= $\frac{2}{4}$엘레 = $1\frac{1}{2}$실링 = $1\frac{1}{2}$시간의 노동
제철업자/목재업자	= $\frac{7}{12}$엘레 = $1\frac{3}{4}$실링 = $1\frac{3}{4}$시간의 노동
기계에 지출된 아마포의 합계 혹은 아마포의 가치 가운데 기계를 이루는 부분의 합계[184]	= $4\frac{1}{12}$엘레 = $12\frac{1}{4}$실링 = $12\frac{1}{4}$시간의 노동

계산을 단순화하기 위해서 4엘레 = 12실링 = 12시간의 노동이라고 하자. 그중 부가된 노동(임금과 이윤)이 $\frac{1}{3}$ 이므로 그것은 $\frac{4}{3}$ 엘레 = $1\frac{1}{3}$ 엘레이다.

남은 것은 불변자본에 대한 $2\frac{2}{3}$ 엘레이다. 그것의 $\frac{3}{4}$은 원료이고 $\frac{1}{4}$은 기계의 마모분이다. $2\frac{2}{3} = \frac{8}{3} = \frac{32}{12}$ 이고 그중 $\frac{1}{4}$은 $\frac{8}{12}$이다.

기계의 마모분에 해당하는 이 $\frac{8}{12}$엘레가 기계 제조업자의 수중에 남는 전부이다. 왜냐하면 $\frac{24}{12}$ 엘레 혹은 2엘레를 그는 원료를 위해 제철업자와 목재업자에게 지불하기 때문이다.|

|294| 제철업자와 목재업자가 다시 기계에 대해 지불하는 것은 잘못된 것이다. 왜냐하면 그들이 기계를 보전해야 할 부분(즉 $\frac{7}{12}$엘레)은 모두 이미 기계 제조업자의 계산에 포함되었기 때문이다. 기계 제조업자의 항목에는 이미 철과 목재의 생산에 필요한 기계가 전부 포함되었기 때문에 그것이 이중으로 계산될 수는 없는 것이다. 그래서 철과 목재를 대상으로 하는 마지막 2엘레([185]$2\frac{8}{12}$[186]에서 남은 부분)는 순전히 노동으로만 분해되고 — 왜냐하면 여기에는 원료가 존재하지 않기 때문에 — 따라서 아마포로 소비될 수 있다.

그래서 이제 남은 것은 기계 제조업자가 사용하는 기계의 마모분에 해당하는 $\frac{8}{12}$엘레(혹은 $\frac{2}{3}$ 엘레)가 전부이다.

전체 문제 가운데 일부는 다음과 같은 방식으로 풀렸다.[187] 즉 아마 재배업자의 **불변자본** 가운데 스스로[188] 새로 부가된 노동이나 기계로 분해되지 않는 부분은 유통되지 않고 이미 공제되어 자신의 생산영역에서 자신을 보전하고, 기계를 공제한 다음의 나머지 **유통되는** 그의 생산물은 모두 임금과 이윤으로 분해되어 아마포로 소비될 수 있다. 이것으로 문제의 일부는 해결
G431 되었다. 다른 부분의 해결은 한 생산영역에서 불변자본으로 나타난 것이 다른 생산영역에서 그해에 새로 부가된 노동으로 나타나는 방식으로 이루어졌다. 방직업자의 수중에서 불변자본으로 나타난 것은 대부분 방적업자, 기계 제조업자, 아마 재배업자, 제철업자, 목재업자의 소득으로 분해된다(석탄 채굴업자 등도 포함되지만 논의를 단순화하기 위해 여기에서는 이들을 생략한다). (이것은 매우 분명한 사실인데, 예를 들어 한 사람의 공장주가 방적과 방직을 함께 수행할 경우 그의 불변자본은 방직업자의 불변자본보다 적게 나타나고 그가 부가한 노동 — 다시 말해 그의 생산물 가운데 부가된 노동인 소득, 즉 이윤과 임금으로 분해되는 부분 — 은 방직업자의 것보다 더 크게 나타난다. 그래서 우리의 예에서 본다면 방직업자의 소득 = 4엘레 = 12실링이고 불변자본 = 8엘레 = 24실링이었다. 만일 그가 방적과 방직을 함께 수행하면[189] 그의 소득 = 6엘레, 불변자본 = 6엘레가 될 것이다. 즉 2엘레 = 방직기, 3엘레 = 아마, 1엘레 = 방적기가 될 것이다.) 그러나 셋째 지금까지 찾아낸 해결책은 다음과 같다. 궁극적으로 개인적 소비에 들어가는[190] 생산물의 생산에 필요한 원료나 생산수단만을 공급하는 모든 생산자들은 자신들의 소득(이윤과 임금, 즉 새로 부가된 [노동])을 자신의 생산물로 소비하지 않고, 이 생산물의 가치에서 소득으로 분해되는 부분을 소비재로만 소비하거나 (결국 같은 말이지만) 다른 생산자가 생산한 동일한 가치액의 소비재와 [교환해야만 한다]. 그들의 부가된 노동은 가치구성 부분으로 최종 생산물(소비재)에 들어가고 그것으로만 소비되지만 사용가치의 측면에서는 원료나 소비된 기계의 형태로 그 최종 생산물(소비재)에 포함된다.

따라서 전체 문제 가운데 아직 해결되지 않고 남아 있는 부분은 다음과 같이 요약된다. 즉 사용된 작업기계의 마모분이 아니라(왜냐하면 이들 작업기계는 새로운 노동 — 즉 그 자체 비용이 들어가는 원료가 없이 단순히 채취되었을 뿐인 원료에 새로운 기계의 형태를 부여하는 새로운 노동 — 으로 분해되기 때문이다) 기계를 만드는 기계의 마모분인 $\frac{2}{3}$엘레는 어떻게 될 것인가? 혹은 다른 형태로 표현해서 이 기계 제조업자가 어떤 조건에서 $\frac{2}{3}$엘레 = 2실링 = 2시간의 노동을 아마포로 소비하면서 동시에 자신의 기계를 보전할 수 있을 것인가? 이것이 핵심적인 문제이다. 이것은 사실로 존재하는 문제이며 필연

적으로 발생하는 문제이다. 결국 문제는 이 현상을 어떻게 해명할 것인가에 있다.|

|295| 이윤 가운데 새로운 자본(고정자본과 유동자본, 불변자본과 가변자본 모두)으로 전화하는 부분은 여기에서 전부 무시하기로 한다. 이것들은 우리의 문제와 아무 관련이 없다. 왜냐하면 여기에서 새로운 가변자본과 불변자본은 모두 **새로운** 노동(잉여노동의 일부)에 의해 만들어지고 보전되기 때문이다.

그래서 이런 경우를 제외한다면 새로 부가된 연간 총노동(=이윤과 임금의 총액=연간 **소득** 총액)은 예를 들어 식품, 의복, 연료, 주택, 가구 등의 개인적 G432 소비에 들어가는 생산물들에 지출된다.[191]

소비에 들어가는 이들 생산물의 총액은 가치로는 부가된 노동의 연간 총액(소득의 가치 총액)[192]과 일치한다. 이 노동 총액은 이들 생산물에 포함된 노동(새로 부가된 노동과 과거노동) 총액과 같아야만 한다. 이들 생산물을 통해서 새로 부가된 노동[193]은 물론 그 생산물에 포함된 불변자본도 함께 지불되어야 한다. 이들의 가치는 이윤과 임금의 총액과 같다. 아마포를 예로 든다면 아마포는 연간 개인적 소비에 들어가는 생산물들의 총액을 대표한다. 이 아마포는 가치의 측면에서 자신의 가치구성요소들의 총액과 같아야 할 뿐 아니라[194] 그것의 총사용가치가 아마포의 분배에 관여하는 다른 생산자들에 의해 소비될 수 있어야만 한다. 그것의 총가치는 — 비록 아마포는 부가된 노동과 불변자본으로 이루어져 있긴 하지만 — 이윤과 임금으로, 즉 연간 새로 부가된 노동으로 분해되어야 한다.

[195]이것은 이미 이야기했듯이 부분적으로 다음과 같이 설명된다.

첫째 불변자본 가운데 아마포의 생산에 필요한 부분은 사용가치의 측면에서나 교환가치의 측면에서나 모두 아마포에 들어가지 않는다. 아마 가운데 아마씨로 분해되는 부분, 아마 재배업자 생산물[196]의 불변자본 가운데 유통에 들어가지 않고 직접 혹은 간접적으로 생산에 들어가는 부분, 즉 토지로 되돌려지는 부분이 바로 이것이다. 이 부분은 자신을 보전하고 따라서 아마포에 의해 다시 지불될 필요가 없다. 〔농부는 자신의 수확물, 가령 120쿼터를 모두 판매할 수 있다. 그런데 그럴 경우 그는 다른 농부로부터 예컨대 12쿼터의[197] 씨앗을 구매해야 한다. 그러면 이 다른 농부는 자신의 120쿼터에서 12쿼터가 아니라 24쿼터(즉 총생산물의 $\frac{1}{10}$이 아니라 $\frac{1}{5}$)를 씨앗으로 사용해야만 한다. 전체 240쿼터 가운데 씨앗으로 사용되어 토지에 되돌려 보내는 것은 여전히 24쿼터로 변함이 없다. 물론 유통에서의 차이는 있다. 첫 번째의 경우처럼 모든 농부가 $\frac{1}{10}$을 공제하면 유통에는 216쿼터가 들어간다. 두 번째 경우에는 처음의 농부가 120쿼터를 유통에 넣고 두 번째 농부가 108쿼터[198]를 넣음으로써 유통에는 모두 228쿼터[199]가 들어간다. 현실의 소비는 216쿼터[200]로 여전히 변함이 없다. 그리하여 여기에서 이미 우리는 자본가와 자본가 사이에서 유통되는 가치 총액이 자본가와 소비자 사이에서 유통되는 가치 총액보다 큰 하나의 예를 보게 된다.](이윤의 일부가 새로운 자본으로 전화하는 경우와 자본가와 자본가 사이의 거래가 수년에 걸쳐서 이루어지는 경우에도 모두 이와 마찬가지의 차이가 발생한다.)

따라서 불변자본 가운데 아마포(개인적 소비에 들어가는 생산물)의 생산에 필요한 이 부분은 대부분 보전될 수 없다.

G433 **둘째** 아마포(연간 개인적 소비에 들어가는 생산물)의 생산에 필요한 불변자본 가운데 대부분은 어떤 단계에서는 불변자본으로 다른 단계에서는 새로 부가된 노동으로 나타나고, 따라서 사실상 어떤 사람에게는 이윤과 임금(즉 소득)으로 분해되는 반면 다른 사람에게는 동일한 가치액의 자본으로[201] 나타난다. 말하자면 불변자본 가운데 일부는 방적업자의 노동 등으로 분해된다.|

|296| **셋째** 최종 소비재가 만들어질 때까지 필요한 중간 단계의 생산과정[202]에 들어가는 생산물의 대부분은(원료와 몇몇 보조재료들을 제외하고) 기계, 석탄, 기름, 수지, 피대 등의 사용가치 형태가 아니라 단지 가치구성 부분으로만 소비재에 들어간다.[203] 언제나 사실상 다음 단계의 생산물만을 생산하는 이들 각 생산과정에서는 — 이들이 사회적 분업에 의해 개별 사업부문으로 나타나는 한 — 각 단계의 모든 생산물이 일부는 새로 부가된 노동(임금과 이윤으로 분해되는, 그리고 위에서 이야기한 조건에서는 소득으로 분해되는)[204]으로, 일부는 소비된 불변자본의 가치로 나타난다. 그래서 이들 각 생산영역들에서는 생산물 가운데 일부 — 임금과 이윤으로 분해되는 부분으로, 상품에 포함된 불변자본의 가치에 해당하는 생산량을 공제하고 남은 부분 — 만이 생산자 자신에 의해 소비될 수 있다는 것이 분명하다. 그러나 이들 생산자 가운데 누구도 전 단계의 생산물(사실상 다음 단계의 불변자본을 생산하는 모든 중간 단계의 생산물)을 조금도 소비하지 않을 것이다. 따라서 최종 생산물(모든 소비재를 대표하는 아마포)이 새로 부가된 노동과 불변자본으로 이루어지고, 이 소비재를 생산한 마지막 생산자는 이 소비재 가운데 마지

막으로 부가된 노동(임금과 이윤의 합계, 혹은 그들의 소득)으로 분해되는 부분만 소비할 수 있을 뿐이지만, 불변자본의 모든 생산자들은 자신들이 새로 부가한 노동을 오직 소비재를 통해서만 소비하고 실현한다. 이 소비재는 부가된 노동과 불변자본으로 이루어져 있지만, 그것의 구매가격은 자신의 생산물 가운데 최종적으로 부가된 노동 부분 외에 자신의 불변자본을 생산하기 위해 이전 단계에서 부가된 모든 노동의 총량으로 이루어진다. 이들 이전 단계의 모든 불변자본 생산자들은 자신들이 부가한 모든 노동을 자신의 생산물이 아니라 소비재로 실현하고 결국 그런 점에서 이 소비재는 마치 임금과 이윤만으로, 즉 부가된 노동만으로 이루어진 것처럼 보인다.

아마포를 완제품으로 만들어내는 생산영역의 생산자들은 생산물 가운데 자신들의 소득(=그들이 최종적으로 부가한 노동=임금과 이윤)에 해당하는 부분을 소비재인 아마포로부터(소비재를 자기들 사이에서 교환하든 상품을 미 G434
리 화폐로 전화시키든 그것은 아무래도 상관없다) 공제한다.[205] 그들은 소비재의 나머지 부분을 가지고 자신들에게 앞서 불변자본을 제공한 생산자들에게 해당되는 가치구성 부분을 지불한다. 따라서 소비재의 이 부분은 이 불변자본의 다음 생산자들의 소득과 불변자본 가치를 보전한다. 그러나 이 생산자들은 이 소비재에서 자신들의 소득에 해당하는 가치 부분만큼만 공제한다. 나머지 부분을 가지고 그들은 다시 자신들의 불변자본의 생산자들에게 소득+불변자본[206]을 지불한다.[207] 그러나 소비재인 아마포의 마지막 부분으로 불변자본이 아니라 소득(새로 부가된 노동)만을 보전할 경우에만 **이 계산은 비로소 완전히 정산될 수 있다**. 왜냐하면 가정에 따르면 아마포는 소비용도로만 사용되고 다른 생산영역의 불변자본으로는 다시 투입되지 않기 때문이다.

농업생산물 가운데 일부에서는 이것이 이미 입증되었다.

일반적으로 어떤 생산물이 최종 생산물에 원료로만 들어간다면 우리는 그것이 생산물로 소비된다고 말할 수 있다. 다른 생산물들은 소비재에 가치구성 부분으로[208]만 들어간다. 소비재는 소득, 즉 임금과 이윤에 의해 구매된다. 따라서 소비재의 가치 총액은 임금과 이윤(즉 모든 단계에서 부가된 노동)으로 분해될 수 있다. 이제 의문은 농산물 가운데 생산자 자신에 의해 ||297| 생산에 되돌려지는 부분(씨앗, 가축, 비료 등)[209]을 제외하고 불변자본 중에서 소비재의 가치구성 부분으로 들어가지 않고 생산과정 그 자체에서 현물로 보전되는 다른 부분이 과연 존재하느냐이다.

물론 그 가치가 생산에 투입되고 소비되는 모든 형태의[210] 고정자본이 여기에 해당될 수 있다.

농업(여기에는[211] 재생산과정이 인공적으로 운영되는 목축업, 양어장, 임업 등이 포함된다) — 즉 의류, 본래의 식품, 그리고 공업부문의 고정자본으로 들어가는 대부분의 생산물(돛, 밧줄, 피대 등) 등의 온갖 원료를 생산하는 부문 — 외에도 광산업에서는 불변자본 가운데 일부가 생산물로부터 직접 현물로 보전되기 때문에 이들 부분은 유통에 들어가는 부분에 의해 보전될 필요가 없다. 예를 들어 석탄산업에서는 석탄 가운데 일부가 물을 퍼내고 석탄을 실어 나르는 데 사용되는 증기기관을 움직이는 데 사용된다. 그래서 연간 생산물의 가치는 일부는 석탄에 포함된 과거[212]노동, 석탄 생산과정에서 소비된[213] 노동과 같으며, 일부는 부가된 노동량과 같다(기계의 마모분은 무시
G435 한다). 그러나 불변자본에서 석탄 그 자체의 형태로 이루어진 부분은 총생산물에서 직접 공제되어 생산에 되돌려진다. 이 부분은 생산자가 스스로 보전하기 때문에 아무도 그것을 생산자에게 보전해 주지 않는다. 노동생산성이 변하지 않는다면 생산물에서 이 부분을 나타내는 가치 부분도 변하지 않을 것이다. 즉 생산물 가운데 일정한 부분(다시 말해 일부는 과거[노동], 일부는 연간 부가된 노동량)으로 존재할 것이다. 다른 광산업의 경우에도 불변자본의 보전에 생산물 일부가 현물로 곧바로 사용된다.[214]

예를 들어 면화 부산물 따위와 같은 생산물의 부산물들은 비료로 다시 토지에 투입되거나 아니면 다른 산업부문의 원료로 사용되는데 예를 들어 아마포의 넝마 조각들은 종이의 [원료로] 사용된다. 첫째와 같은 경우에는 한 산업의 불변자본 가운데 일부가[215] 다른 산업의 불변자본과 직접 교환될 수 있다. 예를 들어 면화는 면화 부산물(비료로서)과 직접 교환된다.

일반적으로 기계산업 및 채취산업(철, 목재, 석탄 등의 원료)[216]과 다른 생산영역들 사이에는 중요한 차이가 있다. 다른 생산영역들에서는 상호작용이 발생하지 않는다. 아마포는 방적업자의 [217]불변자본의 일부가 될 수 없으며 실은 (그 자체로서) 아마 재배업자나 기계 제조업자의 불변자본의 일부가 될 수 없다. 그러나 기계의 원료는 피대나 밧줄과 같은 농산물 외에도 목재, 철, 석탄이 있는 반면 기계는 다시 생산수단으로 목재, 철, 석탄 생산에서 불변자본으로 들어간다. 따라서 사실상 양자는 자신들의 불변자본 가운데 일부를[218] 서로 현물로 보전한다. 여기에서는 불변자본과 불변자본 간의 교환이 발생하는 것이다. 이것은 단지 계산상의 문제만은 아니다. 철 생산자는

철 생산에 사용된 기계의 마모분을 기계 제조업자에게 계산을 넘기고 기계 제조업자는 기계를 만드는 기계의 마모분을 철 생산자에게 계산을 넘긴다. 철 생산자와 석탄 생산자가 같은 사람이라고 하자. 첫째 우리가 이미 본 바와 같이 그는 석탄을 스스로 보전한다. 둘째 그의 생산물인 철과 석탄의 총가치 = 부가된 노동의 가치 + 사용된[219] 기계에 포함된 과거노동이다. 이 총생산물로부터 기계의 가치를 보전하는 철의 양을 공제하고 나면 부가된 노동으로 분해되는 철의 양이 남는다. 후자의 부분은 기계 제조업자, 공구 제조업자 등의 원료를 이룬다. 기계 제조업자는 철 생산자에게 이 후자의 부분에 대해서는 아마포로 지불하고 전자의 부분에 대해서는 그의 마모분을 보전하는 기계로 넘겨준다. 한편 기계 제조업자의 불변자본 가운데에는 기계를 만드는 기계(혹은 공구)의 마모분으로 분해되는 부분, 따라서 원료로도 (생산에 사용된 ||298| 기계와 자신을 보전하는 석탄 부분은 무시하기로 한다) 부가된 노동(임금과 이윤)으로도 분해되지 않는 부분이 있다. 따라서 이 마모 G436 분은[220] 기계 제조업자가 자신의[221] 기계 가운데 몇 개를 자신이 직접 기계를 만드는 기계로 취득하는 형태로 사실상 보전된다. 그의 생산물 가운데 이 부분은 단지 원료에 대한 초과 수요로만 분해된다. 왜냐하면 그것은[222] 새로 부가되는 노동을 나타내지 않기 때문인데, 이는 노동의 총생산물이 첫째 부가된 노동의 가치에 해당하는 얼마간의 기계, 둘째 원료의 가치에 해당하는 얼마간의 기계, 셋째 기계를 만드는 기계에 포함된 가치구성 부분에 해당하는 얼마간의 기계 등으로 이루어져 있기 때문이다. 사실 이 마지막 구성부분은 부가된 노동을 포함하고 있다. 그러나 그것은 가치의 측면에서는 영(= 0)인데 왜냐하면 기계 가운데 부가된 노동을 나타내는 부분의 계산에는[223] 원료와 마모된 기계[224]에 포함된 노동이 들어가지 않기 때문이다. 원료를 보전하는 두 번째 부분의 계산에는 새로운 노동과 기계를 보전하는 부분이 들어가지 않는다. 따라서 가치의 관점에서 볼 때, 세 번째 구성부분은 부가된 노동도 원료도 포함하지 않고 단지 기계의 마모분만을 나타낸다. 기계 제조업자 자신의 기계는 판매되지 않는다. 그것은 총생산물에서 직접 공제되는 방식으로 현물로 보전된다. 그러므로 그가 판매하는 기계는 단지 원료(원료 생산업자의 기계 마모분이 기계 제조업자의 계산에 이미 들어갔다면 이 원료는 단지 노동으로만 분해된다)와 부가된 노동만을 나타내고 따라서 그것은 그 자신과 원료 생산업자에게서 아마포로 분해된다. 그런데 기계 제조업자와 원료 생산업자에게서 특수한 점은 원료 생산업자가 자신의 기계 가운데 마모된 부

분에 대해서 그 가치액만큼의 철을 공제했다는 점이다. 그는 이 철을 가지고 기계 제조업자와 교환하는데 따라서 결국 이들 양자는 서로 현물을 지불하는 셈이고 이 과정은 이들 사이의 소득 분배와는 아무 관련이 없게 된다.

이 문제는 여기까지만 다루고 자본의 유통 부분에서[225] 다시 거론하기로 한다.[226]

현실에서 불변자본은 끊임없이 새로 생산되고 일부는 스스로 재생산되는 방식으로 보전된다. 그러나 불변자본 가운데 소비재에 들어가는 부분은 생산재에 들어가는 살아 있는 노동(생산재 부문 노동자의 임금 — 옮긴이)에 의해 지불된다. 이 노동은 자신의 생산물로 지불되지 않기 때문에 소비재 전체는 소득으로 분해될 수 있다. 불변자본 가운데 일부는 연간 생산물의 관점에서 볼 때 단지 외관상 불변자본일 뿐이다. 나머지 부분은 비록[227] 총생산물에 들어가긴 하지만 가치구성 부분으로나 사용가치의 측면에서도 모두 소비재 속으로는 들어가지 않고 현물로 보전되며 항상 생산에 합체된 채로 머물러 있다.

여기에서 우리는 전체 소비재가 거기에 투입된 모든 가치구성 부분과 생산조건들에 어떻게 분배되고 분해되는지를 살펴보았다.

G437 그러나 소비재(임금으로 분해되는 것 = 가변자본 부분)와 함께 소비재의 생산,[228] 불변자본 가운데 소비재의 생산에 필요한 모든 부분(소비재 생산에 직접 들어가든 않든)의 생산도 끊임없이 나란히 존재한다. 그래서 모든 자본은 항상 불변자본과 가변자본으로 동시에 분할되고, 불변자본은 가변자본과 마찬가지로 끊임없이 새로운 생산물로 보전되긴 하지만 생산이 똑같은 방식으로 진행되는 한 항상 같은 방식으로 존재한다.|

|299| 기계 제조업자와 원료 생산업자(제철업자, 목재업자 등) 사이의 관계는 이들의 생산물이(비록 상대방의 생산의 전 단계를 이루는 것이긴 하지만) 생산수단으로 서로 상대방의 불변자본에 들어감으로써, 이들이 사실상 자신들의 불변자본 가운데 일부를 상호 교환하는(이것은 한 사람의 불변자본 가운데 일부가 다른 사람의 소득으로 분해되는 것과는 다른 것이다) 형태를 이루고 있다. 제철업자와 목재업자는 자신들이 필요로 하는 기계에 대해서, 보전해야 할 기계의 가치액만큼을 기계 제조업자에게 철과 목재로 제공한다. 기계 제조업자[229]에게 그의 불변자본 가운데 이 부분은 농부에게 씨앗과 똑같은 역할을 수행한다. 그것은 그의 연간 생산물 가운데 그가 현물로 보전하고 그에게 소득으로 분해되지 않는 부분이다.[230] 한편 이 교환을 통해서 기계 제

조업자는 단지 철 생산자의 기계에 포함된 원료뿐 아니라 그 기계의 가치 가운데 부가된 노동과 그 자신의 기계 마모분을 이루는 부분도 모두 원료의 형태로 보전한다. 따라서 원료 생산업자는 기계 제조업자에게 자기 기계의 마모분뿐 아니라 상대편 기계의 마모분 중 일부[231]도 (보전 대상으로) 계산해 줄 수 있다. 철 생산자에게 [판매된 이 기계]도 원료와 부가된 노동에 해당하는 가치구성 부분을 포함한다. 그러나 그것에 대한 상대편 기계의 마모분은 더 적은 비율로 계산되어야 한다. 따라서 원료 생산업자들의 불변자본(혹은 그들의 연간 노동생산물) 가운데 이 부분, 즉 불변자본의 마모분을 대표하는[232] 부분을 보전하는 가치 부분은 기계 제조업자가 다른 산업자본가에게 판매하는 기계에는 들어가지 않는다. 그러나 이 다른 기계의 마모분의 경우 그것은 물론 기계 제조업자에게 위에서 이야기한 $\frac{2}{3}$엘레(=2시간의 노동)의 아마포[233]로 [보전된다]. 기계 제조업자는 아마포를 주고 그만한 가치액의 선철, 목재 등[234]을 구매하고 마모분을 자신의 불변자본(선철)의 다른 형태로 보전한다. 그의 원료 가운데 일부는 그에게 원료의 가치액과 함께 기계 마모분의 가치액까지도 모두 보전해 준다. 그러나 선철 등의 생산자 입장에서 이 원료는 단지 부가된 노동으로만 분해되는데 이는 이들 원료(철, 목재, G438
석탄 등) 생산자의 기계는 이미 계산되었기 때문이다.

이리하여 아마포의 모든 요소는 노동량들의 합계로 분해되는데 그것은 부가된 노동량의 합계와는 동일하지만 불변자본에 포함된(그리고 재생산을 통해서 끊임없이 보전되는) 노동량의 합계와는 같지 않다.

게다가 매년 개인적 소비에 들어가는 상품들의 합계를 이루고[235] 따라서 소득으로 소비되는 총노동량(일부는 살아 있는 노동으로 일부는 과거노동으로 이루어져 있는)이 연간 부가된 노동량보다 크지 않다는 말은 하나의 동어반복에 불과하다. 왜냐하면 소득=이윤 및 임금의 합계=새로[236] 부가된 노동의 합계=같은 크기의 노동량을 포함한 상품들의 합계이기 때문이다.

철 생산자와 기계 제조업자의 관계는 단지 하나의 예에 지나지 않는다. 각자의 생산물이 서로 상대방의 생산수단으로 들어가는 다른 많은 생산영역들에서도 한쪽의 불변자본과 다른 쪽의 불변자본이 현물로 서로 교환되는 경우가 (일련의 화폐거래를 통해 이 교환이 은폐되어 있긴 하지만) 무수히 발생한다.[237] 그런 모든 경우에 소비로 들어가는 최종 생산물의 소비자는 그 생산물의 불변자본을 보전할 필요가 없는데 이는 그것이 이미 보전되었기 때문이다.

11. 가치척도에 대한 스미스의 모순된 견해

A. 스미스의 모순들은 그것이 품고 있는 문제들이 비록 해결되지는 못했으나 스스로 모순을 드러낸다는 점에서 중요하다. 이 점에 대한 그의 정확한 본능은 그의 추종자들이 어떤 때는 그의 이런 측면을, 또 다른 어떤 때는 그의 저런 측면을 취하는 데서 잘 드러나고 있다.

[생산적 노동과 비생산적 노동의 구별]

이제 우리는 애덤 스미스에게서 고찰해야 할 마지막 쟁점인 ||300| **생산적 노동과 비생산적 노동의 구별** 문제에 도달했다.

〔먼저 앞서 이야기한 것들에 추가할 부분. 다음 인용문은 고루한 세가 문제 자체를 거의 이해하지 못했다는 것을 잘 보여준다. "소득 문제를 완전히 이해하기 위해서는 생산물의 총가치가 서로 다른 사람의 소득으로 분할된다는 점을 고려해야만 한다. 왜냐하면 모든 개별 생산물의 **총**가치는 그것을 생산하는 데 참여한 지주, 자본가, 노동자의 이윤들로 이루어지기 때문이다. 따라서 한 사회의 총소득은 생산된 **총가치**와 동일하며, 일부 경제학자들이 생각하듯 토지의 **순생산물**과 동일한 것이 아니다. … 만일 한 나라의 소득이 소비된 가치를 초과하여 생산된 잉여분으로만 이루어진다면 한 나라는 매 G439
년 자신이 생산한 것과 똑같은 가치만을 소비하고 소득을 전혀 갖지 않는다는 전혀 잘못된 결론에 빠지고 말 것이다."(앞의 책, 제2권, 63, 64쪽)[1] 이 나라는 지난해에는 소득을 가지고 있었겠지만 내년에는 아무런 소득도 갖지 못할[2] 것이다. **노동의 연간 생산물** — **연간 이루어진 노동의 생산물**은 그중 일부를 이루고 있을 뿐이다 — 이 소득으로 분해된다는 것은 틀린 말이다. 그러나 이것이 생산물 가운데 매년 개인적 소비에 들어가는 부분에 대한 이야기라면 그것은 맞는 말이다. 오로지 부가된 노동으로만 이루어진 소득이 이 생산물(일부는 부가된 노동으로, 일부는 과거노동으로 이루어진)을 지불할 수 있다. 다시 말해서 부가된 노동은 이 생산물을 통해서 자신뿐 아니라 과거노동까지지도 함께 지불할 수 있는데 이는 생산물 가운데 다른 부분(그것도 부가된 노동과 과거노동으로 이루어져 있다)이 과거노동만을, 즉 불변자본만을 보전하기 때문이다.〕

〔바로 여기에서 애덤 스미스에 대해 이야기되고 있는 것들에 한 가지 더 추가할 것이 있다. 그것은 그가 가치결정에 대한 개념에서 오락가락할 뿐 아니라 — 임금과 관련하여 드러나고 있는 모순 외에 — 거기에서 개념적 혼동도 불러일으킨다는 점이다. 즉 그에게서는 가치의 실체를 이루는 내재적 척도가 화폐를 가치척도라고 부를 때의 가치척도 개념과 함께 모두 가치척도로 이해되고 있다. 그런 다음 그는 이 후자의 개념에서 다른 상품들에 불변의 척도로 사용될 수 있는 불변의 가치를 갖는 하나의 상품을 찾아내려는

시도 — 해답을 찾을 수 없는 시도 — 를 하고 있다. 화폐로서의 가치척도와 노동시간에 의한 가치결정 사이의 관계에 대해서는 내 책의 제1부에서[3] 다루고 있다. 이런 혼동은 리카도에게서도 곳곳에서 찾아볼 수 있다.〕

지금까지의 논의에서 우리는 A. 스미스가 모든 점에서 이중적인 성격을 보이고 있다는 것을 보았는데 **생산적 노동**과 **비생산적 노동**의 차이를 논의하는 곳에서도 그것은 마찬가지이다. 우리는 그가 생산적 노동이라고 부르는 것에 대해서 끊임없이 두 가지 규정을 사용하고 있다는 것을 볼 수 있는데 우선 첫 번째 올바른 규정을 먼저 살펴보기로 한다.

1. 자본주의적 생산의 관점에서 생산적 노동은 잉여가치를 생산하는 임노동

자본주의적 생산의 의미에서 볼 때 생산적 노동은 자본의 가변적 부분(자본 가운데 임금에 지출되는 부분)과 교환되어 이 자본 부분(혹은 자신의 노동력 가치)을 재생산하는 것은 물론 자본가를 위한 잉여가치까지도 함께 생산하는 임노동이다. 오로지 이것에 의해서만 상품(혹은 화폐)은 자본으로 전화하고 자본으로 생산된다. 자본을 생산하는 임노동만이 생산적이다. (임노동이 그것에 지출된 가치 총액을 증식시켜 재생산한다는 이야기나 그것이 임금형태로 받는 노동보다 더 많은 노동을 되돌려 준다는 이야기는 모두 이것과 같은 이야기이다.
G440 즉 노동력[4]만이 자신의 가치보다 더 큰 가치로 증식된다.) 자본가 계급(즉 자본)의 존재 그 자체는 노동생산성에 기초해 있지만 그것은 절대적 노동생산성이 아니라 상대적 노동생산성이다. 예를 들어 노동자의 생활을 유지하는데(즉 그의 노동력을 재생산하는 데) 1노동일[5]만으로 충분하다면 ||301| 이때 그 노동은 절대적으로 말해서 생산적이라고 할 수 있는데 왜냐하면 그 노동은 재생산되고 있기 — 다시 말해 자신이 소비하는 가치(자신의 노동력 가치와 동일하다)를 항상 보전하기 — 때문이다. 그러나 자본주의적 의미에서 그 노동은 잉여가치를 생산하지 않았기 때문에 생산적이라고 할 수 없을 것이다. (그것은 사실상 어떤 새로운 가치도 생산하지 않았고 단지 기존의 가치를 보전했을 뿐이다. 그것은 하나의 형태로 가치를 소비하여 그것을 다른 형태로 재생산했을 뿐이다. 그리고 이런 의미에서 어떤 노동자의 생산=그의 소비이면 그 노동자는 생산적이고, 어떤 노동자가 자신이 재생산하는 것보다 더 많이 소비한다면 그는 비생산적이라는 이야기가 있는 것이다.) 이 생산성은 상대적 생산성에 기초해 있는데 그것은 곧 노동자가 기존의 가치를 보전할 뿐 아니라 새로운 가치를 창출한다는 것을 의미한다. 다시 말해 노동자는 노동자로서 그의 생활을 유지해주는 생산물에 대상화된 것보다 더 많은 노동시간을 자신의 생산물에

대상화한다. 자본은 바로 이런 종류의 생산적 임노동에 기초해 있다. 그것이 바로 그의 존재조건인 것이다. 〔가령 자본이 전혀 존재하지 않고 노동자[6]가 자신의 잉여노동(즉 그가 창출한 가치 가운데 그가 소비한 가치를 넘는 초과분)을 자신이 모두 취득한다고 생각해보자. 그렇다면 바로 이런 종류의 노동만이 진정한 의미에서 생산적이라고, 즉 새로운 가치를 창출한다고 말할 수 있을 것이다.〕

2. 생산적 노동에 대한 중농주의와 중상주의의 견해

생산적 노동에 대한 이런 개념은 A. 스미스의 잉여가치의 기원(즉 자본의 본질)에 대한 개념으로부터 저절로 나온 것이다. 그가 이런 개념을 유지하고 있는 한 그는 중농주의자들은 물론 중상주의자들까지도 취했던 하나의 일관된 방향을 따라가면서 — 그들의 잘못된 추론방식에 이끌려 들어가지 않고 — 그 개념의 핵심을 도출했다. 중농주의자들은 농업노동만이 생산적이라는 잘못된 견해를 가지고 있었지만 또한 자본주의적 관점에서 잉여가치를 창출하는 — 그것도 자신을 위해서가 아니라 생산조건의 소유자를 위해서, 즉 자신을 위해서가 아니라 토지소유자를 위해서 순생산물을 창출하는 — 노동만이 생산적이라는 올바른 견해를 주장하기도 했다. 왜냐하면 잉여가치(즉 잉여노동시간)는 잉여생산물 혹은 순생산물에 대상화되기 때문이다. (그들은 이 잉여생산물을 다시 잘못 이해하고 있다. 예를 들어 그들은 잉여생산물을 노동자와 차지농업가가 먹어치우는 것보다 더 많은 밀이 생산되기 때문이라고 생각했지만 직물의 경우에도 직물은 직물업자(노동자와 공장주)가 자신의 의복에 필요한 양을 초과하여 생산되고 있다.) 그들은 잉여가치를 잘못 이해하고 있었는데 그것은 그들이 가치를 잘못 이해하고 있었기 때문이다. 즉 그들은 가치를 노동시간, 즉 사회적(질적 차이가 없는) 노동으로 환원한 것이 아니라 노동의 사용가치로 환원했던 것이다. 그럼에도 불구하고 그들은 지불된 것보다 더 많은 가치를 창출하는 임노동[7]만이 생산적이라는 규정만은 옳게 제 G441
기했다. A. 스미스는 중농주의자들이 이 개념과 관련하여 잘못 생각하고 있던 부분을 제거했다.

중농주의자들로부터 중상주의자들에게로 한 걸음 더 거슬러 올라가 보기로 하자. 그들의 견해 한 귀퉁이에서도 역시 우리는 생산적 노동에 대한 똑같은 견해가(비록 그들 자신은 의식하지 못했지만) 담겨 있는 것을 보게 된다. 그들의 생각의 근저에는, 생산물을 외국으로 보내어 거기에 들인 비용보다 더 많은 화폐를 벌어들이는(그에 따라 한 나라가 새로 개발되는 금광과 은광의 생산물을 얻기 위해 비상한 노력을 경주하도록 만드는) 생산영역의 노동만이 생

산적이라는 견해가 자리 잡고 있었다. 그들은 이런 나라들에서 부와 중간계급이 급속히 성장하는 것을 보았다. 이런 금의 유입은 사실상 어디에 기초한 것이었을까? 임금은 상품가격과 동일한 비율로 상승하지 않았다. 즉 임금은 하락했고 따라서 상대적 잉여노동은 증가하고 이윤율은 상승했는데 그러나 그것은 노동자가 더욱 생산적이 되었기 때문이 아니라 임금의 절대적 수준(즉 노동자가 살아가기 위한 생활수단의 총액)이 하락했기 때문에, 요컨대 노동자의 상태가 더욱 악화되었기 때문이었다. 이들 나라에서는 사실상 이런 방식으로 노동이 그 사용자들에게 더욱 생산적으로 되었다. 이런 사실이 귀금속의 유입과 관련되어 있었고, 중상주의자들이 그런 생산영역에서 사용된 노동만이 생산적이라고 이야기하게 만들었던 바로 그 동기(비록 어렴풋하게만 인식되긴 했지만)가 된 것이었다.|

|302| [8]"1750년대와 1760년대 동안 거의 유럽 전체에서 일어난 [인구의] 엄청난 증가는 그 주된 원인이 아마도 아메리카 대륙 광산의 생산성 증가에 기인한 것이다. 귀금속 잉여의 증가(물론 귀금속의 실질가치의 하락이 가져온 결과이다)는 노동의 가격에 비해 상품가격을 훨씬 높은 비율로 상승시킨다. 그것은 노동자들의 상태를 악화시키고 고용주들의 수익을 증가시키는데, 이로 인해 고용주들은 노동자들의 고용에 더 많은 유동자본을 사용하고 이는 다시 인구의 증가를 촉진한다. … 맬서스의 지적에 따르면 아메리카 광산의 발견으로 곡물 가격은 3~4배 상승한 반면 노동의 가격은 겨우 2배 올랐을 뿐이다. … 국내 소비상품(예를 들어 곡물)의 가격은 화폐 유입에 의해 곧바로 상승하지는 않는다. 그러나 이로 인해 농업부문의 이윤율이 공업부문에 비해 하락하기 때문에 자본은 농업부문에서 공업부문으로 이동할 것이다. 그 결과 자본 전체로 보면 이윤이 과거에 비해 더 높아질 것이고 이윤의 상승은 언제나 곧 임금의 하락을 의미한다."(**존 바턴,『노동계급의 상태에 영향을 미치는 요인에 관한 연구』, 런던, 1817년**, 29쪽 이하) 첫째, 바턴에 따르면 18세기 후반기에는 1570년대 이후부터 17세기 동안 중상주의를 자극하는 현
G442 상이 반복되었다. 둘째, 수출상품은 금과 은의 하락한 가치에 따라 측정되는 반면 국내 소비상품은 금과 은의 기존 가치에 따라 계속 측정되기 때문에(자본가들 사이의 경쟁으로 서로 다른 이 두 개의 척도 사이의 차이가 사라질 때까지) 전자의 생산부문에 고용된 노동[9]이 곧 생산적인 것으로(다시 말해 이 부문의 임금이 기존의 수준에 비해 하락함으로써[10] 잉여가치를 창출하는 것으로) 보인다.

스미스의 생산적 노동에 대한 두 번째 견해(즉 잘못된 견해)는 그의 올바른 견해와 뒤엉켜 있어서 같은 구절 안에서도 서로서로 맞물려 있다. 따라서 그의 올바른 견해를 설명하기 위해서는 인용문을 각 부분별로 잘라서 보아야만 한다. 3. 스미스의 생산적 노동에 대한 견해의 이중성 a) 생산적 노동을 자본과 교환되는 노동으로 설명

(제2편, 제3장)(매컬럭 엮음, 제2권)(93쪽 이하):

"어떤 종류의 노동은 그것이 가해지는 물건의 가치를 증가시키지만, 어떤 종류의 노동은 그런 작용을 하지 않는다. 전자의 노동은 **가치를 생산**하기 때문에 **생산적**이라고 부를 수 있고 후자의 노동은 **비생산적 노동**이라고 부를 수 있다. 그런 점에서 공업노동자의 노동은 일반적으로 그가 작업하는 물체의 가치에 **자신의 생계비와 자신의 고용주의 이윤**을 **부가**한다. 반면 하인의 노동은 어떤 가치도 부가하지 않는다. 공업노동자가 받는 임금은 그의 고용주가 그에게 **선대**한 것이지만 그의 고용주는 **사실상 아무런 비용도 지출하지 않는다**. 왜냐하면 그의 노동은 그것이 가해진 대상의 가치를 증가시켜 일반적으로 **이윤과 함께** 그의 임금도 함께 보전해 주기 때문이다. 그러나 하인의 생계비는 결코 보전되지 않는다. 따라서 공업노동자를 많이 고용하면 **부자가 되지만** 하인을 많이 고용하면 가난해진다."[11]

이 구절에서 — 곧이어 인용하게 될 다음 구절에서는 서로 모순되는 규정들이 더 많이 서로 엉켜 있다 — 생산적 노동은 주로 "자신(노동자)의 생계에 필요한" 가치의 재생산 외에 잉여가치("고용주의 이윤")도 생산하는 노동으로 이해되고 있다. 또한 만일 공업노동자가 자신의 생계에 지불되는 가치 외에 잉여가치를 부가하지 못한다면 공업자본가는 "공업노동자를 많이 고용"함으로써 **부자가 될** 수는 없을 것이다.

그러나 둘째, A. 스미스는 여기에서 생산적 노동을 "가치를 생산하는" 노동으로 이해하고 있다. 이 ||303| 두 번째 견해에 대한 설명은 잠시 미루어 두고 먼저 첫 번째 견해가 부분적으로는 반복되고 부분적으로는 더욱 깊게 진행되고 있는(즉 논의가 좀 더 진행된) 다른 구절을 인용해 보기로 한다.

"비생산적 노동자들에 의해 소비되는 … 식품과 의류의 양이 생산적 노동자들 사이에 분배되었다면 그들은 **이윤과 함께**[12] 그들의 소비에 해당하는 가치를 모두 재생산했을 것이다."(같은 책, 109쪽)(제2편, 제3장)[13] 여기에서 G443
그는 자본가에게 임금에 포함된 생활수단의 가치를 모두 재생산해 주는 것은 물론 그것을 "이윤과 함께" 재생산해 주는 노동자가 생산적 노동자라고 명확하게 이야기하고 있다.

자본을 생산하는 노동만이 생산적 노동이다. 그러나 자본은 노동력과 직접 교환됨으로써, 그것도 오로지 자신에게 포함된 것보다 더 많은 노동에 의해 보전될 목적으로만 교환됨으로써 상품 혹은 화폐로 된다. 왜냐하면 자본가에게 노동력의 사용가치는 그것의[14] **현실적** 사용가치(즉 방적노동, 방직노동 등과 같이 특수하고 구체적인 노동의 유용성)에 있지 않기 때문이다. 이는 이 노동의 생산물의 사용가치 그 자체가 자본가에게 관심사가 아닌 것과 마찬가지인데 그것은 자본가에게 생산물은 상품(아직 첫 번째 형태변화를 일으키기 전 단계의)[15]이지 소비할 대상이 아니기 때문이다. 그가 상품에 대해 관심을 갖는 까닭은 상품에 대해 자신이 지불한 것보다 상품이 더 많은 교환가치를 가지고 있기 때문이며, 그에게 노동의 사용가치는 그가 임금형태로 지불한 것보다 더 많은 양의 노동시간을 돌려주기 때문이다. 이런 생산적 노동자에는 본래 의미의 상품노동자부터 관리자, 기사[16](자본가와는 구별되는)에 이르기까지 상품생산에 이리저리 참여하는 모든 사람이 포함된다. 그래서 최근의 공장에 대한 영국 공식 보고서[17]에서도 공장과 거기에 부속된 사무실에서 일하는 모든 사람[18](공장주는 제외)을 고용된[19] 임노동자의 범주에 **"명시적으로"** 포함시키고 있다. (이 쓰레기 같은 자료의 결론부 앞에 있는 구절들을 보라.) 여기에서 생산적 노동은 자본주의적 생산의 관점에서 규정되고 있으며 A. 스미스는 그것을 정확하게 개념적으로 파악했다. — 이것은 곧 그의 가장 위대한 과학적 업적인데(맬서스가 정확하게 지적했듯이[20] 생산적 노동과 비생산적 노동에 대한 애덤 스미스의 이 결정적인 구별은 부르주아 경제학 전체의 변함없는 토대가 되었다) 즉 그는 생산적 노동을 **자본과 직접 교환되는** 노동으로, 다시 말해 바로 이 교환을 통해 노동의 생산조건과 가치 일반(화폐 혹은 상품)이 비로소 자본으로 전화한다고(그리고 노동이 과학적 의미에서 임노동으로 전화한다고)[21] 규정했던 것이다. 이에 따라 **비생산적 노동**이 무엇인지도 정확하게 규정될 수 있다. 그것은 곧 자본이 아니라 소득(즉 임금과 이윤)(물론 여기에는 이자와 지대와 같이 자본가의 이윤에 참여하는 여러 항목[22]도 포함된다)과 **직접** 교환되는 노동이다. 노동 전체가[23] 부분적으로는[24] 아직 노동 자체로 지불되고(예를 들어 부역 농민의 농업노동) 부분적으로는 소득과 직접 교환되는 곳에서는(아시아 도시들에서의 제조업노동) 부르주아 경제라는 의미에서의 자본이나 임노동은 존재하지 않는다. 그러므로 이
G444 런 규정은 노동의 소재적 규정(노동생산물의 성질이나 노동의 구체적 노동으로서의 성격)에서 얻어진 것이 아니라 노동이 실현되는 일정한[25] 사회적 형태

(즉 사회적 생산관계)에서 얻어진 것이다. 이 규정에 따른다면 예를 들어 어릿광대 같은 연극배우도 만일 임금의 형태로 받은 것보다 더 많은 노동을 자본가에게 돌려주는 형태로 자본가를 위해 일한다면 그는 생산적 노동자인 반면 의류수선 노동자가[26] 자본가의 집으로 가서 그의 바지를 고쳐주는 형태로 자본가에게 단지[27] 사용가치만을 창출해 줄 뿐이라면 그는 비생산적 노동자이다. 전자의 노동은 자본과 교환되고 후자의 노동은 소득과 교환된다. 전자의 노동은 잉여가치를 창출하고 후자의 노동은 소득을 소비한다.

여기에서는 생산적 노동과 비생산적 노동이 계속해서 화폐소유자(즉 **자본가**)의 **관점**에서만 이해되고 **노동자**의 **관점**에서는 이해되지 않는다. 그래서 어리석게도 가닐 등과 같은 사람은 사태의 본질을 거의 이해하지 못하고 매춘부나 하인 등의 성매매나 노동이 화폐를 벌어들이는지의 여부에 대한 질문에 매달리고 있다.[28]|

|304|〔**300쪽을 참조할 것**.[29] 예를 들어 기관차를 제작하는 곳에서는 매일 차량 몇 개에 해당할 만큼의 철 조각들이 부산물로 나온다. 이것들은 모두 수집되어 매일 기관차 제조업자에게 핵심 원료를 공급하는 바로 그 제철업자에게 도로 판매된다(혹은 계산에 포함된다). 제철업자는 철 조각들을 다시 덩어리로 뭉치고 거기에 새로운 노동을 부가한다. 그런데 이 제철업자가 기관차 제조업자에게 다시 보내는 형태를 통해 철 조각들은 생산물의 가치 가운데[30] 원료를 보전하는 부분을 이룬다.[31] 이처럼 철 조각들은 두 공장 사이를 오가는데 그것들은 동일한 철 조각은 아니지만 항상 동일한 양을 이룬다. 이 부분은 번갈아 가며 두 산업부문의 원료를 이루고 가치의 관점에서 볼 때 단지 한 공장에서 다른 공장으로 이동하는 것에 지나지 않는다. 즉 그것은 최종 생산물에 들어가지 않고 불변자본을 현물로 보전하는 것이다. 사실 기계 제조업자가 공급하는 모든 기계는 가치의 관점에서 본다면 원료, 부가된 노동, 기계의 마모분 등으로 분해된다. 그러나 다른 생산영역으로 들어가는 기계의 가치 총액은 기계의 총가치에서 단지 기계 제조업자와 제철업자 사이를 오가는 불변자본 부분을 공제한 나머지 총가치와 동일하다. 농민이 판매하는 1쿼터의 밀은 다른 1쿼터의 밀과 동일한 가치를 갖는다. 판매된 1쿼터의 밀은 씨앗 형태로 토지에 되돌려지는 1쿼터의 밀에 비해 결코 가치가 떨어지지 않는다. 그런데 만일 생산물=6쿼터, 1쿼터=3파운드스털링이고 — 각 1쿼터의 가치구성 부분은 부가된 노동, 원료, 기계로 이루어진다 — 1쿼터를 씨앗으로 사용해야 한다면 농민은 소비자에게 5쿼터=15파

운드스털링만 판매할 수 있을 것이다. 따라서 소비자들은 씨앗 1쿼터에 포함된 가치구성 부분에 대해서는 지불하지 않을 것이다. 이것이 바로 문제의 G445 핵심이다. 판매된 생산물의 가치는 어떻게 거기에 포함된 모든 가치구성 요소(부가된 노동 + 불변자본)와 동일한가, 그리고 그럼에도 불구하고 소비자는 어떻게 불변자본을 지불하지 않고 생산물을 구매하는가 하는 것이다.]

작가가 생산적 노동자가 되기 위해서는 이념을 생산하는 것으로는 안 되고 자신의 저작을 출판하는 서적상을 부유하게 만들거나 어떤 자본가의 임노동자가 되어야만 한다.

생산적 노동자의 노동이 체화되어 있는 상품의 사용가치는 매우 하찮은 것일 수도 있다. 소재적 성격에 따른 이런 상품의 규정은 그 노동의 성격과는 아무런 관련이 없고 오히려 일정한 사회적 관계를 나타낼 뿐이다. 그것은 노동의 내용이나 그 결과에 따른 것이 아니라 그것의 일정한 사회적 형태에 따른 노동의 규정이다.

다른 한편, 자본이 생산을 모두 지배하고 있다고 가정한다면 — 즉 **상품**(단순한 사용가치와는 구별되는)이 그 상품의 생산에 필요한 생산조건[32]을 스스로 소유하고 있는 어떤 노동자에 의해 이제 더는 생산되지 않는다면 —, 다시 말해 자본가만이 **상품**(노동력이라는 단 하나의 상품만은 제외하고)의 생산자라고 가정한다면, 소득은 자본에 의해서만[33] 생산되고 판매되는 상품과 교환되거나, 그 상품과 마찬가지로 소비를 위해(즉 오로지[34] 노동의 소재적 성격 때문에, 다시 말해 일부는 노동의 사용가치 때문에, 그리고 다른 일부는 노동이 자신의 소재적 성격을 통해 자신의 구매자와 소비자에게 제공하는 **서비스노동** 때문에) 구매되는 노동과 교환된다. 이 서비스노동의 생산자에게는 이 서비스노동의 제공이 곧 상품이다. 그 서비스노동은 일정한 사용가치(무형의 것이거나 혹은 유형의 것이거나)와 교환가치를 갖는다. 그러나 구매자에게 이 서비스노동은 ||305| 단지 사용가치(그가 자신의 소득을 소비하는 대상물)일 뿐이다. 이 비생산적 노동자는 소득(임금과 이윤) 가운데 자신의 몫(즉 생산적 노동에 의해 생산되는 상품에 대한 자신의 몫)을 무상으로 받는 것이 아니다. 그는 자신의 몫을 구매해야만 한다. 그러나 그는 그것의 생산과 아무런 관련도 없다.

그러나 어떤 상황에서도 다음과 같은 점은 명백하다. 즉 소득(임금과 이윤) 가운데 자본이 생산한 상품에 지출되는 부분이 많으면 많을수록 소득에서 비생산적 노동자의 서비스노동에 지출되는 부분은 감소하며 그 반대의 경우도 성립한다는 점이다.

따라서 노동(그리고 노동생산물)의 소재적 성격에 따른 규정성은 생산적 노동과 비생산적 노동의 구별[35]과는 아무런 관계가 없다. 예를 들어 대중 호텔에서 일하는 요리사와 웨이터는 그들의 노동이 호텔 소유주의 자본으로 전화할 경우 생산적 노동자가 된다. 그러나 이들 같은 사람의 서비스노동을
내가 자본으로 만들지 않고 거기에 대해 소득을 지출해버린다면 이들은 단 G446
순한 하인으로서 비생산적 노동자가 된다. 그러나 사실 이 사람들은 호텔에 있어도 소비자인 내게는 비생산적 노동자이다.

"모든 나라에서 그 **나라의** 토지 및 노동의 연간 생산물 가운데 **자본을 보전하는** 부분은 반드시 생산적 노동자의 생계를 유지하는 데만 **직접** 사용된다. 그것은 오로지 **생산적 노동의 임금**만을 **지불**한다. 그러나 이윤이나 지대처럼 곧바로 소득을 이루게 되어 있는 부분은 생산적 노동자나 비생산적 노동자 모두의 생계를 유지하는 데 똑같이 사용될 수 있다."(같은 책, 98쪽) "어떤 사람이 자신의 자금 가운데 얼마를 자본으로 사용하든 그는 항상 그것이 이윤과 함께 그에게 보전되기를 기대한다. 따라서 그는 그것을 **생산적 노동자들**을 유지하는 데만 사용한다. 그것은 그에게서 자본으로 기능을 수행한 다음 생산적 노동자들에게서 소득을 이룬다. 만일 그가 그중 일부를 **비생산적 노동자들**(어떤 종류이든)**을 유지하는 데** 사용하면 그 순간부터 그 부분은 그의 자본에서 떨어져 나가 그의 재원 가운데 직접적 소비를 위한 부분으로 옮겨진다."(같은 곳)[36]

자본이 전체 생산을 지배하게 됨에 따라, 즉 상품을 생산하지 않는 소규모의 가내공업 형태(요컨대 자가소비를 위한[37])가 모두 사라지게 됨에 따라, 자신들의 서비스노동을 소득과 직접 교환하는 비생산적 노동자들은 대부분 **개인적인** 서비스노동에 종사하게 되고 그들의 노동(요리사, 바느질꾼, 의류수선공 등의) 가운데 물적 사용가치[38]를 생산하는 부분은 극히 미미해질 것이 분명하다. 그들이 **상품**을 생산하지 않는다는 것은 사태의 본질에 비추어 명백하다. 상품 그 자체는 결코 소비의 직접적 대상이 아니라 교환가치를 나타내는 것일 뿐이다. 따라서 자본주의 생산양식이 발전한 곳에서는 이들 비생산적 노동자 가운데 극히 일부분만이 물적 생산에 직접 참여할 수 있다. 그들은 자신의 서비스노동을 소득과 교환함으로써만 생산에 참여한다. 그러나 그렇다고 해서 이것 때문에 A. 스미스가 말한 것처럼 이들 비생산적 노동자의 서비스노동의 가치가 생산적[39] 노동자의 가치가 결정되는 것과 같

은(혹은 비슷한) 방식—즉 이들 노동자의 생계 혹은 그 노동력의 생산에 들어가는 생산비용에 의해 결정된다는—으로 결정된다는(혹은 결정될 수 있다는) 사실이 방해받는 것은 아니다. 여기에는 또 다른 요소들이 추가되지만 여기에서는 그것을 다루지 않기로 한다.|

|306| 생산적 노동자의 노동력[40]은 그 자신에게 하나의 상품이다. 비생산적 노동자의 경우도 이것은 마찬가지이다. 그러나 생산적 노동자는 자신의 노동력의 구매자를 위해 상품을 생산한다. 반면 비생산적 노동자는 그 구매자를 위해 상품이 아니라 단지 사용가치(그것이 무형의 것이든, 유형의 것이든)를 생산해줄 뿐이다. 비생산적 노동자가 자신의 구매자를 위해 상품을 생산해주지는 않지만 그로부터 상품을 받기는 한다는 사실, 이것이 비생산적 노동자의 특징이다.

G447 "사회에서 가장 존경받는 지위에 있는 사람들의 노동은 하인의 노동과 마찬가지로 아무런 가치도 생산하지 않으며 … 예를 들어 군주와 더불어 그를 위해 봉사하는 모든 관리(법관과 전쟁을 담당하는 육군과 해군을 모두 포함한)도 역시 비생산적 노동자이다. 그들은 공공을 위한 봉사자들이며 다른 사람들의 연간 생산물 가운데 일부에 의해 생계를 유지한다. … 이들과 같은 계급으로 분류되어야 할 사람들로는 … 목사, 법률가, 의사, 온갖 종류의 문필가, 연극배우, 어릿광대, 음악가, 오페라 가수, 오페라 무희 등이 있다."(같은 책, 94, 95쪽)[41]

이미 이야기했듯이 생산적 노동과 비생산적 노동 사이의 이런 구별은 그 자체로는 노동의 특수성은 물론 이런 특수성이 체화된 특수한[42] 사용가치와도 아무런 관련이 없다. 노동은 어떤 때는 자본과 교환되고 어떤 때는 소득과 교환된다. 노동은 어떤 때는 자본으로 전화하여 자본가에게 이윤을 창출해 주고 어떤 때는 소득이 소비되는 상품에 지출된다. 예를 들어 피아노 제조업자에게 고용된 노동자[43]는 생산적 노동자[44]이다. 그의 노동은 그가 소비하는 임금을 보전할 뿐 아니라 그의 생산물인 피아노(피아노 제조업자가 판매하는)에는 임금의 가치를 초과하는 잉여가치가 포함되어 있다. 그런데 만일 내가 피아노를 상점에서 구매하는 대신, 피아노를 만드는 데 필요한 모든 재료를 구매하여(노동자 자신이 이 재료를 직접 소유하고 있을 수도 있다) 피아노를 만드는 노동자로 하여금 내 집에서 피아노를 만들게 한다고 하자. 이 경우 피아노를 만드는 노동자는 비생산적 노동자[45]에 지나지 않을 것이다.[46] 왜냐하면 그의 노동은 나의 소득과 직접 교환되었기[47] 때문이다.

그런데 자본이 생산 전체[48]를 지배하게 되면 — 즉 모든 상품이[49] 직접적 소비를 위해서가 아니라 교환을 위해서 생산되고 이와 같은 비율로 노동생산성이 증가하게 되면 — 생산적 노동자와 비생산적 노동자 사이의 소재적 구별도, 전자가 예외적인 경우를 제외하고는 오로지 **상품**만을 생산하고 후자도 약간의 예외는 있지만 개인적 서비스노동만을[50] 수행하게 됨으로써, 점점 더 커지게 될 것이 분명하다.[51] 따라서 생산적 노동계급은 직접적으로 물질적 부, 즉 **상품**들(다시 말해 노동력 그 자체로 이루어지지 않았다는 의미에서의 모든 상품)을 생산한다. 이것이 바로 애덤 스미스가 첫 번째(일차적인) 구별에[52] 또 하나의 구별을 부가하게 된 그 관점[53]이다.

b) 생산적 노동을 상품으로 실현된 노동으로 설명

그래서 그에게는 서로 다른 개념들이 다음과 같이 뒤섞여 나타나고 있다.

"하인의 노동은 (공업노동자의 노동과는 달리) **어떤 가치도 부가하지 않는다**. … 하인의 생계비는 **결코 보전되지 않는다**. 공업노동자를 많이 고용하면 부자가 되지만 하인을 많이 고용하면 가난해진다. 그러나 **후자의 노동**도 전자의 노동과 마찬가지로 **자신의 가치를 가지고 있고** 그만큼의 보상을 받아야만 한다. 그런데 공업노동자의 노동은 **어떤 특수한 물체(혹은 판매될 수 있는 상품)에 자신을 고정하고 실현하는데, 이 물체는 적어도 그의 노동이 끝난 후에도 상당 기간 존속하는 것이다**. 즉 그것은 필요할 때 사용하기 위해 저장되고 축적되는 일정량의 노동이다. 혹은 그 물체(혹은 같은 말이지만 그 물체의 가격)는 나중에 필요할 때 원래 그것을 생산했던 것과 같은 양의 노동을 움직일 수 있다. 반면 하인의 노동은 ||307| **어떤 특수한 물체(혹은 판매될 수 있는 상품)에 자신을 고정하거나 실현하지 않는다**. 그의 **서비스노동은 일반적으로 그것이 수행되는 순간 곧바로 소멸하고 어떤 흔적이나 가치**(**나중에** 같은 양의 서비스노동을 얻을 수 있는)**를 거의 남기지 않는다**. … 사회에서 가장 존경받는 지위에 있는 사람들의 노동은 하인의 노동과 마찬가지로 **아무런 가치도 생산하지 않으며 어떤 항구적인 물체(혹은 판매될 수 있는 상품)에 자신을 고정하거나 실현하지 않는다**."(같은 책, 93~94[54]쪽)[55]

G448

여기 비생산적 노동자에 대한 규정에서 우리는 A. 스미스의 생각의 내적 발전과정을 보여주는 다음과 같은 규정들을 보게 된다.

"그것은"(비생산적 노동자의 노동) "가치를 생산하지 않으며", "어떤 가치도 부가하지 않고", "(비생산적 노동자의) 생계비를 보전하지 않고", "**어떤 특수한 물체(혹은 판매될 수 있는 상품)에 자신을 고정하고 실현하지** 않는다". 오히려 "그의 서비스노동은 일반적으로 그것이 수행되는 순간 곧바로 소멸하고 어떤 흔적이나 가치(**나중에** 같은 양의 서비스노동을 얻을 수 있는)를 거의 남기지 않는다". 결론적으로 "그것은 **어떤 항구적인 물체**(혹은 **판매될 수 있는 상품**)에 자신을 고정하고 실현하지 않는다".[56]

여기에서는 "가치를 생산하는" 것 혹은 "가치를 생산하지 않는" 것이 처음의 개념과는 다른 개념으로 이해되고 있다. 그것은 잉여가치의 생산(그 자체로서 소비된 가치만큼의 등가를 재생산한다는 의미를 포함하는)과는 더는 아무 관련도 없다. 여기에서는 어떤 노동자의 노동이 생산적인 것으로 되기 위해서는, 그가[57] 자신의 임금에 포함된 것과 같은 양의 가치를 자신의 노동에 의해 어떤 물체에 부가함으로써, 소비된 가치만큼의 등가를 보전해야만 한다. 여기에서 우리는 생산적 노동자와 비생산적 노동자에 대한 사회적 형태와 관련된 규정(즉 자본주의적 생산과의 관계에 의한 규정)을 벗어나버린다. 제4편 제9장(여기에서[58] A. 스미스는 중농주의자들의 이론을 비판하고 있다)을 보면 우리는 A. 스미스가 때로는 중농주의자들을 따르다가 때로는 그들과 대립하는 혼란에 빠지는 것을[59] 잘 알 수 있다. 만일 어떤 노동자가 매년 단지 자신의 임금에 대한 등가만을 보전할 뿐이라면 자본가에게 그는 전혀 생산적 노동자가 아니다. 물론 그는 자본가에게 자신의 노동에 대한 구매가격,
G449 즉 임금을 보전해 준다. 그러나 그것은 이 자본가가 이 노동자가 생산한 상품을 구매하는 것과 전적으로 똑같은 거래이다. 자본가는 상품에 포함된 불변자본과 임금에 포함된 노동을 지불한다. 그는 과거에 화폐형태로 소유하던 것[60]과 동일한 양의 노동을 상품형태로 소유한다. 이것을 통해서 그의 화폐가 자본으로 전화하는 것은 아니다. 이 경우는 마치 노동자 자신이 자신의 생산조건의 소유자인 것과 마찬가지이다. 자신의 연간 생산물가치에서 그는 매년 생산조건을 보전하기 위해 그만큼의 가치를 공제해야만 한다. 그가 매년 소비하거나 혹은 소비할 수 있는 것은 자신의 생산물가치 부분=매년 그 불변자본에 새로 부가한 노동 부분[61]이다. 따라서 이 경우 자본주의적 생산은 발생하지 않는다.

A. 스미스가 이런 종류의 노동을 "생산적"이라고 한 첫 번째[62] 이유는 중농주의자들이 그것을 "불모의" 혹은 "비생산적"이라고 하기 때문이다.

스미스는 위에서 언급한 장에서 이렇게 말하고 있다.

"첫째 그들은 이 계급(즉 농업에 종사하지 않는 공업부문의 계급)이 자신들이 연간 소비하는 **가치를 매년 재생산하고 적어도 자신들의 고용과 생계를 보장할 정도의 재원(혹은 자본)을 보존한다**[63]는 것을 인정한다. … 물론 차지

농과 농업노동자는 그들의 노동과 그들의 생계를 가능하게 할 정도의 자본 외에도 매년 **순생산물**(즉 토지소유자를 위한 여분의 지대)도 재생산한다. … 차지농과 농업노동자의 노동은 상인, 수공업자, 공업노동자의 노동에 비해 더욱 생산적인 것임이 틀림없다. 그러나 한 계급의 생산물이 다른 계급의 생산물보다 우위에 있다고 해서 이 다른 계급이 **불모의** 혹은 **비생산적**인 것은 아니다."(같은 책, 제3권, 530쪽) 따라서 A. 스미스는 여기에서 중농주의의 ||308| 견해로 되돌아가고 있다. 잉여가치(따라서 "순생산물")를 생산하는 진정한 의미의 "생산적 노동"은 농업노동이다. 그는 잉여가치에 대한 자신의 고유한 견해를 포기하고 중농주의자들의 견해를 받아들이고 있다. 동시에 그는 또한 공업부문(그에게는 상업부문도 포함된다)의 노동도 — 비록 엄밀한 의미까지는 아니지만 — 생산적이라고 함으로써 중농주의자들의 견해에 반대한다. 그리하여 그는 형태 규정, 즉 자본주의적 생산의 관점에서 "생산적 노동자[64]"가 무엇인지에 대한 규정에서 벗어난다. 다시 말해 그는 농업부문이 아닌 공업부문의 계급이 자신들의 임금을 재생산하고 따라서 자신들이 소비한 가치를 생산하고, 그를 통해 "자신들의 고용과 생계를 보장할 정도의 재원(혹은 자본)을 보존한다"고 함으로써 중농주의자들에 반대하는 이야기를 하고 있다. 그리하여 중농주의자들을 따르는 동시에 대립하면서 "생산적 노동"에 대한 그의 두 번째 규정이 나온다.

A. 스미스는 이렇게 말한다. "둘째 이와 동일한 관점에서 수공업자, 공업노동자, 상인을 단순한 하인과 함께 고찰해야 한다는 것은 전적으로 틀린 말일 것이다. **하인의 노동은 결코 자신들의 고용과 생계를 보장할 정도의 재원** G450 **을 보존하지 못한다. 하인은 궁극적으로 자기 주인의 비용으로 고용과 생계를 얻고 그의 노동은 이들 비용을 보전할 수 있는 종류의 노동이 아니다.** 그의 서비스노동은 **일반적으로 그것이 수행되는 순간 곧바로 소멸하는 것이며, 상품에 자신을 고정하거나 실현함으로써 그 상품의 판매를 통해 자신의 생계와 임금의 가치를 보전할 수 있는 그런 것이 아니다.** 반면 수공업자, 상인, 공업노동자의 노동은 **당연히 어떤 교환할 수 있는(혹은 판매될 수 있는) 물건에 자신을 고정하고 실현한다.**[65] 바로 이런 이유로 나는 **생산적 노동**과 **비생산적 노동**을 다루는 장에서 수공업자, 공업노동자, 상인을 **생산적** 노동자의 범주에, 하인을 **비생산적** 노동자의 범주에 넣었다."(같은 책, 531쪽)

[66]자본이 생산 전체를 지배하게 되면 일반적으로 노동과 교환되는 소득은 이제 **상품**을 생산하는 노동과 직접[67] 교환되는 것이 아니라 단지 **서비스노동**

하고만 교환된다. 소득의 일부는 사용가치로 사용될[68] **상품**과 교환되고 일부는 그 자체 사용가치로 소비되는 **서비스노동**과 교환된다.

노동력 그 자체와 구별되는 모든 **상품**은 인간에게 일정한 유용성을 가진 물건으로서 소재적으로 인간과 대립하고 그 속에는 일정량의 노동이 고정되고 물화되어 있다.

그리하여 우리는 본질적으로 이미 **첫 번째**에 포함되는 규정 — 즉 생산적 노동자[69]란 노동을 통해 **상품을 생산하는** 노동자이며 이 노동자는 그가 생산한 것보다 많은, 그의 노동이 요구하는 것보다 많은 상품을 소비하지 않는다 — 에 도달한다. 그의 노동은 **"어떤 교환할 수 있는(혹은 판매될 수 있는) 물건"**, **"판매를 통해 자신**(즉 이 상품을 생산하는 노동자)**의 생계와 임금의 가치를 보전할 수 있는 상품"**에 자신을 고정하고 실현한다. 생산적 노동자[70]는 상품을 생산함으로써 그가 임금의 형태로 계속 소비하는 가변자본을 끊임없이[71] 재생산한다. 그는 그에게 고용과 생계를 보장하면서 지불되는 재원을 끊임없이[72] 생산하는 것이다.

첫째 A. 스미스는 판매(혹은 교환)될 수 있는 상품에 자신을 고정하고 실현하는 노동에 물적 생산에서 직접 소비되는 모든 지적 노동을 당연히[73] 포함시키고 있다. 즉 직접적인 수작업 노동자나 기계작업 노동자는 물론 감독, 기사, 관리자, 점원 등, 요컨대 일정한[74] 물적 생산영역에서 일정한 상품을 생산하는 데 필요한 모든 사람의 노동, 다시 말해 상품의 생산에 협력이 필요한 모든 노동을 포함시키고 있는 것이다. 이들 노동은 모두 사실상 불변
G451 자본에 그 노동 총액을 부가하고 그 액수만큼 생산물의 가치를 증가시킨다. (은행가의 경우에는 이 액수가 과연 얼마가 될까?)|

|309| **둘째** A. 스미스는[75] 비생산적 노동자의 경우에는 이것이 **"전반적으로"** 해당되지 않는다고 말한다. 자본이 물적 생산을 지배했다고 하더라도, 즉 전반적으로 가내공업이 소멸하고 소비자의 집에서 직접 소비자를 위해 사용가치를 창출해주는 영세한 수공업자들이 소멸했다 하더라도, 내가 집으로 불러서 셔츠의 바느질을 맡기는 바느질꾼이나 가구를 수리하는 수선공, 집 안을 쓸고 닦는 하인, 고기 등을 먹기 좋은 형태로 만들어주는 요리사 등도 공장에서 재봉일을 하는 재봉사,[76] 기계를 수리하는 수리공, 기계를 닦는 노동자, 호텔에서 자본가의 임노동자로 요리를 하는 요리사 등과 마찬가지로 일정한 물적 대상에 자신들의 노동을 고정하고 사실상 이들 물적 대상의 가치를 증가시킨다는 것을 A. 스미스는 잘 알고 있었다. 이들 사용가치[77]

도 잠재적으로는 상품이다. 셔츠는 전당포에 잡힐 수 있으며 집도 다시 판매될 수 있으며 가구도 경매에 부쳐질 수 있다. 즉 이들 노동자도 역시 잠재적으로 상품을 생산한 것이며 그들의 노동대상에 가치를 부가한 것이다. 그러나 이들은 비생산적 노동자의 범주 가운데 극히 일부분에 지나지 않는다. 그리고 그것은 대다수의 하인과 성직자, 정부관리, 군인, 음악가 등에게는 해당되지 않는다. 그러나 이런 "비생산적 노동자"의 수가 얼마가 되든, 어떤 노동이 "생산적"인지 "비생산적"인지를 결정하는 것이 반드시 그 노동의 특수성은 물론 그 노동생산물의 현상형태도 아니라는 점은 분명한 사실이며 애덤 스미스도 이 점을 "그의 서비스노동은 **일반적으로** 그것이 수행되는 순간 곧바로 소멸"한다는 제한적 표현을 통해 인정하고 있다. 만일 내가 어떤 노동을 자본가(즉 생산자)로서 구매하여 그것을 증식시킨다면 그 노동은 생산적인 것이 되지만, 만일 내가 그 똑같은 노동을 소비자(즉 소득의 지출자)로서 구매하여 그것의 사용가치를 소비한다면 — 이 사용가치가 노동력이 수행되는 순간 곧바로 소멸하든, 아니면 어떤 물적 대상에 물화되어 고정되든 상관없이 — 그것은 비생산적 노동이 될 것이다.

호텔에 있는 요리사는 자신의 노동을 자본가로서[78] 구매한 사람(즉 호텔 소유자)을 위해 상품을 생산한다. 양고기 요리의 소비자는 이 요리사의 노동에 대해 대가를 지불하고, 요리사의 노동은 호텔 소유자가 요리사에게 계속해서 임금을 지불할 수 있는 재원을 보전해 준다(이윤은 무시하기로 한다). 그러나 내가 그 요리사의 노동을 구매하여 그로 하여금 나를 위해서 고기 등을 요리하도록 한다면 — 즉 노동 일반으로 그것을 증식시키기 위해서가 아니라 구체적 노동으로 그것을 사용하기 위해서, 즉 그것을 소비하기 위해서 — 이 요리사의 노동은, 비록 그의 노동이 하나의 물적[79] 생산물에 고정되고 또한 사실상 그것이 호텔 소유자를 위해서 사용되는 경우와 똑같이 판매 가능한 상품이 될 수 있음에도 불구하고, 비생산적 노동이 된다. 그러나 G452
여기에는 큰 차이(개념적으로)가 존재한다. 요리사는 내가 그에게 지불한 재원을 나(사적 개인)에게 보전해 주지 않는다. 왜냐하면 나는 그의 노동을 가치를 만드는 요소로서 구매한 것이 아니라 단지 그것의[80] 사용가치로서 구매했기 때문이다. 그의 노동은 내가 그에게 지불한 재원(즉 임금)을 보전해 주지 않는데 이는 내가 호텔에서 먹는 식사를 가지고 똑같은 식사를 다시 한번 구매하여 먹을 수 없는 것과 마찬가지이다. 그런데 이런 차이는 상품들 사이에도 나타난다.[81] 자본가가 자신의 불변자본을 보전하기 위해 구매하는

상품은(예를 들어 그가 사라사 날염업자라면 면포가 해당된다) 날염된 사라사를 통해 자신의 가치를 보전한다. 그러나 그가 [82]사라사 자체를 소비하기 위해 면포를 구매한다면 그 상품은 그의 지출을 보전해 주지 않을 것이다. 그런데 사회[83]의 대다수를 이루는 노동자계급은 바로 이런 종류의 노동(즉 자신을 위한 소비—옮긴이)을 스스로 수행해야만 한다. 그러나 그들은 "생산적"으로 노동을 할 때만 그것을 할 수 있다. 즉 그들은 고기에 대해 지불할 수 있는 임금을 생산했을 때에만 고기(자신을 위한—옮긴이)를 요리할 수 있다. 또한 그들은 가구, 집세, 장화의 가치를 생산했을 때에만 가구와 주택을 깨끗이 청소하고 장화를 닦을 수 있다. 따라서 이들 생산적 노동자계급에게서는 자신을 위해 수행하는 노동이 "비생산적 노동"으로 나타난다. 이들 비생산적 노동자들은 그들이 ||310| 미리 생산적 노동을 수행하지 않았을 경우에는 결코 똑같은 비생산적 노동을 반복해서 수행할 수 없다.

셋째, 다른 한편으로 극장, 콘서트, 유곽 등을 경영하는 기업가는 배우, 음악가, 창녀 등의 노동력에 대하여 그것의 일시적인 처분권을 구매한다. (사실은, 이들 활동의 결과에 대해서 오로지 경제적 형태의[84] 관심만을 갖는 우회적인 방식으로) 그는 이른바 이 "비생산적 노동"을 구매하는데, 그것의 "서비스노동은 수행되는 순간 곧바로 소멸하는" 것이며, "어떤 항구적인(혹은 특수한) 물체(혹은 판매될 수 있는 상품)"(서비스노동 자신을 제외하고)에 자신을 고정하고 실현하지 않는다. 대중에 대한 서비스노동의 판매는 기업가에게 임금과 이윤을 돌려준다.[85] 그리하여 그가 그처럼 구매한 이 서비스노동은 그에게 그 서비스노동을 다시 구매할 수 있도록 만들어준다. 다시 말해 서비스노동 그 자신을 통해 서비스노동에 지불되었던 재원이 갱신되는 것이다. 예를 들어 변호사 사무소에 고용된 서기의 노동에도 이것은 그대로 해당되는데 단지 다른 점이 있다면 이 서기의 서비스노동은 대부분의 경우 상당히 부피가 큰 "특수한 물체", 즉 거대한 서류 뭉치를 통해 실현된다는 점이다.

이들 서비스노동이 대중의 소득으로부터 기업가 자신에게 지불된다는 것은 맞는 말이다. 그러나 이것이 개인적 소비에 들어가는 모든 생산물에만 해당되는 이야기라는 것도 역시 맞는 말이다. 어떤 나라는 이들 서비스노동 그 자체를 수출할 수는 없지만 서비스노동자[86]를 수출할 수는 있다. 그래서 프랑스는 무용 선생이나 요리사 등을, 독일은 학교 교사를 수출한다. 물론 무
G453 용 선생과 학교 교사를 수출하면 그와 함께 이들의 소득도 수출되지만 반면에 무용 신발과 교재가 수출되어 그 대가가 이 나라로 흘러들어 오기도

한다.

따라서 한편으로 이른바[87] 비생산적 노동 가운데 일부는 곧바로 상품이 될 수도 있는(즉 판매될 수 있는 상품) 물적[88] 사용가치로 실현되고, 또 다른 한편으로 아무런 물적 형태도 취하지 않는 단순한 서비스노동 — 그 현존재가[89] 서비스노동을 수행하는 사람과 물적으로 분리되지 않고, 가치구성 부분으로 상품에 들어가지도 않는[90] — 가운데 일부는 자본(즉 노동의 **직접적** 구매자)으로 구매되어 자신의 임금을 보전하고 이윤을 만들어낼 수도 있다. 요컨대 이 서비스노동의 생산은 부분적으로[91] 자본의 지배를 받을 수도 있는데 그것은 마치 유용한[92] 물건으로 체화된 노동 가운데 일부가 직접 소득에 의해 구매되고 자본주의적 생산에 예속되지 않는 것과 마찬가지이다.

넷째, "상품"의 전체 세계는 크게 두 부분으로 나눌 수 있다. 하나는 노동력이며 다른 하나는 이 노동력과 구별되는 상품이다. 그런데 노동력을 형성, 보존, 변경하는 등등의 서비스노동 — 요컨대 노동력에 특수성을 부여하거나 단지[93] 노동력을 보존하기만 하는 서비스노동, 다시 말해 예를 들어 "산업적으로 필요"하고 쓸모가 있는 용도로 이루어지는 학교 교사의 서비스노동이나 모든 가치의 원천인 노동력 그 자체의 건강을 보존하도록 만들어주는 의사의 서비스노동 등 — 의 구매는 서비스노동의 자리에 다시 "판매할 수 있는 상품"인 노동력을 채워놓는 서비스노동으로, 그것은 노동력의 생산 혹은 재생산 비용에 들어간다. 그런데 A. 스미스는 "교육"이 노동대중[94]의 생산비에 거의 들어가지 않는다는 것을 알고 있었다. 그리고 어떤 상황에서도 의사의 서비스노동은 생산에 불필요한 비용에 속한다. 그것은 노동력의 수선비용으로 간주할 수 있다. 임금과 이윤이[95] 어떤 이유로 모두 하락한다고 가정해보자. 그것은 예를 들어 총가치의 측면에서 국민이 게을러졌기 때문이거나 사용가치의 측면에서 흉작 등에 의해 노동의 생산성이 하락했기 때문일 수도 있다. 요컨대[96] 생산물 가운데 그 가치가 소득에 해당하는 부분이 감소한 것인데 이는 전년도에 새로 부가된 노동이 감소했기 때문이거나 부가된[97] 노동의 생산이 감소했기 때문일 수도 있다. 그런데 자본가와 노동자가 여전히 전년도와 같은 가치액의 물적 대상을 소비하고자 한다면 그들은 의사나 교사의 서비스노동에 대한 구매를 줄이게 될 것이다. 만일 이들이 이들 두 부분에 대한 지출을 똑같이 유지하려고 한다면 그들은 다른 부분의 소비를 줄이지 않으면 안 될 것이다. 따라서 분명하게 드러나는 사실은 의사와 교사의 노동[98]이 그들에게 지불되는 재원을 — 비록 그들의 노동

이 이 재원의 생산비(모든 가치를 창출하는 바로 노동력의 생산비)에 들어가긴 하지만—직접 창출하는 것은 아니라는 점이다.|

G454 |311| A. 스미스는 계속해서 이렇게 말한다.

"셋째로 수공업자, 공업노동자, 상인의 노동이 사회의 **실질소득**[99]을 증가시키지 않는다고 하는 이야기는 어떤 경우에도 틀렸다고 생각된다. 예를 들어 이들의 이론체계에서 이야기하듯이 이들 계급의 하루, 월간, 연간 소비가치가 이들 계급의 하루, 월간, 연간 생산가치와 꼭 같다고 하더라도 그렇다고 해서 곧바로 이들의 노동이 사회의 실질소득에, 즉 그 나라 토지와 노동의 연간 생산물의 실질가치에 아무것도 부가하지 않는다고는 결코 말할 수 없다. 예를 들어 수확이 끝난 후 처음 6개월 동안 10리브르의 가치에 해당하는 어떤 작업을 수행하는 어떤 수공업자는, 설사 그가 같은 기간에 10리브르의 곡물과 기타 생활수단을 소비한다 하더라도, 그 사회의 토지 및 노동의 연간 생산물에 10리브르의 가치를 부가하게 된다. 그가 10리브르에 해당하는 반년 동안의 소득을 곡물과 기타 생활수단에 소비하는 동안, 그의 노동은 같은 기간에 자신과 다른 사람을 위해 반년의 소득을 구매할 수 있는 것과 동일한 가치를 생산했다. 따라서 이 6개월 동안 소비되면서 생산된 것의 가치는 모두 10리브르가 아니라 20리브르가 된다. 물론 이 가치에서 임의의 어떤 순간에는 10리브르 이상의 가치가 존재했던 적이 한 번도 없었을 수 있다. 그러나 수공업자가 소비했던 10리브르의 가치에 해당하는 곡물과 기타 생활수단이 만일 군인이나 하인에 의해 소비되었다면 6개월 후에 존재하는 연간 생산물의 가치는 수공업자의 노동이 끝났을 때 10리브르만큼 더 적을 것이다. 설사 수공업자가 생산한 가치가 임의의 어떤 시점에 그가 소비한 가치보다 크지 않다고 가정할 경우에도 역시 임의의 어떤 시점에 그의 노동에 의해 시장에 실제로 현존하는 상품의 총가치는 그가 없을 때의 가치보다는 클 것이다."(같은 책, 531~533[100]쪽)

그렇다면 "비생산적 노동"에 의해 시장에 실제로 현존하는 상품의 가치는 항상 이 비생산적 노동이 없을 때보다 더 크지 않단 말인가? 어떤 시점에도 항상 시장에는 밀과 고기 등과 함께 창녀, 변호사, 목사, 연주회, 극장, 군인, 정치가 등이 존재하지 않는가? 이 친구들은 곡물과 기타 생활수단 혹은 향락을 무상으로 얻지 않는다. 이들은 그것들에 대한 대가로 다른 무엇인가를 주거나 혹은 그 대가로 자신들의 서비스노동—서비스노동 그 자체로 하나의 사용가치를 가지고 있으며 또한 거기에 들어가는 생산비 때문에 하나의 교환가치도 갖는 — 을 제공한다. 소비재 안에는 언제나 물적 대상으로 존재하는 소비재와 함께 일정량의 서비스노동으로 된 소비재도 존재한다는 점이 고려되어야 한다. 그래서 소비재의 총액은 언제나 소비 가능한 서비스노동이 없을 때의 총액보다 클 것이다. 그러나 둘째로 가치도 역시 클 것이다. 왜냐하면 가치는 서비스노동을 유지하는 데 들어가는 상품의 가치와 같고 그것은 곧 서비스노동 그 자체의 가치와도 같기 때문이다. 이는 상품과 상품 간의 모든 교환과 마찬가지로 여기에서도 등가와 등가가 교환되고[101] 따라서 동일한 가치가 이중으로(즉 한 번은 구매자 쪽에 또 한 번은 판매자 쪽에) 존재하기 때문이다. G455

〔A. 스미스는 중농주의자들에 관하여 계속해서 이렇게 말한다. "이 학파의 대변인들이 수공업자, 공업노동자, 상인의 **소비**가 **그들이 생산한 것의 가치와 동일하다**고 말할 때 그들이 생각한 것은 아마도 이 **노동자들의 소득** 혹은 **그들의 생계를 결정하는 재원이 이 가치와** 〔**즉** 그들이 생산한 가치와〕 **동일하다**는[102] 것 같다."(같은 책, 533[103]쪽) 중농주의자들이 노동자와 기업가 — 지대는 이 기업가의 이윤 가운데 단지 하나의 특수한 항목에 지나지 않는다 — 를 하나로 묶어서 다룬 것은 옳았다.〕|

|312|〔**A. 스미스**는 같은 곳, 즉 중농주의자들을 비판한 제4편, 제9장(가르니에 엮음, 제3권)에서 이렇게 지적하고 있다.

"한 사회의 토지 및 노동의 연간 생산물은 두 가지 방식으로만 증가할 수 있다. **첫째**는 해당 시기에 그 사회에서 운용되고 있는 **유용노동의 생산능력을 최대한 완성하는 것**이며 **둘째**는 **이 노동의 양을 증가시키는 것**이다. 유용노동의 생산능력을 어떻게든 완성하거나 증가시키기 위해서는 **노동자의 숙련이 완성되거나 그 노동이 사용하는 기계의 완성도를 높여야만** 한다. … 해당 시기에 한 사회에서 사용되는 **유용노동의 양이 증가할 것인지**의 여부는 오로지 **노동을 움직이는 자본의 증가**에 달려 있다. 그리고 **이 자본의 증가는** 다시 이 자본을 지휘하고 관리하는 사람들과 그들에게 자본을 대부하는 사람들이 자신들의 소득에서 **절약한 액수와 정확히 같아야만** 한다."(534, 535쪽)[104] 여기에는 이중의 순환론이 존재한다. 첫째 연간 생산물은 노동생산성이 증가함에 따라 함께 증가한다. 노동생산성을 증가시키기 위한 모든 수단은 〔기후[105]가 특별히[106] 순탄하다든가 하는 우연한 자연적 조건에서 비롯된 것이 아닌 한〕 자본의 증가를 필요로 한다. 그런데 자본을 증가시키기 위해서는 연간 노동생산물이 증대되어야 한다. 이것이 첫 번째 순환론이다.

둘째 연간 생산물은 사용되는 노동량이 증가함에 따라 함께 증가한다.[107] 그러나 사용되는 노동량은 오로지 (노동을) 움직이는 자본이 미리 늘어나 있을 때에만 증가할 수 있다. 이것이 두 번째 순환론이다. 스미스는 **절약**이라는 개념을 통해 이 두 개의 순환론에서 빠져나오려 한다. 그는 이 절약이라
G456 는 개념을 곧 소득을 자본으로 전화하는 것으로 이해하고 있다. 그러나 이윤 전체를 자본가의 "소득"으로 파악하는 것부터가 이미 그 자체로서 오류이다. 자본주의적 생산의 법칙은 노동자가 수행한 잉여노동(즉 비지불노동) 가운데 일부가 자본으로 전화할 것을 요구한다. 개별 자본가가 자본가(즉 자본의 기능을 수행하는 사람)로서 행동할 때 이 개별 자본가 자신에게는 잉여노동의 자본으로의 전화가 절약으로 나타날 수 있다. 그러나 이 경우에도 그것은 그에게서 예비재원의 필요성으로 나타난다. 그런데 노동량의 증가는 노동자의 수에 의존할 뿐 아니라 노동일의 길이에도 의존한다. 즉 노동량은 자본 가운데 임금으로 분해되는 부분이 증가하지 않고도 증가할 수 있다. 이런 조건에서는 기계 등도 역시 증가될 필요가 없다(기계의 마모가 좀 더 빨라지긴 하겠지만 그것은 사태의 본질을 변화시키지 않는다). 증가되어야 하는 것은 오로지 씨앗 등으로 분해되는 원료 부분이다. 그리고 한 나라의(해외무역은 무시하기로 한다) 공업부문에서 잉여노동이 만들어질 수 있으려면 공업부문이 원료를 공급받는 농업부문에 먼저 잉여노동이 투입되어야 한다는 것은 여전히 옳다. 이 원료 가운데 석탄, 철, 목재, 생선(비료의 용도로 사용되는) 등과 같은 부분, 즉 모든 비동물성 비료는 단지 노동의 증가(노동자 수[108]는 같더라도)만으로도 창출될 수 있다. 따라서 이 부분에 대해서는 신경을 쓰지 않아도 될 수 있다. 한편 앞에서[109] 이미 입증되었듯이 생산성의 증가는 처음에는 항상 자본의 축적이 아니라 단지 자본의 집적만을 전제로 한다. 그러나 물론 나중에는 두 과정이 서로를 필요로 한다.〕

〔중농주의자들이 "레세 페르! 레세 파세!"[110](즉 자유로운 경쟁)를 외쳐댄 이유를 스미스는 다음 구절에서 정확하게 이야기해주고 있다. "국민 가운데 이들 서로 다른 두 계급 사이의(도시와 농촌 사이의) 교환은 궁극적으로 일정량의 원료생산물과 일정량의 공업생산물 사이의 교환으로 이루어진다. 따라서 후자가 비싸질수록 전자는 그만큼 저렴해진다. 그리고 한 나라에서 공업생산물의 가격을 상승시키는 것은 어느 것이든 모두 토지의 원료생산물 가격을 하락시키고 따라서 농업의 파탄을 가져온다." 그런데 공업과 외국무역에 부과되는 모든 구속과 제약은 공산품의 가격을 상승시킨다. 따라서 등

등.[111] 스미스, 앞의 책, **554, 555쪽**}|

|313| 따라서 스미스의 "생산적 노동"과 "비생산적 노동"에 대한 두 번째 견해(혹은 그의 또 하나의 견해와 뒤엉킨 견해)는 결국 **상품**을 생산하는 노동은 전자의 생산적 노동이고 "상품을" 생산하지 "않는"[112] 노동은 후자의 비생산적 노동이라는 것으로 된다. 그는 전자의 노동도 후자의 노동과 마찬가지로 **상품이라는 것**을 부인하지 않는다. 앞서 인용했던 구절을 보자. "후자의 노동도 … 자신의 가치를 가지고 있고 그만큼의 보상을 받아야만 한다."[113] (즉 경제적 관점에서. 도덕적 관점에서는 이들 두 종류의 노동 모두 아무런 의미를 G457
갖지 않는다.) 그러나 상품의 개념에는 노동이 자신을 그 생산물에 체화(혹은 물화, 즉 실현)[114]한다는 내용이 포함되어 있다. 스스로 직접적 현존재(즉 그것의 살아 있는 존재)의 형태를 취하는 노동은 곧바로 상품으로 파악될 수 없고 오로지 노동력 — 이것의 일시적인 외화(外化)가 곧 노동 그 자체이다 — 만이 상품으로 파악될 수 있다. 본래의[115] 임노동이 오로지 이런 방식으로만 논의될 수 있는 것과 마찬가지로 "비생산적 노동"의 경우도 그러한데, A. 스미스는 도처에서 비생산적 노동이 "비생산적 노동자"를 생산하는 데 필요한 생산비에 의해 결정된다고 이야기하고 있다. 따라서 **상품**은 노동 그 자체와는 다른 존재로 파악되어야만 한다. 그러나 그렇게 되면 이제 상품세계는 크게 두 개의 범주로 나누어진다.

즉 하나는 노동력이며

다른 하나는 상품 그 자체[116]가 바로 그것이다.

하지만 노동의 물화 등을 A. 스미스처럼 스코틀랜드식으로 이해해서는 안 된다. 우리가 상품을 노동의 물화 — 상품의 교환가치라는 의미에서 — 라고 이야기할 경우 그것은 단지 하나의 상상 속 상품, 즉 상품의 사회적 존재양식 — 상품의 현실적 실체와는 아무런 관련이 없는 — 을 이야기하는 것일 뿐이다. 상품은 일정량의 사회적 노동(혹은 화폐)을 나타낼 뿐이다.[117] 구체적 노동(이것의 결과물이 곧 상품이다)은 상품에 아무런 흔적을 남기지 않을 수 있다. 공업노동의 경우 이 흔적은 원료의 외형에 남겨진다. 농업노동의 경우에는 예를 들어 상품이 취하는 밀이나 황소 따위의 형태가 인간노동(대대손손 상속되면서 자신을 보전하는 노동)의 산물이기도 하지만 생산물에서 그 흔적을 찾아낼 수는 없다. 다른 산업의 노동에서는 노동의 목적이 물건의 형태를 변화시키는 것이 아니라 단지 그것의 위치를 바꾸는 것일 수 있다. 예를 들어 어떤 상품이 중국에서 영국으로 옮겨졌다면 이 물건에서 노동(이 상품을 운반하는 노동 — 옮긴이)의 흔적은 전혀 찾을 수 없을 것이다(그 물건이 영국에서 생산되지 않았다는 것을 기억하지만 않는다면). 따라서 노동이 상품에 물화된다는 것을 이런 식으로는 이해할 수 없을 것이다. (여기에서는 사회적 관계가 하나의 물건의 형태로 나타나는 것 때문에 혼동이 발생한다.) 그러나 상품이 과거노동(즉 대상화된 노동)[118]으로 나타난다[119]는 것, 따라서 만일 상품이 물건의 형태로 나타나지 않는다면 노동력 그 자체의 형태 — 그러나 결코 살아 있는 노동의 형태로 직접 나타나지는 않는다(즉 우회적인 방식을 통해서 나타나는데, 그런 우회적인 방식은 현실에서는 별로 중요해 보이지 않지만 서로 다른 임금을 결정하는 데는 중요하다) — 로만 나타날 수밖에 없다는 것은 여전히 맞는 말이다. 따라서 생산적 노동은 상품을 생산하는 것이거나 노동력 그 자체를 직접 생산하고, 형성하고, 발전시키고, 보존하고, 재생산하는 것이 될 것이다. A. 스미스는 이 후자의 노동을 생산적 노동의 항목에서 제
G458 외한다. 그것은 자의적이긴 하지만 어떤 제대로 된 본능(만일 이 후자의 노동을 포함시키게 되면 생산적 노동인 것처럼 보이지만 실제로는 아닌 것들에게 문을 활짝 열어주게 되리라는)에 따른 것으로 보인다.

따라서 노동력 그 자체[120]를 배제할 경우 생산적 노동은 상품(즉 그것을 만드는 데 일정량의 노동 혹은 노동시간이 지출되는 물적 생산물)[121]을 생산하는 노동으로 분해된다. 이 물적 생산물에는, 그것이 물적 형태로 나타나는 한, 예술과 과학 부문의 모든 생산물, 즉 책, 그림, 동상 등이 포함된다. 그러나 또한 노동생산물은 그것이 "판매될 수 있는 상품"(즉 이제 막 형태변화를 수행해야 할 최초의 형태인 상품)이라는 의미에서 **상품**이어야 한다. (어떤 공장주가 만일 다른 어디에서도 제작된 기계를 구할 수 없다면, 그는 기계를 판매하기 위해서가 아니라 사용가치로 소비하기 위해서 기계를 스스로 제작하게 될 것이다. 그러나 그럴 경우 그는 그 기계를 자신의 불변자본 가운데 일부로 사용하는 것이며, 그 기계가 생산하려고 했던 생산물의 형태로 그 기계를 조금씩 판매하는 것이다.)|

|314| 그리하여 하인의 노동[122]도 똑같이 **상품**(잠재적인)으로, 심지어 소재적 관점에서도 똑같은 사용가치로 나타날 수 있다. 그러나 [123]그것은, 자신이 생산하는 것이 사실상 "상품"이 아니라 직접적인 "**사용가치**"이기 때문에 생산적 노동이 아니다. 하지만 구매자나 고용주 자신에게 생산적 성격을 갖는 [124]노동의 경우(예를 들어 극장 주인에게 배우의 노동과 같이) 이들 노동은 그 노동의 구매자가 그 노동을 상품의 형태가 아니라 오로지 행위 그 자체의 형태로 대중에게 판매하기 때문에 비생산적 노동임을 드러낼 것이다.

이 점을 무시한다면 **상품**을 생산하는 노동은 생산적 노동이고 개인적인 서비스를 생산하는 노동은 **비생산적 노동**이다. 전자의 노동은 판매될 수 있는 물건으로 나타난다. 후자의 노동은 그것이 수행되는 동안 소비되어야 한다. 전자의 노동은 (노동력 그 자체를 형성하는 노동을 제외한다면) 고기나 책과 같이 물적 형태로 존재하는 모든 물적, 지적(知的)[125] 부를 포함한다. 후자의 노동은 개인의 정신적, 물적 욕망을 충족하는 모든 노동(혹은 개인에게 그의 의지를 거스르며 강요되는 모든 노동)을 포함한다.

상품은 부르주아적 부의 가장 기본적 형태이다. 따라서 "상품"을 생산하는 노동이 "생산적 노동"이라는 설명은 기본적 관점에서 보더라도 자본을 생산하는 것이 생산적 노동이라는 설명보다 더욱 맞는 말이다.

A. 스미스의 반대자들은 내용상으로 올바른 그의 첫 번째 설명에는 주의를 기울이지 않았다. 반면 그들은 두 번째 설명에 매달려서 그것의 모순과 불합리성을 강조했다. 그러나 여기에서도 논점은 다시 노동의 소재적 내 G459
용—특히 노동이 **물적 형태로 존재하는(지속 가능한)** 생산물에 고정되느냐의 여부—에 집중됨으로써 논쟁은 핵심적인 문제를 비켜 가버렸다. 논쟁이 특히 어디에 집중되었는지에 대해서는 곧 다루게 될 것이다.

그 전에 먼저 이야기해야 할 부분이 있다. A. 스미스는 중농주의 체계에 대하여 이야기하면서 "한 나라의 부는 소비될 수 없는 금이나 은으로 이루어지는 것이 아니라 그 사회의 노동에 의해 매년 재생산되는 소비될 수 있는 상품으로 이루어진다"(제3권, 제4편, 제9장, 538쪽)라고 표현된 부분이 중농주의의 위대한 업적이라고 말한다. 여기에서 우리는 생산적 노동에 대한 그의 두 번째 정의가 추론되고 있는 것을 볼 수 있다.[126] 물론 잉여가치에 대한 규정은 가치 그 자체가 파악되는 형태에 의존하고 있다. 그래서 중상주의 체계에서는 잉여가치가 **화폐**로 나타나고 중농주의 체계에서는 토지의 생산물로, 농업생산물로[127] 나타나고 마지막으로 A. 스미스에게서는 단지 **상품**으로 나타난다. 그래서 가치실체에 관한 한, 중상주의자들에게 가치가 단순한 가치형태(즉 생산물이 일반적인 사회적 노동으로 **나타나는** [128]형태)인 화폐로 분해되는 것과 마찬가지로 중농주의자들에게는 가치가 전적으로 사용가치(물질, 소재)만으로 분해된다.[129] A. 스미스에게서는 상품의 두 가지 조건인 사용가치와 교환가치가 한데 합쳐져 있고 그래서 하나의 사용가치(즉 유용한 생산물)[130]로 나타나는 모든 노동[131]은 생산적이다. 생산적 노동이 사용가치로 나타난다는 것은 이 생산물이 일정량의 일반적인 사회적 노동과 같다는 것을 이미 포함한다. A. 스미스는 중농주의자들과 달리 생산물의 가치를 부르주아적 부의 핵심 요소로 다시 일으켜 세웠지만, 다른 한편 중상주의자들이 가치의 형태라고 생각했던 환상적 형태(금과 은)를 거기에서 벗겨내버렸다. 모든 상품은 **그 자체로서** 화폐이다. 따라서 이를 통해 A. 스미스가 어느 정도는 "불멸의 물적 형태"(사실상 직접 소비될 수 없는)라는 중상주의의 생각으로 도로 돌아가버린 것이 분명하다. 페티의 다음 구절을 돌이켜 보기로 하자. (나의 저작 제1권,[132] 109쪽에서 **페티**의『**정치 산술**』을 인용한 부분을 보라. 거기에서는 부가 금방 소멸하는 것이 아니라 다소간 지속되는 정도에 따라 평가되고 따라서 결국 금과 은이 "불멸의 부"로서 으뜸으로 제기되고 있다.)

(**A. 블랑키**는『유럽 경제학의 역사』, 브뤼셀, 1843[133]년,[134] 152쪽에서 이렇게 말하고 있다.) "그(애덤 스미스 — 옮긴이)는 **부**의 성질을 오로지 물적 소재에 체화된 가치에만 국한함으로써 헤아릴 수 없는 비물질적 가치(즉 문명된 나라들의 **도덕적 자본**의 소산)를 생산의 영역에서 지워버렸다 등등."

4. 생산적 노동에 대한 개념 규정에서 부르주아 경제학의 속류화

A. 스미스의 생산적 노동과 비생산적 노동의 구별에 반론을 특별히 제기한 사람들은 주로 수준이 낮은 부류의 사람들에(그나마 그중 나은 사람이 시토
G460 르흐이다)[135] 국한되어 있다. 경제학에서 조금이라도 의미 있는 업적을 쌓은 경제학자는 ||315| 아무도 이 문제를 제기하지 않았기 때문이다. 이 논쟁은 이 분야에서 이류급으로 분류되는 학자들과 특히 학자 흉내를 내는 편찬자와 요약자, 미사여구를 늘어놓는 아마추어 학자[136]와 속류학자 등의 노리갯감이 되어왔다. 그것은 다음과 같은 사정 때문이었다.

이른바 대다수의 "고급" 노동자 — 국가관료, 군인, 명망을 얻은 음악가, 의사, 성직자, 판사, 변호사[137] 등 — 는[138] 부분적으로 생산적이지도 않을 뿐 아니라 본질적으로 파괴적이며, 그럼에도 불구하고 자신들의 "비물질적" 상품을 판매하거나 그것을 강요하는 방법으로 "물질적" 부의 대부분을 획득하는 방법을 알고 있는데, 이들에게는[139] 자신들이 **경제학적으로** 어릿광대나 하인과 똑같은 계급으로 분류되고 본래의 생산자(혹은 생산담당자)들에게 기생하는 계급으로 간주된다는 것이 결코 유쾌한 일이 아니었다. 그것은 지금까지 성스러운 후광에 둘러싸여 미신적인 존경을 받는 직위에 있던 사람들에게는 특별한 신성 모독에 해당하는 일이었다. 고전학파 시기의 경제학은 벼락부자 시기의 부르주아 자신과 마찬가지로 국가기구에 대해서 엄격하고 비판적인 입장을 취했다. 그러나 시간이 지나면서 이들은 부분적

으로 전혀 비생산적인 이들 계급 전체로 이루어진 사회 조직을[140] 자신의 조직이 상속해야 할 필요가 있다는 것을 경험을 통해 알게 되었다(실제로도 그렇게 드러났다). 이 "비생산적 노동자"들이 아무런 향락도 창출하지 못하고 따라서 이들의 구매가 생산담당자들이 자신의 임금이나 이윤을 지출하는 부분에 전적으로 의존하는 것이라면, 즉 부분적으로 신체적 결함(의사의 경우)이나 정신적 나약함(성직자의 경우), 혹은 개인적 이해와 국가적 이해의 갈등(국가관료, [141]모든 법률가, 경찰, 군인) 등으로 인해 이들 비생산적 노동자가 필요하게 되는 한(혹은 스스로 필요하도록 만드는 한), A. 스미스에게는(산업자본가[142] 자신은 물론 노동자들에게도 마찬가지로) 이들이 생산에 불필요한 비용(faux frais)으로 여겨지며 따라서 그것은 가능한 한 최소 수준으로 줄이고 최대한 저렴한 것으로 만들어야 하는[143] 것들이다. 부르주아 사회는 자신이 맞서 싸우던 봉건적(혹은 절대주의적)[144] 형태들을 모두 자신에게 맞는 형태로 복원하여 재생산했다. 그리하여 말로 먹고사는 이 사회의 떠버리들(특히 높은 신분을 가진 사람들)을 위하여 부르주아 사회는 스스로 이들 오로지 기생적일 뿐인 "비생산적 노동자"들을 이론적으로 부활시키거나[145] 혹은 이들 가운데 일부가 반드시 필요하다는 과도한 요구를 입증하는 데 발 벗고 나섰다. [146]그것은 사실상 이데올로기 등과 관련된 계급들이 **자본가**에게 **의존하고 있다**는 것을 보여주는 것이었다.[147]

그런데 **둘째**,[148] 생산담당자(물적 생산 그 자체를 담당하는) 가운데 일부 G461
는 이런저런[149] 경제학자들로부터 "비생산적인" 것으로 규정되었다.[150] 예를 들어 토지소유자는 공업자본을 대변하는 일부 경제학자들(리카도)로부터 그렇게 규정되었다. 또 다른 일부 경제학자들(예를 들어 케리)[151]은 본래의 상인들을 "비생산적" 노동자로 규정했다. 또 다른 세 번째 부류의 경제학자들은 "자본가" 자체를 비생산적 노동자로 규정하거나 혹은 최소한 물질적 부에 대한 자본가들의 요구를 "임금"(즉 "생산적 노동자"의 임금)이라고 주장했다. 정신적 노동자 가운데 다수는 이런 회의론에 연루되었던 것으로 보인다. 즉 이 시기는 타협이 이루어져서 물적 생산의 담당자 범주에 직접 들어가지 않는 모든 계급에 대해서도 그 "생산성"을 인정했다. 오는 정에 가는 정이 화답을 하고 있었고 "꿀벌의 우화"[152]에서 이야기하듯이 "생산적"인지의 관점에서(즉 경제적 관점에서) 볼 때 온갖 종류의 "비생산적 노동자들"을 거느린 부르주아 세계는 모든 세상에서 가장 훌륭한 세상이라는 것을 보여주고 있었다. 특히 이것은 "비생산적 노동자들" 쪽에서 스스로 "열매를 따먹기 위해 태어난"[153] 계급들의 생산성(혹은 토지소유자처럼 전혀 아무것도 하지 않는 생산담당자들)에 대하여 비판적 고찰을 제기하고 있었기 때문에 더욱 그러했다. **무위도식자**는 물론 그들에게 **기생하는 계급들**까지도 이 훌륭한 세상에서는 모두 각자의 자리를 차지하고 있어야만 했던 것이다.[154]

셋째 자본의 지배가 확대되어가고 [155]물질적 부의 창출에 직접 관계하지 않는 [156]생산영역들까지도 점차 자본에 예속되어감에 따라—특히 실증과학(자연과학)이 물적 생산의 수단으로 사용됨에 따라—||316| 경제학의 떠버리 졸개들은 모든 활동영역이 물질적 부의 생산과 관련되어 있다고(즉 모든 활동영역이 물질적 부의 생산에 필요한 수단이라고) 표현함으로써 이 활동영역들을 정당화하고 찬미해야만 한다고 생각했다. 또한 이들은 물질적 부의 생산이 모든 사람을 "일차적" 의미에서 "생산적 노동자들"로, 즉 자본을 위하여 노동하는 노동자들로, 다시 말해서 이런저런 방식으로 자본의 치부에 쓸모가 있는 사람들로 만들었다고 이야기했다.

그런 점에서 "**비생산적** 노동자들"과 단순한 기생계급의 필요성과 쓸모를 직접 옹호한 맬서스 같은 사람들이 차라리 더 낫다고 해야 할 것이다.

5. 스미스의 생산적 노동에 대한 견해의 추종자들. 개념의 역사 a) 리카도와 시스몽디—생산적 노동에 대한 스미스의 첫 번째 설명의 추종자들

이 점과 관련하여 가르니에(스미스의 번역자), 로더데일 백작, 브로엄, 세이, 시토르흐, 그 뒤로는 시니어, 로시 같은 사람들의 무미건조한 글들을 모두 살펴보는 수고는 그럴 만한 가치가 없다. 그중 특징적인 몇 부분을 간단히 인용하는 것만으로 충분하다.

그 전에 먼저 **리카도**의 구절 하나를 보자. 거기에서 리카도는 만일 잉여가치([157]이윤, 지대)의 소유자가 "비생산적 노동자들"(하인 등과 같은)에게 소비
G462 한다면 그것을 "생산적 소비자"가 생산한 사치품에 소비하는 것보다 "생산적 노동자들"에게는 훨씬 더 쓸모가 있다는 것을 증명하고 있다.

〔**시스몽디**는 자신의 『**신경제학 원리**』, 제1권, 148쪽에서 스미스의 구별에 대한 올바른 해석을 받아들이고 있다(이것은 리카도에게서도 당연히 그러했다). 즉 생산적 계급과 비생산적 계급 간의 실질적 차이는 다음과 같다는 것이다. "전자는 자신의 노동을 항상 한 나라의 자본과 교환하고 후자는 자신의 노동을 한 나라의 소득 가운데 일부와 교환한다."[158]

시스몽디는 잉여가치에 대해서도 A. 스미스의 견해를 그대로 따른다. "노동자는 자신의 하루 노동에 의해 자신의 하루 소비보다 더 많은 것을 생산하지만, 토지소유자 및 자본가와 그것을 나누고 나면 그에게는 생존에 꼭 필요한 것을 넘는 것이 남는 일이 거의 없다."(**시스몽디**, 앞의 책, 제1권, 87쪽)〕

리카도는 이렇게 말한다.

"만일 어떤 토지소유자나 자본가가 자신의 소득을 과거의 봉건영주와 같은 방식으로 많은 수의 시종이나 하인을 거느리는 데 지출한다면 그는 자신의 소득을 고급 의복이나 비싼 가구, 마차, 말, 혹은 다른 사치품들에 지출하는 것보다 훨씬 많은 노동자들에게 일자리를 제공하게 될 것이다. 두 경우에서 모두 순소득이나 총소득은 똑같겠지만 전자는 여러 소득이 각기 다른 여러 상품을 통해서 실현된다. 만일 내 소득이 1만 파운드스털링이라면 내가 그것을 고급 의복이나 비싼 가구 등에 지출하든, 아니면 같은 가치의 식품이나 의류에 지출하든, 생산적 노동은 거의 같은 양이 고용될 것이다. 그러나 내가 만일 내 소득을 전자의 상품들에 지출한다면 **그로 인한** 그 이상의 추가적 고용은 없을 것이다. 나는 내 가구와 의복을 사용하고 그것으로 모든 것이 끝날 것이다. 그러나 내가 내 소득을 식품이나 의류에 지출한 다음 다시 하인을 고용할 욕망을 가지고 있다면, 내가 1만 파운드스털링의 소득(혹은 그 소득으로 구매하는 식품이나 의류)으로 그렇게 고용할 수 있는 사람들(즉 먼저 구매한 식품이나 의류를 사용하여 새로 고용하는 하인 — 옮긴이)은 모두 **처음의 지출이 만들어내는 노동수요에 추가적 수요를 이룰 것**[159]이다. 이런 추가적 수요는 단지 내가 소득의 지출방식을 그렇게 선택했기 때문에 발생했을 것이다. 그래서 노동자들은 **노동수요**[160]에 관심을 가질 것이기 때문에 그들은 당연히 되도록 많은 소득이 사치품의 지출보다는 하인을 먹여 살리기 위한 지출로 돌려지기를 바랄 것이 틀림없다."(리카도, 『경제학과 조세의 원리』, 제3판, 1821년, 475, 476쪽)

b) 생산적 노동과 비생산적 노동을 구별하려는 초기의 시도(대버넌트, 페티)

대버넌트는 옛 통계학자 그레고리 킹의 「영국의 가구 소득 및 지출 표 — 1688년 통계」[161]라는 표 하나를 인용하고 있다. 이 표에서 학구파인 킹은 국민 전체를 크게 두 개의 계급으로 나누는데, 즉 2,675,520명에 달하는 "국부를 [162]**증가시키는** 계급"과 2,825,000명에 달하는 "국부를 **감소시키는** 계급"이 그것이다. 말하자면 전자는 "생산적" 계급이며 후자는 "비생산적" 계급이다. **"생산적"** 계급에 속하는 사람들은 군주, 작위 귀족, 기사, 에스콰이어(鄕士, 기사 아래 계급 — 옮긴이), 젠틀맨(하급 귀족 — 옮긴이), 상급관리와 하급관리, 해외무역 상인, 법률가, 성직자, 자유보유지 소유자, 농민, 인문과학자, 자연과학자, 소매업자, 수공업자, 해군장교, 육군장교 등이다. 반면 **"비생산적"** 계급에 속하는 사람들은 선원, 노동자(농업노동자와 공업 일용노동자), 영세 소농(대버넌트가 살던 시기에도 아직 영국 전체 인구의 $\frac{1}{5}$을 차지했 G463

다), ||317| 병사, 빈민, 집시, 도둑, 거지, 부랑자 등이었다. 대버넌트는 학구파 킹의 이 표를 다음과 같이 설명하고 있다. “그가 여기에서 말하고자 하는 것은 다음과 같다. 즉 첫 번째 계급에 속하는 국민들은 토지, 기술, 노동을 통해 자신을 유지하고 매년 국가의 부에 무엇인가를 부가한다. 그리고 그 외에도 이들은 자신들의 매년 잉여를 통해 다른 사람의 생계를 제공하고 있다. 두 번째 계급 가운데 일부는 노동에 의해 자신을 유지하지만 나머지 사람들은(그리고 이들의 아내와 자식들[163]도) 다른 사람의 비용으로 먹고산다. 그것은 매년 공공의 부담이 되는데 왜냐하면 이들이 소비하는 것들은 만일 이들이 그렇게 소비하지 않는다면 국가의 부를 늘리는 것이 될 것이기 때문이다.”(**대버넌트,『무역수지 흑자를 달성할 수 있는 방법에 대한 고찰』, 런던, 1699년,** 23,[164] 50쪽)

그 밖에 대버넌트의 다음 구절은 잉여가치에 대한 중상주의자들의 생각을 특징적으로 잘 보여주고 있다. “우리나라에서 생산된 물건의 수출은 영국[165]을 부유하게 만들 것이 틀림없다. 무역수지의 흑자를 달성하기 위해 우리는 우리의 생산물을 수출해야만 한다. 그것을 가지고 우리는 외국으로부터 우리의 소비에 필요한 물건을 구매하게 되는데, 이 경우 상당량의 **잉여**가 귀금속의 형태로든, 다른 나라에 판매할 수 있는 상품의 형태로든 우리 수중에 남아야 한다. **이 잉여**가 바로 **무역에 의해 국가가 얻는 이윤**이다. 그것의 크기는 수출국 국민의 검약(네덜란드 국민에게는 있지만 영국 국민에게는 없는 검약. 같은 책, 46, 47쪽), 낮은 노동가격, 상품을 값싸게(단, **해외시장에서 덤핑이 되지 않는 가격**으로) 공급할 수 있는 공업 등에 의해 결정된다.”(**대버넌트**, 같은 책, [45], 46쪽)[166] 〔“국내의 소비로 한 사람이 적자가 되면 그것은 다른 사람의 흑자를 의미할 뿐이다. 나라 전체로 보면 부는 전혀 늘어나지 않는다. 그러나 국외에서 이루어지는 모든 소비는 명백한 이윤이 된다.”(**『동인도 무역에 관한 고찰』**, 런던, **1697**[167]년)〕 〔이 책은 그가 그의 다른 책을 변호할[168] 목적으로 **부록으로 붙인** 책으로, 매컬럭이 인용한 **『동인도 무역에 관한 고찰』**(**1701년**)과는 다른 책이다.〕[169] 그런데 우리는 이 중상주의자들을 나중에 속류 자유무역론자들이 이야기한 것처럼 그렇게 어리석은 사람들로 생각해서는[170] 안 된다. **『공공소득과 영국무역에 대한 논의』**(**런던, 1698년**) 제2권에서 대버넌트는 이렇게 말하고 있다.

“금과 은은 사실상 무역의 척도이긴 하지만 모든 나라의 무역의 원천은
G464 그 나라의 자연적·인위적 생산물, 즉 그 나라의 토지, 혹은 노동과 산업이

생산한 것이다. 이것은 너무도 옳은 이야기이다. 즉 한 나라가 어떤 사정으로 인해서 모든 종류의 화폐를 잃을 수도 있지만 만일 이 나라 국민의 수가 많고 이들이 부지런한 데다 상업에 익숙하고 항해에 숙달되어 있다면, 그리고 거기에다 좋은 항구가 있고 다양한 상품들을 생산할 수 있는 비옥한 토지가 있다면, 이 나라 국민들은 곧 무역을 통해서 많은 금과 은을 다시 갖게 될 것이다. 따라서 한 나라의 실질적이고 유효한 부는 그 나라 자신의 생산물이다."(같은 책, 15쪽) "금과 은은 한 나라의 재물 혹은 부라고 칭할 수 있는 유일한 물건[171]이 아니며 사실 화폐는 본질적으로 사람들이 거래를 하면서 계산상의 편의를 위해 익숙하게 사용하게 된 계산표에 불과하다."(같은 책, 16쪽) "우리는 부라고 하는 것이 군주와 그의 일반 국민에게 풍요, 안락, 안전을 가져다주는 것이라고 이해한다. 재물이라는 것도 마찬가지로 사람들의 용도에 따라 금과 은이 건물과 기타 생활에 유용한 것들로 전화한 것이다. 또한 금과 은으로 **전화할 수 있는** 다른 물건들, 예를 들어 토지생산물, 공업제품, 해외상품, 선적화물 등도 마찬가지로 재물에 들어간다. … 소비되면서 곧바로 소멸하는 재화도 비록 그것이 금이나 은으로 **전화해** 있지는 않더라도[172] 언제든지 **전화할 수 있는** 것이라면 한 국가의 부[173]로 간주될 수 있다. 그리고 우리는 그것을 개인과 개인[174] 사이의 부로 간주할 뿐 아니라 나라와 나라 사이의 부로도 간주한다."(같은 책, 60쪽 이하)[175] "일반 국민은 국가라는 신체의 위장이다. 스페인에서는 이 위장이 화폐를 적당히 섭취하여 ||318| 소화를 해내지 못했다.[176] — 무역과 제조업은 금과 은의 소화와 분배(국가라는 신체에 음식물을 공급하게 될)를 수행할 수 있는 유일한 수단이다."(같은 책, 62, 63쪽)

그 밖에 페티도 이미 **생산적 노동자**에 대한 개념을 가지고 있었다(단지 그는 군인도 여기에 포함시키고 있었다).[177] "농민, 선원, 군인, 수공업자 그리고 상인은 모든 나라의 진정한 기둥이다. 다른 모든 대다수 직업들은 **이들의 부족과 결함 때문에 생겨난 것이다**. 오늘날 선원은 이들 네 사람 가운데 세 사람의 몫(항해사, 상인, 군인)을 혼자서 수행하고 있다."(**『정치 산술』, 런던, 1699년**, 177쪽) "선원의 노동과 선적화물은 항상 본질적으로 수출되는 상품이며, 수입되는 상품을 초과하는 그것의 **잉여**는 국내에 화폐를 가져다준다."(같은 책, 179쪽) 여기에 덧붙여 페티는 분업의 이익에 대해서도 다시 논의를 제기하고 있다. "해상무역을 지배하는 나라는 다른 나라(화물 운임이 더 높은)에 비해 화물 운임을 더 낮추어 더 많은 이윤을 얻을 수 있다. 왜냐하면

한 사람은 이것을 하고 다른 사람은 저것을 하면 의복을 더 값싸게 만들 수 있듯이, 해상무역을 지배하는 나라는 해양 선박, 내륙 선박, 화물선, 군함 등 다양한 목적에 맞는 다양한 선박들을 건조할 수 있고, 이것은 이 나라의 선박 운임이 이웃한 다른 나라보다 저렴해질 수 있는 주된 요인이 된다.[178] 왜냐하면 이 나라는 각각의 특수한 상업 목적에 맞추어 특정한 종류의 선박을
G465 제공할 수 있기 때문이다."(같은 책, 179, 180쪽) 여기에서 페티는 A. 스미스와 똑같은 이야기를 다음과 같이 이어서 하고 있다. "대체로 **물적 존재**(혹은 **사회적으로** 실질적인 쓸모나 가치를 가진 물건)**가 아닌 것**을 생산하는 종류의 일에 종사하는 사람들"에게 주기 위해 산업자본가 등으로부터 세금을 징수한다면[179] "그것은 사회적 부를 감소시킬 것이다. 단지 운동과 같이 정신의 활력을 새로 불어넣는 것, 그리고 적당히 사용하기만 하면 사람들의 능력을 고양하고 그들을 더 중요한 일에 몰두하게 만드는 일의 경우는 그렇지 않을 것이다."(같은 책, 198쪽) "생산적 노동에 필요한 사람의 수가 얼마인지를 계산하고 나면,[180] 나머지 사람들은 모두 사회적으로 아무런 해도 입히지 않고 학문과 오락, 그리고 사치 분야에 종사해도 될 것이다. **이것들 가운데 가장 중요한 것은 자연과학의 진보일 것이다.**"(같은 책, 199쪽) "농업보다는 공업에서 얻을 수 있는 수익이 더 많으며 공업보다는 상업에서 얻을 수 있는 수익이 더 많다."(같은 책, 172쪽) "선원 한 사람의 가치는 농부 세 사람의 가치와 같다.[181]"(178쪽)[182]

c) 존 스튜어트 밀—생산적 노동에 대한 스미스의 두 번째 설명의 추종자

J. St. 밀도 『**경제학에서 해결되지 않은 문제들에 대한 에세이**』(런던, **1844**년)에서 생산적 노동과 비생산적 노동 문제에 대해서 골머리를 앓고 있다. 그러나 거기에서 그는 노동력 그 자체를 생산하는 노동도 생산적이라는 것 외에는 스미스의 (두 번째) 설명에 아무것도 더 덧붙이지 못했다. "**향락의 원천**은 축적될 수 있지만 향락 그 자체는 그렇지 못하다. 한 나라의 부는 물질적인 것이든 정신적인 것이든 그 나라가 간직하고 있는 지속 가능한 향락의 원천을 모두 합한 것으로 이루어진다. 그리고 이런 지속 가능한 원천을 증가시키거나 보존하기 위한 노동과 지출은 **생산적**인 것이라고 할 수 있다."(같은 책, 82쪽)[183] "기계공이나 방적공이 그들의 일을 배우면서 소비하는 것은 생산적으로 소비되는 것이다.[184] 즉 그들의 소비는 그 나라의 지속 가능한 향락의 원천을 감소시키는 것이 아니라 그것을 증가시키는데, 이는 이들의 소비가 결국 소비된 것보다 더 많은 원천을 새로 창출하는 결과를 가져올 것이기 때문이다."(같은 책, 83쪽)

이제 생산적 노동과 비생산적 노동에 대한 A. 스미스의 이야기에 반대하는 이런저런 잡다한 이야기들을 간략하게 훑어보기로 하자.|

|319| 1) **(제르맹)(가르니에)** 그가 번역한 **스미스의 『국부론』**(파리, 1802년) 6. 제르맹 가르니에
제5권에 달아놓은 옮긴이의 주석이다.

가르니에는 특별한 의미에서의 "생산적 노동"에 대하여 중농주의자들의 견해를 약간만 약화시켜서[185] 그대로 따른다. 그는 다음과 같은 스미스의 견해를 문제 삼는다. "생산적 노동이란 … 어떤 대상에 실현되는 노동으로, 그 활동의 흔적을 남기고 그것의 생산물이 판매 혹은 교환의 재료가 될 수 있는 그런 노동이다."[186](같은 책, 제5권, 169쪽)

(MEW에서는 여기부터 G504 "페티, 잉여가치…"의 앞부분(본문 225쪽 첫째 문단)까지를 『잉여가치론』 제3권 "리카도학파의 해체" 부분으로 옮겨놓았음 — 옮긴이)

〔가르니에를 살펴보기 전에 위에서 언급한 **밀 주니어**에 대해서 몇 가지 덧붙여서 이야기해둘 것이 있다. 이제부터 이야기하게 될 것은 원래 이 장의 뒷부분에 속하는 것으로서 거기에서는 리카도의 잉여가치론을 다루기로 되어 있다. 즉 그것은 A. 스미스를 다루는 지금 이 부분에 포함되는 것은 아니다.〕[187]

위에서 인용한 소책자[188]에는 사실상 경제학에 대한[189] J. St. 밀의 고유한 G466
생각이 모두 담겨 있는데(두꺼운 그의 개설서[190]와는 달리) 그 책자의 「**에세이 제4편. 이윤과 이자**」에는 다음과 같이 쓰여 있다.

"다른 물건들의 경우와 마찬가지로 도구와 원료에 들어가는 것도 원래부터 오로지 노동뿐이다. … 도구와 원료의 생산과정에서 사용된 노동은 나중에 기계[191]를 사용하여 원료를 가공하는 데 사용된 노동에 추가되어 완제품의 생산에 사용된 노동의 총량을 이룬다. **그러므로 자본을 보전한다는 말의 의미는 다름 아닌 사용된 노동의 임금을 보전한다는 말이다.**[192]"(같은 책, 94쪽) 이 말은[193] 그 자체로서 틀린 말이다. 왜냐하면 사용된 노동과 지불된 임금은 전혀 다른 것이기 때문이다. 더 정확하게 말하자면 사용된 노동=임금과 이윤의 합계이다. 자본을 보전한다는 말은 지불된 노동(임금)과 자본가가 지불하지 않고 판매한 노동(이윤)을 보전한다는 말이다. 밀은 여기에서 "사용된 노동"과 사용된[194] 노동 가운데 그 노동을 사용한 자본가가 지불한 부분을 혼동하고 있다. 이런 혼동은 그가 설명하고자 하는 리카도 이론을 그가 올바로 이해하는 데서 극히 불리하게 작용한다. 여기에 덧붙여서 불변자본과 관련된 부분도 한 가지 지적해둘 것이 있다. 즉 불변자본의 모든 부분이 과거노동으로 분해된다면 불변자본은 만들어진 시점에서 이미 이윤이나 임금 혹은 둘 모두를 나타낸다고 생각할 수 있지만, 예를 들어 종자처럼 불변자본 가운데에는 이윤으로도 임금으로도 분해될 수 없는 부분이 존재한다는 것이다.

밀은 잉여가치와 이윤을 구별하지 않았다. 그래서 그는 **이윤율**(잉여가치 가운데 이윤으로 전화한 부분에 대해서는 맞다)을 생산물의 가격과 생산수단의 가격(노동을 포함한) 사이의 비율과 같다고 설명한다(92, 93쪽을 보라). 또한 그는 **이윤율**의 법칙[195]을 리카도의 법칙에서 곧바로 도출하려 했는데, 그 리카도의 법칙이란 리카도가 잉여가치와 이윤을 혼동하면서 "이윤은 임금에 따라 변동한다. 즉 임금이 하락하면 이윤은 상승하고 임금이 상승하면 이윤은 하락한다"[196]고 한 것을 가리킨다.

밀은 자신이 해결하려고 했던 **문제** 그 자체를 분명하게 제시하지 않았다. 그래서 우리는 그의 대답을 듣기 전에 **그가 제기한** 문제가 무엇인지를 먼저 정리해두고자 한다. 이윤율은 선대된 자본 **총액**(불변자본과 가변자본을 합한 금액)에 대한 잉여가치의 비율인 반면 잉여가치 그 자체는 노동자가 수행한 노동 총량 가운데 그에게 임금으로 선대된 노동량을 초과한 부분이다.[197] 즉 잉여가치는 자본 총액이 아니라 가변자본(혹은 임금으로 선대된 자본[198])하고만 관련된 것으로 간주된다. 그렇기 때문에 잉여가치율과 이윤율은 — 이윤이 비록 특정한 관점에서 보면 잉여가치이긴 하지만 — 서로 다른 두 개
G467 의 비율이다. 정확하게 말해서 잉여가치율[199]은 "임금에만 의존한다. 즉 임금이 하락하면 잉여가치율은 상승하고 임금이 상승하면 잉여가치율은 하락한다." (잉여가치의 크기는 그렇지 않을 것이다. 왜냐하면 그것은 단지 개별 노동자의 잉여노동이 취득되는 비율뿐 아니라 함께 착취당하는 노동자의 수에도 의존할 것이기 때문이다.) 이윤율은 물론 선대된 자본 총액에 대한 잉여가치의 비율이기 때문에 잉여가치의 상승이나 하락(즉 임금의 상승 혹은 하락)에 의해 영향을 받고 또 그렇게 결정된다. 그러나 이런 의미를 제외하고는 이윤율은 ||320| 잉여가치와 아무런 관련도 없고 그것으로 직접 환원될 수도 없다. 밀은 한편으로는 리카도와 마찬가지로 이윤과 잉여가치를 **곧바로** 동일시했고 또 다른 한편으로는 **이윤율**을 (반리카도주의자들과의 논쟁을 의식하여) 리카도와는 다른 의미로, 즉 선대된 자본의 총가치(가변자본+불변자본)[200]에 대한 잉여가치의 **비율**이라는 올바른 의미로 파악했는데 그가 입증하려고 했

던 것은 다음과 같았다. 즉 이윤율이 잉여가치를 결정하는 바로 그 법칙에 의해 **곧바로** 결정되고 따라서 노동자가 자신의 노동일 가운데 자신이 취득하는 부분이 줄어들수록 그만큼 자본가에게 돌아가는 부분이 커지고 그 반대의 경우도 역시 성립한다는 것이었다. 그러면 이제 그가 겪은 고초—이 고초의 가장 큰 문제는 그가 도대체 해결하려고 한 문제가 무엇인지를 그가 명확하게 제시하지 않았다는 점이다—의 본론으로 들어가 보기로 하자. 만일 그가 문제를 정확하게 알고 있었다면 그가 **이런** 식으로 문제를 틀리게 해결할 수는 없었을 것이다. 그는 이렇게 말한다.

"도구, 원료, 건물 등은 모두 그 자체 노동생산물인 것이 틀림없지만 그럼에도 불구하고 이들의 가치는 **전부** 그것들을 생산한 노동자들의 임금으로만 분해되지는 않는다. 〔앞에서 그는 이렇게 말했다: 자본을 보전한다는 것은 임금을 보전한다는 것이다.〕 자본가가 임금에 더해 만들어낸 이윤이 여기에 포함되어야만 한다. 이윤을 생산하는 자본가는 생산물을 통해서 단지 자신과 도구 제조업자가 지불한 **임금**[201]은 물론 자기 자본을 스스로 선대한 도구 제조업자의 이윤까지도 함께 보전해야만 한다."[202](같은 책, 98쪽) 따라서 "**이윤**[203]은 순전히 비용을 보전하고 남은 **잉여**[204]로만 이루어지지 않는다. 이윤은 비용 그 자체에 포함되기 때문이다. 자본의 지출은 일부는 임금을 지불하거나 보전하는 데 사용되고 일부는 생산수단의 조달에 경쟁을 필요로 하는 다른 자본가들의 이윤을 지불하는 데 사용된다."(98, 99쪽) "그렇기 때문에 어떤 상품이 **과거와 동일한 양의 노동을 포함하고** 있지만 만일 최종 생산자가 선행하는 생산자에게 제공해야 하는 **이윤 부분**을 절약할 수 있다면 **이 상품의 생산비는 감소할** 수 있을 것이다. … 그럼에도 불구하고 이윤율이 임금의 생산비와 반대로 변동한다는 사실에는 변함이 있을 수 없다.[205]"(102, 103쪽)[206]

물론 여기에서 우리는 상품의 가격이 그 가치와 같다는 것을 전제로 한다. G468
밀도 이 전제 위에서 자신의 연구를 수행하고 있다.

방금[207] 인용한 문장에서 이윤은 양도이윤의 성격을 강하게 띤다. 그러나 이 문제는 더 이야기하지 않기로 하자. 어떤 상품이 (만일 그 **가치**대로 판매된다면) "과거와 동일한 양의 노동을 포함"하지만 동시에 일정한 조건이 갖추어진다면 "이 상품의 생산비가 감소"할 수 있다고 하는 말은 완전히 틀린 말이다. 〔물론 이것이 내가 앞서[208] 이야기한 다음과 같은 의미라면 맞는 말이다. 즉 거기에서 나는 어떤 상품의 생산비와 자본가의 생산비는 다른데 이는

자본가가 이 생산비 가운데 일부를 지불하지 않기 때문이라고 했다. 밀의 이 말은 또한 다음과 같은 경우에도 맞는 말이 될 수 있다. 즉 자본가가 자신의 노동자에게 지불하지 않은 잉여노동으로부터 이윤을 만들어내는 경우 혹은 자신에게 불변자본을 제공한 다른 자본가에게 가치보다 **적게 지불함**(다시 말해 자신의 상품에 포함된 비지불 잉여노동 가운데 일부를 지불하지 않음)으로써 이윤을 만들어내는 경우이다. 이들 경우는 모두 그가 상품을 그 가치 **이하로** 지불한 데서 비롯된 것들이다. 이윤율〔즉 선대된 자본의 총가치에 대한 잉여가치의 비율〕은[209] 동일한 양의 선대자본이 객관적으로[210] 가치가 하락하거나(불변자본을 생산하는[211] 생산영역에서 노동생산성이 상승한 결과), 혹은 선대자본이 구매자에게서 주관적으로 가치가 하락하여 그가 그 선대자본을 가치 **이하로** 지불하는 경우 모두 상승할 수 있다. 이들 경우는 모두 **그에게** 선대자본에 들어가는 노동량이 감소하는 결과를 가져올 것이다.〕|

|321| 무엇보다도 밀의 이야기는 최종 상품을 생산하는[212] 자본가의 **불변자본**이 임금은 물론 이윤으로도 분해된다는 것이다. 이 이야기에 따르면 다음과 같이 된다. 불변자본이 임금으로만 분해되면 이윤은 최종 자본가가[213] 선대자본 총액을 이루는 모든 임금을 보전한 다음(그리고 〔지불된〕 모든 생산물 비용을 임금으로 분해한 다음) 남은 잉여가 될 것이다. 선대자본의 총가치 = 생산물에 포함된 임금의 총가치일 것이고 이윤은 이것을 초과하는 부분이 될 것이다. 그리고 이윤율은 선대자본의 총가치에 대한 이 초과분의 비율이기 때문에 이 비율은 분명 선대자본의 총가치(선대자본의 총가치를 이루는[214] **임금의 가치액**)에 비례하여 상승 혹은 하락할 것이다. 〔이윤과 임금의 **일반적인** 관계를 생각하면 이런 생각은 사실 그 자체가 무의미한 것이다. 밀은 생산물 전체에서 단지 이윤으로 분해되는 부분을 한쪽에 설정하고(이 이윤이 **최종** 자본가에게 지불되든,[215] 혹은 상품의 생산에 관여한 선행하는 자본가들
G469 에게 지불되든[216] 상관없이) 임금으로 분해되는[217] 것을 다른 한쪽에 설정했을 뿐이기 때문에, 이윤 총액은 여전히 [218]임금의 가치액을 초과하는 잉여와 같고 리카도의 "비율을 뒤집은 것"이 곧바로 이윤율이라고 주장할 수 있었다. 여기에서 틀린 것이라곤 단지 선대자본 총액이 이윤과 임금으로 분해된다는 이야기뿐이다.〕 그런데 선대자본은 임금뿐 아니라 이윤으로도 분해된다. 따라서 이윤은 선대된 임금뿐 아니라 선대된 이윤까지도 모두 초과하는 잉여분이 된다. 따라서 **이윤율**은 임금을 초과하는 잉여 부분은 물론 최종 자본가의 임금 + 이윤 — 가정에 따라 선대자본의 총액을 이루는 — 을 초과하

는 잉여 부분에 의해서도 함께 결정된다. 그러므로 이 비율은 명백히 임금의 상승 혹은 하락은 물론 이윤의 상승 혹은 하락에 의해서도 변동할 수 있다. 임금의 상승 혹은 하락에 의한 이윤율의 변동을 잠시 무시하기로 하자. 임금의 가치액(즉 임금에 포함된 노동시간과 동일한 임금의 생산비)이 불변이라고 가정한다면—이것은 우리가 현실에서 숱하게 경험할 수 있는 일이다—밀의 이야기로부터 이윤율의 상승 혹은 하락이 이윤의 상승 혹은 하락에 의존한다는 멋들어진 법칙이 만들어진다. "만일 최종 생산자가 선행하는 생산자에게 제공해야 하는 이윤 부분을 절약할 수 있다면 이 상품의 생산비는 감소할 수 있을 것이다."[219] 이것은 사실 정확하게 맞는 말이다. 만일 선행하는 생산자들의 이윤 부분이 추가 비용이 전혀 아니라면—제임스 스튜어트가 이야기했던 양도이윤—"이윤 부분"의 절약〔이것이 최종 자본가가 선행하는 자본가를 속이는 방식으로, 즉 선행하는 자본가의 상품에 포함된 가치를 모두 지불하지 않는 방식으로 달성되는 것이 아닌 한〕은 모두 상품의 생산에 필요한 노동량의 절약이 된다. 〔여기에서 우리는 가령 생산기간 동안 자본이 유휴 상태로 머무는 시간에 대해 지불되는 이윤은 무시하기로 한다.〕 예를 들어 원료인 석탄을 광산에서 공장으로 가져오는 데 이틀이 소요되다가 하루 만에 가져올 수 있게 되었다면 1노동일이 "절약될" 것이다. 그리고 이 절약은 임금으로 분해되는 부분은 물론 이윤으로 분해되는 부분에도 똑같이 해당될 것이다.

그런 다음 밀은 최종 자본가의 **잉여**의 비율[220](혹은 이윤율)이 임금과 이윤의 직접적인 비율에 의존할 뿐 아니라[221] '선대자본의 총가치 = 가변자본(임금으로 지출된) + 불변자본 총액'에 대한 최종 자본의 이윤(혹은 모든 자본의 이윤)의 비율에 의존한다는 점, 다시 말해 ||322| 이윤율이 자본 가운데 임금에 지출된 부분(즉 생산비 혹은 임금의 가치)에 대한 이윤의 비율에 의해서만 결정되는 것이 아니라는 점을 분명히 했다. 그는 계속해서 이렇게 말한다. "그럼에도 불구하고 이윤율이 임금의 생산비와 반대로 변동한다는 사실에는 변함이 있을 수 없다."[222] 이것은[223] 틀린 말이긴 하지만 맞는 말이기도 하다. 그가 여기에서 하는 설명은 경제학자들의 설명방식에서 매우 고전적인 사례를 보여주는데, 그것이 너무나 두드러져서 마치 그가 하나의 논리학 책[224]을 저술한 것처럼 보일 정도이다. G470

[225]"예를 들어 60명의 농업노동자들이 임금으로 60쿼터의 곡물을 받고 60쿼터의 가치를 갖는 고정자본과 종자를 소비하여 180쿼터의 곡물을 생산한

다고 가정하자. 이윤이 50퍼센트라고 가정한다면 종자와 농기구는 40명의 노동자들이 생산한 생산물로 분해되어야 할 것이다. 왜냐하면 이 40명의 노동자들이 받는 임금이 이윤과 더해져서 60쿼터를 이룰 것이기 때문이다.[226] **그렇기 때문에 생산물이 180쿼터라면 그것은 100명의 노동자들이 만들어내는 결과물이 된다.** 이제 만일 노동자 수는 그대로이지만 **어떤 발명이 이루어져서 고정자본과 종자가 필요 없게 되었다**고 하자.[227] 이전에는 180쿼터의 수확물을 얻기 위해서 반드시 120의 비용이 필요했지만 이제는 그 비용이 100을 넘지 않게 되었다. 180쿼터는 과거와 마찬가지의 노동량, 즉 노동자 100명의 노동과 동일하다. 따라서 1쿼터의 곡물은 여전히 한 사람 노동의 $\frac{10}{18}$의 생산물이다. 왜냐하면 노동자 한 사람의 임금인 **1쿼터의 곡물**은 사실상 **과거와 동일한 양의 노동생산물**이기 때문이다. 그럼에도 불구하고 그것의 생산비는 감소했다. 그것은 이제 한 사람 노동의 $\frac{10}{18}$의 생산물일 뿐 그 외의 어떤 것도 아니다. 반면 이전에는 이 곡물의 생산을 위해 이 노동량에 이윤을 보상하는 형태의 추가 비용($\frac{1}{5}$에 해당하는)이 더 소요되었다. 만일 임금의 생산비가 이전과[228] 동일하다면 이윤은 증가할[229] 수 없었을 것이다. 모든 노동자는 1인당 1쿼터의 곡물을 받았겠지만 당시의 1쿼터 곡물을 생산하는 데는 현재의 $1\frac{1}{5}$쿼터를 생산하는 비용이 소요되었을 것이다. 따라서 모든 노동자가 이전과 동일한 생산비를 받을 수 있으려면 노동자들은 1쿼터에 $\frac{1}{5}$쿼터를 추가해서 받아야만 할 것이다."([102,] 103쪽) "그러므로 노동자가 자신의 임금을 자신이 생산한 것과 동일한 물품으로 지불받는 경우, 만일 이 물품의 생산에서 얼마간 비용의 절약이 이루어지고 노동자가 이전과 동일한 생산비를 받는다면, 노동자가 받는 물품의 양은 자본의 생산력이 증가한 비율만큼 함께 증가할 것이 분명하다. 그러나 그렇게 되면 자본가의 수익에 대한 지출의 비율은 이전과 마찬가지일 것이고 이윤은 증가하지 않을 것이다. … 따라서 이윤율과 임금 생산비의 변동은 서로 맞물려 있고 불가분의 관계에 있다. 그러므로 리카도가 임금의 하락이라고 생각했던 것을 **생산물**
G471 **에 들어가는 노동량의 감소라는 개념뿐 아니라 노동과 선행하는 이윤을 합한 생산비의 감소**라는 개념으로도 이해할 경우 그의 생각은 전적으로 옳은 것이다."(같은 책, 104쪽)

이 멋들어진 설명에서 우리가 제일 먼저 지적해야 할 점은 곡물이 모종의 발명에 의해 종자(원료)와 고정자본 없이 생산된다는 가정이다. 원료와 작업도구 없이 생산된다는 말은 공기와 물 그리고 땅으로부터 오로지 수작

업으로만 곡물을 생산한다는 말이다. ||323| 이런 불합리한 가정은 생산물이 **불변자본 없이** 생산된다는 말이고 이는 즉 오로지 새로 부가되는 노동만으로 생산된다는 것을 의미한다.[230] 물론 이 경우에는 이윤과 잉여가치가 동일하며 따라서 이윤율도 필요노동에 대한 잉여노동의 비율**에만** 의존한다는 것이 입증되어야만 한다. 그런데 여기에서 곧바로 부닷히는 문제는 불변자본에 대한 잉여가치의 비율—이 비율을 우리는 이윤율이라고 부른다—에 의해서 잉여가치율과 이윤율이 구별된다는 점이다. 따라서 불변자본＝0이라고 가정하면 불변자본의 존재 자체를 배제함으로써 불변자본의 존재 때문에 발생한 이 문제를 해결할 수 있게 된다. 혹은 이런 문제가 **아예 존재하지 않는다**고 **가정함**으로써 이 문제를 해결할 수도 있다. 이것으로 문제는 해결되었다.

그러면 이제 문제점(혹은 문제점에 대한 밀의[231] 설명)을 올바로 정리해보기로 하자.

첫 번째 가정에 따르면 다음과 같이 된다.

불변자본. (고정자본과 종자.)	가변자본. **임금에 지출된 자본**	총생산물.	이윤
60쿼터	60쿼터(60명의 노동자)	180쿼터	**60쿼터**

이 예에서 전제되는 것은, 불변자본에 추가된 노동[232]＝120쿼터이고, 1쿼터가 1노동일(혹은 365노동일 가운데 1노동일)의 임금이기 때문에 180쿼터는 단지 60노동일에만 해당하고 이 가운데 30노동일은 노동자의 임금을 보전하고 30노동일은 이윤을 이룬다는 것이다. 즉 우리는 사실상 1노동일이 2쿼터로 실현된다는 것을 전제로 하는 것이다. 그렇기 때문에 60명의 노동자는 자신들의 60노동일을 120쿼터의 곡물로 실현하고 그중 60쿼터는 자신들의 임금을, 나머지 60쿼터는 이윤을 형성한다. 달리 말해서 노동자는 노동일 가운데 $\frac{1}{2}$을 자신을 위해서 노동하고(즉 임금을 보전하고) $\frac{1}{2}$을 자본가를 위해서 노동한다(즉 자본가의 잉여가치를 만들어준다). 따라서 잉여가치율은 100퍼센트이지 50퍼센트가 아니다. 반면 이윤율은 가변자본이 선대된 총자본의 절반만을 이루기 때문에 60쿼터에 대한 60쿼터, 즉 100퍼센트가 아니라 120쿼터에 대한 60쿼터, 즉 50퍼센트에 머문다. 만일 불변자본＝0이라면 선대자본 총액은 단지 60쿼터(즉 임금에 선대된 자본＝30노동일)가 될 것이다. 그리고 이윤과 잉여가치는 물론 이윤율과 잉여가치율도 모두 같을 것 G472

이다. 그럴 경우 이윤[233]은 50퍼센트가 아니라 100퍼센트가 될 것이고 2쿼터의 곡물은 1노동일의 생산물이 될 것이며 따라서 120쿼터의 곡물은 60노동일의 생산물이 될 것이다. 하지만 물론 1노동일의 임금은 1쿼터의 곡물에 그칠 것이고 60노동일의 [234]임금은 60쿼터에 그칠 것이다. 달리 말해서 노동자는 자신의 생산물 가운데 절반 즉 50퍼센트만을 받을 것이고 반면에 자본가는 자신이 지출한 것의 2배, 즉 100퍼센트를 얻을 것이다.

그렇다면 이제 60쿼터의 **불변자본**은 어떻게 될까? 이것도 역시 30노동일의 생산물이며, 여기에서도 역시 마찬가지의 가정을 적용하여 이 불변자본의 생산요소들 사이의 비율이 $\frac{1}{3}$[235]은 불변자본이고 $\frac{2}{3}$는 새로 부가된 노동이며, 잉여가치율과 이윤율이 동일하다고 한다면 우리는 다음과 같은 결과를 얻게 된다.

불변자본	가변자본	총생산물	이윤
20쿼터	20쿼터 (노동자 20명의 임금)	60쿼터	**20쿼터**

여기에서도 이윤율은 다시 50퍼센트, 잉여가치율은 100퍼센트이다. 총생산물은 ||324| 30노동일의 생산물이 될 것인데 이 중 10노동일(=20쿼터)은[236] 과거노동(불변자본)이고 20노동일은 20명의 노동자—이들 노동자는 모두 자신의 생산물 가운데 절반만을 임금으로 받을 것이다—가 새로 부가한 노동이 될 것이다. 2쿼터는 여전히 노동자 1명의 노동생산물에 대한 임금일 것이지만 물론 여전히 이 가운데 1쿼터는 노동자 1명의 임금이고 나머지 1쿼터는 자본가의 이윤을 이루어 자본가는 노동자의 노동 가운데 절반을 취득할 것이다.

최종 생산자인 자본가의 잉여가치를 이루는 60쿼터는 50퍼센트의 이윤율을 만드는데 이는 이 60쿼터의 잉여가치가 임금에 선대된 60쿼터뿐 아니라 종자와 고정자본에 선대된 60쿼터를 합한 120쿼터에 대해서 계산되기 때문이다.

따라서 만일 밀이 종자와 고정자본(합계 60쿼터)을 생산한 자본가의 이윤율을 50퍼센트로 잡고, 또한 불변자본과 가변자본의 비율을 180쿼터를 생산한 자본가와 같은 비율로 가정한다면 그는 당연히 이윤=20쿼터, 임금=20쿼터, 불변자본=20쿼터라고 말할 수 있을 것이다. 임금=1쿼터이므로 120쿼터가 60노동일을 포함한 것과 마찬가지로 60쿼터는 30노동일을 포함할 것이다.

그런데 밀은 어떻게 이야기하고 있을까? G473

"이윤이 50퍼센트라고 가정한다면 종자와 농기구는 40명의 노동자들이 생산한 생산물로 분해되어야 할 것이다. 왜냐하면 이 40명의 노동자들이 받는 임금이 이윤과 더해져서 60쿼터를 이룰 것이기 때문이다."[237]

[238]첫 번째 자본가는 60명의 노동자를 사용했고 그는 이들 노동자의 1노동일에 대해 1쿼터를 지불했으며(따라서 모두 임금으로 60쿼터를 지출했다) 불변자본에도 60쿼터를 지출했는데, 그는 이들 노동자의 60노동일을 통해 120쿼터를 생산했고 이 가운데 노동자는 단지 60쿼터만을 임금으로 받았다. 즉 임금은 노동자 60명의 노동생산물의 절반이었다. 따라서 60쿼터의 불변자본＝노동자 30명의 노동생산물이고 이것이 모두 이윤과 임금으로 분해된다면 임금은 30쿼터, 이윤도 30쿼터가 되어 임금＝노동자 15명의 노동생산물이며 이윤도 역시 같을 것이다. 그런데 만일 이윤이 50퍼센트라면 그것은 60쿼터에 포함된 30노동일 가운데 10[239]노동일＝과거노동(불변자본)이고 단지 10[240]노동일만이 임금으로 분해된다고 가정했기 때문이다. 즉 10노동일은 불변자본에, 20노동일이 새로 부가된 노동일이며 노동자는 이 중 10노동일은 자신을 위해, 10노동일은 자본가를 위해 노동한 것이다. 하지만 밀은 이 60쿼터는 노동자 40명의 생산물인 반면 첫 번째 자본가의 120쿼터는 노동자 60명의 생산물이라고 주장한다. 두 번째 경우에는 1쿼터에 $\frac{1}{2}$노동일이 포함되고(임금은 1노동일에 대한 것이지만) 첫 번째 경우에는 $\frac{3}{4}$쿼터가 $\frac{1}{2}$노동일에 해당된다. 반면 $\frac{1}{3}$의 생산물(60쿼터), 즉 불변자본에 지출된 부분은 다른 $\frac{1}{3}$의 생산물과 동일한 가치, 즉 동일한 노동시간을 포함한다. 밀이 60쿼터의 불변자본을 모두 임금과 이윤으로 분해하고자 했더라도 그것이 이 60쿼터에 포함된 노동시간의 양을 변동시키는 것은 **결코 아니다**. 그것은 여전히 30노동일에 해당한다. 여기에서는 보전될 불변자본이 없기 때문에 이윤과 잉여가치가 일치한다.[241] 따라서 이윤은 처음의 50퍼센트가 아니라 이제 100퍼센트이다. 첫 번째 경우에서 잉여가치는 100퍼센트였지만 이윤은 50퍼센트였다. 그것은 바로 불변자본이 계산에 포함되었기 때문이다.

그리하여 여기에서 밀은 두 가지 잘못을 저질렀다.

첫 번째 경우의 180쿼터에서는 잉여가치와 이윤이 일치하지 않는 문제에 부딪히는데 그것은 60쿼터의 잉여가치가 단지 60쿼터(총생산물 가운데 임금

에 해당하는 부분)에 대해서만 계산되지[242] 않고 ||325| 120쿼터(즉 불변자본 60쿼터+임금[243] 60쿼터)에 대해서도 계산되어야 했기 때문이다. 그래서 잉여가치는 100퍼센트였지만 이윤은 50퍼센트에 머물렀다. 밀은 불변자본을 이루는 60쿼터의 경우에는 이 문제에서 벗어났는데 그것은 그가 생산물 전체가 자본가와 노동자 사이에 분배된다고 가정했기 때문이다. 즉 거기에서 그는 60쿼터의 종자와 농기구라는 불변자본의 형성에는 어떤 불변자본도 들어가지 않는다고 가정했기 때문이다. 첫 번째 자본의 경우 설명해야 했던 조건을 두 번째 자본의 경우에는 배제하는 것으로 **가정함**으로써 문제를 종결지은 것이다.

G474 그리고 둘째로 그는 자본가 I의 불변자본을 이루는 60쿼터의 가치에는 노동만 들어가고 **과거노동**(즉 불변자본)은 들어가지 않으며 따라서 이윤과 잉여가치는 물론 이윤율과 잉여가치율도 모두 일치한다고 — 이들 사이에는 아무런 차이도 발생하지 않는다고 — 가정한 다음, 이번에는 다시 거꾸로 I의 불변자본을 생산하는 자본가에게서는 **이들 사이에 차이가 발생하여** 이윤이 I과 마찬가지로 50퍼센트가 된다고 가정한다. 만일 이 첫 번째 자본가의 생산물 가운데 $\frac{1}{3}$이 불변자본을 이루지 않는다면 이윤과 잉여가치는 일치할 것이다. 그러면 총생산물은 단지 120쿼터(=60노동일)만으로 이루어질 것이고 이 중 30노동일(=60쿼터)은 노동자가, 30노동일(=60쿼터)은 자본가가 갖게 될 것이다. 이윤율[244]은 잉여가치율과 똑같이 100퍼센트가 될 것이다. 앞서 I에서 이윤율은 50퍼센트였는데 그것은 60쿼터의 잉여가치가 60쿼터(임금)가 아니라 120쿼터(임금, 종자, 고정자본)에 대해서 계산되었기 때문이다. 자본가 II의 경우 그는 불변자본이 없는 것으로 가정했다. 그는 또한 임금을 여전히 똑같이 1쿼터라고 가정한다. 그럼에도 불구하고 그는 이윤과 잉여가치가 다른 것으로, 즉 잉여가치는 100퍼센트인 반면 이윤은 50퍼센트에 불과하다고 가정했다. 그는 사실상 총생산물의 $\frac{1}{3}$인 60쿼터가 총생산물의 다른 $\frac{1}{3}$보다 더 많은 노동시간을 포함한다고 가정한 것이다. 즉 이 60쿼터는 40노동일의 생산물인 반면 다른 120쿼터는 단지 60노동일의 생산물에 지나지 않는다고 가정한 것이다.

여기에는 양도이윤이라는 낡은 환상 — 상품에 포함된 노동시간과는 아무런 관련이 없는, 따라서 리카도의 가치 개념과도 아무런 관련이 없는 — 의 흔적이 엿보인다. 즉 밀은 노동자 한 사람이 1노동일의 대가로 받는[245] 임금이 그의 노동일의 생산물과 같다고(혹은 그가 노동한 것과 같은 양의 노동시간을 가진 것으로) 가정한다. 임금으로 40쿼터가 지불되고 이윤이 20쿼터라면 40쿼터는 40노동일을 포함한다. 40노동일에 대한 지불은 40노동일의 생산물과 같다. 만일 60쿼터에 대해서 이윤이 50퍼센트 혹은 20쿼터라면 40쿼터는 40명의 노동생산물과 같을 것인데 이는 가정에 따라 40쿼터가 임금이고 임금은 1노동일에 대해 1쿼터를 받기[246] 때문이다. 그렇다면 나머지 20쿼터는 어디에서 온 것일까? 40명의 노동자는 40노동일을 노동하는데 이는 그들이 40쿼터를 받기 때문이다. 따라서 1쿼터는 1노동일의 생산물이다. 그러므로 40노동일은 40쿼터를 생산하고 단 1부셸도 더 생산하지 않는다. 그렇다면 이윤을 이루는 20쿼터는 도대체 어디에서 온 것일까? 그것은 양도이윤이라는 낡은 환상, 즉 생산물의 가격을 단지 명목상으로 그 가치 이상으로 인상한 것에서 온 것이다. 그러나 지금의 논의에서 이것은 **완전히 얼토당토않은** 일이며 불가능한 것인데 왜냐하면 가치가 화폐로 표현되지 않고 생산물 그 자체의 양으로 표현되고 있기 때문이다. 가장 간단한 방법은 40쿼터의 곡물이 노동자 40명의 생산물이고 이들 노동자의 하루 혹은 1년의[247] 임금이 1인당 1쿼터라면 이들의 **생산물은 모두** 임금으로 들어가겠지만, 만일 1쿼터의 곡물이 3파운드스털링의 화폐로 표현되고 따라서 40쿼터=120파 G475
운드스털링이라면 자본가가 이 40쿼터를 180파운드스털링에 판매하여 60파운드스털링, 즉 50퍼센트(=20쿼터)의 이윤을 만든다고 생각하는 것이다. 그러나 만일 자본가가 40노동일(그는 여기에 대해 40쿼터를 지불한다)이 생산한 40쿼터로부터 60쿼터를 판매한다면 불합리함은 분명해진다. 그의 수중에는 단지 40쿼터뿐인데 그는 60쿼터(즉 그가 판매할 수 있는 것보다 20쿼터가 더 많은)를 **판매하는** 것이다.|

|326| 그리하여 먼저 밀은 리카도의 법칙, 즉 잉여가치와 이윤을 혼동한 리카도의 잘못된 법칙을 다음과 같은 임의의 가정을 설정하여 논증한다.

1) 그는 불변자본을 생산하는 자본가의 경우 이 자본가가 아무런 불변자본도 필요로 하지 않는다고 가정함으로써 불변자본의 개입으로 인해 발생하는 모든 문제를 **제거해버린다**.

2) 이 자본가는 불변자본을 사용하지 않는데도 불변자본이 가져다준 이윤과 잉여가치의 차이가 계속 존재하는 것으로(불변자본은 전혀 존재하지 않는데도) 가정한다.

3) 40쿼터의 곡물을 생산한 누군가가 60쿼터를 판매할 수 있는 까닭은[248] 그의 총생산물이 다른 자본가(이 자본가의 불변자본=60쿼터)에게 불변자본

으로 판매되었기 때문이며 자본가 II가 이 60쿼터를 통해서 50퍼센트의 이윤을 만들었기 때문이다.

밀의 마지막 불합리성은 양도이윤의 개념으로 귀착되는데 그것은 여기에서 너무나 논리적으로 터무니없어 보인다. 왜냐하면 화폐로 표시된 명목가치[249]가 아니라 판매된 생산물 그 자체의 일부가 이윤을 형성해야 하기 때문이다. 그리하여 밀은 결국 리카도의 이론을 지지하기 위해 리카도의 기본 개념을 포기하고 리카도, A. 스미스, 중농주의자들에게도 한참 뒤지는 뒷자리로 물러서고 말았던 것이다.

그는 리카도 이론을 정당화하는 출발점에서 이미 리카도 이론을 포기했다. 즉 그는 리카도 이론의 기본 원칙, 말하자면 이윤이 단지 상품가치의 일부분(상품에 포함된 노동시간의 일부분)으로 그것은 자본가가 자신의 생산물과 함께 판매하는 것이긴 하지만 노동자에게 **지불하지 않은** 것이라고 하는 원칙을 포기했던 것이다. 밀은 자본가가 노동자에게 그의 노동일 전체에 대해 지불하긴 하지만 이윤을 만들어낸다고 말했다.

그가 계속해서 이 문제를 어떻게 조작하는지 보기로 하자.

이제 그는 곡물을 생산하기 위해 종자와 농기구가 사용될 필요성을 모종의 발명을 통해 제거해버린다. 즉 그는 첫 번째 60쿼터의 생산자에게서 종자와 고정자본 문제를 처리했던 것과 같은 방식으로 최종 자본가에게서 불변자본의 필요성을 제거해버린다. 그러면 그의 설명을 들어보기로 하자.

자본가 I은 이제 60쿼터를 종자와 고정자본에 지출하지 않는다. 그의 불변자본=0으로 하기로 했기 때문이다. 즉 그는 60노동일을 노동하는 노동
G476 자에 대해서만 임금 60쿼터를 지출한다. 이 60노동일의 생산물은 120쿼터이다. 노동자는 단지 60쿼터만을 받는다. 따라서 자본가는 60쿼터의 이윤, 즉 100퍼센트를 얻는다. 그의 이윤율[250]은 잉여가치율, 즉 노동자가 자신이 아니라 자본가를 위해 수행한 노동시간[251]과 정확히 일치한다. 노동자는 60일을 노동하여 120쿼터를 생산하고 60쿼터를 임금으로 받는다. 따라서 그는 비록 60일을 노동하긴 했지만 30노동일의 생산물을 임금으로 받는다. 2쿼터에 들어간 노동시간의 양은 여전히 1노동일이다. 자본가가 **지불한** 노동일도 여전히 1쿼터로서 그것은 수행된 노동일의 절반과 동일하다. 생산물은 180쿼터에서 120쿼터로 $\frac{1}{3}$이 감소했다. 하지만 이윤은 50퍼센트에서 100퍼센트로 50퍼센트가 증가했다. 그 이유는 무엇일까? 180쿼터 가운데 $\frac{1}{3}$은 불변자본의 지출을 보전하는 것으로 그것은 이윤에는 물론 임금에도

들어가지 않았다. 한편 노동자가 자본가를 위해서 생산한(혹은 노동한) 60쿼터(혹은 30노동일)는 임금으로 지출된 60쿼터(혹은 자신을 위해 노동한 30노동일)에 대해서 계산되는 것이 아니라 임금, 종자, 고정자본에 지출된 120쿼터(혹은 60노동일)에 대해서 **계산되었다.** 따라서 노동자들이 60일 가운데 30일은 자신들을 위해, 다른 30일은 자본가를 위해 노동함에도 불구하고, 또한 자본가가 임금으로 지출한 60쿼터가 자본가에게 120쿼터를 안겨줌에도 불구하고, 자본가의 이윤율[252]은 100퍼센트가 아니라 50퍼센트인데, 이는 이윤율이 한 번은 2×60쿼터에 대해서, 다른 한 번은 60쿼터에 대해서 각기 **달리** 계산되었기 때문이다. 잉여가치는 ||327| 동일했지만 이윤율은 달라진 것이다.

그런데 밀은 처음에 어떻게 시작하고 있는가?

그는 자본가가 60쿼터로 120쿼터를 (60노동일로부터 30노동일을) 얻는다고 가정하는 것이 아니라 100명의 노동자를 사용하여 180쿼터를 얻는다고 가정하고 1노동일에 대한 임금은 여전히 1쿼터라고 가정한다. 그러면 계산은 다음과 같이 된다.

지출된 자본 **(가변자본에만. 즉 임금에만 지출된 자본)**	**총생산물**	**이윤**
100쿼터 (100노동일의 임금)	180쿼터	80쿼터

즉 자본가는 80퍼센트의 이윤을 얻는다. 이 경우 이윤은 잉여가치와 동일하다. 따라서 잉여가치율도 80퍼센트인데 그것은 이전에는 100퍼센트로서 지금보다 20퍼센트 더 높았다. 여기에서 우리는 이윤율이 30퍼센트 상승하고 [253]잉여가치율이 20퍼센트 하락하는 현상을 보았다. 자본가가 여전히 임금으로 60쿼터만을 지출한다면 우리는 다음의 결과를 얻을 수 있을 것이다.

100쿼터는 80쿼터의[254] 잉여가치를 G477

10쿼터는 8쿼터의 잉여가치를

60쿼터는 48쿼터의 잉여가치를 제공한다. 하지만 이전에는 60쿼터가 60쿼터를 제공했다(즉 20퍼센트가 하락했다).

달리 말해서 이전에 제공하던 것과는 달라졌다.[255]

	총생산물	잉여가치
60쿼터	120	60
10	20	10
100	200	100

즉 잉여가치는 (우리는 두 [경우] 모두 100쿼터에 대해서 계산해야만 한다) 100쿼터에서 80쿼터로 20퍼센트 하락했다.

$60:48=100:80$. $60:48=10:8$. $60:48=5:4$. $4\times60=240$. 그리고 $48\times5=240$.

이번에는 1쿼터의 곡물에 포함되는 노동시간(혹은 가치)을 살펴보기로 하자. 이전에는 2쿼터=1노동일, 혹은 1쿼터=$\frac{1}{2}$노동일, 혹은 노동자 1사람 노동의 $\frac{9}{18}$였다. 하지만 이제 180쿼터는 100노동일의 생산물이다. 따라서 1쿼터는 $\frac{100}{180}$노동일=$\frac{10}{18}$노동일의 생산물이다. 혹은 달리 말해서 생산물의 가치는 $\frac{1}{18}$노동일만큼 상승했거나 혹은 노동의 생산성은 하락했는데, 이는 노동자가 1쿼터를 생산하는 데 이전에는 $\frac{9}{18}$노동일만을 사용했으나 이제는 $\frac{10}{18}$노동일이 필요하기 때문이다. 이윤율은 상승했지만 잉여가치는 하락했고 따라서 노동생산성은 하락했고 임금의 실질가치, 즉 임금의 생산비는 $\frac{1}{18}$ 혹은 $11\frac{1}{9}$[256]퍼센트 상승했다. 180쿼터는 이전에는 90노동일의 생산물이었다 (1쿼터=$\frac{90}{180}=\frac{1}{2}$노동일=$\frac{9}{18}$노동일). 이제 그것은 100노동일의 생산물이다 (1쿼터=$\frac{100}{180}=\frac{10}{18}$노동일) 노동일은 변함없이 12시간=$12\times60$분=720분이라고 가정하자. ||328| 그러면 노동일의 $\frac{1}{18}=\frac{720}{18}=40$분이다. 이 720분 가운데 노동자가 자본가에게 제공하는 것은 첫 번째 경우 720분의 $\frac{9}{18}=\frac{1}{2}=$ 360분이다. 따라서 60명의 노동자가 자본가에게 제공하는 것은 360×60분이다. 두 번째 경우 노동자가 자본가에게 제공하는 것은 $\frac{8}{18}$노동일, 즉 320분뿐[257]이다. 그런데 첫 번째 경우 자본가는 60명의 노동자를 사용하여 360×60분을 얻었다. 두 번째 경우 자본가는 100명의 노동자를 사용하여 100×320분=32,000분을 얻는다. 첫 번째 자본가는 $360\times60=21,600$분을 얻었다. 따라서 두 번째 자본가는 첫 번째 자본가보다 더 많은 노동시간을 얻는데 이는 100명의 노동자가 하루에 320분을 제공하는 노동시간이 60명의 노동자가 하루에 360분을 제공하는 노동시간보다 많기 때문이다. 즉 두 번째 자본가는 단지 40명의 노동자를 더 많이 사용했기 때문에 그렇게 된 것뿐이며 노동자 1인당으로 계산하면 그가 얻은 노동시간은 상대적으로 더

적다. 두 번째 자본가는 잉여가치율과 노동생산성이 하락하고 실질임금의 생산비, 즉 임금에 포함된 노동량이 더 늘어난 조건에서 수익을 얻은 것이다. 그런데 이제 **밀은 이것과 정반대의 경우를 논증하려고 했다**.

종자와 고정자본 없이 곡물[258]을 생산할 수 있는 "발명"의 혜택을 보지 못한 자본가 I도 (자본가 II와 똑같이) 100노동일 — 위의 계산에서는 90노동일 G478
만 사용한다고 가정했지만 — 을 사용한다고 가정하자. 그러면 그는 틀림없이 10노동일을 더 많이 사용하게 될 것이고 이 10노동일 가운데 $3\frac{1}{3}$은 그의 불변자본(종자와 고정자본)에 $3\frac{1}{3}$은 임금에 지출될 것이다. 이 10노동일의 생산물은 그의 원래의 생산력으로는 20쿼터일 것이고 이 가운데 $6\frac{2}{3}$쿼터는 불변자본[259]에, $12\frac{4}{3}$쿼터는 $6\frac{2}{3}$노동일의 생산물이 될 것이다. 그 가운데 임금은 $6\frac{2}{3}$쿼터, 잉여가치도 $6\frac{2}{3}$쿼터일 것이다. 그리하여 다음과 같은 계산이 얻어진다.

불변자본 (쿼터)	임금 (쿼터)	총생산물 (쿼터)	잉여가치 (쿼터)
$66\frac{2}{3}$ (= $33\frac{1}{3}$노동일)	$66\frac{2}{3}$ ($66\frac{2}{3}$**노동일**에 대한 임금)	200 (100노동일)	$66\frac{2}{3}$ (= $33\frac{1}{3}$노동일)
			잉여가치 = 100퍼센트

100노동일의 총생산물[260]에 대해서 그는 $33\frac{1}{3}$노동일의 이윤을 얻을 것이다.

즉 200쿼터에 대해서 $66\frac{2}{3}$쿼터의 이윤을 얻을 것이다. 혹은 그가 지출한 자본을 쿼터로 환산하여 $133\frac{1}{3}$쿼터($66\frac{2}{3}$노동일의 생산물)에 대하여 $66\frac{2}{3}$쿼터의 이윤을 얻을 것이다. 반면 자본가 II는 100쿼터의 지출에 대해서 80쿼터의 이윤을 얻을 것이다.[261] 자본가 II의 이윤은 자본가 I보다 크다. 그러나 자본가 I은 똑같은 노동시간을 통해 200쿼터를 생산하는 데 비해 자본가 II는 180쿼터를 생산하기 때문에, 즉 자본가 I은 1쿼터[262] = $\frac{1}{2}$노동일인 반면 자본가 II의 경우 1쿼터[263] = $\frac{10}{18}$ 혹은 $\frac{5}{9}$노동일이기 때문에, 말하자면 자본가 II의 1쿼터는 $\frac{1}{9}$의 $\frac{1}{2}$ 즉 $\frac{1}{18}$만큼 더 많은 노동시간을 포함하고 따라서 더 큰 가치를 지니기 때문에 자본가 I은 자본가 II를 경쟁에서 밀어낼 것이다. 자본가 II는 발명을 포기해야 할 것이고 과거와 똑같이 종자와 고정자본을 사용하여 곡물 생산을 하게 될 것이다.

자본가 I의 이윤은 120쿼터에 대하여 60쿼터, 즉 50퍼센트가 될 것이다

($133\frac{1}{3}$ 쿼터에 대하여 $66\frac{2}{3}$ 쿼터로 계산해도 마찬가지일 것이다).

자본가 II의 이윤은 100쿼터에 대하여 80쿼터, 즉 80퍼센트일 것이다.

자본가 II의 이윤 : 자본가 I의 이윤 = 80 : 50 = 8 : 5 = 1 : $\frac{5}{8}$

그러나 잉여가치는 자본가 II : 자본가 I = 80 : 100 = 8 : 10 = 1 : $\frac{10}{8}$ = 1 : $1\frac{2}{8}$ = 1 : $1\frac{1}{4}$ 이 될 것이다.

이윤율[264]은 자본가 II가 자본가 I에 비해[265] 30퍼센트 더 높을 것이다.

잉여가치는 자본가 II가 자본가 I[266]에 비해 20퍼센트 더 낮을 것이다.

자본가 II는 $66\frac{2}{3}$ 퍼센트 더 많은 노동일을 사용한 반면, 자본가 I은 1노동일[267]에 대해서 $\frac{1}{18}$(혹은 $11\frac{1}{9}$ 퍼센트)[268]만큼 더 많은 노동을 획득했다.|

|329| 이리하여 결국 밀이 논증한 것은 다음과 같다. 총 90노동일 — 이 중 $\frac{1}{3}$은 불변자본(종자와 농기구 등)에 지출되었다 — 을 사용한[269] 자본가 I은[270] 60명의 노동자를 고용하여 이들에게 단지 30노동일만 지불함으로써 곡물 1쿼터를 $\frac{1}{2}$ 노동일(혹은 $\frac{9}{18}$ 노동일)에 생산했다. 즉 그는 90노동일을 들여서 180쿼터를 생산했고 그중 60쿼터는 불변자본에 포함된 30노동일을
G479 보전하고 60쿼터는 60노동일에 대한 임금(즉 30노동일의 생산물)을 보전하고 60쿼터는 잉여가치(혹은 30노동일의 생산물)를 보전했다. 자본가 I의 잉여가치 = 100퍼센트이다. 하지만 그의 이윤은 50퍼센트인데 왜냐하면 60쿼터의 잉여가치를 임금에 지출된 자본 부분인 60쿼터에 대해서 계산하는 것이 아니라 두 자본(가변자본 + 불변자본)인 120쿼터에 대해서 계산하기 때문이다.

그런 다음 그는 100노동일을 사용하면서 불변자본에는 아무런 지출도 하지 않은(발명 덕분에) 자본가 II가 180쿼터를 생산한(즉 1쿼터를 $\frac{10}{18}$ 노동일로, 혹은 자본가 I보다 $\frac{1}{18}$ 노동일(40분)만큼 더 비싸게 생산한) 것을 논증했다. 자본가 II가 사용한 노동은 $\frac{1}{18}$ 만큼 생산성이 낮다. 노동자들은 여전히 1쿼터를 하루 임금으로 받기 때문에 그의 임금은 실질가치(즉 임금의 생산에 필요한 노동시간)의 측면에서 $\frac{1}{18}$ 만큼 상승했다. 임금의 생산비가 $\frac{1}{18}$ 만큼 상승하고 노동시간에 비해 총생산물은 감소했고 생산된 잉여가치도 80퍼센트(자본가 I은 100퍼센트인 반면)밖에 되지 않았음에도 불구하고 그의 이윤율은 80퍼센트(자본가 I은 50퍼센트인 반면)가 되었다. 그 이유는 무엇일까? 그것은 자본가 II의 경우 임금 생산비는 상승했지만 사용한 노동자 수가 늘어났기 때문이며 또한 자본가 II의 경우 잉여가치율 = 이윤율(둘 모두 임금으로 지출된 자본하고만 관련되기 때문이다)이고 불변자본 = 0이기 때문이다. 그런데 밀은 거꾸로 **임금 생산비의 감소**로 인한 [271]이윤율의 상승이 리카도의 법칙과 일치한다고 논증하려 했다. 우리는 이미 이윤율의 상승이 **임금 생산비의 증가에도 불구하고** 발생하는 것을 보았다. 즉 이윤[272]과 잉여가치가 **곧바로** 일치하고 이윤율을 선대된 자본의 총가치에 대한 잉여가치 혹은 총이윤(=잉여가치)의 비율로 이해한다면[273] 리카도의 법칙은 틀렸다는 것을 보았다.

밀은 계속해서 이렇게 말한다.

"이전에는 180쿼터의 수확물을 얻기 위해서 반드시 120의 비용이 필요했지만 이제는 그 비용이 100을 넘지 않게 되었다."[274] 밀은 여기에서 자본가 I의 경우 120쿼터의 지출=60노동일의 지출이었고, 자본가 II의 경우 100쿼터의 지출=$55\frac{5}{9}$노동일이었다는 사실을 잊고 있다(즉 자본가 I의 경우 1쿼터=$\frac{9}{18}$노동일이고 자본가 II의 경우 1쿼터=$\frac{10}{18}$[275]노동일이다).

"180쿼터는 과거와 마찬가지의 노동량, 즉 노동자 100명의 노동과 동일하다."[276] 미안하지만 180쿼터는 이전에는 90노동일의 결과물이었지만 이제는 100노동일의 결과물이다.

"따라서 1쿼터의 곡물은 여전히 한 사람 노동의 $\frac{10}{18}$의 생산물이다(미안하지만 그것은 이전에는 한 사람 노동의 $\frac{9}{18}$[277]의 생산물이었다). 왜냐하면 노동자 한 사람의 **임금**인 **1쿼터의 곡물은 사실상 과거와 동일한 양의 노동생산물**이기 때문이다. (미안하지만 첫째 1쿼터의 곡물은 이전에는 $\frac{9}{18}$노동일의 생산물이었지만 이제는 "사실상" $\frac{10}{18}$노동일의 "생산물"이어서 $\frac{1}{18}$노동일만큼의 노동을 더 G480
필요로 하며, 둘째 1쿼터=$\frac{9}{18}$노동일이든, =$\frac{10}{18}$노동일이든 상관없이 1쿼터는 노동자 한 사람의 임금으로, 그것은 결코 **노동생산물**과 혼동해서는 안 되는 것으로 언제나 단지 이 생산물의 일부일 뿐이다). 그것은 이제 한 사람 노동의 $\frac{10}{18}$의 생산물일 뿐 **그 외의 어떤 것도 아니다**(이것은 맞는 말이다). 반면 이전에는 이 1쿼터의 생산을 위해 이 노동량에 이윤을 보상하는 형태의 추가 비용($\frac{1}{5}$에 해당하는)이 더 소요되었다."[278] 잠깐! 첫째 ||330| 반복해서 이야기했듯이 1쿼터의 생산에 이전에는 $\frac{10}{18}$노동일이 들어갔다는 말은 틀린 말이다. 거기에 들어간 것은 $\frac{9}{18}$뿐이다. 더욱 틀린 것은(만일 틀린 것의 절대치에 등급을 매길 수 있다면) $\frac{9}{18}$노동일에 "이윤을 보상하는 형태의 추가 비용($\frac{1}{5}$에 해당하는)이 더 소요되었다"는 말이다. 180쿼터는 90노동일(불변자본[279]과 가변자본을 합친 것이다)을 통해서 생산되었다. 180쿼터=90노동일이며 1쿼터=$\frac{90}{180}=\frac{1}{2}$노동일=$\frac{9}{18}$이다. 즉 자본가 I의 경우 1쿼터의 생산에 들어가는 것으로 이 $\frac{9}{18}$노동일(혹은 $\frac{1}{2}$노동일)에 "추가"되는 것은 아무것도 없다. 그런데 우리는

여기에서 전혀 이치에 맞지 않는 착각이 숨어 있는 것을 발견하게 된다. 밀은 먼저 120쿼터가 60노동일의 생산물이라면 이 생산물이 60명의 노동자와 자본가 사이에 똑같이 분배되어, 60쿼터는 40노동일의 생산물이 될 수 있는 [280]불변자본을 나타낸다고 가정하는 바보짓을 스스로 범했다. 이 60쿼터는 그것을 생산하는 자본가와 노동자가 서로 그것을 어떤 비율로 분배하든 상관없이 오로지 30노동일의 생산물일 뿐이다. 이 이야기는 일단 여기서 접기로 하자. 밀의 착각을 해명하기 위해서 우리는 불변자본 60쿼터 가운데 $\frac{1}{3}$(즉 20쿼터)이 아니라 60쿼터 전체가 이윤으로 분해된다고 가정하자. 우리가 이런 가정을 할 수 있는 것은 우리의 관심이 아니라 밀의 관심에 맞추어 문제를 더욱더 단순화할 수 있기 때문이다. 게다가 발명의 경우도 180쿼터의 곡물을 종자와 고정자본 없이 생산할 수 있다고 하는 밀의 "발명"보다는 60쿼터[281]의 불변자본을 생산하는 자본가가 30명의 노동자들에게 30노동일—60쿼터(혹은 그만한 가치)를 생산하는—을 임금을 지불하지 않고(우리는 이것을 부역노동의 형태에서 쉽게 볼 수 있다) **무상으로** 노동하게 만드는 **발명**이 더욱 신빙성이 있기 때문이다. 그래서 자본가 II가 30노동일의 생산물을 각기 하루 동안 노동한 30명의 노동자들에게 단 한 푼도 지불하지 않고 판매함으로써 60쿼터에는 단지 자본가 II(자본가 I의 불변자본을 생산하는 생산자)의 이윤만 포함되어 있다고 가정하자. 그러면 이제 이윤으로만 분해되는 이 60쿼터가 자본가 I의 **임금 생산비**에 들어가서 이 노동자들이 노동한 시간에 "추가"된다고 하는 것이 맞는 말일까? 물론 I의 경우 자본가와 노동자는 불변자본을 형성하고 오로지 이윤으로만 분해되는 이 60쿼터가
G481 없이는 120쿼터는 물론 단 1쿼터도 생산할 수 없을 것이다. 그것은 그들에게 반드시 필요한 생산조건이며 또한 그들이 추가로 지출을 해야만 하는 생산조건이다. 그런데 그들이 60쿼터를 필요로 하는 것은 180쿼터를 생산하기 위해서이다. 이 180쿼터 가운데 60쿼터는 60쿼터를 보전한다. 60노동일의 생산물에 해당하는 120쿼터는 그대로 남는다. 만일 그들이 60쿼터 없이 120쿼터를 생산할 수 있다 하더라도 **그들의** 생산물(즉 60노동일의 생산물)은 여전히 같을 것이다. 하지만 총생산물은 더 적을 것인데 왜냐하면 바로 과거의 노동일인 60쿼터가 재생산되지 않았기 때문이다. 자본가의 이윤율[282]은 높아질 것이다. 왜냐하면 그의 생산비에는 60쿼터의 잉여가치를 만들 수 있도록 해준 생산조건의 지출이 들어가지 않기 때문이다. 이윤의 절대치[283]는 60쿼터로 같을 것이다. 그러나 이 60쿼터에 대하여 그는 60쿼터의 비용만

지출했다. 이제 거기에는 120쿼터의 비용이 들어간다. 불변자본을 위한 이 비용은 자본가의 생산비에는 들어가지만 임금의 생산비에는 들어가지 않는다. 더 개량된 기계의 사용 등과 같은 모종의 "발명"에 의해 자본가 III이 역시 자신의 노동자에게 임금을 지불하지 않고 60쿼터를 15노동일에 생산할 수 있게 되었다고 가정하자. 이 자본가 III은 자본가 II를 시장에서 밀어내고 자본가 I을 고객으로 확보하게 될 것이다. 따라서 이제 이들 자본가의 비용은 ||331| 60노동일에서 45노동일로 감소할 것이다. 노동자들이 60쿼터로부터 180쿼터를 만들어내는 데는 여전히 60노동일이 필요할 것이다. 그리고 노동자들은 자신들의 임금을 생산하는 데 30노동일이 필요할 것이다. 그들에게 1쿼터 = $\frac{1}{2}$노동일이다. 그러나 180쿼터는 자본가들에게 60[284]노동일 대신에 단지 45노동일의 비용만을 필요로 한다. 그러나 곡물에 종자라는 이름을 붙인다고 해서 그냥 곡물에 비해 노동시간이 적게 들어간다고 가정하는 것은 사리에 맞지 않는 일이므로 우리는 첫 번째 60쿼터의 종자 곡물에 들어가는 비용은 이전과 동일하지만 필요한 종자가 줄어들었다고 가정하거나 혹은 60쿼터에 고정자본으로 들어간 가치 부분이 감소했다고 가정해야만 할 것이다.

먼저 지금까지 밀의 "예시"를 분석하여 밝혀낸 것을 정리해보기로 하자. 첫째로 드러난 것은 120쿼터가 아무런 불변자본[285] 없이 생산되고 여전히 60노동일의 생산물인 반면 이전에는 180쿼터(그중 60쿼터가 불변자본을 이룬다)가 90노동일의 생산물이라고 가정한 것이다. 이 경우[286] 임금으로 지출된 자본 60쿼터(=30노동일)는 60노동일을 사용하여 여전히 동일한 생산물 120쿼터를 생산할 것이다. 그리고 이 생산물의 가치도 역시 1쿼터 = $\frac{1}{2}$노동일로 불변인 채로 남을 것이다. 이전에는 180쿼터였던 생산물이 이제는 120[287]쿼터가 되겠지만 둘의 차이가 되는 60쿼터는 [288]불변자본에 포함된 노동시간을 나타내게 될 것이다. 따라서 임금의 생산비는 불변이고 임금 그 자체는 사용가치는 물론 교환가치의 측면에서도 1쿼터= $\frac{1}{2}$노동일로 G482
서 불변인 채로 머물러 있을 것이다. 잉여가치도 마찬가지로 불변인 채로, 즉 60쿼터에 대하여 60쿼터(혹은 $\frac{1}{2}$노동일에 대하여 $\frac{1}{2}$노동일)로 머물 것이다. [289]비율로 나타낸 잉여가치는 두 경우 모두 100퍼센트이다. 그러나 이윤율은 I의 경우에는 50퍼센트[이지만] 이제 II의 경우에는 100퍼센트가 될 것이다. 그 이유는 단순히 60:60=100퍼센트이고 60:120=50퍼센트이기 때문이다. 여기에서 이윤율의 증가는 임금 생산비의 변동이 전혀 없이 이루어졌는데 그것은 단지 불변자본=0으로 가정했기 때문이다. 불변자본의 가치가 감소하고 따라서 선대된 자본의 총가치가 감소할 경우에도(즉 자본에 대한 잉여가치의 [비율]이 증가할 경우인데 이 비율이 바로 이윤율**이다**) [거의] 마찬가지이다.

이윤율로 계산할 때 잉여가치는 실제로 증식되어 잉여가치를 창출하는 자본 부분(즉 임금으로 지출된 자본 부분)뿐 아니라 생산물에 가치를 재현할 뿐인 원료나 기계의 가치에 대해서도 계산된다. 거기에 다시 기계 전체의 가치에 대해서도 계산되는데 여기에는 가치증식과정에 실제로 들어가는 부분(마모를 보전하는 부분)뿐 아니라 노동과정에만 들어가는 부분[290]도 포함된다.

둘째 두 번째 예에서 가정한 것은 자본 I은 180쿼터(=90노동일)를 생산하고 그중 60쿼터(30노동일)=불변자본, 60쿼터(60노동일에 대한 것으로 이 중 30노동일이 노동자들에게 지불된다)=가변자본, 즉 임금=60쿼터(30노동일), 잉여가치=60쿼터(30노동일)인 반면, 자본 II도 역시 180쿼터를 생산하지만 그것은 100노동일에 해당되고 그중 100쿼터=임금, 80쿼터=잉여가치이다. 여기에서는 선대된 자본이 모두 임금으로 지출된다. 불변자본=0이다. 임금의 실질가치는 상승했다. 하지만 노동자가 받는 임금의 사용가치는 똑같이 1쿼터로 변함없고 단지 이제는 1쿼터=$\frac{10}{18}$노동일(이전에는 단지 $\frac{9}{18}$노동일이었지만)이 되었다. 잉여가치는 100퍼센트에서 80퍼센트로 $\frac{1}{5}$=20퍼센트만큼 하락했다. 이윤율은 50퍼센트에서 80퍼센트로, 즉 $\frac{3}{5}$=60퍼센트만큼 상승했다. 따라서 이 경우 임금의 실질 생산비는 불변인 채로 머물지 않을 뿐 아니라 상승했다. 노동의 생산성은 하락했고 따라서 잉여노동은 감소했다. 그럼에도 불구하고 이윤율은 상승했다. 왜 그럴까? **첫째** 여기에서는 불변자본이 존재하지 않고 따라서 [291]이윤율=잉여가치율이기 때문이다. 자본이 임금으로만 지출되지 않는 모든 경우—자본이 모두 임금에 지출되는 것은 자본주의적 생산에서는 거의 있을 수 없지만—이윤율은 잉여가치율보다 작아야만 하고 또한 선대된 자본의 총가치[292]가 임금으로 지출
G483 된 자본 부분의 가치보다 더 큰 비율만큼 더 작아야만 한다. **둘째** 자본가 II가 자본가 I에 비해 상대적으로 더 많은 노동자를 사용했기 때문이다. 즉 각자가 사용한 노동의 생산성의 [293]격차보다 상대적으로 더 많은 노동자를 사용했기 때문이다.

셋째 어떤 면에서 보면 앞서 이미 언급한 **첫 번째**와 **두 번째** 경우에서 이

윤율의 변동이 임금 생산비와는 전혀 무관하게 발생할 수 있다는 것이 충분히 논증되었다. **첫 번째** 경우에서는 노동 생산비가 불변이라 하더라도 이윤율이 상승할 수 있다는 것이 드러났다. **두 번째** 경우에서는 노동생산성이 하락한다 하더라도(즉 임금의 생산비가 상승할 경우에도) 자본 I에 비해[294] 자본 II에서 이윤율이 [상승]한다는[295] 것이 드러났다. 따라서 여기에서는 이미 ||VIII-332| 그 반대의 경우, 즉 잉여가치가 증가하고 노동생산성이 상승하고 임금의 생산비가 하락할 경우에도 자본 II에 비해 자본 I의 이윤율이 하락한다는 것을 논증한 셈이다. 임금의 생산비는 자본 I에서는 $\frac{9}{18}$ 노동일이었고 자본 II에서는 $\frac{10}{18}$ 노동일이었지만 이윤율은 자본 II가 자본 I보다 60[296] 퍼센트 더 높았던 것이다. **이들 두 경우 모두에서 알 수 있는 것은 이윤율의 변동이 임금의 생산비의 [297]변동에 의해서 결정되지 않을 뿐 아니라 양자는 같은 방향으로 함께 움직인다는 것이다.** 이 사실을 통해서 유념해야 할 점은 [298]한 변수의 변동이 다른 변수의 변동의 **원인**이 아니라(즉 예를 들어 이윤율이 하락한 것이 임금 생산비의 하락 때문이 아니며, 혹은 이윤율이 상승한 것이 임금 생산비의 상승 때문이 아니라) 단지 여러 요인들이 상쇄 작용을 동시에 일으킬 뿐이라는 것이다. 어쨌든 이윤율의 변동이 [299]임금의 변동과 반대 방향으로 일어나고, 두 변수 가운데 한 변수의 상승은 다른 변수의 하락을 가져온다는 리카도의 법칙은 틀린 것이다. 이 법칙은 **잉여가치율**의 경우에만 옳다. 물론 이윤율과 임금가치가 필연적으로 관련되어 있다(항상 그런 것은 아니지만)[300]는 것 자체는 이미 두 변수가 반비례 관계가 아니라 동일한 방향으로 상승 혹은 하락한다는 말에도 포함되어 있다. 노동생산성이 하락할 경우에는 사용되는 노동자 수가 늘어날 것이다. 노동생산성이 상승할 경우에는 불변자본의 사용이 늘어날 것이다. 따라서 잉여가치의 상승이나 하락을 유발하는 동일한 요인이 이윤율의 하락 등과 같은 상반되는 작용을 할 수밖에 없을 것이다.

그러나 이제 우리는 밀이 진정으로 생각했던 경우(비록 그가 그것을 올바로 정식화하지는 못했지만)를 살펴보기로 하자. 이것은 또한 선행하는 자본가들의 이윤에 대한 그의 고유한 생각도 알려줄 것이다.

밀이 예로 든 것은 어떤 "발명"이나 모종의 "추가"를 통해서도 자신의 가정 그 자체와 모순되고 이치에 맞지 않기 때문에[301] 성립할 수 없다.

180쿼터 가운데 60쿼터(종자와 고정자본)는 20쿼터가 이윤, 40쿼터가 G484
40노동일에 대한 비용이기 때문에 만일 이윤의 몫인 20쿼터가 없어지고

40노동일에 대한 지출은 그대로 남는다면—따라서 이 가정에 따르면 노동자는 생산물 전체를 자신의 노동의 대가로 받는다—20쿼터의 이윤과 그 가치가 어디에서 왔는지는 결코 알 수 없게 될 것이다. 만일 20쿼터가 단순히 가격에 명목상으로 부가된 것일 뿐이라고 가정한다면(즉 그것이 자본가가 획득한 노동시간이 아니라면) 이 20쿼터의 소멸은 60쿼터 가운데 20쿼터를 노동하지 않은 노동자들의 임금으로[302] 계산한 것과 똑같이 유리할 것이다. 게다가 여기에서 60쿼터는 단지 불변자본의 가치를 표현한 것에 지나지 않는다. 하지만 그것은 40노동일의 생산물이어야만 한다. 다른 한편 나머지 120쿼터는 60노동일의 생산물로 가정되고 있다. 여기에서 노동일은 동일한 평균노동으로 이해되어야 한다. 따라서 이 가정은 이치에 맞지 않는 것이다.

따라서 일단 180쿼터에는 90노동일이, 60쿼터(=불변자본의 가치)에는 30노동일만 포함되어 있다고 가정해야만 한다. 그러나 그런다 하더라도 이윤(=20쿼터 혹은 10노동일)이 사라진다는 가정은 역시 이치에 맞지 않는다. 그렇다면 그 대신 불변자본의 생산에 사용된[303] 30명의 노동자가 자본가 밑에서 노동하지는 않지만 자신들의 노동시간 가운데 $\frac{1}{2}$만을 임금으로 지불받고 나머지 절반은 그들이 생산한 상품에 포함시키지 않는다고 가정해야만 할 것이다. 요컨대 그들은 자신들의 노동일을 그 가치보다 50퍼센트 낮게 판매하는 것이다. 따라서 이 가정도 역시 이치에 맞지 않는다.

그런데 자본가 I이 자신의 불변자본을 자본가 II에게서 구매한 다음 그것을 사용하여 생산을 수행하는 것이 아니라, 자신의 생산을 통해서 자신에게 필요한 [304]불변자본을 직접 생산해서 사용한다고 가정해보자. 즉 그는 종자와 농기구 등을 스스로 생산하는 것이다. 그러면 종자와 고정자본이 필요 없게 된다는 발명 같은 것은 필요 없게 될 것이다. 그리하여 그는 20쿼터(=10노동일)를 불변자본에(즉 불변자본의 생산을 위해서) 지출하고, 10쿼터를 10노동일(이 가운데 5노동일을 노동자는 무상으로 노동한다)에 대한 임금으로 지출한다면, 이제 계산은 다음과 같이 될 것이다.|

|333|[305]

불변자본	노동자 80명에 대한 가변자본	잉여가치	총생산물
20쿼터 (10노동일)	60+20=80쿼터 (80노동일에 대한 임금) (=40노동일)	60+20=80쿼터 (=40노동일)	180쿼터 (=90노동일)

임금의 실질 생산비는 그대로이다. 따라서 노동생산성도 불변이다. 총
생산물도 그대로 180쿼터이고 동일한 가치를 갖는다. 잉여가치율도 80쿼 G485
터 : 80쿼터로 불변이다. 잉여가치의 절대량은 60쿼터에서 80쿼터로 20쿼
터가 증가했다. 선대자본은 120쿼터에서 100쿼터로 감소했다. 이전에는
120쿼터를 투하하여 60쿼터를 벌었고 따라서 이윤율은 50퍼센트였다. 이제
는 100쿼터를 투하하여 80쿼터를 벌어서 이윤율은 80퍼센트이다. 선대자
본의 총가치는 120쿼터에서 20쿼터만큼 감소했고 이윤율은 50퍼센트에서
80퍼센트로 상승했다. 비율은 무시하고 이윤의 절대량 그 자체만 보면 이전
에는 60쿼터였지만 이제는 80쿼터가 되었고 따라서 잉여가치(잉여가치율이
아니고)의 크기와 함께 20쿼터만큼 증가했다.

그리하여 여기에서는 실질임금의 생산비가 전혀 변하지 않았다. 여기에서 이윤율이 상승한 까닭은 **첫째** 잉여가치율은 상승하지 않았지만 잉여가치의 절대량이 60쿼터에서 80쿼터로, 즉 $\frac{1}{3}$ 증가했기 때문이다. 잉여가치가 이처럼 $\frac{1}{3}$ (혹은 $33\frac{1}{3}$ 퍼센트) 증가한 것은 자본가가 이전에는 60명의 노동자를 고용했지만 이제는 80명의 노동자를 직접 고용했기($\frac{1}{3}$ 즉 $33\frac{1}{3}$ 퍼센트 더 많은 살아 있는 노동을 착취했기) 때문이며 또한 동일한 잉여가치율[306]로 이전에는 60명의 노동자를 사용했지만 이제는 80명의 노동자를 사용했기 때문이다.

둘째, 잉여가치의 절대량[307](즉 총이윤)은 60쿼터에서 80쿼터로(즉 $33\frac{1}{3}$ 퍼센트) 증가한 반면, 이윤율은 50퍼센트에서 80퍼센트로—즉 30퍼센트 혹은 $\frac{3}{5}$ (왜냐하면 50의 $\frac{1}{5}$ =10이고 역시 50의 $\frac{3}{5}$=30이기 때문이다)만큼, 다시 말해 60퍼센트—증가했다. 즉 임금에 지출된 자본 부분의 가치[308]는 60쿼터에서 80쿼터(30노동일에서 40노동일)로 [309]증가했지만 투하된 자본의 가치는 120쿼터에서 100쿼터로 감소했다. [310]자본의 이 부분은 10노동일(=20쿼터) 증가했다. 반면 불변자본 부분[311]은 60쿼터에서 20쿼터로(30노동일에서 10노동일로), 즉 20노동일만큼 감소했다. 따라서 만일 임금으로 지출된 자본 부분의 [312]증가분인 10노동일을 제외한다면 투하된 총자본의 감소분은 10노동일(=20쿼터)이 될 것이다. 그것은 이전에는 120쿼터(=60노동일)이었지만 이제는 단지 100쿼터(=50노동일)에 머문다. 즉 그것은 $\frac{1}{6}$ [313]($16\frac{2}{3}$퍼센트)만큼 감소했다.[314]

한편 이윤율의 이런 전체 변동은 가상적인 것일 뿐이며, 단지 하나의 장부에서 다른 장부로 옮겨 적은 것에 불과하다. 자본가 I은 60쿼터 대신 80쿼터

의 이윤을 얻었다. 즉 20쿼터의 이윤을 더 얻었다. 그러나 이것은 이전에 불변자본[315]의 생산자가 얻었다가 이제는 잃게 된 바로 그 이윤이다. 왜냐하면 자본가 I은 자신의 불변자본을 구매하는 대신 이제 그것을 스스로 생산했고 그리하여 ||334| 20쿼터(10노동일)의 잉여가치(이전에는 자본가 I이 자신이 고용한 20명의 노동자들에게서 빼앗아서 불변자본의 생산자에게 지불했던)를 자본가 I 자신이 챙겼기 때문이다.

이전이나 지금[316] 모두 180쿼터를 투하하여 80쿼터의 이윤을 벌어들인 것
G486 이고 단지 차이점이라곤 이전에는 이것을 두 사람이 나누어 가졌다는 것뿐이다. 외견상 이윤율은 상승했는데 이는 자본가 I이 60쿼터를 단지 불변자본(불변자본을 구매하기 위한 것)으로만 간주하고 불변자본 생산자의 이윤으로 간주하지 않았기 때문이다. 이윤율은 잉여가치나 노동생산성을 포함한 그 어떤 생산조건과도 마찬가지로 변하지 않았다. 불변자본 생산자들이 지출한 자본＝40쿼터(20노동일), **자본가** I이 지출한 자본＝60쿼터(30노동일)로 자본 지출의 합계는 100쿼터(50노동일)[317]이고 불변자본 생산자의 이윤 20쿼터, 자본가 I의 이윤 60쿼터로 이윤의 합계는 80쿼터(40노동일)이다. 총생산물＝90노동일(180쿼터)이다. 임금과 불변자본에 지출된 가치 100에 대하여 이윤은 80이다. 사회 전체로 볼 때 이윤에서 비롯된 소득은 이 경우 변한 것이 없다. 임금에 대한 잉여가치의 비율도 역시 변함이 없다.

그러므로 차이점은 단지 다음과 같은 사실뿐이다. 즉 자본가가 상품시장에서 구매자로 등장할 때에는 그는 단지 상품소유자일 뿐이다. 그는 단지 상품의 총가치(상품에 포함된 노동시간)를 지불해야 할 뿐이고 이 노동시간의 성과를 자본가와 노동자가 어떤 비율로 나누었는지 또는 나누는지에 대해서는 전혀 관심이 없다. 하지만 그가 노동시장에서 구매자로 나타날 때에는 그는 사실상 지불한 것보다 더 많은 노동을 구매한다. 따라서 그가 원료와 농기구를 구매하는 대신 자신이 직접 생산한다면 그는 잉여노동—직접 생산하지 않았다면 그가 원료와 농기구의 판매자에게 지불해야 했던—을 스스로 획득하게 된다.

개별 자본가(이윤율이 아니라)의 입장에서 보면 이것은 물론 그가 이윤을 스스로 갖느냐 아니면 다른 자본가에게 지불하느냐의 차이가 있다. (그렇기 때문에 불변자본의 증가에 의한 이윤율의 하락을 계산할 경우에는 항상 사회적 평균—즉 주어진 시점에서 한 사회가 불변자본으로 사용한 총량과 직접 임금으로 지출된 자본량과 이 총량 간의 비율—을 사용하게 된다.) 그러나 개별 자본가들

에게서, 예를 들어 자본가가 방적과 방직을 동시에 수행하고 게다가 스스로 벽돌을 굽는 등의 경우처럼 불변자본의 생산을 스스로 수행하느냐의 여부는 거의 중요한 문제가 될 수 없다. 이들 자본가에게 결정적으로 중요한 것은 수송시간의 절약, 건물 공간이나 열량, 동력 등의 절약, 원료의 품질에 대한 강력한 통제 등을 통해 생산비를 실질적으로 절감하는 문제이다. 이들이 자신이 필요로 하는 기계를 스스로 제작하려고 할 경우, 이들은 자신의 필요나 소수 고객의 개인적인 필요에 따라 소규모로 생산을 수행하는 소생산자와 같은 방식으로 생산을 수행하게 될 것이고, 그럴 경우 그들은 시장을 상대로 생산하는 기계 제조업자보다 기계에 더 많은 비용을 들이게 될 것이다. 혹은 만일 그들이 자신을 위해서가 아니라 시장을 상대로 방적과 방직을 동시에 수행하고 기계를 제작하려 한다면, 그들은 아마도 자신의 사업 수익성 G487 (분업)을 더 높이기 위해 더 큰 자본을 필요로 하게 될 것이다. 그러나 이런 경우는 그들의 불변자본이 더 높은 수익성으로 생산될 수 있을 만큼 충분한 시장을 스스로 확보하고 있을 경우에만 가능할 것이다. 즉 자신의 수요만으로도 그 정도의 시장 규모가 되어야만 할 것이다. 그럴 경우에는 설사 그의 노동생산성이 독립적인 불변자본 생산자보다 낮다 하더라도 그는 다른 자본가에게 지불해야 했을 잉여노동 부분을 스스로 취득하게 될 것이다.

우리는 이것이 이윤율과는 전혀 관련이 없다는 것을 알고 있다. 즉 밀의 예처럼 이전에는 90노동일을 사용하다가 [318]이제 80명의 노동자를 사용하게 된 경우 생산비는 전혀 절약되지 않았고 생산물에 포함된 40일(=80쿼터)의 잉여노동은 이전에는 두 사람의 자본가가 나누어 갖다가 이제는 한 사람의 자본가가 모두 갖는다. 20쿼터(10노동일)의 이윤은 한 사람의 장부에서 사라지고 다른 사람의 장부에 다시 나타날 뿐이다.

따라서 이처럼 이전의 이윤을 절약하는 것은 그것이 노동시간의 절약(즉 임금의 절약)과 함께 이루어지는 것이 아닐 경우 단지 착각일 뿐이다.|[319]

|335| **셋째로**[320] 불변자본의 가치가 노동생산성의 증가로 인하여 하락하는 경우가 있는데 이 경우에서는 이 하락이 임금의 실질 생산비(혹은 노동의 가치)와 관련이 있는지, 그리고 관련이 있다면 어느 정도 있는지를 살펴보아야만 한다. 따라서 여기에서 문제는 불변자본의 실질적인 가치변동이 이윤과 임금의 비율을 어느 정도 변동시키느냐이다. 불변자본의 가치(불변자본의 생산비)는 불변이지만 그중 생산물에 들어가는 가치량은 달라질 수 있다. 이 가치를 불변이라고 가정한다 하더라도 그것은 노동생산성이나 생산 규

모가 늘어나는 정도에 따라 함께 증가할 것이다. 따라서 불변자본의 **생산비가 불변일 경우**[321] **사용된 불변자본의 상대적 크기의 변동**—이윤율의 변동을 일으키는 모든 변동—은 이 연구에서 처음부터 배제된다.

또한 직접 혹은 간접적으로 노동자의 소비에 들어가지 않는 상품을 생산하는 모든 생산부문도 여기에서 배제된다. 그러나 이들 생산부문의 실질이윤율(즉 이 생산부문에서 실제로 생산된 잉여가치와 이 생산부문에서 지출된 자본과의 비율)의 변동은, 그 생산물이 직접 혹은 간접적으로 노동자의 소비에 들어가는 생산부문의 이윤율 변동이 그런 것과 똑같이 일반이윤율—각 이윤의 균등화를 통해 만들어지는—에 영향을 미친다.

G488 문제는 다음과 같은 것으로 압축되어야 한다. 즉 불변자본의 가치변동은 다시 잉여가치 그 자체에 어떻게 영향을 미칠 수 있는가? 왜냐하면 잉여가치를 일단 주어진 것으로 가정한다면 필요노동에 대한 잉여노동의 비율(따라서 임금의 가치 혹은 임금의 생산비)도 주어진 것으로 가정한 셈이기 때문이다. 이런 조건에서는 불변자본의 어떤 가치변동도 임금의 가치나 필요노동에 대한 잉여노동의 비율에 영향을 미칠 수 없다. 그러나 물론 그 가치변동이 이윤율(자본가에게서 잉여가치[322]의 생산비용)에는 항상 영향을 미칠 것이 분명하고 경우에 따라서는(즉 생산물이 노동자의 소비에 들어가는 것일 경우) 사용가치의 양—임금은 결국 이것으로 귀결된다—의 교환가치에는 영향을 미치지 않지만 그 사용가치의 양에는 영향을 미칠 것이 틀림없다.

임금이 주어진 것으로, 즉 예를 들어 면직공장에서 임금=10노동시이고 잉여가치=2노동시라고 하자. 그런데 면화의 작황이 좋아서 가격이 절반으로 하락했다고 하자. 그래서 공장주[323]가 동일한 양의 면화를 구입하는 데 이전에는 100파운드스털링이 들었지만 이제는 50파운드스털링만 든다고 하자. 동일한 양의 방적노동과 방직노동이 처리하는 면화의 양은 동일하다고 하자. 면화에 50파운드스털링을 지출한 자본가는 이전에 그가 100파운드스털링을 지출하여 얻은 것과 동일한 양의 잉여노동을 얻는다. 혹은 그가 만일 이전과 마찬가지로 면화에 100파운드스털링을 지출한다면 그는 이전과 마찬가지의 가격을 지불하고 2배의 잉여노동을 흡수할 수 있는 양의 면화를 얻게 될 것이다. 두 경우에서 모두[324] 잉여가치율(즉 임금[325]에 대한 잉여가치의 비율)은 그대로일 것이다. 그러나 두 번째 경우 [326]잉여가치량은 증가하는데 이는 동일한 잉여노동의 비율로 2배의 노동이 사용되었기 때문이다. 두 경우에서 모두 임금 생산비의 변동은 없었지만 이윤율은 상승할 것이다.

그것은 이윤율에서 잉여가치는 자본가의 **생산비**(즉 자본가가 지출한 자본의 **총가치**)를 기준으로 계산되는데 바로 이 생산비가 감소했기 때문이다. 이제는 이전과 동일한 양의 잉여가치를 생산하는데 이전에 비해 더 적은 비용을 들인다. 두 번째 경우 이윤율이 상승함은 물론 이윤량도 증가하는데 이는 사용되는 노동량의 증가로 인해(이 노동 사용량의 증가는 원료비의 증가 없이 이루어졌다) 잉여가치 자체가 증가했기 때문이다. 이 경우에도 역시 이윤율의 상승과 이윤량의 증가는 노동가치의 아무런 변동 없이 이루어질 것이다.

다른 한편 흉작으로 인해 면화의 가치가 2배로 상승하여 ||336| 이전에 100파운드스털링 하던 양의 면화가 이제 200파운드스털링이 된다고 하자. 이 경우 이윤율은 항상 하락하는데 어떤 경우에는 이윤의 크기(즉 절대량)도 감소할 수 있다. 자본가가 이전과 마찬가지 수의 노동자를 고용하여 이전과 G489
동일한 방식으로(즉 이전과 똑같은 조건으로) 노동을 시킨다면 필요노동에 대한 잉여노동의 비율(따라서 잉여가치율과 잉여가치량)은 **불변**이라 할지라도 이윤율은 하락할 것이다. 그것은 자본가에게 잉여가치의 생산비가 증가하기 때문이다. 이전과 동일한 양의 타인의 노동시간을 획득하기 위해서는 원료에 대한 지출이 100파운드스털링 더 많이 필요하기 때문이다. 그러나 만일 자본가가 이전에 임금으로 지출했던 [327]화폐 가운데 일부를 이제 면화에 지출해야만 하는 상황이 되었다면(즉 예를 들어 면화에 150파운드스털링을 지출하게 되고 이 가운데 50파운드스털링이 이전에 임금으로 지출해야 했던 부분이라면) 이윤율과 이윤량은 하락할 것인데 이는 잉여가치율이 변하지 않았더라도 사용되는 노동량이 감소했기 때문이다. 면화의 흉작 때문에 면화의 공급이 충분하지 않아서 이전과 같은 양의 살아 있는 노동을 사용하기 어려운 경우에도 마찬가지 상황이 벌어질 것이다. 두 경우 모두 노동의 가치(즉 자본가가 임금으로 지불한 노동에 비해 지불하지 않은 노동량의 비율인 잉여가치율)는 불변인데도 이윤량과 이윤율은 하락할 것이다.

따라서 **잉여가치율**(즉 **노동의 가치**)[328]이 불변인 조건에서 불변자본의 가치 변동은 이윤율의 변동을 일으키는 것은 물론 이윤량의 변동도 함께 동반할 수 있다.

한편 이제 노동자에 대해서 살펴보기로 하자. 면화의 가치가 하락하고 그에 따라 면화가 들어간 생산물의 가치도 하락할 경우에도 노동자는 여전히 임금으로 10노동시를 받을 것이다. 그러나 그는 면제품 가운데 그가 소비하는[329] 일부를 더 저렴하게 얻을 수 있게 되어 이전에 면제품에 지출했던 부분 가운데 일부를 다른 곳에 지출할 수 있게 될 것이다. 이 경우 그가 손에 넣을 수 있는 생활수단의 양[330]은 증가할 것인데 이는 곧 그가 면제품의 가격[331]을 절약할 수 있게 되었기 때문이다. 왜냐하면 이제 그가 더 많은 양의 면제품에 대해서 지불하는 것이 이전에 더 적은 양의 면제품에 대해서 지불하던 것과 동일해졌기 때문이다. 면제품의 가격이 하락하고 다른 상품의 가격이 상승하는 경우에도 마찬가지 상황이 벌어질 것이다. 요컨대 더 많은 양의 면제품이 이전의 더 적은 양의 면제품에 비해 전혀 더 큰 가치를 갖지 않게 된 것이다. **따라서 이 경우 임금의 가치는 변하지 않지만 그것이 나타내는 다른 상품들**(사용가치)**의 양은 더 커질 것이다. 그렇지만 이윤율은 상승할 것이다 (비록 잉여가치율은 같은 가정하에서 상승하지 않을 수 있지만)**. 면화의 가격이 상승하는 경우에는 이와 반대의 상황이 벌어질 것이다. 즉 고용된 노동자가 수행하는 노동시간이 불변이고 이들의 임금도 10시간분이고 따라서 이들 노동의 가치가 불변인데도 이들 노동자가 소비하는 면화의 사용가치가 하락한다고 하자. 그럴 경우 **임금의 사용가치는 하락하고**(**가치는 불변**이지만) 이윤
G490 율도 하락할 것이다. 따라서 만일 잉여가치와 (실질)[332]임금이 항상 반대 방향으로 하락 혹은 상승한다 해도(노동자가 자신의 노동시간의 절대적 연장에 협력하는 경우는 예외인데 이 경우 노동자의 노동력은 급속히 소모된다) 이윤율은 상승 혹은 하락할 수 있다. 이윤율이 상승하는 경우는 임금의 가치가 불변이고 사용가치가 증가하는 경우이고 하락하는 경우는 **임금의 가치**는 불변이지만 사용가치가 감소하는 경우이다.

따라서 불변자본의 **가치**가 하락함으로써 이윤율이 상승할 경우 그것은 임금의 실질가치(임금에 포함된 노동시간)의 변동과는 직접[333] 관련이 없다.

그러므로 위에서 가정했던 것처럼 면화의 가치가 50퍼센트 하락할 경우 임금의 생산비가 하락한다는 이야기나[334] 혹은 면제품으로 임금을 지불받은 노동자가 과거와 마찬가지의[335] 가치를 손에 넣을 경우(즉 이전에 비해 더 많은 **양**의 면제품을 손에 넣을 경우) — 예를 들어 임금에 해당하는 10노동시가 여전히 10실링이고 면화의 가치가 하락한 덕분에 이 10실링으로 내가 구매할 수 있는 면제품의 양이 이전에 비해 더 많아지는 형태로 — 이윤율이 불변이라고 말하는 것은 틀린 이야기이다. 잉여가치율은 불변이지만 ||337| 이윤율은 상승하기 때문이다. **생산물의 생산비**는 감소할 것인데 이는 생산물의 구성부분(원료)에 이전보다 더 적은 양의 노동시간이 들어가기 때문이다. 임금의 생산비는 이전과 동일한데 이는 노동자들이 **자신을 위해**

노동하는 시간과 **자본가를 위해** 노동하는 시간이 모두 이전과 동일하기 때문이다. (임금의 생산비는 노동자들이 노동하는 데 사용하는 생산수단에 들어가는 노동시간이 아니라 노동자들의 임금을 보전하기 위해 노동하는 시간에 의존한다. 그런데 밀에게서는 임금의 생산비가 예를 들어 노동자가 철 대신 구리를 혹은 면화 대신 아마를 가공한다는 이유로 상승한다. 혹은 그것은 면화 종자를 파종하는 듯이 아마 종자를 파종한다는 이유로, 기계 없이 단순 수작업으로만 노동하는 경우와 같이 비싼 기계를 사용하여 노동한다는 이유로도 상승한다.)[336] **이윤의 생산비**는 하락하는데 이는 이윤을 생산하기 위한 선대자본 총액이 감소했기 때문이다. 잉여가치의 비용은 임금에 지출된 자본 부분의 비용보다 결코 크지 않다. 하지만 이윤의 비용은 이 잉여가치를 창출하기 위해 투하된 자본의 총비용과 같다. 즉 그것은 임금에 지출되어 잉여가치를 만드는 자본 부분의 가치에 의해서만 결정되는 것이 아니라 [337]살아 있는 노동과 교환되는 이들 자본 부분을 움직이기 위해 필요한 자본 부분의 가치에 의해서도 결정된다. 밀은 이윤의 생산비와 잉여가치의 생산비(혹은 이윤과 잉여가치)를 혼동했다. G491

지금까지의 논의로부터 원료를 가공하는 [338]산업에서는 원료 가격의 상승과 하락이 중요하다는 것을 알 수 있다. (기계의 상대적인 가격 하락 문제는 말할 필요도 없다. 여기에서 기계의 **상대적인** 가격 하락이라는 것은 사용되는 기계[339]의 절대적 가치는 상승하지만 그것이 기계의 효율성 증가[340]에 비해서는 덜 상승하는 경우를 가리킨다.) 이것은 시장가격[341] = 상품가치(즉 상품의 시장가격이 상품[342]에 포함된 원료와 똑같은 비율로 하락한다)라고 가정할 경우에도 그러하다. 그런 점에서 영국에 대한 토런스의 다음 지적은 옳은 것이다.

"영국과 같은 조건에 처해 있는 나라에서 해외시장의 중요성은 그 시장이 수입하는 완제품의 양이 아니라 그 시장이 수출할 재생산 요소의 양에 의해 측정되어야만 한다."(**R. 토런스**, 『로버트 필에게 드리는 편지, **영국의 상태에 대하여**』, 제2판, 런던, 1849년, 275쪽)[343] 〔그러나 여기에서 토런스가 논증하고 있는 방식은 그다지 좋지 않다. 그것은 수요와 공급에 대한 항간의 이야기를 그대로 따르고 있다. 그의 이야기의 골자는 예를 들어 면화를 가공하는 영국 자본이 예를 들어 미국에서 면화를 재배하는 자본보다 더 급속히 증가한다면 면화가격이 상승할 것이며 그럴 경우 "면제품의 가치가 그것의 생산에 들어가는 요소비용에 비례하여 하락할 것"[344] [240쪽]이라는 것이다.[345] 즉 원료의 가격은 영국으로부터의 수요 증가에 의해 상승하는 반면 원료가격의 상승 때문에 상승한 면제품의 가격은 하락할 것이라는 이야기이다. 실제로 우리는 그런 예를 보고 있는데 즉 지금(1862년 봄) 면사[346]는 면화보다 비싸지 않으며 면직물은 면사보다 비싸지 않다. 그런데 토런스는 면화의 가격이 아무리 상승한다 하더라도 영국의 산업적 소비에는 그것이 충분할 것이라고 가정하고 있다. 면화의 가격[347]은 그 가치 이상으로 상승할 것이다. 따라서 만일 면제품이 자신의 가치대로 판매된다면[348] 그것은 오로지 다음과 같은 경우에만, 즉 면화 재배업자가 총생산물 가운데 자신의 몫보다 더 많은 잉여가치를 얻는 것이 사실상 면직업자에게 돌아갈 잉여가치 가운데 일부를 그가 가져가는 경우에만, 가능할 것이다. 면직업자는 빼앗긴 이 부분을 면제품의 가격을 올리는 방식으로는 보전할 수 없는데 왜냐하면 가격이 상승하면 수요가 감소할 것이기 때문이다. 보전은커녕 오히려 수요의 감소로 인해 면화 재배업자가 부가한 부분보다 가격이 더 하락할 수도 있다. 예를 들어 면화 같은 원료의 매년 수요는 당장의[349] 현존하는 유효수요에 의해서만 결정되는 것이 아니라 그해의 평균수요에 의해서도 결정된다. 즉 현재 가동 중인 공장들의 수요뿐 아니라 내년도에 새로 신설되는 공장들의 수에 의해 더 증
G492 가된 수요(즉 **해당 연도 동안에 상대적으로 증가한 공장들의 수요**)에 의해서 결정된다. 다시 말해 이 상대적 증가에 해당하는 초과수요에 ||338| 의해 결정되는 것이다. 이와 반대의 경우를 보자. 유난히 풍년이 들어 면화가격이 하락한다면 대개 그 가격은 그 가치 이하로 하락할 것이다. 바로 수요와 공급의 법칙 때문이다. 이윤율[350](그리고 때에 따라서는 위에서 보았듯이 이윤의 총량)은 면화가격(=가치)의 하락 비율에 따라서만[351] 증가하는 것이 아니라, 면화 재배업자가 면화를 그 가치 이하로 판매함(따라서 면직업자가 면화 재배업자에게 돌아갈 잉여가치 가운데 일부를 자기 주머니 속으로 넣는)에도 불구하고 면제품의 가격이 하락하지 않는 비율의 **모든** 부분만큼[352] 증가한다. 이것은 그의 생산물 수요를 감소시키지 않는데 왜냐하면 면화의 가치가 하락했기 때문에 면제품의 가격도 하락할 수 있기 때문이다. 그러나 이때의 가격 하락은 면화의 가격이 가치 이하로 하락한 정도보다 더 많이 이루어지지는 않을 것이다. 게다가 이런 경우 노동자가 모두 고용되어 임금을 지불받고 있으면, 따라서 노동자 자신이 면제품의 중요한 소비자가 된다면, 수요는 오히려 증가할 것이다. 원료가격의 하락이 이처럼 평균적인 원료 생산비의 지속적인 하락에 의한 것이 아니라 해당 연도의 특수한 작황(기상 상태)[353] 때문일 경우 노동자의 임금은 하락하지 않고 오히려 노동자에 대한 수요를 증가시킨다.[354]**이런** 수요의 효과는 단지 노동력 수요[355]의 증가에만 그치지 않는

다. 그것은 정반대의 효과도 일으킨다. 즉 생산물의 가격이 급격히[356] 상승할 경우 한편으로 많은 노동자들이 해고되고 다른 한편으로 공장주들은 가격 상승분을 보전하기 위하여 노동자들의 임금을 정상 수준 이하로 떨어뜨리려 노력한다. 따라서 노동자들에 대한 정상적인 수요는 감소하고 이것은 일반적인 수요 감소를 더욱 확대시키고 그것이 시장가격에 미치는 영향을 더욱 증폭시킨다.〕

밀로 하여금 불변자본의 가치변동에 의해 노동의 가치(혹은 노동의 생산비)가 변동할 것이라는 생각—즉 선대된 불변자본의 가치가 하락하면[357] 노동의 가치(즉 노동의 생산비, 다시 말해 임금)가 하락할[358] 것이라는 생각—을 하게 만든 것은 노동자와 자본가 사이의 생산물 분배에 대한 그의(리카도를 따르는) 생각이다. 원료(예를 들어 원면)의 가치가 하락하면 면사의 가격이 하락한다. **면사의** 생산비는 감소하고 면사에 포함된 노동시간의 양은 감소한다. 예를 들어 1파운드의 면사가 노동자 1인의 (12시간) 노동일[359]의 생산물이고 1파운드의 면사에 포함된 면화의 가치[360]가 하락하면 면사 1파운드의 가치는 정확히 방적에 사용된 면화의 가치[361]가 하락한 만큼 함께 하락한다. 예를 들어 40번수 2등급 면사 1파운드의 가격은 1861년 5월 22일 현재 G493 12펜스(1실링)이다. 1858년 5월 22일에 그것의 가격은 11펜스였다(실제로는 $11\frac{6}{8}$펜스였는데 왜냐하면 그것의 가격이 원면의 가격만큼 하락하지 않았기 때문이다). 그런데 전자의 경우 1등급[362] 원면 1파운드의 가격은 8펜스(실제로는 $8\frac{1}{8}$펜스)였고 후자의 경우 7펜스(실제로는 $7\frac{3}{8}$펜스)였다. 즉 여기에서는 면사의 가치가 정확히 원면의 가치(즉 그 원료의 가치)만큼 하락했다. 따라서 노동은 그대로라고 밀은 말한다. [363]노동이 12시간이었다면 생산물은 이전과 마찬가지로 12시간 노동의 결과물이다. [364]그러나 두 번째 경우에는 첫 번째 경우에 비해 과거노동이 1펜스만큼 더 적다. 노동은 그대로인데 노동의 생산비는 감소했다(즉 1펜스만큼). 이제 1파운드의 면사는 면사로서의 사용가치로는 이전과 마찬가지로 12시간 노동의 생산물이지만 1파운드 면사의 **가치**는 이제 더는 12시간 방적노동의 생산물도 아니고 이전의 12시간 방적노동의 생산물과도 같지 않다. 첫 번째 경우 12펜스 가운데 $\frac{2}{3}$(=8펜스=원면의 가치)는 방적공의 생산물이 아니다. 두 번째 경우에는 11펜스의 $\frac{2}{3}$(즉 7펜스)가 그의 생산물이 아니다. 첫 번째 경우 4펜스는 12시간 노동의 생산물이고 두 번째 경우도 똑같이 4펜스이다. 두 경우에서 모두 노동이 면사의 가치에 부가한 것은 $\frac{1}{3}$뿐이다. 즉 첫 번째 경우에는 1파운드의 면사 가운데 $\frac{1}{3}$파

운드의 면사만이 방적공의 생산물이며(기계는 무시하기로 한다) 두 번째 경우도 역시 마찬가지이다. 노동자와 자본가는 두 경우 모두 4펜스(= $\frac{1}{3}$ 파운드의 면)만을 가지고 서로 나누어야 한다. 노동자가 면사를 4펜스에 구매한다면 그는 첫 번째 경우보다 두 번째 경우에 더 많은 면사를[365] 얻게 되지만 [366] 두 번째 경우의 더 많은 면사가 이제 [367]첫 번째 경우의 더 적은[368] 면사와 같은 가치를 갖게 된다. 그러나 자본가와 노동자[369]가 4펜스를 가지고 서로 나누는 것에는 변함이 없다. 노동자가 자신의 임금을 생산(혹은 재생산)하기 위해 노동하는 시간이 10시간이라면 그의 잉여노동은 2시간이다. 이것은 두 경우에서 모두 변함이 없다. 그는 여전히 4펜스 가운데 $\frac{5}{6}$(혹은 $\frac{1}{3}$ 파운드의 면사)를 손에 넣고 자본가는 $\frac{1}{6}$을 얻는다. 따라서 생산물(면사)의 분배에는 아무런 ||339| 변화도 일어나지 않았다. 그럼에도 불구하고 이윤율은 상승했는데 이는 원료의 가치가 하락하고 따라서 투하된 총자본(혹은 자본가의 생산비)에 대한 잉여가치의 비율이 [증가했기] 때문이다. 예를 단순화하기 위해 기계를 무시하기로 하면 이들 두 경우는 다음과 같은 표로 정리된다(표에서 쓰인 파딩farthing은 $\frac{1}{4}$ 펜스에 해당하는 옛 화폐 단위이다. — 옮긴이).

	1파운드 면사의 가격	**불변 자본**	**부가된 노동**	**임금**	**자본가의 총지출**	**잉여수익**	**이윤율**
제1경우	12펜스	8펜스	4펜스	$13\frac{1}{3}$파딩	11펜스 $\frac{4}{3}$파딩	$2\frac{2}{3}$파딩	$5\frac{15}{17}$[370]퍼센트
제2경우	11펜스	7펜스	4펜스	$13\frac{1}{3}$파딩	10펜스 $\frac{4}{3}$파딩	$2\frac{2}{3}$파딩	$6\frac{14}{31}$퍼센트

G494 여기에서 노동의 **가치**는 변하지 않았고 면사로 표현된 노동의 사용가치는 증가했지만 이윤율은 상승했다. 이윤율은 노동자가 손에 넣는 노동시간의 변동 없이도 **그냥** 상승했는데 이는 면화의 가치(따라서 자본가의 생산비의 총가치)가 하락했기 때문이다. 11펜스 $\frac{4}{3}$ 파딩의 지출에 대한 $2\frac{2}{3}$ 파딩의 수익은 물론 10펜스 $\frac{4}{3}$ 파딩 지출에 대한 $2\frac{2}{3}$ 파딩의 수익보다 적기 때문이다.

지금까지의 논의로부터 밀이 자신의 예시를 끝맺고 있는 다음 문장이 틀렸다는 것이 드러난다.

"임금의 생산비가 이전과 동일하다면 이윤은 감소(**증가?**)할[371] 수 없다. 각 노동자는 1쿼터씩의 곡물을 받았다. 그런데 과거의 1쿼터 곡물은 현재의 $1\frac{1}{5}$ 쿼터와 동일한 생산비의 결과물이다. 따라서 각 노동자가 동일한 생산비를 받을 수 있으려면 각자 1쿼터에 $\frac{1}{5}$ 쿼터씩을 더 받아야만 한다."(같은 책, 103쪽) [372]"그러므로 노동자가 자신의 임금을 자신이 생산한 것과 동일한 물품으로 지불받는 경우, 만일 이 물품의 생산에서 얼마간 비용의 절약이 이루어지고 노동자가 이전과 동일한 생산비를 받는다면, 노동자가 받는 물품의 양은 자본의 생산력이 증가한 비율만큼 함께 증가할 것이 분명하다. 그러나 그렇게 되면 자본가의 수익에 대한 지출의 비율은 이전과 마찬가지일 것이고 이윤은 증가하지 않을 것이다. … (이것은 곧바로 틀린 말이다) … 따라서 이윤율과 임금 생산비의 변동은 서로 맞물려 있고 불가분의 관계에 있다. 그러므로 리카도가 임금의 하락이라고 생각했던 것을 생산물에 들어가는 노동량의 감소라는 개념뿐 아니라 노동과 선행하는 이윤을 합한 생산비의 감소라는 개념으로도 이해할 경우 그의 생각은 전적으로 옳은 것이다."(같은 책, 104쪽)

즉 임금의 하락(대개 생산비 이하로의)을 리카도가 말했던 것과 반대의 의미로 이해할 뿐 아니라 절대적으로도 틀린 개념으로 이해할 경우, 리카도의 견해는 밀의 예시에 따른 관점에서 볼 때 정확하게 맞는 것이다. 즉 임금의 생산비를 노동자의 노동일 가운데 그가 자신의 임금의 보전을 위해 노동한 부분으로만 이해하지 않고 그가 가공한 원료와 그가 사용한 기계의 생산비(다시 말해 노동자가 자신을 위해서도 자본가를 위해서도 전혀 노동하지 **않은** 노동시간)로도 함께 이해한다면 그렇게 되는 것이다.

넷째 이제 본래의 물음을 돌이켜 보자. 불변자본의 가치변동은 잉여가치에 어느 정도 영향을 미칠 수 있을까?

만일 우리가 하루 평균임금의 가치가 10시간이라고 한다면, 혹은 같은 말이지만 예를 들어 노동자가 노동한 12시간의[373] 총노동일[374] 가운데 노동자 G495
의 임금을 생산하고 보전하는 데 필요한 시간이 10시간이라고 한다면, 그리고 그가 이 부분을 넘어서서 노동하는 부분만이 비지불노동시간으로 자본가가 ||340| 대가를 지불하지 않고 취득하는 가치라고 한다면, 이 말은 곧 노동자가 소비하는 생활수단의 총가치가 10시간의 노동을 포함하고 있다는 말이다. 이 10노동시는 그가 이들 생활수단을 구매하는 데 사용할[375] 일정 화폐액으로 표현된다.

그런데 상품가치는 원료나 마모된 기계에 포함된 노동시간,[376] 혹은 기계를 통해 노동자가 원료에 새로 부가한 노동과는 무관하게 상품에 포함된 노동시간에 의해 결정된다. 따라서 이 상품에 들어가는 원료나 기계에서 항상적인(일시적인 것이 아닌) 가치변동이 — 이들 원료나 기계(즉 이 상품에 포함된 불변자본)를 생산하는 노동의 생산성이 변동함으로써 — 발생한다면, 그리고 이런 변동의 결과 이 불변자본을 생산하는 데 필요한 노동시간이 변동한다면, 이로 인해 이 상품 자체의[377] 가격이 상승하거나 하락할 것이다(노동일의 길이가 변하지 않고,[378] 원료를 생산물로 전환하는 노동의 생산성이 불변일지라도). 이로 인해 노동력의 생산비(혹은 가치)도 상승 혹은 하락할 것이다. 즉 만일 이전에 그가 자신을 위해 노동한 시간이 12시간 가운데 10시간이었다면 이제 이들 변화로 인해 그는 11시간 혹은 거꾸로 9시간만을 자신을 위해 노동하게 될 것이다. 첫 번째 경우 자본가를 위한 그의 노동(즉 잉여가치)은 절반으로(2시간에서 1시간으로) 감소할 것이다. 두 번째 경우 이 노동은 50퍼센트 증가하여 2시간에서 3시간이 될 것이다. 후자의 경우 자본가의 이윤율과 이윤량은 모두 상승할 것인데 이는 첫째 불변자본의 가치가 하락했기 때문이며 둘째 잉여가치율(그리고 잉여가치의 절대량)이 상승했기 때문이다.

이것이 불변자본의 가치변동이 노동의 가치(임금[379]의 생산비) 혹은 자본가와 노동자 사이의 노동일의 배분(따라서 잉여가치)에 영향을 미칠 수 있는 유일한 방식이다.

이 말의 의미는 단지 예를 들어 면화[380]를 방적하는 자본가가 고용하는 노동자의 필요노동시간이 방적산업의 노동생산성에 의해서만 결정되는 것이 아니라 면화나 기계의 생산부문은 물론 자신의 생산물인 면사의 생산에 불변자본(원료나[381] 기계 등과 같은)으로 들어가지 않는 모든 산업(노동자의 소비에 들어가기로 되어 있는 생산물을 생산하는 산업)의 생산성 — 아마도 임금으로 지출되는 유동자본[382] 부분을 이루는 생산물, 즉 식품 등을 생산하는 산업의 생산성도 포함하여 — 에 의해서도 결정된다는 것이다. 한 산업에서
G496 는 생산물로[383] 나타나는 것이 다른 산업에서는 노동재료[384]나 노동수단으로 나타나기도 한다. 즉 한 산업의 불변자본이 다른 산업의 생산물로 이루어지는 것이다. 다시 말해 그것이 다른 산업에서는 불변자본이 아니라 그 산업 내부의 생산의 결과물로 나타나는 것이다. 개별 자본가들에게서 노동생산성의 증가(따라서 노동력 가치의 하락)가 자기 산업 내부에서 발생한 것인지 자기 산업에 불변자본을 공급하는 산업에서 발생한 것인지는 서로 다른 것으로 보인다.[385] 하지만 자본가계급에게는, 즉 자본 전체의 관점에서는 그것은 차이가 없다. 즉 이 경우[불변자본의 가치 하락(혹은 반대로 상승)[386]이 이 불변자본을 사용하는 산업에서 규모의 경제로부터 발생한 것이 아니라 불변자본 그 자체의 생산비가 변동하여 발생한 것일 경우]는 잉여가치에 관한 법칙과 일치한다.

대개 이윤과 이윤율을 이야기할 때 우리는 **잉여가치를 주어진 것으로** 가정한다. 즉 잉여가치를 결정하는 요인들은 모두 이미 작용을 **끝낸** 상태인 것이다. 바로 이것을 가정하고 있는 것이다.

다섯째. 여기에서 아직 더 이야기될 수 있는 것은 가변자본에 대한 불변자본의 비율과 **그에 따른** [387]이윤율이 잉여가치의 특수한 형태에 의해 어떻게 달라지느냐이다. 즉 표준노동일의 한계를 넘어서 노동시간[388]이 연장되는 경우이다. ||341| 그럴 경우 불변자본의 상대적 가치(혹은 생산물의 총가치에서 불변자본이 차지하는 가치 부분의 비율)는 감소한다. 그러나 이 문제는 제3장에서 다루기로 한다.[389] 여기에서 다룬 대부분의 내용은 제3장에 속하는 것이기 때문이다.

밀은 자신의 훌륭한 예증에 기대어 일반적인(리카도의 견해를 따르는) 명제를 다음과 같이 제기하고 있다.

"이윤법칙에 대한 **유일한**[390] 표현은 … 이윤이 임금의 생산비에 의존한다는 것이다."(같은 책, 104, 105쪽) 이제 이 이야기는 정확하게 다음과 같이 뒤집어서[391] 이야기해야만 한다. 즉 이윤율은 〔그리고 밀이 이야기하고 있는 것은〕 **오로지 단 하나의** 경우에만 임금의 생산비에 의존한다. 그것은 곧 잉여가치율과 이윤율이 **일치하는** 경우이다. 그러나 이런 경우는 자본주의적 생산에서 거의 있을 수 없는 경우로서 선대자본 전체가 임금으로 직접 지불되고 원료, 기계, 건물 등과 같은 불변자본이 생산물에 전혀 들어가지 않는 경우, 혹은 이들 원료 등이 생산물에 들어갈 경우에도 그것들이 노동생산물이 아니어서 아무런 비용도 발생하지 않는 경우이다. **오로지** 이런 경우에만 이윤율의 변동이 잉여가치율(혹은 임금의 생산비)의 변동과 일치한다.

그러나 일반적으로(이것은 방금 이야기한 예외적인 경우도 포함한다)[392] 이윤 G497
율은 선대자본의 총가치에 대한 잉여가치의 비율과 같다. 잉여가치를 M, 선대자본의 가치를 C라고 한다면 이윤 = M : C 혹은 $\frac{M}{C}$이다. 이 비율은 M〔그리고 M의 결정에는 임금의 생산비를 결정하는 요인들이 모두 함께 작용한다〕의 크기는 물론 C의 크기에 의해서도 함께 결정된다. 그런데 선대자본의 총가치인 C는 불변자본 c와 가변자본 v(임금으로 지출된)로 이루어진다. 따라서 이윤율 = M : (v + c) = M : C이다. 그런데 잉여가치인 M 그 자체는 자신의 비율,[393] 즉 필요노동에 대한 잉여노동의 비율(다시 말해 자본가와 노동자 사이의 노동일의 분할, 지불노동시간과 비지불노동시간으로 노동일의 분할)에 의해서만 결정되지 않는다. 잉여가치의 양(즉 잉여가치의 절대적 크기)은 자본가가 동시에 착취하는 노동일의 수에 의해서도 결정된다. 그리고 정해진 비지불노동의 비율에 따라 사용된 이 노동시간의 양은 특정 자본에서, 본래의 **생산과정**[394]에서 생산물이 노동 없이 머무는(혹은 이전에 필요했던 것만큼의 노동량이 들어가지 않는) 시간 — 예를 들어 숙성이 필요한 포도주, 일단 파종되고 난 다음의 곡물, 일정 기간 동안 화학적인 힘의 작용에 맡겨야 하는 피혁 같은 소재들 —, 상품의 유통기간, 상품의 형태변화 기간, 혹은 생산물로 완성되는 기간과 상품으로 재생산되는 기간 사이의 중간기간 등에 의해서도 결정된다. [395]얼마나 많은 노동일이 동시에〔임금의 가치, 즉 잉여가치율이 주어져 있다고 가정할 경우〕 사용될 수 있는지는 일반적으로 임금으로 지출되는 **자본의 크기**에 의해 결정될 수 있다. 그러나 방금 언급한 요인들은 대개 일정 **기간**(예를 들어 1년) 동안 일정 크기의 어떤 자본이 사용할 수 있는 살아 있는[396] 노동시간의 총량에 영향을 미친다. 이들 요인은 주어진 자본이 사용할 수 있는 [397]노동시간의 절대량을 결정한다. 그러나 이들 요인은 잉여가치가 오로지 잉여가치율과 동시에 사용되는 노동일의 수를 곱한 것에 의해서만 결정된다는 사실에는 전혀 영향을 미치지 않는다. 그것들은 단지 후자의 변수, 즉 사용되는 노동시간의 수에만 영향을 미친다. 잉여가치율은 **1**노동일 동안의 잉여노동의 비율(즉 1노동일이 생산한 잉여가치의 비율)이다. 예를 들어 노동일=12시간, 잉여노동=2시간이라면 이 2시간은 12시간의 $\frac{1}{6}$이며 필요노동(혹은 그들에게 지불된 임금, 즉 이와 **같은** 양의 대
G498 상화된 형태의 노동시간)에 대하여 $\frac{1}{5}$이라고 계산해야 한다.[398] 10시간의 $\frac{1}{5}$=2시간이다($\frac{1}{5}$=20퍼센트). 여기에서 잉여가치의 크기(1노동일에 대한)는 절대적으로 잉여가치율에 의해 결정된다. 이제 자본가가 ||342| 100노동일을 사용했다면 잉여가치(그것의 절대적 크기)=200노동시[399]이다. 잉여가치율은 불변이다. 1,000시간의 필요노동에 대한 200시간 = $\frac{1}{5}$ = 20퍼센트이다. 잉여가치율이 주어져 있다면 잉여가치의 전체 크기는 사용된 노동자의 수(즉 임금으로 지불된 자본인 가변자본의 절대적 크기)에 의존한다. 사용된 노동자의 수(즉 임금으로 지불된 자본인 가변자본의 **크기**)가 주어져 있다면, 잉여가치의 크기는 절대적으로 그것의 비율, 즉 필요노동(임금의 생산비)에 대한 잉여노동의 비율, 다시 말해 자본가와 노동자 사이의 노동일의 분할에 의존한다. 100명의 노동자(12시간씩 노동하는)가 내게 200노동시를 제공한다면 잉여가치의 절대적 크기는 200이며 그 비율은 1노동일의 $\frac{1}{5}$, 혹은 2시간이다. 그리고 잉여가치=2시간×100. 50명의 노동자가 200노동시를 제공한

다면 잉여가치의 절대적 크기는 200노동시이고 그 비율은 1노동일(지불된)의 $\frac{2}{5}$, 즉 4시간이다. 그리고 잉여가치 = 4시간×50 = 200. 잉여가치의 절대적 크기는 잉여가치율에 노동일의 수를 곱한 것이기 때문에 이들 변수가 변동할 경우에도 그 변동이 서로 반대 방향일 경우에는 변하지 않을 수 있다.

잉여가치율은 언제나 가변자본에 대한 잉여가치의 비율로 표현된다. 왜냐하면 가변자본은 지불된 노동시간의 절대적 크기[400]이며 잉여가치는 지불되지 않은 노동시간의 절대적 크기이기 때문이다. 따라서 가변자본에 대한 잉여가치의 비율은 항상 노동일 가운데 지불된 부분에 대한 지불되지 않은 부분의 비율을 나타낸다. 예를 들어 앞의 예에서 10시간에 대한 임금을 1탈러(1탈러는 10시간의 노동을 포함하는 은의 양)라고 하자. 그러면 100노동일은 100탈러로 지불된다. 이제 잉여가치가 20탈러라면 잉여가치율 = 20/100 = $\frac{1}{5}$ = 20퍼센트가 된다. 혹은 같은 말이지만 10노동시(=1탈러)에 대하여 자본가는 2노동시를 얻고, 100×10노동시(혹은 1,000노동시)에 대해서는 200노동시(=20탈러)를 얻을 것이다.

따라서 잉여가치율은 단지 필요노동에 대한 잉여노동의 비율 — 달리 말해 노동일 가운데 노동자가 자신의 임금을 생산하는 데 필요로 하는 부분, 즉 임금의 생산비 — 에 의해서만 결정되지만 잉여가치의 크기는 단지 이 잉여가치율에 따라 사용된 노동일의 수(노동시간의 절대량), 즉 임금에 지출된 자본의 절대적 크기(잉여가치율이 주어져 있을 경우)에 의해서만 결정된다. 그러나 이윤은 잉여가치율과 관련된 것이 아니라 선대자본의 총가치에 대한 잉여가치의 절대적 크기와 관련된 것이므로, 그 비율은 분명히 잉여가치율뿐 아니라 바로 잉여가치의 절대적 크기 — 이 크기는 잉여가치율과 노동 G499
일의 수의 관계, 즉 임금에 지출된 자본의 크기와 임금의 생산 사이의 관계에 의존한다 — 에 의해서도 결정된다.[401]

잉여가치율이 주어진다면 잉여가치의 절대적 크기는 오로지 선대된(임금에 지출된) 자본의 크기에만 의존한다.[402] 이제 평균임금이 같다고 하자. 즉 모든 산업부문에서 노동자들이 받는 임금이 예를 들어[403] 10시간이라고 하자. (임금이 평균임금보다 높은 산업부문은 우리의 관점에서 볼 때, 그리고 사실 그 자체만으로 볼 때도, 자본가가 **더 많은** 단순노동자를 사용하고 있는 것에 해당한다.) 따라서 잉여노동이 같다면, 다시 말해 전체 표준노동일이 동일하다면 (차이가 있을 경우 그것은 1시간의 복잡노동이 2시간의 단순노동으로 환산되는 방

식을 통해 균등화할 수 있다) ||343| 잉여가치의 크기는 단지 선대된 자본의 크기에만 의존할 것이다. 따라서 잉여가치량은 선대된 자본(임금에 지출된)의 크기에 비례한다고 말할 수 있다. 그러나 이윤에 대해서는 그렇게 말할 수 없는데 왜냐하면 이윤은 선대된 자본의 총가치에 대한 잉여가치의 비율이고, 동일한 크기의 자본을 가진 자본가들 사이에서[404] 임금으로 지출된 자본 부분(혹은 총자본에 대한 가변자본의 비율)은 제각기 매우 다를 수 있고 실제로 매우 다르기 때문이다. 이 경우 이윤의 크기는 오히려 총자본에 대한 가변자본의 비율(서로 다른 자본들 사이에서), 즉 $\frac{v}{c+v}$에 의존한다. 따라서 만일 잉여가치율이 주어져 있고 이것이 항상 $\frac{m}{v}$, 즉 가변자본에 대한 잉여가치의 비율로 표현된다면 이윤율은 단지 총자본의 가변자본의 비율에 의해서만 결정될 것이다. 즉 이윤율은 **첫째 잉여가치율**(혹은 지불노동에 대한 비지불노동의 비율)**에 의해 결정된다**. 그리고 그것은 잉여가치율의 변동에 따라 함께 변동한다(이 변동이 다른 결정요인들의 변동에 의해 마비되지 않는 한). 그런데 잉여가치율은 노동생산성에 **정비례하여**, 임금의 생산비(혹은 필요노동의 양, 노동의 가치)에 **반비례하여** 변동한다.

둘째 이윤율은 총자본에 대한 가변자본의 비율($\frac{v}{c+v}$)에 의해 결정된다. 즉
G500 잉여가치율이 주어져 있을 때 잉여가치의 절대적 크기는 단지 가변자본의 크기—주어진 가정에 따라 정해져 있거나 혹은 단지 동시에 사용되는 노동일의 수, 즉 사용된 노동시간의 절대적 크기로만 표현되는—에만 의존한다. 그러나 이윤율은 총자본에 대한 이 잉여가치의 절대적 크기(가변자본으로 주어진)의 비율, 즉 총자본에 대한 가변자본의 비율($\frac{v}{c+v}$)에 의존한다. 이윤율의 계산에서 잉여가치 M은 주어진 것으로(따라서 v도 주어진 것으로) 가정하기 때문에 $\frac{v}{v+c}$[405]의 모든 변동은 오로지 c, 즉 불변자본의 변동과만 관련된다. 왜냐하면 만일 v가 주어지면 $c+v=C$는 오로지 c가 변동하고 이 변동과 함께 $\frac{v}{c+v}$, 혹은 $\frac{v}{C}$가 변동할 경우에만 변할 수 있기 때문이다. $v=100$, $c=400$, 따라서 $v+c=500$, 그리고 $\frac{v}{v+c}=\frac{100}{500}=\frac{1}{5}=20$퍼센트이다. 따라서 잉여가치율$=\frac{5}{10}=\frac{1}{2}$, 즉 50퍼센트이다. 그런데 가변자본은 총자본의 $\frac{1}{5}$이므로 이윤은 $\frac{1}{5}$의 $\frac{1}{2}=\frac{1}{10}$이고 사실상 500의 $\frac{1}{10}=50=10$퍼센트이다. $\frac{v}{v+c}$는 c의 변동에 따라 함께 변동하지만 물론 같은 크기로 변동하지는 않는다. v와 c가 처음에 똑같이 10이라고 하면, 즉 총자본이 절반은 가변자본으로 절반은 불변자본으로 이루어져 있다고 가정하면 $\frac{v}{v+c}=\frac{10}{10+10}=\frac{10}{20}=\frac{1}{2}$이다. 따라서 잉여율(Mehrrate)[406]$=\frac{1}{2}$v라면 그것은 C의 $\frac{1}{4}$이다. 혹

은 잉여가치＝50퍼센트라면 이 경우 가변자본＝$\frac{C}{2}$이므로 이윤율＝25퍼센트이다. 이제 불변자본이 2배가 되어 10에서 20이 된다고 하면 $\frac{v}{c+v}$＝$\frac{10}{20+10}$[407]＝$\frac{10}{30}$＝$\frac{1}{3}$이다. (10의 $\frac{1}{2}$이었던 잉여율은 이제 C의 $\frac{1}{3}$의 $\frac{1}{2}$, 즉 30의 $\frac{1}{6}$＝5가 될 것이다. 그리고 10의 절반＝5이다. $\frac{5}{10}$는 50퍼센트이며 $\frac{5}{30}$는 16$\frac{2}{3}$퍼센트이다. 그러나 $\frac{5}{20}$＝$\frac{1}{4}$＝25[408]퍼센트이다.) 불변자본은 2배가 되어 10에서 20이 되었지만 c+v의 총액은 절반만 증가하여 20에서 30이 되었다. 불변자본은 100퍼센트 증가했고 c와 v의 총액은 50퍼센트만 증가했다. 원래 $\frac{10}{20}$이었던 $\frac{v}{c+v}$는 $\frac{10}{30}$으로, 즉[409] $\frac{1}{2}$에서 $\frac{1}{3}$로, 다시 말해 $\frac{3}{6}$에서 $\frac{2}{6}$로 $\frac{1}{6}$만큼 하락한 반면 불변자본은 2배가 되었다. 불변자본의 증가 혹은 감소가 $\frac{v}{c+v}$에 얼마만큼 영향을 끼쳤는지는 총자본 C(c+v)에서 원래 c와 v가 이루고 있던 비율에 의존할 것이다.|

|344| **불변**자본(즉 그것의 가치)[410]은 첫째 사용된 원료, 기계 등의 양이 G501
불변일 경우에도 상승 혹은 하락할 수 있다.[411] 이 경우 불변자본의 변동[412]은 이 불변자본이 들어가는 산업부문의 생산조건에 의해 결정되는 것이 아니라 그것들과는 무관하게 이루어진다.[413] 그러나 이 가치변동을 가져온 **원인**이 무엇이든[414] 그것은 항상 이윤율에 영향을 끼친다. 이 경우 동일한 양의 원료, 기계 등은 이전보다 더 많거나 더 적은 가치를 갖게 되는데 이는 그것들을 생산하는 데 필요한 노동시간이 전보다 많아지거나 적어지기 때문이다. 그런 다음 이 변동은 불변자본의 구성부분이 생산물로 만들어지는 산업부문의 생산조건에 의존하게 된다. 우리는 이것이 이윤율에 어떤 영향을 미치는지를 앞에서 이미 다루었다.

그런데 같은 산업에서 예를 들어 원료 등과 같은 불변자본의 생산비[415]가 상승 혹은 하락해서 그 가치가 상승 혹은 하락할지의 여부는, 마치 어떤 산업(혹은 같은 산업)에서 다른 상품에 사용하는 것보다 이 상품에 더 비싼 원료를 사용하는 경우(임노동에 대한 지출은 불변인 조건에서)와 마찬가지로 이윤율에 대해서는 전혀 영향을 미치지 않는다. 임노동에 대한 지출이 동일한 상태에서 어떤 자본이 가공하는 원료(예를 들어 밀[416])가 다른 자본이 가공하는 원료(예를 들어 귀리)보다 더 비용이 많이 들어갈 경우(혹은 은과 구리, 혹은 양모와 면화의 경우) 두 자본의 이윤율은 원료에 들어가는 비용과 반비례할 것이 틀림없다. 따라서 두 산업부문 사이에서 동일한 평균이윤이 형성된다면, 이것은 오로지 잉여가치가 두 자본가 사이에서, 각 자본가가 자신의 생산영역에서 생산한 잉여가치에 비례해서가[417] 아니라 각자가 사용한 자본의 크기에 비례하여 배분될 때에만 가능하다. 여기에는 두 가지 경우가 있을 수 있다. 더 저렴한 원료를 가공한 A는 자신의 상품을 그 실제 가치에 따라 판매하여 자신이 생산한 잉여가치도 직접 취득한다. 그의 상품의 가격은 그것의 가치와 일치한다. 더 비싼 원료를 가공한 B는 자신의 상품을 그 가치 이상으로 판매하여 그가 더 저렴한 원료로 가공했을 경우와 동일한 가격에 처분한다. 그런 다음 A와 B가 자신들의 상품을 교환한다면 A의 입장에서는 마치 그가 자신의 상품에 실제로 포함된 잉여가치보다 더 적은 잉여가치를 자신의 상품의 가격에 계산해 넣는 것과 마찬가지가 될 것이다. 혹은 그것은 마치 A와 B 두 사람이 처음부터 지출된 자본의 크기에 비례하여 하나의 이윤율을 적용하는 것과, 즉 그들이 지출한 자본의 크기에 비례하여 공통의 잉여가치를 서로 배분한 것과 마찬가지가 될 것이다. 그리고 이것이 바로 일반이윤율이다.

원료 등과 같은 어떤 자본의 불변자본이 계절적인 영향 때문에 일시적으로 하락하거나 상승하는 경우에는 당연히 이런 균등화가 발생하지 않을 것
G502 이다. 물론 예를 들어 면화가 특별히[418] 풍작이 든 해에 방적업자가 비정상적으로 높은 이윤을 누리게 되면 대량의 신규 자본이 방적산업으로 들어와서 새로운 공장과 방적기계가 대량으로 건설될 것은 분명한 일이다. 그런 다음 면화의 흉작이 발생하면 손실은 그만큼 더 크게 발생할 것이다.

그러나 둘째로 기계, 원료 등 불변자본의 생산비가 불변일 때, 이들 요소가 생산수단으로 들어가는 산업부문의 생산조건이 변화하여 이들 요소가 사용되는 양이 증가하게 되면, 이렇게 증가된 이들 요소의 양 때문에 이들의 가치가 증가할 수 있다. 이 경우에는 앞서 불변자본의 가치가 증가한 경우와 마찬가지로 당연히 이윤율이 하락하게 된다. 그러나 다른 한편 생산조건의 이런 변동[419] 그 자체는 또한 노동생산력이 증가했고 따라서 잉여가치율이 상승했다는 것을 의미한다. 왜냐하면 동일한 양의 원료가 더 짧은 시간에 가공되며(동일한 살아 있는 노동이 더 많은 양의 원료를 가공하게 되었기 때문이다) 사용되는 기계의 양도 더 늘어나게 되었기(기계의 비용이 기계를 대체하는 노동의 비용보다 더 적어졌기 때문이다) 때문이다. 따라서 여기에서는 이윤율의 하락이 잉여가치율의 상승(따라서 잉여가치의 절대적 크기의 증가)에 의해 어느 정도 상쇄될 것이다.

마지막으로 가치변동이 발생하는 이들 두 가지 상황이 서로 다양한 방식으로 결합하여 상호작용을 일으킬 수 있다. 예를 들어 ||345| 원면의 평균

가치가 하락하면서 동시에 일정 기간 동안에 가공되는 원면량의 가치[420]가 더 많이 상승할 수 있다. 양모의 가치가 상승하면서 일정 기간 동안 가공되는 양모량의 가치는 하락할 수 있다. 대규모 기계가 절대적으로는 가치가 상승하지만 그것의 효율을 기준으로 보면 가치가 더욱 하락할 수 있다.

지금까지는 가변자본이 불변인 것으로 가정했다. 그러나 가변자본은 농업에서처럼 단지 상대적으로만이 아니라 절대적으로도 감소할 수 있다. 즉 그것은 불변자본의 크기에 비해 단지 상대적으로만 감소하지 않을 수 있다. 또 가변자본은 절대적으로[421] 증가할 수도 있다. 그러나 그런 다음 위에서 언급했던 원인들 때문에 불변자본이 더 큰(혹은 같은) 비율로 증가할 경우에는 그것은 마치 불변인[422] 상태와 마찬가지로 될 것이다.

불변자본이 그대로일 경우, 가변자본에 대한 불변자본의 모든 증가 혹은 감소는 오로지 불변자본이 가변자본의 절대적 감소나 증가로 인해 상대적으로 증가 혹은 감소하는 것으로만 설명될 수 있을 것이다.

가변자본이 그대로일 경우, 불변자본의 모든 증가 혹은 감소는 불변자본 자신의 절대적 증가 혹은 감소로만 설명될 수 있을 것이다.

두 가지 변동이 동시에 발생할 경우 두 변동이 서로 상쇄되는 부분을 제하 G503
고 나면 마치 한 변수는 불변이고 다른 한 변수만 증가 혹은 감소한 것과 같은 상황이 될 것이다.

그런데 **이윤율**이 일단 주어지면 이윤량은 사용되는 자본의 크기에 의존한다. 이윤율이 낮은 더 많은 양의 자본은 이윤율이 높은 더 적은 양의 자본보다 더 많은 이윤을 제공한다.

여록은 여기까지임.

그 밖에 밀의 저서에서는 다음과 같은 두 문장을 언급해두고자 한다.

"엄밀하게 말해서 **자본**은 **생산력**을 가지고 있지 **않다**.[423] 유일한 생산력은 노동의 생산력이며, 이는 틀림없이 도구의 도움을 받아 원료에 작용하는 것이다."(같은 책, 90쪽) 엄밀하게 말해서 그는 여기에서 자본을 구성하는 소재적 구성요소들과 자본 그 자체를 혼동하고 있다. 그러나 이 문장은 똑같은 혼동을 하면서도 자본의 생산력을 주장하는 사람들에 비하면 좋은 문장이다. 물론 그것은 가치의 생산이 언급되는 경우에만 해당되는 이야기이다. 한편 자연도 생산을 수행하는데 단지 그것은 사용가치의 측면에서만 그러하다.

"**자본의 생산력**은 다름 아닌 자본가가 자신의 자본을 이용하여 지휘를 할 수 있는 실질적인 생산 지휘권의 양이다."[424](같은 책, 91쪽) 여기에서 자본은 생산관계로 정확하게 파악되고 있다.

〔**맬서스**(『**인구의 원리에 관한 에세이**』, 제5판, 프레보 옮김, 제네바, 1836년, 제3판, 제4권, 104, 105쪽)는 영국 농부에게 소를 선물하려는 계획에 대하여 자신이 통달한 "심오한 철학"에 따라 다음과 같이 이야기하고 있다.

"사람들은 소를 가진 **농부**가 소를 갖지 않은 농부보다 훨씬 부지런하고 올바른 생활을 하고 있다고들 생각한다. … 오늘날 소를 가진 대부분의 농부들은 자신들의 노동 성과물을 제공하여 소를 구매한다. 따라서 소가 그들로 하여금 노동을 하게 만든다고 말하기보다는 그들에게 소를 가져다준 것이 노동이라고 말하는 것이 더 맞는 말이다." 그래서 부르주아들 가운데 벼락부자가 된 사람들은 그들의 근면한 노동(타인의 노동에 대한 착취와 함께)을 통해 소를 얻는 반면 그 소는 이들 벼락부자의 자식들이 나태하게 살도록 만들어준다. 만일 그들의 소에게서 젖을 제공하는 능력이 아니라 타인의 비지불노동을 지휘할 수 있는 능력을 빼앗는다면 그것은 그들의 근로의욕에 대단히 유용한 것이 될 것이다. "심오한 철학자"는 이렇게 말한다(같은 책, 112쪽). "**모든 사람이 중간계급에 속할 수 없다는 것은 분명한 사실이다.**[425] 상류계급과 하류계급의 존재는 불가피한 것이며(양극단이 없다면 중간도 있을 수 없다는 것은 당연하다) 그뿐 아니라 매우 유익하기도 하다. 만일 사람들이 사회에 대하여 신분을 높이고자 하는 희망을 갖고 신분이 하락하는 것을 두려워함에도 불구하고, 만일 노동이 보수를 안겨주지 않고 나태함이 징벌
G504 을 가져오지 않는다면, 어느 누구도 근면과 노력을 통해서 자신의 처지를 개선하려고 — 이것이야말로 ||346| 사회 전반의 복지를 만들어내는 가장 중요한 동력을 이룬다 — 하지 않을 것이다." 하류계급은 상류계급이 영락을 두려워하도록 만들기 위해서 존재해야 한다. 상류계급은 하류계급이 상승할 희망을 갖게 하기 위해서 존재해야 한다. 나태에는 징벌이 따른다는 것을 보여주기 위해 노동자[426]는 가난해야 하고 금리생활자와 지주(맬서스가 그렇게 애지중지하는)는 부유해야 한다. 그런데 맬서스가 노동에 대한 보수라고 생각하는 것은 무엇일까? 뒤에서 보게 되겠지만 노동자는 자신의 노동 가운데 일부를 등가 없이 수행해야만 한다. 만일 채찍이 굶주림이 아니라 "보수"라면 그것은 얼마나 좋은 채찍이겠는가? 결국 모든 이야기의 최종 결론은 기껏해야 노동자도 언젠가는 다른 노동자를 착취하는 희망을 가질 수 있다는 것이다. 루소는 이렇게 말한다. "독점이 확대될수록 착취당하는 사람

들의 족쇄는 더욱더 무거워진다."[427] 하지만 "심오한 철학자" 맬서스의 이야기는 다르다. 그의 최고의 희망—그 자신도 다소 공상적이라고 표현하고 있다—은 중간계급의 수가 증가하고 프롤레타리아(노동하는)가 전체 인구에서 차지하는 비율이 점차 감소(절대적으로는 증가하더라도)하는 것이다. 이것이 사실상 부르주아 사회의 **진행과정**이다. 맬서스는 말한다. "우리가 품고 있는 희망은, 언젠가 미래에는 노동을 절약해주고 이미 엄청난 진보를 보여준 그런 방법들이 결국 부유한 사회의 온갖 욕망들을 오늘날 필요한 것보다 훨씬 적은 노동으로 충족해줄 수 있으리라는 것이다. **만일 그렇게 된다면 설사 몇몇 노동자가 오늘날 그를 억누르고 있는 무거운 짐 가운데 일부에서 벗어나지 못한다 하더라도**[428](이들 노동자는 여전히 열심히 노동을 해야만 하고 상대적으로 타인을 위해서는 더 많이 자신을 위해서는 더 적게 노동해야만 할 것이다) 사회가 그 무거운 짐을 지우는 **사람들의 수**는 감소할 것이다."(같은 책, 113[429]쪽)]

페티. 잉여가치. 페티는 잉여가치를 지대의 형태로만 다루었지만 그의 글 한 곳에서는 **잉여가치**의 본질에 대한 어렴풋한 개념을 찾아볼 수 있다. 그것은 특히 이 부분을 그가 은과 곡물의 상대적 잉여가치를 동일한 노동시간에 생산될 수 있는 동일한 것의 상대적 크기에 의해 결정된다고 이야기하는 다음 부분과 함께 묶어 보면 더욱 그러하다. "만일 어떤 사람이 곡물 1부셸을 생산할 수 있는 것과 동일한 시간에 은 1온스를 페루에서 캐내어 런던으로 가져온다면 은 1온스는 곡물 1부셸의 자연가격이다. 이제 만일 채굴에 더 유리한 새로운 광산이 발견된 덕분에 이전에 걸리던 시간과 동일한 시간에 은 2온스를 캐낼 수 있게 되었다면, 다른 조건이 불변일 경우 곡물은 부셸당 10실링이 되지만 이전의 5실링과 동일한 가격이 될 것이다." "100명이 10년 동안 곡물을 생산하고 동일한 수의 사람이 동일한 기간 동안 은을 생산한다고 하자. 그러면 은의 순 채굴량이 곡물의 순 생산량 전체의 가격이 되고, 은의 순 채굴량 가운데 일부는 곡물 순 생산량 가운데 같은 비율에 해당하는 일부의 가격이 될 것이다." "만일 100명이 생산하는 곡물을 200명이 생산하게 된다면 곡물의 가격은 2배가 될 것이다."(**『조세 및 공납에 대한 고찰』**, G505
1667년)(1679년판, 31, 24, 67쪽)[430]

내가 위에서 암시한 부분은 다음 구절들이다.

"상공업과 기술이 발전하면 농업은 쇠퇴하게 되거나 혹은 농민의 수입이 증가하고 **그 결과**[431] 지대가 감소할 수밖에 없을 것이다."(193쪽) "만일 영국

에서 상업과 공업이 발전하면 … 즉 국민 가운데 이전에 비해 더 많은 사람이 이들 부문에 종사하게 된다면, 그리고 현재의 곡물가격이, 농민이 더 많고 상공업에 종사하는 사람이 더 적었던 과거에 비해 더 높지 않다면 이 단 하나의 이유만으로도 … 지대는 하락할 것이 틀림없다. 예를 들어 밀의 가격이 부셸당 5실링(즉 60펜스)이고 이 밀을 생산하는 데 대한 지대가 생산된 밀의 $\frac{1}{3}$이라고 하면, 60펜스의 밀 가격에서 20펜스는 지대[432]로, 40펜스는 농민[433]에게 돌아간다. 그런데 만일 농민의 수입이 $\frac{1}{8}$만큼 증가한다면, 즉 예를 들어 하루[434] 수입이 8펜스에서 9펜스가 된다면, 밀 1부셸에서 농민의 몫은 40펜스에서 45펜스가 되고 따라서 지대는 20펜스에서 15펜스로 하락해야만 한다. … 우리는 **밀의 가격이 불변이라고** 가정하고 있기 때문이다. 이것은 특히 **우리가 밀가격을 올릴 수 없기 때문인데**,[435] 왜냐하면 우리가 밀가격을 올리려고 하면 농민들의 상태가 변하지 않은 외국으로부터 밀이 ||347| 우리나라로(네덜란드에서 그랬던 것처럼) 수입될 것이기 때문이다."(『**정치 산술**』, 런던, 1699년, 193, 194쪽)

(MEW에서는 G530의 "〔페티, 위에서 인용한 … 곡물의 양과 전적으로 동일하다"(『조세 및 공납에 대한 고찰』, 23, 24쪽)〕"를 붙여놓았음 — 옮긴이)

이제 우리는 생산적 노동과 비생산적 노동에 대한 문제로 되돌아가기로 하자. **가르니에**. (제7노트, 319쪽을 보라.)[436]

a) 자본과 교환되는 노동과 소득과 교환되는 노동의 혼동. 자본이 모두 소비자의 소득에 의해 보전된다는 잘못된 개념

가르니에(제르맹). 그는 A. 스미스에 반대하는 여러 근거를 다음과 같이 들고 있다(그중 일부는 이후의 학자들에게서 반복되고 있다).

첫째. "이 구별은 존재하지 않는 구별과 관련된 것이기 때문에 틀린 것이다. 저자가 이야기하는 **생산적**이라는 말의 의미에 따르면 **모든 노동이 생산적**[437]이다. 이들 두 부류의 노동자 가운데 어느 쪽의 노동도 다른 쪽의 노동과 마찬가지로 그 대가를 지불하는 사람에게 얼마간의 향락, 편익, 효용을 똑같이 생산해 준다. 만일 그러지 못하다면 이 노동은 어떤 임금도 받지 못할 것이다." 〔어떤 노동이 생산적인 까닭은 그것이 사용가치를 생산하고 판매되기 때문에, 즉 교환가치를 갖기 때문에, 다시 말해 스스로가 상품이기 때문이다.〕 이 점을 설명하면서 가르니에는 그것에 대한 예로 "비생산적 노동자"가 "생산적 노동자"와 **똑같은 일**[438]을 하는(즉 동일한 사용가치, 혹은 동일한 종류의 사용가치를 생산하는) 사례들을 들고 있다.[439] 예를 들어 "내 난로에 불을 지펴주고, 내 머리를 깎아주고, 내 의복과 가구를 세탁하고 정리해 주며, 내 식사를 준비해주는 등 나를 위해 봉사하는 하인은 세탁노동자와 바

느질꾼이 고객을 위해 세탁을 하고 수선을 해주는 **전적으로 똑같은 종류의
서비스노동**[440]을 수행한다. … 또한 그 하인의 노동은 자신의 음식을 먹고 싶
어 하는 사람들을 위해 음식을 준비해주는 것을 직업으로 하는 음식점 주인
의 노동과도 같으며 직접적인 서비스노동을 제공하는 이발사의 노동과도 G506
같으며(A. 스미스에게서는 이들 대부분이 생산적 노동자는 물론 서비스노동자에
도 속하지 않는다) 벽돌공, 지붕공, 목공, 유리공, 난로공, 기타 건물의 보수 및
수리를 의뢰받는 많은 건축노동자(이들의 연간 소득은 신규 건축은 물론 유지
및 보수에 들어가는 노동으로부터 얻어진다)의 노동과도 같다. (A. 스미스는 새
로운 것을 만드는 노동은 물론 수선에 들어가는 노동도 모두 내구적인 물건에 들어
가는 노동이 될 수 없다고 말한 적은 결코 없다.) 이런 종류의 노동은 생산을 하
는 것보다는 보존을 하는 것에 있다. 그것은 그 노동이 이루어지는 물체에
가치를 부가하기 위한 것이기보다는 그 사용가치의 퇴락을 막기 위한 것이
다. 하인을 포함한 이들 모든 노동자는 **자신을 고용하는 사람을 위해 그 사람
의 물건을 유지하는 데 들어가는 노동을 절약해준다.**[441] (따라서 그들은 가치
혹은 사용가치를 보존하기 위한 기계로 간주할 수 있다. 노동의 "절약"이라는 이
관점은 **데스튀트 드 트라시**에 의해 더 넓은 의미로 확대되었는데 그것은 나중에 뒤
에서 다루게 될 것이다.[442] 한 사람의 비생산적 노동이 다른 사람의 **비생산적 노동**
을 절약해준다고 해서 생산적 노동으로 되는 것은 아니다. 비생산적 노동은 두 사
람 가운데 한 사람이 수행한다. A. 스미스가 말하는 비생산적 노동 가운데 일부는
분업 때문에 반드시 필요한 것으로, 그것은 물건을 소비하기 위해서 절대적으로 필
요한(다시 말해 **소비비용**에 속하는) — 그리고 또한 그것이 생산적 노동자에게서
이 시간만큼을 절약하도록 만들어줄 때에만 — 부분이기도 하다. 그런데 A. 스미스
는 이 "분업"을 부정하지 않는다. 모든 사람이 각자 자신의 필요 때문에 어쩔 수 없
이 생산적 노동과 비생산적 노동을 모두 수행해야만 하든 혹은 두 사람 사이의 이
분업[443]을 통해서 이들 노동을 더 원활하게 수행하든, 그것 때문에 한 사람의 노동
이 생산적이고 다른 사람의 노동이 비생산적이라는 사실이 변하지는 않는다.) 거
의 대부분의 경우 그들은 이런 이유 때문에, 그리고 단지 그 이유 때문에만
노동한다(한 사람이 자신을 돌보는 서비스노동을 절약하기 위해 자신에게 시중드
는 10명을 고용해야만 한다는 것은 노동을 "절약하는" 특이한 방식이다. 게다가 이
런 종류의 "비생산적 노동"을 사용하는 사람들은 대부분 아무것도 하지 않는 사람
들이다). 따라서 이들의 노동은 모두가 **생산적**이거나 아니면 이들의 노동 가
운데 어떤 것도 생산적이지 않다."(같은 책, 171, 172쪽)|

|348| **둘째**. 프랑스 사람들에게 도로관리청은 없어서는 안 되는 행정부서이다. 그는 이렇게 말한다. "왜 상공업 부문 민간기업 감독자들의 노동은 생산적이라고 부르면서, 공공도로와 배가 다니는 운하, 항만, 화폐제도, 그리고 상업활동을 원활하게 만드는 대규모 시설 등을 유지 보수하고, 수송과 도로의 안전 그리고 계약이 엄격하게 지켜지도록 감독하는 등의 활동을 수행하는(요컨대 **거대한 사회적 공장의 감독자**[444]라고 마땅히 부를 수 있는) 도로관리청 관리들의 노동은 **비생산적**이라고 부른단 말인가? 그것은 단지 규모만 훨
G507 씬 더 클 뿐 전적으로 동일한 종류의 노동이다."(172, 173쪽) 이들 관리가 **판매될 수 있는** 물건들의 생산(혹은 유지 및 재생산)에 참여하고 이들이 국가에 소속되어 있지 않다면 스미스는 이들의 노동을 "생산적"이라고 부를 수 있을 것이다. "거대한 사회적 공장의 감독자"라는 말은 프랑스식의 독창적 표현이다.

셋째. 여기에서 가르니에는 "윤리적 문제"로 빠져들어간다. 왜 "내 후각을 간지럽히는 향수 제조업자"는 생산적이면서 내 귀를 즐겁게 하는 음악가는 비생산적이란 말인가?[445](173쪽) 전자는 물적 생산물을 제공하지만 후자는 그렇지 않기 때문이라고 스미스는 대답할 것이다. 이들 두 사람에 대한 윤리적 판단과 그들의 "공로"는 이들의 구별과 아무런 관련이 없는 것이다.

넷째. "바이올린 제작자, 오르간 제작자, 악보 상인, 무대장치가 등"은 생산적이고 이들의 노동을 "전제"로 그 이후에 이루어지는 노동은 비생산적[446]이라고 하는 것은 모순이 아닌가? "전자의 노동과 마찬가지로 후자의 노동도 역시 그 최종 목적은 **동일한 종류의 소비**[447]이다. 후자의 노동이 설정하는 목적이 사회적 노동**생산물**[448]의 숫자로 계산될 수 있는 것이 아니라면, 왜 **이 목적을 달성하기 위한 수단**[449]에 불과한 것을 더 좋은(생산적인 — 옮긴이) 것으로 다루어야 한단 말인가?"(같은 책, 173쪽) 이런 식의 추론에 따른다면 곡물을 먹는 사람은 그것을 생산한 사람과 똑같이 생산적인 사람이 될 것이다. 왜냐하면 곡물을 생산하는 목적이 바로 먹기 위한 것이니까 말이다. 만일 먹는 노동이 생산적이지 않다면 그 목적을 달성하기 위한 수단에 불과한 곡물 경작 노동은 왜 생산적이란 말인가? 또한 먹는 사람은 두뇌나 근육 등을 생산하는데 그 두뇌와 근육은 보리나 밀만큼 그렇게 중요한 생산물이 아니란 말이냐고 사람들은 화가 나서 A. 스미스에게 물어볼 수 있지 않을까? 첫째 A. 스미스는 [450]비생산적 노동자[451]가 뭔가를 생산한다는 것을 부인하지 않는다. 그렇지 않다면 그는 무엇보다도 노동자가 아닐 것이다. 둘째 처방전을 쓰는 의사는 생산적 노동자가 아니지만 처방약을 직접 조제하는 약사는 생산적이라는 것은 이상하게 여겨질 수 있다. 바이올린을 만드는 악기 제조공은 생산적이고 악기를 연주하는 음악가는 비생산적이라는 것도 마찬가지이다. 그것은 단지 "생산적 노동자"가 제공하는 생산물이 단지 비생산적 노동자를 위한 생산수단을 제공할 목적 외에는 아무것도 없다는 것을 입증할 뿐이다. 그러나 그것은 모든 생산적 노동자가 결국은 **첫째** 비생산적 노동자가 지불받기 위한 수단을 제공하고 둘째 **아무 노동도 하지 않는 사람들**이 소비하는 생산물을 제공한다는 것보다는 이상하지 않다.

이들 지적 가운데 두 번째 사항은 도로관리청을 결코 잊을 수 없는 프랑스 사람들의 견해를 반영하는 것이고, 세 번째 사항은 결국 윤리적인 문제일 뿐이며, 네 번째 사항은 소비가 생산과 마찬가지로 생산적이라는(한 사람은 생산하고 한 사람은 소비하는 부르주아 사회에서는 이 말은 틀린 것이다) — 혹은 생산적 노동 가운데 일부는 단지 비생산적 노동의 재료를 제공한다는 말인데, 이것은 A. 스미스가 어디에서도 부인한 적이 없는 말이다 — 말도 안 G508
되는 내용을 담고 있다. 제대로 된 내용을 담고 있는 것은 오로지 첫 번째 사항, 즉 A. 스미스가 두 번째 규정에서 **동일한** 노동을 ||349| 생산적 노동과 비생산적 노동으로 부른다는 것, 혹은 그 자신의[452] 정의에 따르면 그가 "비생산적" 노동이라고 부르는 것 가운데 일부(비교적 적은 부분이긴 하지만)는 **생산적**이라고 불러야 마땅하다는 것 — 그러나 이것은 두 노동의 **구별** 자체를 반대하는 것이 아니라 이들 노동을 구별에 **포함**(혹은 **적용**)시키는 것에 대한 반대일 뿐이다 — 뿐인데, 이들 네 가지를 모두 지적한 다음 학구파 가르니에는 드디어 문제의 본질에 도달한다.

"스미스가 고안해낸 두 계급 사이에서 명백하게 찾아낼 수 있는 유일하고 일반적인 구별은, 그가 **생산적**이라고 불렀던 계급의 경우에는 항상 **물건을 만드는 사람과 그것을 소비하는 사람 사이에 중개인**이 존재하거나 존재할 수 있지만, 그가 **비생산적**이라고 불렀던 계급의 경우에는 **어떤 중개인도 존재할 수 없고 노동자와 소비자 사이**의 관계가 **반드시 직접적**이라는 것이다. 의사의 경험, 외과의사의 숙련, 변호사의 지식, 음악가나 배우의 재능, 하인의 서비스노동 등을 필요로 하는 사람은 **반드시** 이들 노동이 이루어지는 시점에 이들 다양한 노동자와 직접 관계를 맺어야 하는 것은 분명한 일이다. 반면 다른 계급의 경우에는 **소비되어야 할 대상이 손으로 만질 수 있는 물건으로 이루어져 있고** 그것이 생산자에게서 소비자에게 도달하기 전에 **많은 거래를**

거칠 수 있다."[453](174쪽)

이 마지막 부분에서 가르니에는 자신도 모르는 사이에 스미스의 첫 번째 구별(자본과 교환되는 노동과 소득과 교환되는 노동)과 두 번째 구별(판매될 수 있는 물적 상품에 고정되는 노동과 그렇지 않은 노동)을 이어주는 은밀한 관념적 연관이 무엇인지를 보여주고 있다. 물적 상품에 고정되지 않는 노동은 그 본성에 따라 대부분 자본주의 생산양식에 포섭**될 수** 없지만 물적 상품에 고정되는 노동은 포섭될 수 있다. 물적 상품(즉 손으로 만질 수 있는 물건)의 대부분이 자본의 지배하에서 임노동자들에 의해 생산되는 자**본주의적 생산의 토대 위에서는** [비생산적] 노동(혹은 그것이 교황의 것이든, 창녀의 것이든 온갖 서비스노동)이 생산적 노동자의 임금이나 그들 고용주의 이윤(그리고 이들 이윤으로부터 분배된 기타 소득들)으로부터만 지불될 수 있다는 사정, 그리고 바로 그 생산적 노동자들이 비생산적 노동자들의 생존을 위한 물적 토대(따라서 결국 그들의 존재 그 자체)를 생산한다는 사실은 모두 무시되고 있다. 단지 이 천박한 프랑스 개(가르니에를 비하한 말—옮긴이)에게서 특징적인 점은, 국민경제학자(즉 자본주의적 생산의 탐구자)가 되고 싶어 했던 그가 이 생산을 자본주의적인 것으로 만드는 것, 즉 자본과 임노동 간의 교환(임노동과
G509 소득 간의 직접적 교환 혹은 노동자가 스스로 자신에게 지불하는 소득이 아니라)을 **비본질적인 것**으로 간주한다는 점이다. 따라서 그에게는 자본주의적 생산 그 자체가 사회적 노동생산력의 발전과 노동의 사회적 노동으로의 전화를 위해 반드시 필요한 형태(비록 역사적으로 일시적인 형태이긴 하지만)가 아닌 비본질적 형태인 것이다.

"또한 그가 말한 **생산적** 계급 가운데에서, 어떤 새로운 생산물을 유통에 투입하는 것이 아니라 단지 이미 만들어진 물건을 청소하고 보존하고 수선하기만 하는 노동에 종사하는 노동자는 모두 제외해야만 할 것이다."(175쪽) (스미스는 어디에서도 노동 혹은 그것의 생산물이 유동자본에 들어가야 한다고 말한 적이 없다. 오히려 그런 노동은 공장에서 기계를 수리하는 기계공의 노동과 같이 직접 고정자본에 들어갈 수도 있다. 그럴 경우 이들 노동의 **가치**는 생산물(즉 상품)의 유통에 들어간다. 하지만 이들 수리노동이 서비스노동으로 소비자에게 직접 제공될 경우 그 노동은 ||350| 자본과 교환되는 것이 아니라 소득과 교환된다.)

"이런 구별의 결과 스미스의 지적처럼 **비생산적** 계급은 소득에만 의존해서 살아가게 된다. 이 계급은 자신과 자신의 생산물 소비자(즉 그들의 노동을 향유하는 사람) 사이에 아무런 중개인도 갖지 않기 때문에 이들은 소비자로

부터 직접 지불을 받고 **이들 소비자는 오로지 자신들의 소득으로부터만 지불한다.** 반면 **생산적** 노동자계급은 **자신들의 노동으로부터 이윤을 얻어내고자 하는 중개인**으로부터 지불을 받는데 이들 중개인은 **대개 자본으로부터 이를 지불한다.** 그러나 이 자본은 언제나 궁극적으로는 소비자의 소득에 의해 보전되는데 만일 그렇지 않다면 자본은 유통될 수 없고 따라서 자신의 소유자에게 이윤을 가져다주지도 않을 것이다."[454] [175쪽] 이 마지막의 "그러나"는 완전히 어린애 같은 말이다. 무엇보다도 자본 가운데 일부는 유통되든, 유통되지 않든(예를 들어 씨앗을 보전하는 경우에는 유통되지 않는다) 소득이 아니라 자본에 의해 보전된다. 만일 어떤 탄광에서 제철소에 석탄을 공급하고 제철소로부터 탄광 작업에 필요한 생산수단에 들어가는 철을 얻는다면, 이 철의 가치액만큼 석탄은 자본과 교환되고 거꾸로 철은 자신의 가치액만큼 자본으로서 석탄과 교환된다. 이 둘은 모두 새로운 노동(비록 이 노동이 기존의 노동수단으로 생산된 것이긴 하지만)의 생산물(사용가치의 측면에서 볼 때)이다. [455]연간 노동생산물의 가치는 연간노동의 생산물이 아니다. 오히려 그것은 생산수단에 대상화된 과거노동의 가치를 보전한다.[456] 즉 총생산물 가운데 이 과거노동의 가치를 보전하는 부분은 연간노동의 생산물 가운데 일부가 아니고 과거노동의 재생산이다. 예를 들어 탄광, 제철소, 벌채업자, 기계 제조업자의 하루 노동의 생산물[457]을 보자. 이들 모든 산업의 불변자본은 자본의 전체 구성부분[458] 가운데 $\frac{1}{3}$이라고 하자. [459]즉 과거노동과 살아 있는 노동의 비율을 1 : 2[460]라고 하자. 이들 모든 산업에서 [461]공급되는 하루 생산물[462]을 x, x', x'', x'''이라고 하고 이들 생산물이 일정량의 석탄, 철, 목재, 기계라고 하자. 생산물 그 자체로서 이들은 하루 노동의 생산물이다(또한 하루 동안의 생산에 참여하여 하루 동안에 소비된 원료, 연료, 기계 등이기도 하다). 이들의 가치를 z, z', z'', z'''이라고 하자. 이들의 가치는 하루 노동의 생산물이 아니다. 왜냐하면 $\frac{z}{3}, \frac{z'}{3}, \frac{z''}{3}, \frac{z'''}{3}$은 단지 z, z', z'', z''' 가운데 불변자본 부분[463]이 하루 동안의 노동에 투입되기 전에 가지고 있던 가치와 같을 뿐이기 때문이다. 따라서 $\frac{x}{3}, \frac{x'}{3}, \frac{x''}{3}, \frac{x'''}{3}$, 즉 생산된 사용가치의 $\frac{1}{3}$은 단지 과거노동의 가치를 나타낼 뿐이고 항상 그것을 보전한다. 〔여기에서 이루어지는 과거노동과 살아 있는 노동의 **생산물**[464] 사이의 교환은 노동력과 자본으로 존재하는 노동조건 사이의 교환과는 전혀 성질이 다른 것이다.〕 $Z = x$이다.[465] 그러나 x는 z 전체의 가치이다. $\frac{1}{3}x = z$ 전체에 포함된 원료 등의 가치이다. 따라서 $\frac{1}{3}z$는 하루의 노동생산물[466]〔하루 노동의 생산물은 전혀 아니고 오히려

b) 자본과 자본의 교환을 통한 불변자본의 보전

G510

하루 노동과 결합하는 어제 노동, 즉 과거노동의 생산물이다] 가운데 하루 노동과 결합된 과거노동이 재현되고 보전된 부분이다. 이제 z(단지 철, 석탄 등 현실적 생산물의 일정량에 지나지 않는다)의 구성부분[467]은 그 가치의 측면에서 $\frac{1}{3}$은 과거노동을, $\frac{2}{3}$는 하루에 생산된(혹은 부가된) 노동을 나타낸다. 과거노동과 하루 노동은 총생산물에 들어가는 것과 똑같은 비율로, 그 총생산물을 이루는 모든 개별 생산물에도[468] 들어간다. 만일 내가 총생산물을 $\frac{1}{3}$과 $\frac{2}{3}$의 두 부분으로 나눈다면 그것은 마치 $\frac{1}{3}$이 과거노동만을, $\frac{2}{3}$가 하루 노동[469]만을 나타내는 것과 같을 것이다. 그 $\frac{1}{3}$은 사실 총생산물[470]에 들어간 과거노동, 즉 소비된 생산수단의 총가치를 나타낸다. 이 $\frac{1}{3}$을 공제하고 난 나머지 $\frac{2}{3}$는 단지 하루 노동의 생산물만을 나타낼 수 있을 것이다. 그것은 사실상 생산수단에 부가된 하루 노동의 총량을 나타낸다. 따라서 이 $\frac{2}{3}$는 생산자의 소득(이윤과 임금)과 같다. 생산자는 이 소득을 소비한다. 즉 자신의 개인적 소비에 들어가는 물품들에 지출한다. 이제 하루 동안 생산된 석탄 가운데 이 $\frac{2}{3}$를 소비자들(혹은 구매자들)이 화폐가 아니라 상품(이들 소비자가 석탄을 구매하기 위해 미리 화폐로 전화시키던)을 주고 교환한다고[471] 가정하자.[472] 이 $\frac{2}{3}$의 석탄 가운데 일부는 개인의 난방 등을 위하여 석탄 생산자의 개인적 소비에 들어간다. 즉 이 부분은 유통에 들어가지 않는다. 혹은 그
G511 것들이 이미 유통에 들어가 있었다면 ||351| 그것을 생산한 생산자 자신에게로 되돌아올 것이다. $\frac{2}{3}$의 석탄 가운데 생산자가 스스로 소비하는 이 부분을 공제하고 남는 모든 것을 그는 (만일 그가 소비를 원한다면) 개인적 소비에 들어갈 물품들과 교환해야만 할 것이다. 이 교환에서 소비물품의 판매자가 석탄과 교환하는 것이 자본이냐 아니면 소득이냐 하는 것은 석탄 생산자에게 전혀 중요하지 않을 것이다. 다시 말해 예를 들어 직물 제조업자가 자기 집의 난방을 위해 석탄과 직물을 교환하든(이 경우 석탄은 그에게 다시 소비물품이 되고 그는 그 석탄에 대해 소득, 즉 이윤을 나타내는 일정량의 직물[473]을 지불한다), 혹은 직물 제조업자의 하인[474]인 제임스가 임금으로 받은 직물을 석탄과 교환하든(이 경우 석탄은 다시 소비물품이 되고 그것은 직물 제조업자의 소득 가운데 그가 하인의 비생산적 노동과 교환한 부분과 교환된다), 혹은 직물 제조업자가 자신의 공장에 필요해서 소비한 석탄을 보전하기 위해 직물을 석탄과 교환하든(이 경우 직물 제조업자가 석탄과 교환하는 직물은 불변자본, 즉 자신의 생산수단의 가치를 나타내며 석탄은 그에게 하나의 가치를 나타낼 뿐 아니라 현물형태의 생산수단이기도 하다. 그러나 석탄업자에게 직물은 소비물품이며 직

물과 석탄 모두가 그에게는 소득을 나타낸다. 즉 석탄은 실현되지 않은 소득이며
직물은 실현된 형태의 소득이다), 그에게는 아무 상관이 없다. 그러나 석탄 가
운데 처음 $\frac{1}{3}$의 경우 석탄업자는 그것을 개인적 소비에 들어가는 물품과 교
환할 수 없다. 즉 그것을 소득으로 지출할 수 없다. 그것은 생산과정(혹은 재
생산과정)에 속해 있으며 철, 목재, 기계 등—즉 자신의 불변자본의 구성요
소를 이루고 석탄 생산이 반복되고 계속되기 위해서는 반드시 필요한 물품
들—으로 전화해야만[475] 한다. 물론 그는 심지어 이 $\frac{1}{3}$도 소비물품과(혹은
같은 말이지만 소비물품 생산자의 화폐와) 교환할 수 있다. 그러나 그것은 오로
지 다음과 같은 조건하에서만 가능하다. 즉 [476]그가 이 소비물품을 다시 철,
목재, 기계 등과 교환한다는 조건, 다시 말해서 이 소비물품이 석탄업자 자
신의 소비에 들어가거나 그의 소득에 들어가지 않고 목재, 철, 기계의 생산
자의 소비와 소득의 지출에 들어간다는 조건이 바로 그것인데, 그러나 이 경
우에는 다시 이들 목재, 철, 기계의 생산자가 모두 자신의 생산물 가운데 $\frac{1}{3}$
을 개인적 소비를 위한 물품에 지출할 수 없게 된다. 그런데 이제 석탄이 철
생산자, 목재 생산자, 기계 생산자의 불변자본으로 들어간다고 가정해보자.
그리고 다른 한편 철, 목재, 기계가 석탄업자의 불변자본으로 들어간다고 하
자. 그리하여 이들 각자의 생산물이 서로의 불변자본으로 동일한 가치액만
큼 들어가기 때문에 이들은 서로를 현물로 보전하고 한 사람은 다른 사람에
게 그가 상대방에게 구매한 것과 판매한 것의 차액에 대해서만 지불하게 될
것이다. 이 경우 화폐는 사실상 실제의 측면에서 (어음 등을 통해) 단지 **지불** G512
수단(유통수단인 주화[477]로서가 아니라)으로만 나타나고 차액만을 지불하게
될 것이다. 석탄 $\frac{1}{3}$ 가운데 일부는 석탄 생산자 자신의 재생산에 필요한데
이는 그의 석탄 $\frac{2}{3}$ 가운데 일부가 자신의 소비를 위해 생산물에서 공제되는
것과 똑같다. 서로를 보전하는 데 들어가는—즉 불변자본과 불변자본의
교환에 의하여, 다시 말해 하나의 현물형태를 취하는 불변자본이 다른 현물
형태의 불변자본으로 교환되는 방식으로—석탄, 철, 목재, 기계의 총량은
불변자본과 소득의 교환은 물론 소득과 소득의 교환과도[478] 전혀 아무 관련
이 없다. 그것은 농업에서 종자의 기능 혹은 축산업에서 가축 마릿수[479]의
기능과 정확히 똑같은 기능을 수행한다. [480]그것은 노동의 연간 생산물(즉
'연간노동+과거노동'의 생산물)의 일부이긴 하지만 연간노동(새로 부가된—
옮긴이)의 생산물 가운데 일부는 아니다. 그것은 연간 생산물 가운데 (생산조
건이 불변일 경우) 생산수단(즉 불변자본)으로 자신을 보전하는 부분이며 생

산자들 사이의 교환 이외의 유통에는 들어가지 않으며 생산자와 소비자 사이의 유통에 들어가는 생산물 부분의 **가치**에는 영향을 미치지 않는 부분이다.[481] 그래서 $\frac{1}{3}$의 석탄 전체가 현물로 자신의 생산요소(즉 철, 목재, 기계)와 교환된다고 하자. 〔예를 들어 그 석탄 전체가 기계하고만 곧바로[482] 교환될 수도 있다. 그러나 그럴 경우 기계 제조업자는 다시 그 석탄을 불변자본으로서 자신의 불변자본뿐 아니라 제철업자 및 벌채업자의 불변자본과도 교환하게 될 것이다.〕 석탄업자가 자신의 생산물 가운데 ||352| 소비물품과 교환한(즉 소득으로 교환한) $\frac{2}{3}$ 부분을 이루는 모든 첸트너(Zentner: 100파운드에 해당하는 중량 단위—옮긴이)의 석탄들은 생산물 전체가 그러하듯 가치의 측면에서 두 부분으로 이루어질 것이다. 즉 $\frac{1}{3}$첸트너는 1첸트너를 생산하는 데 소비된 생산수단의 가치와 같을 것이고 $\frac{2}{3}$첸트너는 [483]석탄 생산자가 이 $\frac{1}{3}$의 석탄에 새로 부가한 노동의 가치와 같을 것이다. 예를 들어 총생산물이 30,000첸트너라면 그가 소득으로 교환할 수 있는 것은 단지 20,000첸트너뿐일 것이다. 나머지 10,000첸트너는 가정에 따라 철, 목재, 기계 등을 보전하게[484] 될 것이다. 요컨대 30,000첸트너를 생산하는 데 소비된 생산수단의 총가치는 같은 종류의 생산수단에 의해, 그리고 동일한 가치액의 현물로 보전될 것이다. 그러므로 20,000첸트너의 구매자는 20,000첸트너에 포함된 과거노동의 가치에 대해서는 사실상 한 푼도 지불하지 않는다. 왜냐하면 총생산물 가운데 20,000첸트너는 단지 $\frac{2}{3}$의 가치, 즉 새로 부가된 노동을 실현한 가치만을 나타낼 뿐이기 때문이다. 이것은 20,000첸트너가 단지 새로 부가된(예를 들어 1년 동안에) 노동만을 나타내고 과거노동을 전혀 나타내지 않는다는 것과 같은 말이다. 따라서 구매자는 각각의 첸트너마다 총가치(즉 과거노동+새로 부가된 노동)를 지불하지만 그럼에도 불구하고 그는 단지 새로 부가된 노동만을 지불하는 셈이다. 그것은 바로 그가 단지 20,000첸트
G513 너의 양만을, 즉 총생산물[485] 가운데 새로 부가된 노동의 총가치와 동일한 생산량만을 구매하기 때문이다. 이와 마찬가지로 그는 자신이 먹는 밀 외에 농부의 씨앗에 대해서는 지불하지 않는다. 생산자들은 이 부분을 서로 간에 보전해 주었다. 따라서 그들은 이 부분을 두 번 보전할 필요가 없다. 그들은 이 부분을 [486]자신들의 노동의 연간 생산물 가운데 일부—즉 연간(새로 부가된—옮긴이)노동의 생산물 부분이 아니라 연간 생산물 가운데 과거노동을 대표하는 부분—로 보전한다. 새로운 노동이 없다면 생산물은 존재하지 않을 것이다. 마찬가지로 생산수단에 대상화된 노동이 없어도 생산물은

존재하지 않을 것이다. 만일 생산물이 단지 새로운 노동에 의해서만 만들어진 것이라면 그것의 가치는 현재의 가치보다 적을 것이며 거기에는 생산물 가운데 생산으로 되돌려지는 부분이 포함되어 있지 않을 것이다. 그러나 다른 노동방식(생산수단에 의한 방식 — 옮긴이)이 더 생산적이지 않고, 따라서 더 많은 생산물을 공급해주지 [않는다면], 생산물 가운데 일부가 다시 생산에 되돌려져야 한다 하더라도, 그 방식은 사용되지 않을 것이다.

석탄 $\frac{1}{3}$의 가치 가운데 소득으로 판매되는 20,000첸트너의 석탄에 들어가는 부분은 하나도 없지만, 그럼에도 불구하고 이 $\frac{1}{3}$(혹은 10,000첸트너)의 석탄이 대표하는 불변자본의 가치변동은 소득으로 판매되는 나머지 $\frac{2}{3}$의 석탄의 가치변동을 불러일으킬 것이다.[487] 생산물 가운데 $\frac{1}{3}$ 부분이 분해되는 철, 목재, 기계 등(요컨대 생산요소)의 생산비용이 상승한다고 하자. 석탄노동의 생산성은 불변이라고 하자. 30,000첸트너의 생산에는 여전히 같은 양의 철, 목재, 석탄, 기계, 노동이 들어갈 것이다. 그러나 철, 목재, 기계의 가격이 상승했으므로 즉 이전보다 더 많은 노동량이 소요되므로, 이들 생산요소에 대해서 이전에 비해 더 많은 석탄이 제공되어야 할 것이다.[488]/

/353/ 생산물은 여전히 30,000첸트너이다. 석탄노동의 생산성은 이전과 변함없이 동일하다. 같은 양의 살아 있는 노동[489]과 같은 양의 목재, 철, 기계 등이 이전과 마찬가지로 30,000첸트너의 석탄을 생산한다. 살아 있는 노동은 이전과 마찬가지로 동일한 가치, 즉 예를 들어 20,000파운드스털링(화폐로 환산하여)으로 표시된다. 반면에 목재, 철 등의 불변자본에는 이제 10,000파운드스털링이 아니라 16,000파운드스털링이 소요된다. 즉 불변자본에 포함된 노동시간은 $\frac{6}{10}$(혹은 60퍼센트) 늘어났다. 이전에 30,000파운드스털링이던 총생산물의 가치는 이제 36,000파운드스털링이 되어 $\frac{1}{5}$(즉 20퍼센트) 늘어났다. 따라서 생산물의 각 부분도 모두 이전에 비해 $\frac{1}{5}$(즉 20퍼센트)만큼 가치가 늘어났다. 1첸트너의 석탄은 이전에는 1파운드스털링이었지만 이제는 '1파운드스털링+ $\frac{1}{5}$ 파운드스털링=1파운드스털링 4실링'이 되었다. 이전에는 총생산물의 $\frac{1}{3}=\frac{3}{9}$[490] = 불변자본, $\frac{2}{3}$ = 부가된 노동이었다. 이제 총생산물의 가치[491]에 대한 불변자본의 비율은 16,000 : 36,000 = $\frac{16}{36}=\frac{4}{9}$가 된다. 따라서 이 비율은 전보다 $\frac{1}{9}$만큼 상승했다. 생산물 가운데 부가된 노동의 가치에 해당하는 부분은 이전에는 $\frac{2}{3}=\frac{6}{9}$이었지만 이제는 $\frac{5}{9}$가 된다.

그리하여 우리는 다음과 같은 결과를 얻는다. G514

	불변자본	부가된 노동
가치＝36,000파운드스털링	16,000파운드스털링 (생산물의 $\frac{4}{9}$)	20,000파운드스털링 (이전과 같은 가치＝생산물의 $\frac{5}{9}$)
생산물＝30,000첸트너[492]	13,333 $\frac{1}{3}$ 첸트너	16,666 $\frac{2}{3}$ 첸트너

석탄노동자의 노동생산성은 하락하지 않았다. 그러나 그들 노동＋과거노동의 생산물은 덜 생산적인 것으로 되었다. 즉 불변자본의 ||354| 가치구성부분을 보전하기 위해서는 이전에 비해 총생산물의 $\frac{1}{9}$[493]만큼이 더 필요하게 되었고 새로 부가된 노동의 가치에 해당하는 생산물은 $\frac{1}{9}$만큼 감소했다. 철, 목재 등의 생산자들은 여전히 10,000첸트너의 석탄에 대해서만 지불할 것이다. 이것은 그들에게 이전에는 10,000파운드스털링에 해당하는 것이었다. 그런데 이제 그것은 12,000파운드스털링으로 될 것이다. 따라서 불변자본 가운데 일부는, 그들이 철 등의 보전을 통해서 얻는 석탄 부분에 대해서 가격이 상승한 부분만큼을 지불하는 방식으로 변제될 것이다. 그런데 석탄 생산자는 이들로부터 16,000파운드스털링어치의 원료를 구매해야만 한다. 따라서 그는 4,000파운드스털링(즉 3,333$\frac{1}{3}$첸트너의 석탄)에 해당하는 차액을 지불해야만 한다. 그리하여 그는 이전과 마찬가지로 16,666$\frac{2}{3}$첸트너＋3,333$\frac{1}{3}$첸트너＝20,000첸트너의 석탄＝생산물의 $\frac{2}{3}$에 해당하는 석탄을 소비자들에게 공급하게 되는데 소비자들은 이 석탄에 대하여 이제 20,000파운드스털링이 아니라 24,000파운드스털링을 지불해야 할 것이다. 그럼으로써 소비자들은 석탄 생산자에게 그의 노동뿐 아니라 불변자본 일부도 보전해 주어야 한다. 소비자들에 관한 한 문제는 매우 단순하다. 그들이 여전히 동일한 양의 석탄을 소비하고자 한다면 그들은 그에 대한 지불을 $\frac{1}{5}$ 늘려야 하고 따라서 모든 부문에서 생산비가 불변일 경우 그들은 다른 생산물에 지출하는 자신들의 소득을 $\frac{1}{5}$ 줄여야 할 것이다. 문제는 단지 석탄 생산자가 석탄을 필요로 하지 않는 철, 목재 등의 생산자들에게 어떻게 4,000파운드스털링을 지불할 것인가 하는 것이다. 그는 자신의 석탄 3,333$\frac{1}{3}$첸트너＝4,000파운드스털링을 석탄 소비자들에게 판매하고 그 대가로 온갖 종류의 상품을 받았다. 그러나 이 상품은 그의 소비는 물론 그의 노동자들의 소비에도 들어갈 수 없고 철, 목재 등의 생산자들의 소비에 들어가야만 한다. 왜냐하면 그는 이들 물품으로 자신의 석탄 3,333$\frac{1}{3}$첸트너의 가치를 보전해

야[494] 하기 때문이다. 문제는 매우 간단해 보일 수 있다. 즉 모든 석탄 소비자가 모든 다른 상품의 소비를 $\frac{1}{5}$ 만큼 줄이고 모든 사람이 석탄에 대한 대가로 자신의 상품을 $\frac{1}{5}$ 만큼 더 지불하면 되는 것이다. 그리고 바로 이 $\frac{1}{5}$ 만큼 목재, 철 등의 생산자들은 소비를 늘리면 된다. 그러나 제철업, 기계 제조업, 벌채업 등의 생산성이 감소했는데 어떻게 해서 그 생산자들이 이전보다 더 많은 소득을 소비할 수 있는지는 한눈에 보아도 이해하기 어렵다. 왜냐하면 우리는 이들 물품의 가격이 가치와 일치한다고 가정하고 있고 따라서 이들 가격은 그들의 노동생산성이 감소한 것에 비례해서만 상승할 것이기 때 G515
문이다. 가정에 의하면 철, 목재, 기계의 가치는 $\frac{3}{5}$, 즉 60퍼센트 상승했다. 이것은 단지 두 가지 요인에 의해서만 일어날 수 있다. 한 가지는 철, 목재 등의 생산에 사용된 살아 있는 노동의 생산성이 하락함으로써, 즉 똑같은 생산물을 생산하는 데 들어가는 노동량이 늘어남으로써 철, 목재 등의 생산부문의 생산성이 하락하는 경우이다. 이 경우 생산자들은 이전에 비해 $\frac{3}{5}$ 만큼 더 많은 노동을 사용해야 한다.[495]임금률[496]은 불변인데 왜냐하면 노동생산력의 감소는 단지 일시적으로 개별 생산물들에서만 일어났기 때문이다. 따라서 잉여가치율도 여전히 변하지 않았다. 생산자는 이전에는 15노동일이 필요하던 것이 이제는 24노동일이 필요하게 되었지만, 노동자에 대한 지불은 24시간에 대해서 여전히 10시간만을 지불하고 여전히 2시간씩은 무상으로 노동을 시킨다. 따라서 이전에 15명의 노동자가 150시간을 자신을 위해 노동하고 30시간을 자본가를 위해서 노동했다면 이제는 24명의 노동자가 240시간을 자신들을 위해서 노동하고 48시간을 자본가를 위해 노동하게 된다(여기에서 이윤율은 무시하기로 한다). 임금은 생산자가 철, 목재, 기계 등에 지출할 경우에만 하락할 수 있는데 그런 경우는 없다. 이제 24명의 노동자는 이전의 15명에 비해 $\frac{3}{5}$ 만큼 더 많이 소비한다.[497]따라서 석탄 생산자는 3,333 $\frac{1}{3}$ 첸트너의 가치 가운데 그만큼 더 많은 부분을 이들 생산자(즉 임금을 지출한 노동자들의 고용주)에게 판매할 수 있다. 또 하나의 요인은 철, 목재 생산부문의 생산성 하락이 이들의 불변자본(즉 그들의 생산수단) 요소들의 가격이 상승했기 때문에 발생하는 경우이다. 그럴 경우에는 다시 똑같은 대안이 등장하여 결국 생산성의 감소가 살아 있는 노동의 사용량의 증가로—따라서 임금도 증가하는데 그 임금은 소비자들이 부분적으로[498] 석탄업자에게 4,000파운드스털링으로 지불했다—귀결된다.[499]더 많은 양의 노동[500]이 사용되는 생산부문에서는 사용되는 노동자의 수가 증가하기 때문

에 잉여가치도 증가한다. 다른 한편 이윤율은 그 자신의 생산물에 들어가는—이들 생산부문이 자신의 생산물 가운데 일부를 다시 생산수단으로 필요로 하는 경우이든, 석탄의 경우처럼 자신의 생산물이 [501]생산수단으로서 자신의 생산수단에 들어가는 경우이든—불변자본의 모든 구성부분의 가치가 상승함에 따라 하락한다. 그러나 임금으로 소비된 그들의 유동자본이 보전되어야 하는 불변자본 부분보다 더 많이 증가했다면 그들의 이윤율도 증가하고 그들은 ||355| 4,000파운드스털링의 일부를 소비에 사용할 것이다. 불변자본의 가치 상승(그것을 공급하는 산업부문의 생산성 하락으로 인한)은 그것이 불변자본으로 들어가는 생산물의 가치를 증가시키고, 생산물(현물 상태의) 가운데 새로 부가되는 노동을 보전하는 부분을 감소시킨다. 따라서 그것은 노동을 자신의 생산물로 [502]측정할 경우 그 노동의 생산성을 떨어뜨린다. 불변자본 가운데 현물로 교환되는 부분에서는 사정에 아무런 변
G516 화가 없다. 소비된 철, 목재, 석탄 등을 보전하기 위해서 여전히 똑같은 양의 철, 목재, 석탄 등이 현물로 교환되고 가격 상승은 이들 상호 간에 상쇄된다. 그러나 [503]석탄 가운데 석탄업자의 불변자본을 이루면서 이 현물 교환에는 들어가지 않는 나머지 부분은 여전히 소득(위에서 언급한 경우에는 일부가 임금뿐 아니라 이윤과도 교환된다)과 교환된다. 단지 다른 점은 이 소득이 이전에는 소비자에게 돌아갔으나 지금은 더 많은 노동량이 사용된(즉 노동자 수가 증가한) 이 생산영역의 생산자에게 귀속된다는 점이다.

만일 어떤 생산부문이 오로지 개인적 소비에만 들어가는—즉 다른 산업의 생산수단(여기에서 말하는 생산수단은 언제나 불변자본을 의미한다)으로는 물론 자신의 재생산(예를 들어 농업, 목축업, 혹은 석탄 그 자체가 보조재료로 생산에 들어가는 석탄산업 등과 같이)에도 들어가지 않는—생산물을 생산한다면, 그 산업의 연간 생산물은〔연간 생산물을 초과하는 잉여분은 이 문제에서 아무런 의미가 없다〕항상 소득(즉 임금과 이윤)으로 지불되어야 한다. 앞서[504] 들었던 아마포의 예를 보기로 하자. 3엘레의 아마포가 $\frac{2}{3}$의 불변자본과 $\frac{1}{3}$의 부가된 노동으로 이루어져 있다고 하자. 따라서 1엘레의 아마포는 부가된 노동을 나타낸다. 만일 잉여가치(잉여가치율—옮긴이)가 25퍼센트라면 1엘레의 $\frac{1}{5}$이 이윤을 나타낼 것이다. 나머지 $\frac{4}{5}$엘레는 재생산된 임금을 나타낼 것이다. $\frac{1}{5}$은 공장주 자신이 소비하거나 혹은 같은 결과를 가져오지만 다른 사람이 그것을 소비하고 공장주에게 그 가치를 지불하면 그 가치를 가지고 공장주는 자신의 상품이나 다른 상품을 구매하여 소비한다.〔논

의를 단순화하기 위하여 여기에서는, 틀린 이야기이긴 하지만, 이윤 전체를 소득으로 간주한다.] 나머지 $\frac{4}{5}$를 공장주는 임금으로 다시 지출한다. 그의 노동자들은 이것을 자신들의 소득으로 소비하는데, 아마포를 직접 소비하거나 혹은 다른 소비재 생산물(이 생산물의 소유자가 아마포를 소비한다)과 교환하여 소비한다. 이것이 3엘레의 아마포 가운데 아마포 생산자 자신이 소득으로 소비할 수 있는 부분(1엘레) 전체이다. 나머지 2엘레는 공장주의 불변자본을 나타낸다. 그것은 아마포의 생산요소들(실, 방적기 등)로 재전화해야만 한다. 그의 관점에서 본다면 아마포 2엘레의 교환은 불변자본의 교환이다. 그러나 그는 이 2엘레의 아마포를 다른 사람의 소득하고만 교환할 수 있다. 그래서 그는 예를 들어 실에 대해서 아마포 2엘레의 $\frac{4}{5}$(혹은 $\frac{8}{5}$엘레)를 지불하고 기계에 대해서 $\frac{2}{5}$엘레를 지불한다. 방적업자와 기계 제조업자는 각자가 다시 이들 가운데 $\frac{1}{3}$을 소비할 수 있다. 즉 방적업자는 $\frac{8}{5}$엘레 가운데 $\frac{8}{15}$엘레를, 기계 제조업자는 $\frac{2}{5}$엘레 가운데 $\frac{2}{15}$엘레를 소비할 수 있다. 이 둘을 합하면 모두 $\frac{10}{15}$, 즉 $\frac{2}{3}$엘레가 된다. 그런데 $\frac{20}{15}$ 혹은 $\frac{4}{3}$엘레는 이들에게서 아마, 철, 석탄 등과 같은 원료를 보전해야 하고 이들 각각의 물품은 다시 두 부분으로 분해되어 한 부분은 소득(새로 부가된 노동)을 다른 한 부분은 불변자본(원료와 고정자본 등)을 대표하게 된다. 그러나 이 마지막 $\frac{4}{3}$엘레는 단지 소득으로서만 소비될 수 있다. 따라서 결국 실과 기계에서 불변자본으로 나타나는 것, 그리고 방적업자와 기계 제조업자가 아마, 철, 석탄을 보전하는 데 사용하는 것(기계 제조업자가 기계에 의해서 보전하는 철, 석탄 등은 G517
무시하기로 한다)은 아마, 철, 석탄 가운데 아마, 철, 석탄 생산자의 소득을 이루는, 따라서 어떤 불변자본도 보전할 필요가 없는 부분만을 나타내야 한다. 또는 그것은 위에서 보여주었듯이 그들의 생산물 가운데 불변자본 부분에 들어가지 않는 부분에 속하는 것이어야 한다. 그런데 철, 석탄, 아마 등으로 된 그들의 소득[505]은 이처럼 아마포나 다른 소비재로 된 것들을 통해서 소비된다. 왜냐하면 그들 자신의 생산물 그 자체는 그들의 개인적 소비에 아예 들어가지 않거나 극히 [506]일부분만 들어가기 때문이다. 그래서 철, 아마 등의 일부는 개인적 소비에만 들어가는 생산물(즉 아마포)과 교환될 수 있으며 그것으로 방적업자는 자신의 불변자본 전부를, 기계 제조업자는 일부를 보전하는 한편, 방적업자와 기계 제조업자는 다시 그들의 실과 기계 가운데 소득을 나타내는 부분을 가지고 아마포를 소비하고 그럼으로써 방직업자(아마포 생산업자—옮긴이)의 불변자본을 보전한다. 그리하여 사실상 아마포 전

체는 방직업자, 방적업자, 기계 제조업자, 아마 재배업자, 석탄 및 철 생산자의 임금과 이윤으로 분해되는 한편 이들 임금과 이윤은 동시에 아마포 공장주와 방적업자에게 그들의 불변자본 전체를 보전해 준다. 만일 마지막 부분의 원료 생산자들이 자신들의 불변자본을 아마포와 교환하여 보전해야 한다면 계산은 맞지 않을 것이다. 왜냐하면 아마포는 어떤 생산영역에도 생산수단(즉 불변자본의 일부)으로 들어가지 않는 ||356| 개인적 소비를 위한 물건이기 때문이다. 계산이 맞게 되는 것은, 아마 재배업자, 석탄업자, 제철업자, 기계 제조업자 등이 자신들의 생산물을 가지고 구매한 아마포[507]가 그들에게서 그들의 생산물 가운데 **그들을** 위한 소득으로(그들의 구매자에게는 불변자본으로) 분해되는 부분만을 보전하기 때문이다. 그것이 그렇게 될 수 있는 것은 단지 그들이 자신들의 생산물 가운데 소득으로 분해되지 않는 부분(따라서 소비재와의 교환으로 분해될 수 없는 부분)을 현물로 (즉 불변자본과 불변자본의 교환을 통해서) 보전하기 때문이다.

위에서 주어진 어떤 산업부문의 노동생산성이 불변이라고 가정한 다음 그럼에도 불구하고 이 산업부문에 사용된 살아 있는 노동의 생산성이 그 자신의 생산물로 측정한다면 감소했다고 한 가정은 이상하게 보일 수 있다. 그러나 그 내용은 매우 단순하다. 방적업자의 노동생산물=5파운드의 실이라고 하자. 방적업자가 이 실을 생산하는 데 필요로 하는 것은 단지 5파운드의 면화뿐이라고 하자(즉 부산물은 발생하지 않는 것으로 가정한다). 실 1파운드의 가치는 1실링이라고 하자. (기계는 무시하기로 한다. 즉 기계의 가치는 상승하지도 하락하지도 않는다고 가정한다. 그래서 이 경우 기계=0이다.) 면화 1파운드의 가치는 8펜스이다. 실 5파운드의 가치인 5실링 중에서 면화는 40펜스(5×8펜스)=3실링 4펜스이고 5×4펜스=20펜스=1실링 8펜스는 새로 부가된 노동이다. 따라서 생산물 전체에서 3실링 4펜스(즉 $3+\frac{1}{3}$ 파운드의 실)는 불변자본에, $1\frac{2}{3}$ 파운드의 실은 노동에 해당한다. 그리하여 5파운드의 실
G518 가운데 $\frac{2}{3}$는 불변자본을 보전하고 $\frac{1}{3}$(혹은 $1\frac{2}{3}$ 파운드의 실)은 생산물 가운데 노동에 대해서 지불하는 부분이 된다. 면화 1파운드의[508] 가격이 이제 50퍼센트 상승하여 8펜스에서 12펜스(즉 1실링)가 되었다고 하자. 그러면 우선 당장 실 5파운드의 가격은 5파운드의 면화 5실링과 부가된 노동 1실링 8펜스를 합한 것이 되는데 이 부가된 노동은 그 노동량과 화폐로 표시된 가치가 모두 이전과 동일하다. 그래서 5파운드의 실은 이제 5실링+1실링 8펜스=6실링 8펜스가 된다. 이 6실링 8펜스에서 이제 원료에 해당하는 부분

이 5실링, 노동에 해당하는 부분이 1실링 8펜스이다.[509] 6실링 8펜스=80펜스이고 그중 60펜스가 원료에, 20펜스가 노동에 해당한다. 노동은 5파운드의 가치(즉 80펜스)에서 단지 20펜스, 즉 $\frac{1}{4}$ =25퍼센트만을 차지한다. (이전에는 33$\frac{1}{3}$ 퍼센트였다.) 한편 원료는 60펜스= $\frac{3}{4}$ =75퍼센트를 차지한다. (이전에는 66$\frac{2}{3}$ 퍼센트였다.) 실 5파운드의 가치는 이제 80펜스이므로 실 1파운드= $\frac{80}{5}$ 펜스=16펜스이다. 따라서 실 5파운드에서 노동의 가치인 20펜스에 해당하는 것은 1$\frac{1}{4}$ 파운드이고 3$\frac{3}{4}$ 파운드는 원료에 해당한다. 이전에는 1$\frac{2}{3}$ 파운드가 노동(이윤과 임금)에 해당했고 3$\frac{1}{3}$ 파운드가 불변자본에 해당했다. 자신의 생산물을 기준으로 측정할 때 노동은 — 비록 그것의 생산성은 변하지 않았고 단지 원료의 가격만 상승했을 뿐인데 — 더 비생산적으로 되었다. 노동의 생산성이 불변인 까닭은 동일한 시간에 동일한 양의 노동이 5파운드의 면화를 5파운드의 실로 전화시켰고 이 노동의 고유한 생산물은(사용가치의 측면에서) 단지 면화를 **실의 형태**로 바꾼 것뿐이기 때문이다. 5파운드의 면화는 여전히 동일한 양의 노동에 의해 실의 형태로 바뀌었다. 그러나 현실의[510] 생산물을 구성하는 것은 이 실의 형태뿐 아니라 원면도 함께 포함되는데, 이 원면은 곧 실의 형태를 이루는 소재로서, 총생산물에서 형태를 부여하는 노동에 비해 이 소재의 가치가 차지하는 비율은 이전에 비해 훨씬 더 커졌다. 따라서 동일한 양의 방적노동은 이전에 비해 더 적은 실로 지불된다. 즉 생산물 가운데 그것을 보전해 주는 부분이 더 작아졌다.

대체로 이 이야기는 여기까지이다.

c) 스미스에 대한 가르니에의 논박에 포함된 속류적 전제. 가르니에의 중농주의적 개념으로의 복귀. 비생산적 노동자들의 소비가 생산의 원천이라는 견해 — 중농주의에 비해 일보 후퇴

그리하여 첫째 가르니에가 한 이야기, 즉 자본[511] 전체가 언제나 결국은 소비자의 소득에 의해 보전된다고 한 것은 틀린 이야기이다. 왜냐하면 자본 가운데 일부는 소득이 아니라 자본에 의해서 보전될 수 있기 때문이다. 둘째 이 이야기는 그 자체로도 틀린 이야기인데 왜냐하면 소득 그 자체가 임금(혹은 임금으로[512] 지불하는 임금, 즉 임금에서 파생된 소득)이 아니라면 자본의 이윤(혹은 자본의 이윤에서 파생된 소득)이기 때문이다. 마지막으로 자본 가운데 유통되지 않는 부분(소비자의 소득에 의해 보전되지 않는다는 의미)은 "그 소유자에게 이윤을 가져다주지 않는다"[513]는 말도 잘못된 이야기이다. 실제로 — 생산조건이 불변이라면 — 이 부분은 이윤(즉 잉여가치)을 낳지 않는다. 그러나 이 부분이 없으면 자본은 이윤을 아예 생산하지 못할 것이다.|

|357| "이 구별로부터 얻어낼 수 있는 것은 결국 이것이다. 즉 **생산적인** 사람을 고용하기 위해서는 **그들의 노동을 사용하는 사람의 소득**뿐 아니라 중 G519

개인들에게 이윤을 가져다줄 자본도 함께 필요하지만 **비생산적인 사람을 고용하기 위해서는**[514] 대개 그들에게 지불할 사람의 소득만으로 충분하다."(같은 책, 175쪽)

이 한 문장은 그 자체로도 이미 엉터리인데 즉 여기에서 A. 스미스의 번역자인 가르니에는 사실상 A. 스미스를 전혀 이해하지 못했고 특히 『국부론』의 본질 — 자본주의 생산양식[515]은 가장 생산적이다(그 선행 형태들에 비해 무조건 그러하다) — 도 전혀 알아차리지 못했다는 것을 분명히 보여주고 있다.

무엇보다도 가장 터무니없는 것은 스미스가 비생산적 노동을 소득으로부터 직접 지불되는 것으로 설명한 것에 대하여 "**비생산적인** 사람을 고용하기 위해서는 대개 그들에게 지불할 사람의 소득만으로 충분하다"고 한 부분이다. 그런데 이제 그 앞 문장을 보자! "**생산적인** 사람을 고용하기 위해서는 그들의 노동을 **사용하는** 사람의 **소득뿐 아니라 중개인들에게 이윤을 가져다줄 자본**도[516] 함께 필요하다."(그렇다면 이제 가르니에가 보기에 토지생산물을 소비하는 사람들의 소득 외에, 다시 중개인들에게 이윤을 가져다주는 것은 물론 토지소유자에게도 지대를 가져다줄 자본이 필요한 농업노동은 얼마나 생산적이겠는가.) "생산적인 사람을 고용하기" 위해 필요한 것은, 첫째 그 사람을 사용할 자본과 둘째 그 사람의 노동을 사용할 소득이 아니라, 다름 아닌 이 사람의 노동의 열매를 향유할 소득을 만들어내는 자본이다. 만일 내가 재봉업의 자본가로서 100파운드스털링을 [517]임금에 지출한다면 이 100파운드스털링은 예를 들어 내게 120파운드스털링을 만들어 줄 것이다. 그것은 내게 20파운드스털링의 소득을 가져다주고 이제 나는 그것을 가지고 만일 내가 원한다면 다시 "상의"를 만드는 재봉노동에 사용할 수 있을 것이다. 그러나 만일 내가 20파운드스털링으로 내가 입기 위한 다른 옷을 구매한다면, 이 옷은 분명히 내가 그것을 구매하기 위해 사용한 20파운드스털링을 만들어낸 것이 아닐 것이다. 그리고 이것은 내가 재봉사들을 집으로 불러서 이들로 하여금 내가 입을 20파운드스털링에 해당하는 상의를 만들게 하는 경우에도 마찬가지일 것이다. 첫 번째 경우 나는 이전에 가지고 있던 것보다 20파운드스털링을 더 갖게 되었다. 두 번째 경우[518] 거래가 끝나고 나면 나는 원래 가지고 있던 것보다 20파운드스털링을 더 적게 갖게 되었다. 게다가 나는 내가 소득으로 직접 지불한 재봉사들이 내가 중개인으로부터 상의를 구매할 때보다 더 저렴하게 상의를 만들지 않는다는 것을 금방 깨닫게 될 것이다. 가르니에는 이윤이 소비자에 의해 지불된다고 생각했다. 소비자는 상품의

"가치"를 지불한다. 그리고 이 상품의 가치에 자본가를 위한 이윤이 포함되어 있다 하더라도, 소비자의 입장에서는 이 상품이, 그가 자신의 개인적 필요를 위해 극히 소규모로 생산하는 데 필요한 노동을 직접 자신의 소득을[519] 사용하여 지출하는 경우에 비해 더 저렴할 것이다. 여기에서 가르니에가 자본이 무엇인지를 전혀 알지 못하고 있다는 것이 명백하게 드러난다. 그는 계속해서 말한다.

"배우, 음악가 등의 **비생산적** 노동자들은 대개 해당 기업에 투자한 자본의 G520
이윤을 만들어주는 경영자들을 거치는 방식으로 자신들의 임금을 받지 않는가?"(같은 책, 175, 176[520]쪽) 이 말은 옳다. 그러나 이것은 단지 A. 스미스가 그의 두 번째 규정에서 비생산적 노동자라고 불렀던 노동자들 가운데 일부가 그의 첫 번째 규정에 따르면 생산적이라는 사실을 보여주는 것일 뿐이다.

"따라서 **생산적** 계급의 숫자가 매우 많은 사회에서는 중개인 또는 기업가의 수중에 엄청난 규모의 자본축적이 이루어져 있다는 것을 가정해야만 한다."(같은 책, 176쪽) 실제로 대량의 임노동이란 대량의 자본에 대한 또 다른 표현일 뿐이다.

"그러므로 **생산적** 계급과 **비생산적** 계급의 비율을 결정하는 것은 스미스가 생각했듯이 자본의 양과 소득의 양 사이의 비율이 아니다. 오히려 그것의 비율을 결정하는 것은 산업의 발전 수준, 국민의 풍속과 관습인 것처럼 보인다."(177쪽)

만일 자본으로부터 지불받는 사람이 생산적 노동자이고 소득으로부터 지불받는 사람이 비생산적 노동자라면 생산적 계급과 비생산적 계급 간의 비율은 자본과 소득 간의 비율과 같을 것이 분명하다. 그러나 두 계급의 비례적인 증가는 자본의 양과 소득의 양 사이의 기존 비율[521]에만 의존하지는 않을 것이다. 그것은 증가한 소득(이윤)이 어떤 비율로 자본으로 전화할 것인지(혹은 소득으로 지출될 것인지)에도 의존할 것이다. 부르주아들은 처음에는 매우 근검절약했지만 자본생산성(즉 노동생산성)이 증가하자 ||358| 봉건영주를 본받아 하인을 고용했다. 최근의(1861년 혹은 1862년) 공장 보고서[522]에 따르면 영국에서[523] 순수한 의미의 공장에 고용된 사람(관리자들도 포함한다)의 수는 모두 합해 겨우 775,534명이었는데(『1861년 4월 24일 **하원 질의에 대한 보고서**』, 1862년 2월 11일 인쇄)[524] 반면에 영국 내 하녀의 수는 모두 100만 명에 달했다. 1명의 공장 여공을 공장에서 12시간 동안 땀을 흘리며 일하게 한 다음, 그녀에게 지불하지 않은 노동 가운데 일부를 가지고 공장주가 그녀

의 여동생을 하녀로, 그녀의 남동생을 급사로, 그리고 그녀의 사촌동생을 군인이나 경찰로 자신의 개인적 서비스노동에 종사하도록 만들다니, 이것은 얼마나 멋진 제도인가!

마지막에 덧붙인 가르니에의 말은 하나 마나 한 동어반복에 불과하다. 생산적 계급과 비생산적 계급 간의 비율은 자본과 소득 간의 비율(혹은 자본이나 소득의 형태로 지출된 기존 상품의 양)에 의존하는 것이 아니라 (?) 국민의 풍속과 관습, 산업의 발전 수준에 의존한다. 실제로 자본주의적 생산은 산업의 발전 수준이 어느 정도에 도달했을 때에야 비로소 등장했다.

G521 보나파르트당의 의원이었던 가르니에는 당연히 하인들에게 온통 정신을 쏟고 있다. "인원수가 동일할 경우에는 **소득**을 **자본**으로 전화시키는 데서 하인계급만 한 것이 없다."(181쪽) 실제로 소부르주아 계급에서 몰락하는 부분은 어떤 계급으로부터도 충원되지 않는다. 가르니에는 스미스처럼 "상당한 통찰력을 가지고 사물을 고찰한 사람"이 "부자들의 곁에 앉아서 이 부자들이 아무 거리낌 없이 낭비하는 소득의 찌꺼기를 **주워 모으려는**[525] 중개인들"(같은 책, [182], 183쪽)을 별로 높이 평가하지 않은 것을 이해하지 못한다. 그 자신도 이 문장에서 중개인들이 단지 "소득"의 찌꺼기를 "주워 모을" 뿐이라고 말하고 있다. 그런데 이 소득은 무엇으로 이루어지는가? 생산적 노동자의 비지불노동으로 이루어진다.

이처럼 스미스에 대하여 극히 조악한 반론들을 모두 늘어놓은 다음 가르니에는 중농주의로 되돌아가서 농업노동이야말로 유일하게 생산적인 노동이라고 선언한다. 그런데 그 이유는 무엇인가? 그것은 농업노동이 "하나의 새로운 가치를 창출하기 때문인데, 그 가치는 노동이 이루어지는 그 순간까지는 아직 사회에 **존재하지 않던**[526] 것, 즉 한 번도 등가로 존재하지 않던 것이다. 그리고 이 가치가 바로 토지소유자에게 지대를 만들어 준다."(같은 책, 184쪽) 그렇다면 생산적 노동이란 무엇인가? 그것은 노동자가 임금으로 얻는 등가를 초과하는 새로운 가치, 즉 잉여가치를 창출하는 노동이다. 그런데 가르니에가 **자본과 노동 간의 교환**이 주어진 노동량과 동일한 일정 가치의 상품[527]이 그 상품에 포함된 것보다 더 많은 양의 노동과 교환되는 것 이외에 다른[528] 아무것도 아니며, 따라서 이 노동은 그것이 "이루어지는 그 순간까지는 아직 사회에 존재하지 않던 것, 즉 한 번도 등가로 존재하지 않던" "하나의 새로운 가치를 창출"한다는 사실을 이해하지 못한 것은 스미스의 책임이 아니다.[529]

(MEW에서는 여기에 G589쪽의 "가르니에는 1789년 … 유용한 것이라는 결론을 내리고 있다."의 문단과 G623~G624쪽의 "슈말츠. 중농주의 … 것이기 때문이다"까지의 세 문단을 삽입하고 있음 — 옮긴이)

Ch. 가닐. Ch. 가닐의 『**경제학 체계**』(초판, 파리, **1809년**; 제2판, **1821년**)(우리의 인용은 제2판에 근거한 것이다)는 극히 조악하고 천박한 저작이다. 그의 허튼소리들은 그가 반론을 제기하는 가르니에와 직접 연결되어 있다. 7. 샤를 가닐 a) 교환과 교환가치에 대한 중상주의의 견해

〔**카나르**는 『경제학 원리』에서 "**부(富)란 잉여노동의 축적**"[530]이라고 정의하고[531] 있다. 부를 노동자가 노동자로서 생활을 영위하는 데 필요한 부분을 넘어서는 여분의 노동이라고 말했다는 점에서 그의 정의는 맞는 것이다.〕

가닐의 기본적인 출발점은 상품이 부르주아적 부의 기본 요소이며, 부를 생산하기 위해서는 노동이 상품을 생산해야 하며, 노동은 자신(혹은 자신의 생산물)을 **판매**해야 한다는 것이다. "오늘날과 같은 문명 수준에서는 우리는 교환에 의해 매개된 노동만을 알고 있다."(같은 책, 제1권, 79쪽) "교환이 없으면 노동은 어떤 부도 생산할 수 없다."(같은 책, 81쪽) 여기에서 가닐은 중상주의로 도약해버린다. 교환이 없으면 노동은 어떤 부르주아적 부도 창출할 수 없기 때문에 "부는 오로지 상업으로부터만 나온다."(같은 책, 84쪽) 혹은 그가 뒷부분에서 말하듯이 "상업 혹은 교환만이 물건에 가치를 부여한 G522 다."(같은 책, 98쪽) 이 "가치와 부의 동일성 원리는 … 일반적 노동의 생산성 이론의 토대가 되고 있다."(같은 책, 93쪽) 가닐은 ||359| 스스로도 중금주의 이론의 단순한 "변종"에 지나지 않는다고 말하는 "중상주의"가 "노동의 교환가치에서 — 이 교환가치가 물적(그리고 지속적으로 존속하는) 대상에 고정될 수 있든 없든 상관없이 — 개인적 부와 사회적 부를 도출해내고 있다"(같은 책, 95쪽)고 스스로 설명한다. 그리하여 그는 가르니에가 중농주의로 빠져버렸듯이 중상주의로 빠져버린다. 그래서 그의 헛소리는 다른 것에는 하등 쓸모가 없지만 중상주의와 그것의 "잉여가치"에 대한 견해(특히 그가 이 견해를 스미스, 리카도에 대립하는 것으로 제기하기 때문에)의 특징들을 보여준다는 점에서는 나쁘지 않다.

부는 교환가치이다. 그러므로 교환가치를 생산하거나 자신이 교환가치를 갖는 노동은 부를 생산한다. 가닐이 조금 깊이가 있는 중상주의자라는 것을 보여주는 유일한 단어는 **일반적**(général) 노동이라는 말이다. 개인의 노동(혹은 개인의 노동생산물)은 일반적 노동의 형태를 취해야만 한다. 그럴 때에

만 그것은 교환가치, 즉 **화폐**이다. 사실상 가닐은 부 = 화폐라는 명제로 도로 돌아가고 있다. 단지 그 화폐는 이제 금이나 은이 아니라 상품 그 자체(단, 상품이 **화폐**인 한에서)이다. 그는 이렇게 말한다. "**중상주의** 혹은 **일반적 노동**[532] 가치의 교환."(같은 책, 98쪽) 이 말은 하나 마나 한 말이다. 생산물이 가치인 것은 그것이 "일반적 노동의 **가치**"(이것은 가치의 가치와 같은 말이다)로서가 아니라 일반적 노동의 현존재(즉 그것이 대상화된 것)로서이다. 그런데 상품은 가치이고 스스로 형태변화를 하면서 화폐형태를 취하기도 한다는 것이 전제되어 있다. 그래서 그것은 이제 교환가치이다. 그러나 그것의 가치는 얼마나 큰가? 모든 상품은 교환가치이다. 그런 점에서 상품들은 구별되지 않는다. 그러나 일정 상품의 교환가치는 무엇이 만드는가? 여기에서 가닐은 극히 조잡한 현상형태에 머물고 만다. A와 교환되는 B, C, D 등의 양이 많으면 그것은 큰 교환가치인 것이다.

가닐이 리카도와 대부분의 경제학자들에 대해 제기한 반론은 전적으로 옳은 이야기이다. 즉 그는 이들의 이론체계가 부르주아 체계 전반과 마찬가지로 교환가치에 기초해 있음에도 불구하고 이들이 노동을 고찰하면서 교환을 배제했다고 말했던 것이다. 그러나 이 경제학자들이 그렇게 한 이유는 그들이 보기에 생산물이 상품**형태**를 취하는 것은 당연한 일이고 따라서 그들은 **가치의 크기**만을 고찰했던 것이기 때문이다. 각 개인의 생산물은 교환을 통해서 비로소 자신을 일반적 노동생산물로 확인하는데 이는 그 생산물들이 **화폐**로 표현되기 때문이다. 그러나 이런 상대성은 이들 생산물이 일반적 노동의 현존재로 나타나야만 하고, 오직 사회적 노동의 상대적(양적으로만 서로 구별되는) 표현으로서만 바로 이런 현존재로 귀결될 수 있다는 사실에 근거한다. 그러나 교환 그 자체는 생산물에 **가치의 크기**를 부여하지 않는다. 교환에서 생산물들은 일반적인 사회적 노동으로 나타나고, 그것들이 얼마만큼의 일반적인 사회적 노동으로 표시될 수 있는지는, 그것들이 사회적
G523 노동으로 표시될 수 있는 [533]크기, 즉 그것들이 교환될 수 있는 상품의 크기(즉 시장과 상업의[534] 범위), 교환가치로 표현되는 상품들의 종류 등에 의존한다. 예를 들어 생산부문이 단지 4개만 존재한다면 이들 4부문의 생산자 각각은 자신의 생산물 가운데 대부분을 자신을 위해 생산할 것이다. 그러나 만일 1천 개의 생산부문이 존재한다면 [535]각 생산자들은 자신의 모든 생산물을 상품으로 생산할 수 있을 것이다. 그것들은 모두 교환에 들어갈 것이다. 그런데 가닐은 중상주의자들과 마찬가지로 가치크기 그 자체가 교환의 산

물이라고 생각했다. 그러나 생산물이 교환을 통해 취하는 것은 가치의 형태 또는 **상품**의 형태에 지나지 않는다.

"교환은 **물건**[536]에 가치를 부여하는데, 교환이 없다면 그것은 가치를 갖지 않을 것이다."(102쪽) 만일 이 말이 **물건**(즉 사용가치)이 단지 가치로 될 뿐이고, 그것이 사회적 노동의 상대적 표현으로 이런 형태를 취하는 것이라는 의미라면 그것은 동어반복에 지나지 않는다. 또한 만일 그것이 교환을 통해서 더 큰 가치(교환이 없었다면 갖지 않았을 가치)를 얻는다는 의미라면 그것은 명백히 말이 안 되는 이야기이다. 왜냐하면 교환은 B의 가치크기를 낮춤으로써만 A의 가치크기를 높일 수 있기 때문이다. 교환이 A에게 교환 이전의 가치보다 더 큰 가치를 부여한다면 그것은 곧 교환이 B에게는 더 작은 가치를 부여하는 것이 된다. 따라서 A+B는 교환 전이나 교환 후에나 여전히 동일한 가치를 갖는다.

"아무리 유용한 생산물이라 할지라도 교환이 그것에 가치를 부여하지 않는다면 그것은 아무런 가치도 갖지 않는다." (만일 그것이 "생산물"이라면 그것은 처음부터 노동의 생산물이고 공기처럼 모두에게 그냥 주어진 자연의 선물이 아닐 것이다. 만일 그것이 "극히 유용한 생산물"이라면, 그것은 탁월한 사용가치를 가진 것이고, 누구나가 필요로 하는 사용가치일 것이다. 만일 교환이 이것들에 가치를 부여하지 **않는다면** 그것은 오로지 이것들이 단지 생산자 자신만을 위해 생산될 경우일 것이다. 그러나 이것은 ||360| 이것들이 교환을 위해 생산된다는 전제와 모순된다. 그러면 모든 전제가 헛소리로 되어버릴 것이다.) "그리고 아무 쓸모 없는 생산물이라 할지라도 만일 그것이 교환에서 유리한 물건이라면 매우 큰 가치를 가질 수 있다."(104쪽) 가닐에게 "교환"은 신비의 존재인 것처럼 보인다. 만일 "아무 쓸모 없는 생산물"이 어디에도 쓸모가 없다면(즉 아무런 사용가치도 갖지 못한다면) 도대체 누가 그것을 구매한단 말인가? 따라서 그것은 어떤 경우에도 반드시 구매자에게 "쓸모"가 있다는 생각이 드는 것이어야 한다. 그리고 구매자가 바보가 아니라면 그것에 왜 비싼 값을 지불하겠는가? 따라서 비싼 가격은 반드시 "쓸모없음"과는 무관한 어떤 다른 요인에서 비롯된 것이어야만 한다. 그것의 "희소성" 때문일까? 그러나 가닐은 그것을 "아무 쓸모 없는 **생산물**[537]"이라고 부르고 있다. 그것이 생산물이라면 그처럼 높은 "교환가치"를 갖는데도 불구하고 그것은 왜 대량으로 생산되지 않는 것일까? 방금 전에는 자신에게 어떤 현실적(혹은 가상의 것이라 할지라도) 사용가치도 갖지 않는 물건에 대해서 많은 돈을 지불한 구매자가 바보였는

데, 이제는 커다란 교환가치를 가진 이 쓸모없는 물건을 생산하지 않고 그 대신 교환가치가 적은 유용한 물건을 생산하는 판매자가 바보이다. 따라서
G524 사용가치(사용가치는 인간의 자연적 필요에 따라 결정된다)는 작지만 교환가치가 큰 경우는 교환이 아니라 생산물에서 비롯되는 어떤 요인과 관련된 것이어야만 한다. 즉 높은 교환가치는 교환에서 만들어진 것이 아니라 교환을 통해서 드러나는 것일 뿐이다.[538]

"진정한 가치,[539] 즉 부와 동일한 의미를 갖는 가치는 물건들 사이에서 이미 교환된 가치에 의해 결정되고, 앞으로 교환될 수 있는 가치에 의해 결정되는 것은 아니다."(같은 책, 104쪽) 그러나 교환될 수 있는 가치는 어떤 물건과 그것이 교환될 수 있는 다른 물건과의 비율이다. 〔이것은 옳은 생각에 기초해 있는데, 즉 상품을 화폐로 전화시키는 것은 상품이 교환될 수 있는 가치로 교환에 들어가기 때문이지만 그러나 이것 자체도 교환의 결과물이다.〕 반면에 A의 교환가치는 생산물 B, C, D 등의 일정한 양이다. 즉 A는 가치가 아니라 (가닐에 의하면) 교환이 없는 물건이다. B, C, D 등은 원래 "가치"가 아니었다. A가 가치로 된 것은 바로 이 가치가 아닌 것들이 A의 자리(교환된 가치)에 들어왔기 때문이다. 이들 물건은 단지 자리를 바꾸는 것만으로 가치가 되었고 그런 다음 교환에서 빠져나와 원래 있던 자리에 있게 된다.

"따라서 이들 물건을 부로 만드는 것은 그 물건의 현실적 유용성도, 그것에 내재하는[540] 가치도 아니다. 그것들의 가치를 확정하고 결정하는 것은 교환이며 그것들을 부와 동등한 것으로 만들어주는 것이 바로 이 가치이다."(같은 책, 105쪽)

교환 씨(氏)(Herr échange)는 존재했던 것이든 존재하지 않았던 것이든 어떤 것을 확정하고 결정한다. 교환이 물건의 가치를 처음에 만들어내는 것이라면 교환의 산물인 이 가치는 교환 자체가 중단되자마자 곧바로 함께 소멸한다. 따라서 교환은 자신이 만들어낸 것을 역시 스스로 없애버리기도 한다. 나는 A를 B+C+D와 교환한다. 이 교환행위를 통해서 A는 가치를 얻는다. 그 행위가 끝나고 나면 A의 자리에는 B+C+D가 서 있고 B+C+D의 자리에는 A가 서 있게 된다. 그리고 이들 각각은 모두 그 자체로서 단지 이 위치 변경에 불과한 교환 씨의 외부에 서 있게 된다. B+C+D는 이제 물건이며 가치가 아니다. A도 역시 마찬가지이다. 혹은[541] 교환은 순수한 의미에서 "확정하고 결정하는" 행위를 수행하는데 그것은 마치 계측기가 내 근력의 크기를 결정하고 확정하기는 하지만 그것을 만들지는 않는 것과 마찬가지

이다. 그런 의미에서 가치는 교환에 의해 생산되지는 않는다.

"만일 각자가 모두를 위해 노동하고(즉 각자의 노동이 **일반적인 사회적 노동**으로 나타나는[542] 경우를 가리키는데 만일 그렇지 않다면 이 말은 무의미한 말일 것이다. 왜냐하면 이런 형태를 무시한다면 제철업자의 노동은 모두를 위한 것이 아니라 철 소비자**만**을 위한 것이기 때문이다) 모두가 각자를 위해 노동하는(사용가치에 대한 이야기라면 이 말도 무의미한 말이다. 왜냐하면 모든 생산물은 명백하게 특수한 생산물들이고 각자는 단지 특수한 생산물만을 필요로 하기 때문이다. 그것은 곧 각각의 모든 특수한 생산물은 **각자를 위해 존재하는** 형태를 취하고, 그것이 그렇게 존재하는 것은, 그것이 특수한 생산물로서 각자의 생산물과 구별된다는 의 G525 미에서가 아니라 오로지 그 각자의 생산물과 동일하다는 의미에서이며, 그것은 곧 이들 생산물이 다시 상품생산의 토대 위에서 나타나는 것과 같은 사회적 노동의 형태로 존재한다는 것을 의미한다) 경우를 제외한다면 개인과 국민 모두에게서 사실상 부는 존재하지 않는다."(같은 책, 108쪽)|

|361| 그러나 가닐은 이 규정 — 교환가치는 고립된[543] 개인들의 노동이 일반적인 사회적 노동으로 나타난 것이라는 — 으로부터 다시 극히 조잡한 개념으로 떨어져버린다. 교환가치는 상품 A가 상품 B, C, D 등과 교환되는 비율이라는 것이다. A에 대하여 B, C, D가 많이 주어진다면 A의 교환가치는 큰 것이다. 그러나 그럴 경우 B, C, D에 대하여 A는 적게 주어질 것이다. 부는 교환가치로 이루어진다. 교환가치는 생산물들이 서로 교환되는 상대적 비율[544]로 이루어진다. 따라서 생산물들의 총가치는 아무런 교환가치도 갖지 않는다. 왜냐하면 총가치는 어떤 것과도 교환되지 않기 때문이다. 그러므로 사회적 부가 교환가치로 이루어진 사회는 아무런 부도 갖지 않는다. 따라서 가닐 스스로가 결론짓고 있듯이 "노동의 교환가치로 이루어지는 국부"(108쪽)는 교환가치의 측면에서 결코 증가할 수도 하락할 수도 없으며(따라서 **어떤 잉여가치도 없다**)[545] 국부는 일반적으로 어떤 교환가치도 갖지 않고, 따라서 그것은 부도 아닌데 왜냐하면 부는 단지 교환할 수 있는 가치들로만 이루어지기 때문이다. "만일 곡물이 과잉이 되어 그 **가치가 하락**[546]하게 된다면 영농업자의 부는 줄어들 것인데 이는 그들이 생활에 필요한 물건들(유용하고 안락함을 제공하는)을 얻을 수 있는 교환가치를 더 적게 갖게 되기 때문이다. 그러나 영농업자가 손실을 본 만큼 곡물 소비자는 이익을 볼 것이다. 한 사람의 이익은 다른 사람의 손실에 의해 상쇄되고 사회 전체의 부는 변함이 없을 것이다."(108, 109쪽) 잠깐만! 곡물 소비자는 곡물을

소비하는 것이지, 곡물의 교환가치를 소비하는 것이 아니다. 그들이 부유하게 된 것은 식량이지 교환가치[547]가 아니다. 곡물과 교환한 그들의 생산물은 감소했는데 이는 그들의 생산물이 그것과 교환되는 곡물의 양에 비해 상대적으로 감소함으로써 그 교환가치가 커졌기 때문이다. 영농업자는 이제 **높은 교환가치**(곡물을 주고 그 대가로 받은 곡물 소비자의 생산물—옮긴이)를 손에 넣었고 소비자는 교환가치가 하락한 많은 양의 곡물을 손에 넣었고 그 결과 이제 소비자가 가난하게 되었고 영농업자는 부자가 되었다. 또한 총액(교환가치의 사회적 총액)은 그것이 교환가치의 총액으로 되는 것과 똑같은 만큼 교환가치라는 자신의 성질을 상실한다. A, B, C, D, E, F는 그것들이 서로 교환되는 한에서 교환가치를 갖는다. 그것들이 교환되면 그것들은 모두 자신들의 소비자(즉 구매자)를 위한 생산물이 된다. 소유자의 변경을 통해 그것들은 교환가치가 아니게 된다. 그럼으로써 교환가치로 이루어진 사회적 부도 소멸한다. A의 가치는 상대적인 것이다. 그것은 B, C 등에 대한 A의 교환비율이다. A+B의 교환가치가 감소하는 것은 단지 이들의 교환가치가
G526 C, D, E, F에 대한 비율이기 때문이다. 그러나 A, B, C, D, E, F의 총액은 아무런 교환가치도 갖지 않는다. 왜냐하면 그것은 어떤 비율도 나타내지 않기 때문이다. 상품의 총액은 다른 상품들과 교환되지 않는다. 그렇기 때문에 교환가치로 이루어지는 사회적 부는 어떤 교환가치도 갖지 않으며 따라서 어떤 부도 아니다. "그래서 한 나라가 국내 상업을 통해서 부유하게 되기란 어려운 일일 뿐 아니라 아마도 불가능한 일일 것이다. 그러나 외국무역을 수행하는 나라의 경우는 그렇지 않다."(같은 책, 109쪽) 이것이 낡은 중상주의이다. 가치는 내가 등가가 아니라 등가 이상의 것을 얻을 때 존재하는 것이다. 그러나 동시에 등가는 존재하지 않는다. 왜냐하면 등가는 A의 가치와 B의 가치가 A에 대한 B 혹은 B에 대한 A의 비율에 의해 결정되는 것이 아니라 A와 B에 들어 있는 동일한 제3의 존재에 의해[548] 결정된다는 것을 전제로 하기 때문이다. 등가가 존재하지 않는다면 등가를 초과하는 잉여도 존재하지 않는다. 나는 금을 주고 철을 받을 때보다 철을 주고 [549]더 적은 금을 받는다. 이제 나는 더 많은 철을 갖게 되었는데 그것을 가지고 더 적은 금을 얻게 될 것이다. 따라서 내가 첫 교환에서 적은 금으로 많은 철을 얻었기 때문에 이익을 보았다면 이제 두 번째 교환에서는 많은 철로 적은 금을[550] 얻기 때문에 그만큼 손실을 보게 된다.

"모든 노동은 그 성질이 어떤 것이든 교환가치를 갖는다는 전제하에서는

부를 생산한다."(같은 책, 119쪽) "교환은 생산물의 양, 소재, 지속성 등과는 아무 상관이 없다."(같은 책, 121쪽) "모든 (노동은) 그것과 교환되는 **총액만큼 생산적**[551]이다."(121, 122쪽) 먼저 노동은 **총액**, 즉 그것이 지불받는 **가격**(그 임금의 **가치**)만큼 생산적이다. 그런데 가닐은 곧바로 한 걸음 더 나아간다. 정신적[552] 노동은 그것과 교환되는 물적 생산물을 생산하고 따라서 물적 노동이 정신적 노동의 생산물을 생산하는 것처럼 보인다.|

b) 지불된 노동을 모두 생산적 노동으로 분류

|362| "1세티에(Setier: 곡물의 옛 척도로서 150~300리터에 해당하는 용량—옮긴이)의 곡물과 교환되는 장롱을 생산하는 노동자의 노동과 역시 1세티에의 곡물을 벌어들이는 음악가의 노동 사이에는 아무런 차이가 없다. 1세티에의 곡물은 두 번 생산되었는데 한 번은 장롱을 지불하기 위해, 또 한 번은 음악가가 제공하는 즐거움을 지불하기 위해서였다. 물론 목공이 1세티에의 곡물을 소비하고 나도 장롱은 그대로 남지만 음악가가 1세티에의 곡물을 소비하고 나면 아무것도 남지 않는다. 그러나 생산적인 것으로 간주되는 얼마나 많은 노동이 이와 마찬가지이겠는가! … 어떤 노동이 생산적인지 비생산적인지는 소비하고 나서 남는 것이 무엇인지에 따라 판단할 수는 없고 **교환(혹은 교환 때문에 이루어진 생산)**에 의해서 비로소 판단할 수 있다. 목공의 노동과 마찬가지로 음악가의 노동도 **1세티에의 곡물을 생산하게 만든 원인**이기 때문에, 비록 각자의 노동이 끝나고 나서 후자의 노동은 아무런 지속적인 대상물에 고정되고 실현되지 않았고 전자의 노동은 지속적인 대상물에 고정되고 실현되긴 했지만, **두 노동은 모두 똑같이 1세티에의 곡물을 생산했다**."(같은 책, 122, 123쪽)[553]

"A. 스미스는 쓸모 있는 노동에 종사하는 노동자의 수를 늘리기 위해 쓸모없는 노동을 수행하는 노동자의 수를 줄이고 싶었을 것이다. 그러나 그것은 만일 그의 이런 소망이 실현될 수 있었다면 생산자들에게 소비자가 부족하게 되어 소비되지 못한 잉여가 재생산되지 못함으로써 어떤 부도 존재할 수 없다는 사실을 모르는 생각이다. 생산적 계급은 자신들의 노동생산물을 **노동을 통해 아무런 물적 생산물도 공급하지 않는 계급**에게 무상으로 제공하지는 않는다. (따라서 그는 여기에서 스스로 물적 생산물을 제공하는 노동과 제공하지 않는 노동을 구별하고 있다.) 생산적 계급은 후자의 계급으로부터 얻는 안락함, 즐거움, 향락과 교환하는 형태로 그들에게 자신들의 생산물을 제공하며, **그처럼 생산물을 제공할 수 있기 위해서는 어쩔 수 없이 생산물을 생산해야만 한다.** 만일 노동의 물적 생산물들이 어떤 물적 생산물도 생산하지 않 G527

는 노동에 지불되지 않는다면 그것들은 소비자를 만날 수 없을 것이고 그것들의 **재생산**은 중단될 것이다. **따라서** 즐거움을 생산하는 노동도 가장 생산적인 것으로 간주되는 노동과 마찬가지로 **생산에 효과적으로 기여한다**."(같은 책, 123, 124쪽)[554]

[555]"사람들이 요구하는 안락함, 즐거움, 향락은 거의 언제나 사람들이 **그것에 대해서 지불하는 생산물 다음에 오는 것이**지 **그것에 선행하는 것은 아니다**."(같은 책, 125쪽) (즉 그것에 대해 지불하는 생산물의 원인이기보다는 그 결과물로 간주된다.)

"만일 즐거움, 사치, 호사에 바쳐지는 노동을 **생산적 노동자들이 요구하지 않을** 경우에는 사정이 달라지겠지만(즉 여기에서는 가닐 자신도 이들 두 노동을 구별하고 있다) 그렇다 하더라도 그들은 이들 노동에 지불하지 **않을 수 없을** 것이고 그렇게 지불된 액수만큼 자신들의 필요를 줄여야만 할 것이다. 그럴 경우에는 이렇게 어쩔 수 없이 이루어진 지불이 생산물의 증가를 전혀 가져오지 않을 수도 있다."(같은 책, 125쪽) "이런 경우를 제외하고는 … 모든 노동은 반드시 생산적이며 사회적 부의 형성과 증가에 크든 작든 기여한다. 왜냐하면 **모든 노동은 그것에 대해 지불되는 생산물들을 반드시 필요로 하기 때문**이다."(같은 책, 126쪽) 〔따라서 이에 따르면 "비생산적 노동"이 생산적인 까닭은 그것에 비용이 들기 때문(즉 교환가치 때문)이거나 그것이 생산하는 특수한 즐거움(즉 사용가치) 때문이 아니라 그것이 생산적 노동을 만들어내기 때문이다.〕 〔만일 A. 스미스의 말대로 자본과 직접 교환되는 노동이 생산적 노동이라면 노동과 교환되는 자본은 그 형태 외에 소재적 구성부분도 고려될 것이다. 그것은 필요생활수단(즉 대개 상품인 물적 요소들)으로 분해된다. 노동자가 이 임금으로 국가와 교회에 지불해야 하는 것은 그에게 강요된 부역노동, 즉 공제분이다. 그가 교육을 위해 지출하는 것은 극히 미미하지만 이 지출은 그것을 통해 노동능력이 생산되기 때문에 생산적이다. 그가 의사, 변호사, 성직자의 서비스노동에 대한 대가로 지출하는 것은 하나의 불
G528 운이다. 노동자의 임금으로 분해되는 비생산적 노동이나 서비스노동은 극히 미미한데 이는 특히 그가 자신의 소비를 위한 노동(요리, 집 안 청소, 대부분의 수리 작업)을 직접 수행하기 때문이다.〕

가장 특징적인 것은 가닐의 다음 문장이다. "교환이 서비스노동자의 노동에 대해 1,000프랑의 가치를 부여하는 반면 농업노동자나 공업노동자의 노동에 대해 단지 500프랑의 가치만을 제공한다면, 이로부터 우리는 서비스

노동자의 노동이 **부의 생산**[556]에서 농업노동자와 공업노동자의 노동에 비해 2배로 기여했다고 결론지어야만 한다. 그리고 서비스노동자의 노동이 농업노동자나 공업노동자의 노동에 비해 2배의 물적 생산물을 지불받는 한 이것은 변함이 없을 것이다. 도대체 극히 적은 교환가치를 갖고 따라서 극히 미미한 지불을 받는 노동으로부터 부가 발생한다는 생각을 어떻게 할 수 있단 말인가!"(같은 책, 293, 294쪽)|

|363| 만일 공업노동자 혹은 농업노동자의 임금이 500프랑이고 그가 창출하는 잉여가치(이윤과 지대)가 40퍼센트라면 그 노동자의 순생산물은 200프랑일 것이고 서비스노동자의 임금 1,000프랑을 생산하기 위해서는 이런 노동자 5명이 필요할 것이다. 만일 교환 씨가 서비스노동자 대신 한 명의 정부(情婦)를 연간 10,000프랑에 구매하려 한다면 이들 생산적 노동자 50명의 순생산물[557]이 필요할 것이다. 그런데 이 정부의 비생산적 노동은 [558]생산적 노동자의 임금보다 20배의 교환가치(즉 임금)를 그녀에게 가져다주므로 그녀는 "부의 생산"에 20배에 달하는 부를 부가하는 셈이며, 어떤 나라가 이처럼 서비스노동자와 정부에게 [559]더 많이 지불할수록 그 나라는 그만큼 더 많은 부를 생산하게 된다. 그런데 가닐은 공업노동과 농업노동의 생산성만이, 즉 생산적 노동자가 창출하지만 그들에게 지불되지 않는 잉여만이 비생산적 노동자에게 지불되는 재원을 제공한다는 사실을 잊고 있다. 그러나 가닐의 계산은 이렇다. 1,000프랑의 임금과 그에 대한 등가로서의 서비스노동(혹은 정부의 노동)을 합치면 2,000프랑이 된다. 서비스노동자와 정부의 가치(즉 그들의 생산비용)는 전적으로 생산적 노동자의 **순생산물**에 의존한다. 특수한 유형에 속하는 그들의 존재는 바로 이 순생산물에 의존하는 것이다. 그들의 가격과 가치는 서로 거의 아무런 공통점도 갖고 있지 않다.

그러나 서비스노동자의 가치(생산비용)가 생산적 노동자의 가치에 비해 2배라고 가정할지라도 한 노동자의 생산성(기계의 생산성과 마찬가지로)과 그의 가치는 전혀 다른 것이며 심지어 서로 반비례 관계에 있다는 것이 지적될 수 있다. 기계에 대해서 지불되는 가치는 항상 그것의 생산성에서의 공제분인 것이다.

"다음과 같은 반론, 즉 서비스노동자의 노동이 농업노동자와 공업노동자의 노동과 마찬가지로 생산적이라면 왜 한 나라의 전반적인 저축을 이들 서비스노동자들을 먹여 살리는 데 사용함으로써, 가치를 단지 낭비하지 않는 것은 물론 지속적으로 증가시키려는 생각을 하지 않느냐는 반론은 무의미

G529 하다. 이런 생각[560]이 그럴듯해 보이는 것은 단지 그것이 모든 노동의 생산성이 **물적 대상물의 생산에 협력한** 데에서 비롯된 것이며, **물적 생산이 부를 만드는 것이고 생산과 부는 전적으로 동일하다는 것**을 전제로 하기 때문이다. 사람들은 **모든 생산이 소비되는 만큼만 부로 되고**, 〔그래서 이 친구는 바로 다음 쪽에서 이렇게 말하고 있다. "모든 노동은 그 교환가치에 비례하여 부를 **생산하는데** 이 교환가치는 수요와 공급에 의해 결정된다." (노동은 그것이 생산하는 교환가치의 양만큼 부를 **생산하는** 것이 아니라 그것이 교환가치인 만큼 부를 **생산한다**. 즉 그것이 생산하는 부는 그것이 생산하는 것에 의해서가 아니라 거기에 지불된 것에 의해서 결정된다.) "자본축적에 기여하는 노동의 가치는 그 가치가 총생산물에서 차지할 권리가 있는 생산물 가운데 **소비되지 않고 절약된** 부분에 의해서만 결정된다."〕[561] 생산이 **부의 형성에** 어느 정도로 **기여**할 것인지는 교환이 결정한다는 사실을 잊고 있다. 모든 노동이 각 나라의 총생산에 직접 혹은 간접으로 기여한다는 점, 교환은 모든 노동의 가치를 확정지음으로써 노동이 생산에 기여한 비율을 결정한다는 점, **생산된 것의 소비는** 교환이 생산에 부여한 가치를 실현한다는 점, 소비에 대한 생산의 과잉 혹은 부족이 국민의 빈부 수준을 결정한다는 점 등을 기억한다면, 모든 노동을 **별도로 분리하여 소비 — 이것만이 노동에 가치를 부여하며**, 그 가치가 없다면 부도 또한 존재하지 않는다 — **를 전혀 고려하지 않은 채**, ||364| 그것이 **물적 생산에 협력**한 정도에 따라 그것의 생산성을 측정한다는 것이 얼마나 논리적으로 불합리한 것인지를 깨닫게 된다."(같은 책, 294, 295[296]쪽)[562]

이 친구에게는 한편으로는 부가 생산이 소비를 초과한 잉여에 의존하고 다른 한편으로는 소비만이 가치를 부여한다. 그렇기 때문에 1,000프랑을 소비하는 서비스노동자는 500프랑을 소비하는 농부에 비해 2배로 가치의 형성에 기여한다.

처음에 가닐은 이 비생산적 노동이 물질적 부의 형성에 직접 참여하지 않는다는 것을 인정한다. 스미스도 그 이상의 것은 주장하지 않았다. 그러나 다른 한편으로 그는 이 비생산적 노동이 (그가 스스로 인정했듯이) 물질적 부의 창출과 아무 관련이 없는데도 이제는 거꾸로 그것이 물질적 부를 창출한다는 것을 입증하려고 애쓴다. A. 스미스에게 반론을 제기한 이들 모든 사람은 한편으로는 물질적 생산에 대해서 의연한 입장을 취하다가 다른 한편으로는 비물질적 생산 — 혹은 하인의 경우처럼 아예 생산이 아닌 것 — 을 물질적 생산으로 정당화하려고 노력한다. 순소득의 소유자가 이 소득을 하인에게 소비하든, 정부(情婦)에게 소비하든, 파이 가게에서 소비하든 그것은 아무래도 좋다. 그러나 [563]잉여가 서비스노동자에 의해 소비되어야 하고 생산적 노동자 자신에 의해 소비될 수는 없다(생산물의 가치가 사라지지 않게 하기 위해)고 하는 생각은 실소를 자아낸다. 맬서스도 똑같이 비생산적 소비자들의 필요성을 말하는데[564] 잉여가 무위도식자들의 수중에 있으면 그런 필요성은 실제로 존재한다.

〔**A. 스미스. 가치와 그 구성부분**. 처음의 올바른 이야기에도 불구하고 스미스의 잘못된 생각은 다음 문장에서도 그대로 드러난다. "지대는 … 상품가격의 일부를 구성하지만 그것은 이윤 및 임금[565]과는 전혀 다르다. 이윤과 임금이 높거나 낮은 것은 **곡물가격이 높아지거나 낮아지는 원인이 되지만 지대가 높거나 낮은 것은 곡물가격의 결과물이다**.[566]"(『국부론』, 제1편, 제11장)〕[567] G530

〔**페티**.[568] 위에서 인용한[569] 페티의 구절들과 지대가 잉여가치,[570] 즉 순생산물이라는 다음 구절을 비교해 볼 필요가 있다.

[571]"어떤 사람이 자신의 손으로 일정 면적의 토지에 곡물을 경작한다고 하자. 즉 손수 땅을 갈고 씨앗을 뿌리고 땅을 고르고 수확하여 거두어들인 다음 탈곡까지, 요컨대 농사에 필요한 모든 일을 직접 한다고 하자. 내가 주장하는 것은, 만일 이 사람이 수확한 곡물에서 다음 해에 사용할 씨앗과 자신이 소비할 부분 그리고 의복이나 기타 자연적 필요를 위해 다른 물건과의 교환에 제공한 것을 모두 공제했다면 그런 다음에 남은 곡물이 그해의 실질적인 지대라는 것이다. 그리고 7년 동안의 **평균** 혹은 달리 말해서 흉작과 풍작이 번갈아 진행된 일련의 상당 기간의 **평균**이 곡물을 공급하는 토지에 대한 통상적인 지대가 된다. 그런데 비슷한 것이긴 하지만 또 다른 문제가 하나 있는데 그것은 이 곡물 혹은 이 지대는 얼마만 한 화폐가치를 갖는 것일까 하는 문제이다. 그 문제에 대한 나의 답변은 이렇다. 즉 그것의 가치는, 어떤 사람이 광산이 있는 나라로 가서 귀금속을 채굴하여 정련한 다음 주화를 만들어서, 그 주화를 다시 씨앗을 뿌리고 곡물을 수확하는 나라로 가져오는 데 **자신의 시간을 모두** 사용한 사람에게 남아 있는 화폐액과 같은 가치이다. 자신의 모든 비용을 공제한 다음 이 사람의 수중에 남겨진 화폐액은, 가치의 측면에서, 농부에게 남아 있는 곡물의 양과 전적으로 동일하다."(『**조세 및 공**

납에 대한 고찰』, 23[, 24]쪽)〕

8. 순소득에 대한 가닐과 리카도의 견해. 가닐은 생산적 인구의 감소를 지지. 리카도는 자본축적과 생산력 증가를 지지

가닐은 자신의 『**경제학 이론**』(이 책은 내가 모르는 책이다)에서 자신의 이론을 리카도가 재생산했다고 주장했다.[572] 그 이론이란 곧 부가 총생산물이 아니라 순생산물(이윤과 지대)[573]의 수준에 의존한다는 것이다(이것은 분명 가닐의 발견이 아니지만 그가 이것을 이야기하는 방식은 매우 특이하다).

잉여가치는 생산물 가운데 원래의 요소를 보전하는(즉 생산비에 들어가는) 양을 초과하는 잉여생산물(그 현실적 존재를 갖는)로 나타나며 불변자본과 가변자본을 합하면 그것은 일반적으로 생산에 선대된 자본과 동일하다. 자본주의적 생산의 목적은 생산물에 있는 것이 아니라 잉여에 있다. 노동자의 필요노동시간(따라서 생산물 가운데 그것에 지불되는 부분의 등가)은 그것이 잉여노동을 생산하는 한에서만 필요하다. 그렇지 않다면 그것은 자본가에게 **비생산적**이다. 잉여가치는 잉여가치율 $\frac{m}{v}$에 동시에 사용된 노동일 수
G531 (혹은 고용된 노동자 수) n을 곱한 것과 같다. 즉 M(원문에는 소문자로 되어 있으나 내용상 잘못 표기된 것이므로 독자들의 올바른 이해를 위해서 수정함. 이하에서도 마찬가지로 수정함 — 옮긴이) $= \frac{m}{v} \times n$이다. 따라서 이 잉여가치는 두 가지 방법으로 증가 혹은 감소할 수 있다. 예를 들어 $\frac{m}{\frac{v}{2}} \times n = \frac{2m}{v} \times n = 2M$이다. 여기에서 M은 ||365| [574]잉여가치율 2배가 되었기 때문에($\frac{m}{\frac{v}{2}} = \frac{2m}{v}$, 즉 $\frac{m}{v}$의 2배이므로) 2배로 되었다. 그러나 다른 한편 $\frac{m}{v} \times 2n$은 동시에 $\frac{2mn}{v} = 2M$과 같다. 가변자본 V는 개별 노동일의 가격에 사용된 노동자 수를 곱한 것과 같다. 만일 한 사람당 1파운드스털링을 지불하는 800명의 노동자가 사용되었다면 V＝800파운드스털링[575]＝1파운스털링×800이고 여기에서 n＝800이다. 잉여가치가 160이라면 잉여가치율＝[576] $\frac{160}{1\text{파운드스털링} \times 800} = \frac{160}{800} = \frac{16}{80} = \frac{1}{5}$ ＝20퍼센트. 그러나 잉여가치 그 자체＝ $\frac{160}{1\text{파운드스털링} \times 800} \times 800 = \frac{m\text{파운드스털링}}{1\text{파운드스털링} \times n} \times n$이다.

이 잉여가치(원본에는 잉여가치율로 잘못 표기되어 있어서 수정했음 — 옮긴이)는 노동시간의 길이가 주어져 있을 경우에는 생산성이 2배로 되거나 생산성이 주어져 있을 경우에는 노동시간의 길이가 2배로 되어야만 2배로 될 수 있다.

그러나 여기에서 중요한 것은 $2M = \frac{m}{\frac{v}{2}} \times n$과 $\frac{m}{v} \times 2n$이다. 노동자 수가 절반으로 줄어들지만(즉 2n[577]에서 n으로) 노동자들이 매일 제공하는[578] 잉여노동이 이전에 비해 2배가 된다면 잉여가치(잉여가치의 총액)는 변하지 않는

다. 이 경우에는 두 가지가 변하지 않는데 첫째는 공급된 생산물의 총량이고 둘째는 잉여생산물(혹은 순생산물)의 총량이다. 그러나 다음의 것들은 변한다. 첫째 가변자본(혹은 유동자본 가운데 임금으로 지출되는 부분)은 절반으로 감소한다. 불변자본 가운데 원료로 이루어진 부분은 변하지 않고 그대로인데 왜냐하면 사용되는 노동자는 이전에 비해 절반으로 줄지만 원료는 여전히 똑같은 양이 가공되기 때문이다. 그러나 고정자본 부분은 증가한다. 임금으로 지출되는 자본이 300파운드스털링(1인당 1파운드스털링)이었다면 그것은 이제 150파운드스털링이 된다. 원료에 지출되던 비용이 310파운드스털링이었다면 그것은 지금도 여전히 310파운드스털링이다. 기계의 가치가 나머지 자본의 4배라고 한다면 그것은 1,600파운드스털링[579]일 것이다. 따라서 만일 기계가 10년 만에 마모된다면 1년 동안에 생산물로 이전되는 기계의 가치는 160파운드스털링이 될 것이다. 이전에 도구에 지출되던 자본은 40파운드스털링, 즉 $\frac{1}{4}$이었다고 하자. 그러면 계산은 다음과 같이 된다.

	기계	원료	임금	총액	잉여가치	이윤율	총생산물
이전의 자본	40	310	300	650	150 혹은 50퍼센트	$23\frac{1}{13}$퍼센트	800
새로운 자본	160	310	150	620	150 혹은 100퍼센트	$24\frac{6}{31}$퍼센트	770

이 경우 이윤율은 상승했는데 이는 총자본이 감소했기 때문이다. 임금에 지출된 자본은 150만큼 감소했는데 고정자본의 가치 총액은 120만큼 증가했기 때문에 결국 전체적으로 30파운드스털링이 이전에 비해 적게 지출되었다. G532

만일 남은 이 30파운드스털링이 동일한 방식으로 사용된다면 전체의 $\frac{31}{62}$(혹은 $\frac{1}{2}$)이 [580]원료에, $\frac{16}{62}$이 기계에, 그리고 $\frac{15}{62}$가 임금에 지출될 것이다. 그러면 다음과 같이 될 것이다.

기계	원료	임금	잉여가치
7파운드스털링 14실링 6펜스	15파운드스털링	7파운드스털링 5실링 6펜스	7파운드스털링 5실링 6펜스

그러면 전체적으로는 다음과 같이 될 것이다.

	기계	원료	임금	잉여가치	이윤
새로운[581] 자본	167파운드스털링 14실링 6펜스	325파운드 스털링	157파운드스털링 5실링 6펜스	157파운드스털링 5실링 6펜스	$24\frac{6}{31}$ 퍼센트

지출된 자본 총액은 이전과 마찬가지로 **650**파운드스털링이며 [582]**총생산물**은 807파운드스털링 5실링 6펜스이다.

생산물의[583] 총가치는 증가했고 지출된 자본의 총가치는 불변이며 총생산물의 가치와 양은 모두 증가했는데 이는 원료가 15파운드스털링만큼 더 많이 생산물로 전화했기 때문이다. ||366| "만일 어떤 나라가 기계를 전혀 가지고 있지 않아서 오로지 노동을 모두 인력에만 의존한다면 노동계급은 그들의 생산물 거의 전부를 소비할 것이다. 공업이 발전해나가고 분업, 노동자들의 숙련, 기계의 발명 등에 의해 공업이 완성되어감에 따라 생산비는 감소하는데 이는 달리 말해 더 많은 생산물을 얻는 데 더 적은 노동자가 필요하게 된다는 것을 의미한다."(같은 책, 제1권, 211, 212쪽) 그래서 말하자면 공업이 더 생산적으로 되어감에 따라 임금이 차지하는 생산비는 감소한다. 생산물에 비해 사용되는 노동자의 비율은 감소한다. 따라서 생산물 가운데 노동자들이 소비하는 부분도 감소한다. 기계가 없을 경우 노동자 1명이 자신의 생활수단을 생산하는 데 10시간이 필요한 반면 만일 그가 기계를 사용할 경우 거기에 단지 6시간만 필요하다면, 그는 (12시간을 노동할 경우) 전자의 경우에는 자신을 위해 10시간, 자본가를 위해 2시간을 노동하고 12시간의 총생산물 가운데 자본가는 $\frac{1}{6}$을 얻게[584] 될 것이다. 이 경우 10명의 노동자는 자신들을 위하여 10시간씩(=100시간), 자본가를 위하여 20시간을 노동할 것이다. 120시간의 가치 가운데 자본가는 $\frac{1}{6}$ =20시간을 얻게 될 것이다. 두
G533 번째 경우에는 5명의 노동자가 자신들을 위하여 30시간을, 자본가를 위하여 30시간을 노동하게 될 것이다. 이제 자본가는 60시간 가운데 30시간, 즉 $\frac{1}{2}$을 얻게 되어 이전에 비해 3배를 얻게 된다. 총잉여가치도 20에서 30으로, 즉 $\frac{1}{3}$만큼 증가할 것이다. 나는 60노동일 가운데 $\frac{1}{2}$을 얻는데 그것은 이전에 120노동일에서 $\frac{1}{6}$을 얻던 것보다 $\frac{1}{3}$ 더 많다. 게다가 총생산물에서 자본가가 얻는 $\frac{1}{2}$은 양적으로도 이전에 비해 많을 것이다. 왜냐하면 이제 6시간은 이전의 10시간과 같은 생산물을 제공하기 때문이다. 따라서 1시간은 이제 [이전의] $\frac{10}{6}$ (혹은 $1\frac{4}{6}=1\frac{2}{3}$) [만큼의] 생산물을 제공한다. 따라서 30시간의 잉여시간은 [이전의] 노동시간으로는 $30(1+\frac{2}{3})=30+\frac{60}{3}=50$시간과

같은 양의 생산물을 포함한다. 6시간은 이전의 10시간과 같은 양의 생산물을 공급하고 따라서 30시간(5×6시간)은 이전의 5×10시간과 같은 양의 생산물을 공급한다. 그리하여 자본가의 잉여가치와 잉여생산물(그가 이 생산물을 스스로 소비할 경우, 혹은 그 생산물 가운데 그가 현물로 소비하는 양)은 모두 증가한다. 심지어 이제 잉여가치는 총생산물[585]의 증가 없이도 증가할 수 있다. 왜냐하면 잉여가치의 증가는 곧 노동자가 [586]이전에 비해 더 짧은 시간으로 자신의 생활수단을 생산할 수 있게 되었다는 것, 따라서 그가 소비하는 상품의 가치가 하락해서[587] 더 적은 노동시간을 나타낸다는 것, 따라서 예를 들어 6시간에 해당하는 일정량의 가치가 이전에 비해 더 많은 양의 사용가치를 나타낸다는 것을 의미하기[588] 때문이다. 노동자는 이전과 같은 양의 생산물[589]을 얻지만 총생산물에서 이 양이 차지하는 비율은 더 낮아졌는데 이는 그것의 가치가 해당 노동일의 생산물에서 더 적은 부분을 나타내는 것과 마찬가지이다. 노동자의 소비수단을 [590]형성하는 데 직접적으로도 간접적으로도 전혀 들어가지 않는[591] 생산물을 생산하는 산업부문에서는 어떤 생산성의 증가도 이런 결과를 가져올 수 없을 것인데 이는 이 생산부문에서 증가 혹은 감소한 생산성이 잉여노동에 대한 필요노동의 비율에 아무런 영향을 미치지 않기 때문이다. 그래서 거꾸로 이들 생산부문에서 아무런 생산성의 변동이 없을 경우에도 이들 산업부문에서 이런 결과가 만들어질 수 있다. 이들 생산물의 상대적 가치는 (이들 생산부문의 생산성이 불변일 경우) 정확하게 다른 생산물의 상대적 가치가 하락하는 만큼 상승할 것이다. 즉 그렇게 하락한 부분만큼 더 적어진 이들 생산물(혹은 그 생산물에 대상화된 노동자의 노동시간)은 이전과 여전히 동일한 양의 생활수단을 그에게 만들어 줄 것이다. 그리하여 이들 산업부문에서 잉여가치는 다른 산업부문과 마찬가지로 똑같이 증가할 것이다. 그러나 이제 해고된 5명의 노동자들은 어떻게 되는 것일까? 사람들은 이렇게 말할 것이다. 자본도 역시 풀려났다(혹은 '방면되었다'로 표현하기도 한다. — 옮긴이). 즉 각자 10시간씩의 임금을 받고 12시간을 노동하던 해고된 5명의 노동자들에게 지불되던 자본, 따라서 모두 합해서 50시간에 해당하는 자본이 풀려났는데 이들 자본은 이전에는 5명의 노동자들에게 임금으로 지불될 수 있던 것이지만 임금의 가치가 6시간으로 하락한 지금은 $\frac{50}{6} = 8\frac{1}{3}$ 노동일(즉 노동자 $8\frac{1}{3}$명의 임금에 해당한다. — 옮긴이)을 지불할 수 있게 되었다. 그러므로 풀려난 이 50시간에 해당하는 자본을 가지고 해고된 것보다 더 많은 노동자를 고용할 수 있다. 그러나 50시간 전

G534 체의 자본이 풀려나지는 않는다. 왜냐하면 동일한 노동시간에 가공된 재료가 증가한 만큼 재료의 가격이 하락하고 따라서 이 생산부문에서도 똑같이 생산력이 증가했다고 가정하더라도 새로운 기계에 대한 지출은 그대로 남아 있기 때문이다. 만일 이 기계의 가치가 정확히 50시간이라면 그 기계는 결코 해고된 만큼의 노동자를 고용할 수 없을 것이다. 이 50시간의 노동은 5명의 노동자에게 모두 임금으로 지불되던 것이었다. 그러나 50시간에 해당하는 기계의 가치에는[592] 임금과 이윤(즉 지불노동시간과 비지불노동시간)이 함께 포함되어 있다.[593] 그 외에도 기계의 가치에는 불변자본도 포함된다. 또한 기계를 만드는 이 노동자(해고된 노동자보다 숫자가 더 적다)는 ||367| 해고된 바로 그 노동자가 아니다. 기계 제조업 부문에서 노동자에 대한 수요 증가는 기껏해야 노동자 수의 미래의 배분에 영향을 미칠 뿐이어서 다음 세대의 노동자 가운데 이 산업부문에서 고용되는 숫자가 이전에 비해 늘어날[594] 뿐이다. 그것은 해고된 노동자들에게는 아무런 영향을 미치지 않는다. 게다가 이 부문에 대한 연간 수요의 증가는 기계에 새로 지출되는 자본과도 같지 않다. 예를 들어 기계의 내구연한이 10년이라고 하자. 그러면 기계를 만드는 데 사용할 노동의 지속적인 수요는 매년 기계에 포함된 임금의 $\frac{1}{10}$과 같을 것이다. 이 $\frac{1}{10}$에 10년 동안 수리에 들어가는 노동과, 석탄, 윤활유 등 보조재료의 일상적 소비가 추가되는데 이것들을 모두 합하면 아마도 다시 $\frac{2}{10}$가 될 것이다. 〔만일 풀려난 자본이 60시간이라면 이것은 이제 10시간의 잉여노동과 50시간의 필요노동을 나타낼 것이다. 따라서 이전에 60시간이 임금에 지출되어 6명의 노동자가 고용되었다면 이제는 5명만 고용될 것이다.〕

〔어떤 특정 산업부문에서 기계 등에 의한[595] 생산력 증가로 인해 발생하는 노동과 자본의 이동은 언제나 단지 미래의 일일 뿐이다. 즉 **노동량의 증가**(**새로 유입되는 노동량**의 배분 변화)는 아마도 해고된 노동자들 자신이 아니라 그들의 자식들일 것이다. 해고된 노동자들 자신은[596] 그들의 필요노동시간이 사회적 필요노동시간보다 길기 때문에 자신들의 과거 직종에서 극히 열악한 조건으로 계속[597] 고용되어 오랜 기간 시달리게 된다. 그리하여 그들은 빈민으로 전락하거나 더 저급한 노동이 이루어지는 다른 산업부문에서 일자리를 찾게 될 것이다.〕

〔빈민들은 자본가(금리생활자)들과 마찬가지로 국가의 소득에 의해 살아간다. 그들은 생산물의 생산비에 들어가지 않으며 따라서 가널에 따르면 교

환가치의 대표자들로서 감옥에서 먹여 살리는 죄수들도 역시 마찬가지이다. 국가명예직 등과 같은 "비생산적 노동자"의 대부분은 단지 신분이 높은 빈민에 지나지 않는다.〕

〔산업의 생산성이 상승하여 이전에는 전체 국민 가운데 $\frac{2}{3}$가 물적 생산에
직접[598] 참여하다가 이제는 $\frac{1}{3}$만 참여하게 되었다고 하자. 이전에는 $\frac{3}{3}$을 위 G535
한 생활수단을 $\frac{2}{3}$가 공급했지만 이제는 $\frac{1}{3}$이 $\frac{3}{3}$의 생활수단을 공급하게 되
었다. 이전에는 $\frac{1}{3}$이 순소득(노동자의 소득과 구별되는)이었지만 이제는 $\frac{2}{3}$이
다. 이 나라는 — 내부의 대립을 무시한다면 — 직접적 생산을 위해 이전에
는[599] 자신의 전체 시간 가운데 $\frac{2}{3}$가 필요했지만 이제는 $\frac{1}{3}$만이 필요하게 되
었다. 균등한 분배가 이루어진다면 모든 국민은 비생산적 노동과 여가에 이
전보다 더 많은 시간, 즉 $\frac{3}{3}$[600] 모두를 누리게 될 것이다. 그러나 자본주의적
생산에서는 모든 것이 드러나고 드러나는 모든 것은 대립적이다. 인구가 정
체되는 경우는 여기에서 제외된다. $\frac{3}{3}$이 증가하면 $\frac{1}{3}$도 증가할 것이기 때문
에 **양적**으로 점점 [601]더 많은 수의 사람이 생산적 노동에 고용될 수 있을 것
이다. 그러나 전체 인구에 대비되는 상대적 비율의 측면에서는 계속해서 이
전보다 50퍼센트 적게 고용될 것이다. 이 $\frac{2}{3}$는 이제 일부는 이윤과 지대의
소유자들, 일부는 비생산적 노동자들(경쟁으로 인해 낮은 보수를 받는)로 이루
어지는데 이들은 이윤과 지대의 소유자가 소득을 소비하는 것을 도우면서
그 대가로 등가에 해당하는 서비스를 제공하거나 혹은 정치적인 비생산적
노동자들처럼 그들 소득의 일부를 강요하기도 한다. 하인, 군인, 수병, 경찰,
하급관리, 정부, 마부, 어릿광대, 곡예사 등을 제외한 이 비생산적 노동자들
은 전체적으로 이전에 비해 더욱 높은 교육 수준에 있을 것이고 특히 보수
가 좋지 않았던 예술가, 음악가, 변호사, 의사, 학자, 교사, 발명가의 수도 이
전에 비해 늘어날 것으로 생각할 수 있다.

생산적 계급 그 자체의 내부에서는 상업 중개인들의 숫자가 늘어나는데 특히 기계 제조업, 철도 건설업, 광산업 등에 종사하는 사람들이 더 많이 늘어날 것이다. 또한 목축업, 화학 및 무기질[602] 비료 등을 생산하는 노동자가 늘어날 것이고, 공업원료를 생산하는 농민이 생활수단을 생산하는 농민에 비해 늘어날 것이며, 가축 사료를 생산하는 농민의 수가 사람의 식량을 생산하는 사람에 비해 더 많이 늘어날 것이다. **불변자본이 증가하면 총노동 가운데 불변자본의 재생산에 종사하는 노동의 양이 상대적으로[603] 늘어날 것이다.** 직접적 생활수단을 생산하는 노동자들은 비록 그 숫자는 감소해도 ||368|

이전에 비해 더 많은 생산물을 생산할 것이다. 그들의 노동은 더 생산적으로 되었다. **개별 자본에서 불변자본에 대한 가변자본의 감소**가 곧바로[604] 자본 가운데 임금에 지출되는 부분의 감소로 나타나는 것과 마찬가지로 자본 총량의 경우에도 — 자본의 **재생산** 측면에서 — 이것은 똑같이 나타나서, 사용된 노동량 가운데 생산물의 재생산에 사용된 노동량보다 상대적으로 더 많은 부분이 생산수단의 재생산에, 즉 기계류(교통, 운송수단, 건물 등을 포함
G536 하여), 보조재료(석탄, 가스, 유지, 벨트 등), 공업생산물의 원료를 이루는 식물의 재생산에 사용된다. 농업노동자의 수는 공업노동자[605]에 비해 상대적으로 감소한다. 마지막으로 사치재 부문의 노동자는 증가하는데 이는 증가한 소득으로 사치재의 소비가 증가하기 때문이다.〕

〔가변자본은 소득으로 즉 첫째는 임금으로 둘째는 이윤으로 귀결된다. 따라서 자본을 소득과 대립된 것으로 파악한다면 불변자본은 **본래 의미의** 자본으로 나타난다. 즉 총생산물 가운데 어떤 개인적 소비에도 들어가지 않고 생산에 속하면서 생산비에 들어가는 부분으로 나타난다(역축은 제외된다). 이 부분은 전체가 이윤과 임금에서 생겨날 수도 있다. 그래서 끝까지 분석해 보면 이 부분은 결코 단 한 곳에서만 생겨날 수 없다. 그것은 노동의 산물인데, 야만인이 활을 소득으로 본 것처럼 생산도구를 소득으로 간주하는 노동의 산물이다. 그러나 이 부분이 일단 불변자본으로 전화하고 나면 비록 그것의 재생산이 임금과 이윤을 낳긴 하지만 생산물 가운데 이 부분은 이제 임금과 이윤으로 분해되지 않는다. 생산물 가운데 일부분만이 이 부분에 속한다. 이후에 만들어지는 모든 생산물은 이 과거노동과 현재노동의 산물이다. 살아 있는 노동은 그것이 총생산물 가운데 일부를 생산에 되돌려 주는 한에서만 계속 존재할 수 있다. 그것은 불변자본을 **현물로** 보전해야만 한다. 그것이 더욱 생산적으로 되면 그것은 생산물을 보전하기는 하지만 가치를 보전하지는 못하고 결과적으로는 오히려 가치를 감소시킨다. 그것이 비생산적으로 되면 그것은 자신의 가치를 높인다. 총생산물에서 과거노동에 돌아가는 부분은 전자의 경우 감소하고 후자의 경우 증가한다.[606] 살아 있는 노동은 전자의 경우 더욱 생산적으로 되고 후자의 경우 더욱 비생산적으로 된다.〕

〔**불변자본**의 비용을 감소시키는 요인들 가운데에는 원료의 품질도 들어간다. 예를 들어 [607]부산물의 상대적인 양은 무시한다 하더라도 품질이 좋은 면화와 품질이 나쁜 면화로부터 같은 시간에 같은 양의 실을 뽑아낼 수는

없다. 씨앗의 품질에서도 이것은 마찬가지이다.〕[608]

〔공장주가 자신의 이전의[609] 불변자본 가운데 일부를 스스로 생산하거나 이전에 불변자본으로서 자신의 생산영역에서 다른 생산영역으로 넘어갔던 원료[610]를 다시 넘겨받아 자신이 그것을 새로운 형태로 가공하는 **결합생산**의 사례들. (앞서 보았듯이 이 모든 경우는 언제나 이윤의 집중을 가져온다.)[611] 첫 번째 **사례**로는 방적업과 방직업을 결합한 경우를 들 수 있고 **두 번째 사례**로는 버밍엄 지역의 광산 소유자들을 들 수 있는데 이들은 이전까지만 해도 여러 기업가와 소유자 사이에 나뉘어 있던 제철의 **전체** 공정을 혼자서 담당하고 있다.〕

가닐은 계속해서 말한다.

"모든 산업부문에서 분업이 도입되지 않은 한, 즉 온갖 계급의 노동 인구가 모두 완전한 발전을 이룩하지 않은 한, 여러 산업들에서 기계의 발명과 사용은 단지 기계로 인해 풀려난 자본과 노동자들이 그들을 유용하게 사용 G537
할 수 있는 다른 산업부문으로 흘러가도록 만들 뿐이다. 그러나 모든 산업부문이 각자 필요로 하는 자본과 노동자들을 가지고 있다면 노동을 단축하는 모든 기계의 개량이나 발명은 필연적으로 노동인구를 감소시킬 것이 분명하다. 그리고 이런 노동인구의 감소는 생산을 감소시키는 것이 아니기 때문에 생산물 가운데 처분 가능한 부분은 자본이윤과 지대의 증가분을 이룰 것이다. 그러므로 기계가 가져오는 당연하고 필연적인 작용은 총생산물에 의해 살아가는 노동계급 인구의 감소와 순생산물에 의해 살아가는 계급 인구의 증가이다."(같은 책, 212쪽)|

|369| "**공업부문의 진보가 가져오는 필연적인 결과인 한 나라의 인구 구성의 변화**[612]는 근대 국가들의 번영과 세력, 그리고 그 문명의 진정한 원인이다. 한 사회의 하층계급의 숫자가 감소할수록, 이 불행한 계급의 빈곤, 무지, 맹신과 미신 등으로부터 받는 위협 때문에 그 사회가 불안해지는 일이 줄어들며, 그 사회의 상층계급의 숫자가 늘어날수록 국가가 통제할 수 있는 백성이 늘어나며 그에 따라 국가는 더욱더 강력해지고 그 나라 국민 전체에 걸쳐 계몽과 이성과 문명이 지배하게 될 것이다."(같은 책, 213쪽)

〔**세**는 생산물의 총가치를 다음과 같이 소득으로 분해하고 있다. 리카도의 저작(콘스탄시오의 번역판) 제26장의 각주에서[613] 그는 이렇게 말한다. "개인의 순소득은 그가 생산에 기여한 **생산물**의 가치에서 … 그 비용을 공제한 부분으로 이루어진다. 그러나 그의 비용은 **소득** 가운데 그가 다른 사람에게 지

불한 **부분**이므로 **생산물의 총가치는 소득을 지불하는 데 사용된다.**[614] 한 나라의 총소득은 총생산물, 즉 생산자들에게 분배되는 그 나라 생산물의 총가치이다."[216쪽] 마지막 문장은 다음과 같이 표현했으면 옳은 내용이 되었을 것이다. 즉 한 나라의 총소득은 그 나라의 총생산물 가운데 생산자들 사이에 소득으로 분배되는 부분(혹은 그런 부분의 총가치), 즉 총생산물 가운데 모든 산업부문에서 생산수단을 보전해야 하는 부분을 공제한 나머지 부분으로 이루어진다. 그러나 이렇게 표현했다면 이 문장은 원래의 내용을 부정하는 것이 될 것이다. 세는 계속해서 이렇게 말한다. "이 가치는 그것이 만들어진 그해 동안 교환과정을 여러 번 거치면서 소비될 것인데 그렇다고 하더라도 그것은 여전히 그 나라의 소득일 것이다. 이것은 마치 20,000[615]프랑의 연간 소득을 가진 어떤 개인이 그해에 그 소득을 모두 소비한다 하더라도 여전히 20,000[616]프랑의 소득을 갖게 되는 것과 마찬가지이다. 그의 소득은 자신의 저축으로만 이루어지는 것이 아니다." 그의 저축은 언제나 그의 소득으로 이루어지지만 그의 소득은 결코 그의 저축으로만 이루어지지 않는다. 한 나라가 매년 자신의 자본은 물론 자신의 소득도 소비할 수 있다는 것
G538 을 입증하기 위하여 세는 이 나라를 한 개인과, 즉 자신의 자본을 건드리지 않고 자신의 소득만을 소비하는 한 개인과 비교하고 있다. 만일 이 개인이 한 해 동안에 자신의 자본 200,000프랑은 물론 자신의 소득 20,000프랑까지 모두 소비해버렸다면 그는 그다음 해에는 아무것도 소비할 수 없을 것이다. 만일 한 나라의 총자본과 따라서 그 나라 생산물의 총가치가 모두 소득으로 분해된다면 세의 말이 맞을 것이다. 개인은 자신의 소득 20,000프랑을 소비한다. 그가 소비하지 않는 200,000프랑의 자본은 다른 개인들의 소득으로 이루어지는데 이들이 각자 자신의 몫을 소비해버린다면 연말에는 이 자본 전체가 소비되어버릴 것이다. 그러나 그것이 소비되는 동안 그 자본은 재생산되어 보전되지 않는가? 그러나 문제가 되는 개인은 매년 자신의 자본 200,000프랑을 소비하지 않기 때문에 매년 자신의 소득 20,000프랑을 재생산한다. 이 자본은 다른 사람들이 소비한다. 따라서 그들은 소득을 재생산할 자본을 갖지 못한다.〕

가닐은 이렇게 말한다. "**순생산물**[617]과 그것을 소비하는 사람만이 그의(국가의) 부와 세력을 이루고 그의 번영과 명성, 그리고 위대함에 기여한다."(같은 책, 218쪽)

〔가닐은 리카도 저작(콘스탄시오 번역판) 제26장의 세의 각주를 다시 인용

한다. 그 부분에서 리카도는 어떤 나라의 인구가 1200만 명일 때 500만 명의 생산적 노동자가 1200만 명을 위해 노동하는 것이 700만 명이 1200만 명을 위해 노동하는 경우보다 그 나라의 부를 위해서는 더 유리하다[618]고 말한다. 전자의 경우에는 순생산물이 700만 명의 비생산적인 사람들이 먹고사는 잉여생산물로 이루어지고 후자의 경우에는 500만 명의 비생산적인 사람들이 먹고사는 잉여생산물로 이루어지기 때문인 것이다. 세는 여기에 대해 이렇게 지적한다. "이것은 18세기 경제학자들[619]의 이론을 떠올리게 하는데 이들 경제학자는, 자신들이 생산한 만큼의 ||370| 가치를 소비하는 **임노동계급**[620]은 그들이 말하는 이른바 순생산물에 아무것도 기여하지 않기 때문에, 공장노동자들은 국부의 증가에 아무런 도움이 되지 않는다고 주장했던 것이다."[219쪽]](원문에는 '〕'이 누락됨 — 옮긴이)

여기에 대해 가닐은 다음과 같이 이야기하고 있다.(219, 220쪽)

"**공업생산자계급이 자신들이 생산한 만큼의 가치를 소비한다**는 경제학자들의 주장과, **임금은 국가의 소득에 포함되지 않는다**는 리카도의 이론 사이의 관련을 알아내는 것은 쉬운 일이 아니다."

가닐은 여기에서도 문제의 핵심을 찌르지 못한다. 경제학자들의 오류는 그들이 공업생산자를 **임노동계급**으로만 이해하고 있다는 점에 있다. 이 점에서 그들은 리카도와 구별된다. 그들의 그다음 오류는 **임노동계급**이 소비하는 만큼만 생산한다고 그들이 생각하고 있다는 점이다. 그들과는 달리 리카도는 임노동계급이 생산하는 것이 순생산물이긴 하지만, 이들 임노동계급의 소비(즉 임금)는 그들의 노동시간과 같은 것이 아니라 이 임금을 생산하는 데 필요한 노동시간과 같은 것일 뿐이라고 정확하게 알고 있었다. 즉 이들 임노동계급은 자신들의 생산물 가운데 그들이 필요로 하는 소비에 해당하는 부분만을(말하자면 자신들이 생산한 생산물 가운데 자신들이 필요로 하는 소비의 등가물 만큼을) 받는 것이다. 경제학자들은 공업생산자계급 전체 G539
(고용주와 노동자)가 자신들이 이야기한 이런 조건에 처해 있다고[621] 생각했다. 그들에게는 지대만이 생산물 가운데 임금을 초과하는 잉여분으로, 따라서 유일한 부로 간주되었다. 그런데 리카도는 이윤과 지대가 이 잉여분을 이룬다고, 즉 유일한 부라고 말하는데, 이 말은 비록 중농주의자들과 다르긴 하지만 순생산물(즉 잉여가치가 들어 있는 생산물)만이 국부를 이룬다(물론 그는 이 잉여의 본질을 중농주의자들보다 더욱 잘 이해하고 있긴 하다)고 하는 점에서는 그들과 일치한다. 그에게도 국부는 오로지 소득 가운데 임금을 초과하

는 부분이다. 그가 중농주의자들과 구별되는 점은 순생산물에 대한 설명이 아니라 임금에 대한 설명인데 중농주의자들은 임금의 범주에 이윤도 포함시키는 오류를 범하고 있다.

세는 리카도에 대하여 또 하나의 반론을 제기한다.

[622]"고용된 700만 명의 노동자가 500만 명보다 더 많이 저축을 할 것이다."[623]

여기에 대하여 가닐은 다음과 같이 올바르게 지적하고 있다.

[624]"이것은 **임금으로부터 이루어지는 저축**이 **임금을 지불하지 않는 데서 만들어지는 저축**보다 더 낫다고 가정하는 것을 의미한다. … 순생산물을 전혀 만들어내지 않는 노동자들에게 단지 그들의 임금에서 저축을 얻어내기 위한 기회와 수단을 제공하려는 목적만으로 4억 프랑의 임금을 지불한다는 것은 어리석은 일일 것이다."(같은 책, 221[625]쪽)

"문명이 한 발씩 전진할 때마다 노동은 덜 힘들어지고 더 생산적으로 된다. 스스로 생산해서 소비하도록 운명을 부여받은 계급은 감소하는 반면, 노동을 지휘하고 전체 국민을 보호하고(!) 위로하며(!) 계몽하는 계급은 증가하고 **다수가 되는데**, 이들 계급은 **노동비용의 감소**, 상품 공급의 과잉, 소비재 가격의 하락 등으로부터 **발생하는 온갖 이익을 모두 취득한다**. 인류는 이런 방향으로 자신을 발전시켜나간다. … **사회의 하층계급이 감소하고 상층계급이 증가하는** 이런 **지속적인 경향**에 의해 … 부르주아 사회는 더 행복해지고 더 강력해진다. 등등."(같은 책, 224[626]쪽) "만일 … 고용된 노동자 수가 700만 명에 달한다면 임금은 14억 프랑에 달할 것이다. 그러나 이 14억 프랑이 500만 명의 노동자들에게 지불되는 10억 프랑에 비해 더 많은 순생산물을 공급하지 않는다면, **진정한 의미의 절약은 순생산물을 전혀 공급하지 못하는 200만 명의 노동자들에 대한 임금 4억 프랑을 지불하지 않는 것**이며, 이 200만 명의 노동자들이 자신들의 임금 4억 프랑으로부터 만들어낼 수 있는 저축은 아닐 것이다."(같은 책, 221쪽)

제26장에서 리카도는 이렇게 지적하고 있다.[627] "**A. 스미스**는 한 나라가 자신의 총소득에서 얻는 이익을 순소득에서 얻는 이익에 비해 지나치게 과장하고 있다. … 한 나라가 생산적 노동에 사용하는 노동량이 많든 적든 상
G540 관없이 소득과 이윤이 변하지 않는다면 노동을 생산적 노동에 사용하는 것으로부터 얻는 이익은 도대체 무엇일까? … 한 나라가 500만 명이 살아가는데 필요한 순소득을 생산하기 위해 ||371| 생산적 노동자를 500만 명 사용

하든 700만 명 사용하든[628] … 이들 500만 명의 식량과 의복은 항상 순소득이 될 것이다. 사용하는 사람의 숫자가 늘어나도 우리는 육군이나 해군의 병사를 한 사람도 더 늘릴 수 없고 세금 역시 한 푼도 더 늘릴 수 없는 처지에 놓일 것이다."(같은 책, 215쪽)[629]

이것은 번갈아 가면서 주민 가운데 일부는 전쟁터에 나가고 다른 일부는 농사를 짓던 고대 독일 사람들을 상기시킨다. 농사에 꼭 필요한 사람의 수가 적을수록 전쟁에 나갈 수 있는 사람의 수는 많아질 것이다. 농사를 짓는 데 필요한 사람이 이전에는 500명이던 것이 이제는 1,000명이 되었다면 주민 인구가 1,000명에서 1,500명으로 $\frac{1}{3}$ 만큼 늘어난다 하더라도 그것은 아무런 쓸모가 없을 것이다. 즉 동원할 수 있는 병사의 수는 여전히 500명에 머물러 있을 것이다. 그러나 노동생산력이 증가하여 농사를 짓는 데 250명만으로도 충분하게 된다면 전쟁에 나갈 수 있는 사람의 숫자는 1,000명 가운데 750명이 될 것이고 반대로 생산력이 하락한 경우에는 1,500명 가운데 500명에 불과할 것이다.

여기에서 지적해야 할 사항은 첫째 리카도가 순소득 혹은 순생산물이라고 이해했던 것은 총생산물 가운데 원료나 도구와 같은 생산수단으로 생산에 되돌려 주어야 할 부분을 초과하는 잉여가 아니었다는 점이다. 오히려 그는 총생산물이 총소득으로 분해된다는 잘못된 견해를 가지고 있었다. 그가 순생산물 혹은 순소득이라고 이해했던 것은 잉여가치였는데, 그것은 곧 총소득 가운데 임금(즉 노동자들의 소득)으로 이루어진 부분을 초과하는 잉여분이었다. 그런데 노동자의 이 소득은 가변자본으로서, 유동자본 가운데 그가 끊임없이 소비하고 재생산하는 부분으로, 요컨대 그의 생산물에서 그가 스스로 소비하는 부분을 가리킨다. 리카도가 자본가들을 순전히 쓸모없는 사람들로 간주하지 않았다면, 즉 그들을 생산담당자로 간주하고 따라서 그들의 이윤 가운데 일부가 임금으로 분해된다고 생각했다면, 그(리카도—옮긴이)는 자본가들의 소득 가운데 일부를 순소득에서 공제해야 할 것이고 이 사람들의 수도 그들(자본가들—옮긴이)의 임금[630]이 그들의 이윤 가운데 가능한 한 적은 부분을 이루는 한에서만 부의 형성을 촉진하는 것으로 이야기해야만 할 것이다. 어쨌든 생산담당자로서 그들의 시간 가운데 일부는 하나의 구성부분으로 생산 그 자체에 속한다. 그리고 그런 한에서 그들의 시간은 사회 혹은 국가의 다른 목적에는 사용될 수 없다. 그들이 생산관리자로서 일함으로써 자유시간을 더 많이 갖게 될수록 그들의 이윤은 그만큼 더 임금과는 무관한 것이 될 것이다. 그들과는 달리 이자만으로 살아가는 자본가와 지대로 살아가는 사람들은 사회적 목적을 위해 전적으로 자유롭게 동원할 수 있는 사람들이고 이들의 소득 가운데 그들 자신의 품위를 재생산하는 데 사용되는 부분을 제외하고는 어떤 부분도 생산비용에 들어가지 않는다. 따라
G541 서 리카도는 바로 **국가**의 이익을 위한 관점에서라도 이윤을 희생하여 지대(진정한 의미의 순소득)를 증가시키는 것을 원해야만 하겠지만 그것은 전혀 그의 견해가 아니다. 그것은 왜 그럴까? 그렇게 하는 것은 자본축적을 해치는 일인데 이는 곧 생산적 노동자를 희생하여 비생산적 노동자 수를 늘리는 것이기 때문이다.

리카도는 생산적 노동자와 비생산적 노동자의 구별에서 전자는 자본과 직접 노동을 교환하고 [후자는] 소득과 직접 노동을 교환한다고 했던 A. 스미스의 견해를 그대로 따르고 있다. 그러나 생산적 노동자에 대한 섬세한 분석과 환상이 없다는 점에서 그는 스미스와 견해를 달리한다. 생산적 노동자가 된다는 것은 하나의 불행이다. 생산적 노동자는 **타인의** 부를 생산하는 노동자이다. 그의 존재는 바로 그런 타인의 부를 위한 생산도구로서만 의의를 갖는다. 따라서 더 적은 수[631]의 생산적 노동자를 가지고 같은 양의 타인의 부를 만들 수 있다면 이 생산적 노동자들을 줄이는 것은 적절한 일이다. 노동하라, 그러나 너희를 위해서 노동하지는 말라(Vos, non vobis).[632] 그러나 리카도는 생산적 노동자의 이런 **감축**을 가닐처럼, 즉 생산적 노동자의 감축이 곧바로 소득을 증대시키는 것으로, 그리고 이 소득을 **이전에 가변자본**(임금의 형태로)**으로** 소비되던 **소득으로** 이해하지는 않았다. 생산적 노동자들의 수가 감소함에 따라 생산물은 감소된 수의 노동자들이 스스로 소비하고 생산하던 양(즉 이들 숫자에 해당하는 등가)만큼 감소한다. 리카도는 가닐처럼 여전히 동일한 양의 생산물이 생산될 것이라고 생각하지 않았다. 물론 순생산물은 변하지 않는다. 노동자들이 200을 소비하고 그들이 만든 잉여가 100이라면 총생산물 = 300, 잉여 = $\frac{1}{3}$ = 100일 것이다. 노동자가 100을 소비하고 잉여는 여전히 100이라면 총생산물 = 200, 잉여 = $\frac{1}{2}$ = 100일 것이다. 총생산물은 $\frac{1}{3}$ 만큼, 즉 100명의 노동자가 소비하던 생산물만큼 감소하겠지만 ||372| 순생산물은 **변하지 않을** 것인데 이는 $\frac{200}{2}$이 $\frac{300}{3}$과 같기 때문이다. 그러므로 리카도는 총생산물 가운데 순생산물을 이루는 부분이 불변이거나 증가하거나 혹은 적어도 감소하지만 않는다면 총생산물의 양이 얼마이든 상관없다고 생각한다.

그래서 그는 이렇게 말한다.

“20,000파운드스털링의 자본을 가지고 2,000파운드스털링의 이윤을 만드는 어떤 사람에게, 만일 그의 이윤이 2,000파운드스털링 이하로 떨어지지만 않는다면, 그의 자본이 100명을 고용하든 1,000명을 고용하든, 혹은 그 자본의 생산물이 10,000파운드스털링에 판매되든 20,000파운드스털링에 판매되든 그런 것들은 전혀 상관이 없을 것이다.”[214쪽]

(MEW에는 여기부터 G549쪽 |IX-377| 앞까지의 부분이 빠져 있음 — 옮긴이)

거기에서는 이렇게 말하고 있다(제3판, 416쪽).[633]

“연간 2,000파운드스털링의 이윤을 가져다주는 20,000파운드스털링의 자본을 가지고 있는 어떤 개인에게는 그의 자본에 의해 고용되는 사람이 100명이 되든 1,000명이 되든, 혹은 또 그가 생산한 상품이 10,000파운드스털링에 팔리든 20,000파운드스털링에 팔리든, 오로지 그의 이윤이 2,000파운드스털링 이하로만 줄어들지 않는다면 아무 문제가 없을 것이다. 국가의 경우에도 그 이해관계가 비슷하지 않을까?”

첫째 만일 자본=20,000파운드스털링이고 연간 판매된 생산물=20,000파운드스털링이라면 — 자본에 의해 고용된 사람이 100명이든 1,000명이든 그것은 무시하기로 한다 — 연간 이윤 2,000파운드스털링이 어디에서 나와야 할 것인지를 생각하지 않을 수 없다. 왜냐하면 이 이윤은 총생산물의 가치가 선대된 자본의 가치를 넘어서는 초과분이고 20,000파운드스털링에서 20,000파운드스털링을 넘어서는 초과분은 0이기 때문이다. 따라서 우리는 우선 가정을 바꾸어서 20,000파운드스털링의 자본을 선대한 사람이 자신의 연간 생산물을 22,000파운드스털링에 판매하게 해서 그가 연간 이윤 2,000파운드스털링을 얻을 수 있도록 해야 한다. G542

둘째 자본=20,000파운드스털링, 연간 판매되는 상품=10,000파운드스털링, 그럼에도 불구하고 2,000파운드스털링의 이윤이 만들어진다는 두 번째 가정이 성립하려면[634] 10,000파운드스털링의 상품이 1) 소비된 기계, 2) 소비된 원료, 3) 임금, 4) 선대된 자본 총액(즉 선대된 임금뿐 아니라)을 넘어서는 이윤 10퍼센트 등을 모두 나타내야만 한다. 이 경우 우리는 이제 선대된 자본의 크기와 생산에서 소비된 자본의 크기가 동일하다는 첫 번째 가정을 더 유지해서는 안 된다. 10,000파운드스털링의 상품이 연간 총생산물을 이루기 때문에 10,000파운드스털링(혹은 자본의 절반)이 고정자본(즉 노동과정에는 투입되었지만 가치증식과정에는 투입되지 않은)이었다는 것은 분명하다. 그런데 이 10,000파운드스털링이 선대된 고정자본 총액을 이룰 수는 없다. 왜냐하면 고정자본의 일부, 예를 들어 $\frac{1}{12}$은 마모분으로 생산물 속으로 들어가야 하기 때문이다(혹은 고정자본의 재생산기간=12년이기 때문이다). [635]좀 더 엄밀한 수치를 얻기 위해서 고정자본의 재생산기간을 11년이라고 가정해보자. 그럴 경우 선대된 고정자본 총액=11,000파운드스털링이고 그중 $\frac{1}{11}$=1,000파운드스털링이 생산물에 들어간다. 따라서 10,000파운드스털링의 상품은 고정자본의 마모분 1,000파운드스털링, 원료와 새로 부가된 노동(임금과 이윤) 9,000파운드스털링을 나타낼 것이다. 이 9,000파운드스털링 가운데 2,000이 이윤이 될 것이다. 그러면 원료와 임금으로 남는 것은 7,000파운드스털링이 된다. 이 7,000 가운데 원료가 5,000, 임금이 2,000이라고 가정하자. 그러면 부가된 노동 총액은 4,000파운드스털링이 되고 잉여가치율 100퍼센트를 만드는 노동자 100명을 고용해야 하기 때문에 노동자들은 한 사람당 20파운드스털링을 받는다(20파운드스털링×100=2,000). 모든 노동자는 6시간은 자신을 위해 6시간은 자본가를 위해 노동한다. 자본 가운데 부가된 노동과 같은 부분은 100노동일(노동일[636]은 연간노동 전체의 단위이다)이고 그중 절반은 지불되는 노동이고 다른 절반은 지불되지 않는 노동이다. 이제 계산은 다음과 같이 된다.

총자본	고정자본	고정자본 마모분	원료	임금	잉여가치	총생산물	이윤
20,000 파운드스털링	11,000 파운드스털링	1,000 파운드스털링	5,000 파운드스털링	2,000 파운드스털링/100노동일	2,000 파운드스털링	10,000 파운드스털링	2,000 파운드스털링 혹은 10퍼센트

G543 1노동일=40파운드스털링이라고 한다면(지불노동과 비지불노동을 합한 것) 총생산물(10,000파운드스털링)은 **250노동일**로 이루어지게 된다(그중 100노동일은 새로 부가된 노동이다).

이제 첫 번째 가정을 유지하기 위해서 리카도는 여기에서 생산물=20,000파운드스털링, 즉 500노동일이라고 말한다. 거기에다 우리는 자본가가 노동자를 100명이 아니라 1,000명을, 즉 10배 더 많은 노동자들을 고용했다는 이야기도 듣는다. 그럴 경우 노동자 한 사람당 임금=20파운드스털링이라고 하면 전체 임금은 20,000파운드스털링이 될 것이다. 따라서 총자본은 이미 모두 소진되어버렸고 원료와 고정자본에 사용할 자본은 한 푼도

남지 않게 된다. 따라서 이런 식의 이야기는 전혀 옳은 것이 아니다.|

|373| 여기에서 주요한 어려움은 리카도가 사용된 노동자들에게 들어간 가치만을 이야기하고 두 경우 모두에서 생산된 총생산물들의 [637]비율에 대해서는 말하지 않았기 때문이다. 첫 번째 경우에는 자신의 생산물을 20,000파운드스털링에 판매했고 두 번째 경우에는 10,000파운드스털링에 판매했다. 그러나 이것이 일반화되려면 가치법칙에 따라 첫 번째 경우의 생산물이 두 번째 경우보다 2배의 노동시간을 포함해야만 한다. 즉 20,000파운드스털링에는 10,000파운드스털링보다 2배의 노동일이 포함되어야만 한다. 그런데 전자는 후자에 비해 10배의 노동자들을 사용했다. 전자의 가변자본은 후자의 10배가 된다. 따라서 [638]20,000파운드스털링의 총생산물에는 10,000파운드스털링의 경우보다 10배 더 많은 살아 있는 노동시간이 포함되어 있다. 첫 번째 자본에서 살아 있는 노동의 증가와 같은 비율로 불변자본(과거의 노동일)도 함께 증가했다면 그것은 2배가 아니라 10배가 증가했을 것이다.

이 설명들에서의 **가정들**은 스스로 모순된 것이어서는 안 된다. 즉 그 가정들은 **현실적인** 가정, 현실적인 전제여야 하고 불합리하고 불가능한 전제이거나 비현실적인 가정이어서는 안 된다.[639]

$P^1 = 20,000$파운드스털링 $= 2P^2$($= 10,000$파운드스털링). P^1에는 살아 있는 노동시간 1,000노동일 + 일정량의 과거노동시간이 포함되어 있다. P^2에는 살아 있는 노동시간 100노동일 + 일정량의 과거노동시간이 포함되어 있다.[640]

리카도가 제시한 사례는 모두 그 자체 모순되고 불합리하며 불가능하다. (즉 만일 우리가 일반적인 경우에서 요구되는 것과 같이, 두 경우 모두 자신의 상품을 가치보다 높게 판매하지 않는다고 가정한다면, 다시 말해 20,000파운드스털링에 판매되는 생산물에는 10,000파운드스털링에 판매되는 생산물에 포함된 것보다 정확히 2배의 노동시간이 포함되어 있다고 가정한다면 그렇다. 만일 우리가 두 번째 경우의 자본이 자신의 생산물의 가치에 대해서가 아니라 자신의 선대자본에 대하여 이윤을 계산한다고 가정한다면 리카도가 제시한 모든 경우는 더 있을 수 없는 일이 될 것이다.)|

|374| 리카도의 첫 번째 가정에 따르면 100명의 노동자가 2,000파운드스털링의 잉여가치를 생산한다. 총노동일[641](12시간)이 20파운드스털링이라고 한다면 이 100명 노동자의 총노동 **가치**는 2,000파운드스털링일 것이

G544 다. 그러나 이 가치에서 이들의 임금을 공제할 것이기 때문에 — 잉여가치는 노동일 가운데 지불되지 않은 부분으로만 이루어진다 — 만일 잉여가치가 2,000파운드스털링이 되려면 1노동일의 가치는 20파운드스털링보다 더 크게 평가되어야만 한다. 따라서 이 가치를 30파운드스털링이라고 하자. 이제 우리 마음대로 1년 동안 임금이 10파운드스털링에 머물고 이것이 총노동시간의 $\frac{1}{3}$이라고 가정해보자. 이 경우 100노동일의 가치 = 30 × 100 = 3,000이고, 임금의 가치 = 10 · 100 = 1,000이고 잉여가치(비지불노동의 가치) = 2,000이 될 것이다.

두 번째 경우 리카도는 1,000명의 노동자를 가정한다. 첫 번째 경우와 마찬가지로 1노동일의 총가치[642]가 30파운드스털링이라고 한다면 이 1,000명의 노동자의 대상화된 노동은 30,000파운드스털링일 것이다. 그런데 리카도는 총생산물의 가치를 2,000파운드스털링이라고 가정하고 있다. 따라서 모든 경우에서 리카도의 설명은 전혀 사리에 맞지 않는다. 동시에 두 번째 경우 총노동일의 가치는 20파운드스털링을 **초과**해야만 한다. 하지만 그것이 20파운드스털링을 단 한 푼이라도 초과하려면 노동자 1,000명의 생산물은 — 그 속에 포함된 불변자본은 무시하기로 한다 — 20,000파운드스털링이 될 수 없고 반드시 그보다 많아야 한다.

따라서 우리는 자본의 가치를 늘리거나 — 그러나 리카도의 설명은 두 경우 모두 **동일한** 가치(20,000파운드스털링)의 자본이 사용된다는 가정 위에서 있기 때문에 이것은 그럴 수 없다 — 노동자 수를 바꾸어야만 한다. 이제 후자의 방식을 취해보기로 하자(그렇지 않으면 두 번째 경우 자본의 크기를 늘려야만 한다). 즉 자본 I이 1,000명의 노동자가 아니라 500명의 노동자를 사용한다고 가정하자. 노동자 500명을 1노동일 30파운드스털링의 가치로 환산하면 그것은 15,000파운드스털링이 된다. 그런데 15,000파운드스털링 가운데 잉여가치는 2,000파운드스털링, 즉 $\frac{2}{15}$ 혹은 $13\frac{1}{3}$퍼센트이다. 혹은 또 임금 = 11,000파운드스털링(13,000파운드스털링이 되어야 할 것으로 보인다. — 옮긴이)이고 거기에 대해서 잉여가치 2,000파운드스털링 = $\frac{2}{11}$ 혹은 $18\frac{2}{11}$퍼센트($\frac{2}{13}$ 혹은 $15\frac{5}{13}$퍼센트가 되어야 할 것으로 보인다. — 옮긴이)일 것이다.

혹은 짝수와 정비례를 유지하기 위하여 자본 I이 400명의 노동자를 고용한다고 가정해보자. 그러면 1노동일 = 30파운드스털링이므로 400노동일 = 400 × 30 = 12,000파운드스털링이 될 것이다. 그중 잉여가치 = 2,000파운드스털링일 것이다. 따라서 임금=10,000파운드스털링이 될 것이다. 이제 잉여가치는 임금의 $\frac{1}{5}$ 혹은 총노동일의 $\frac{1}{6}$이 되고 임금은 총노동일의 $\frac{5}{6}$가 될 것이다. 앞의 경우 잉여가치는 임금의 2배, 혹은 총노동일과 총생산물의 $\frac{2}{3}$였고 임금은 총노동일의 $\frac{1}{3}$이었다. 후자의 경우 임금은 전체의 $\frac{2}{6}$, 잉여가치는 전체의 $\frac{4}{6}$이다. 여기에서는 자의적으로 노동자들의 생산성 차이에 의한 임금의 격차를 가정하고 있다. 왜냐하면 한 번은 1,000파운드스털링의 임금에 대하여 2,000파운드스털링의 잉여가치가 계산되었고 다른 한 번은 4배로 숫자가 늘어난 노동자들의 임금인 10,000파운드스털링에 대하여 똑같이[643] 2,000파운드스털링의 잉여가치가 계산되었기 때문이다. 또한 여기에서는 노동자들이 자신들의 생산물로 임금을 지급받는다고 가정하고 있다.

따라서 노동자 II는 노동자 I이 10시간에 가공하는 만큼의 원료를 4시간 G547
만에 가공한다[644](전자는 $\frac{1}{3}$노동일, 혹은 $\frac{2}{6}$노동일이 소요되는 반면 후자는 $\frac{5}{6}$노동일이 소요된다). 즉 그가 2시간($\frac{2}{12}$노동일)에 가공하는 것을 후자는 5시간($\frac{5}{12}$노동일)에 가공하고 그가 1시간에 가공하는 원료를 후자는 $2\frac{1}{2}$시간에 가공한다. 노동자 II가 4시간에 가공하는 원료를 면화 1파운드라고 한다면 1시간에는 $\frac{1}{4}$파운드, 12시간에는 $\frac{12}{4}$파운드, 즉 3파운드가 된다.

그럴 경우 노동자 I은 10시간에 면화 1파운드를 가공하고 따라서 1시간에는 $\frac{1}{10}$파운드, 12시간에는 $\frac{12}{10}$파운드, 즉 $1\frac{2}{10}=1\frac{1}{5}$파운드가 될 것이다. 1노동일에 노동자 II는 3파운드를 공급하고 따라서 100노동일에는 300파운드를 공급할 것이다.

노동자 I은 1노동일에 $1\frac{1}{5}$파운드를 공급하고 400명의 노동자들은 $(400+\frac{400}{5}$파운드$)=480$파운드를 공급할 것이다.

(I)에서 1노동일에 가공하는 원료와 (II)에서 1노동일에 가공하는 원료의 비율$=1:2\frac{1}{2}$이다. 그러나 (I)에서 4노동일인 것이 (II)에서는 1노동일이다. (II)의 노동자들 100명이 300파운드를 공급하는 데 비해 (I)에서는 120을 공급할 뿐이다. $120:300=1:2\frac{1}{2}$이다. 그런데 동일한 생산물을 생산하는 데 (I)에서 소요된 노동시간은 (II)에서 소요된 것에 비해 상대적으로 $2\frac{1}{2}$배 적은데도 불구하고, 그 절대량의 측면에서는 더 많은데 그것은 (I)에서 사용한 노동자 수가 (II)에서 사용한 노동자보다 4배 더 많기 때문이다. 즉 우리는 두 경우에서 생산된 생산물[645]의 비율(**1노동일**당 생산물의 상대적인 비율)[646]과 절대량(즉 1노동일당 생산물×노동일의 수 혹은 사용된 노동자 수에 의

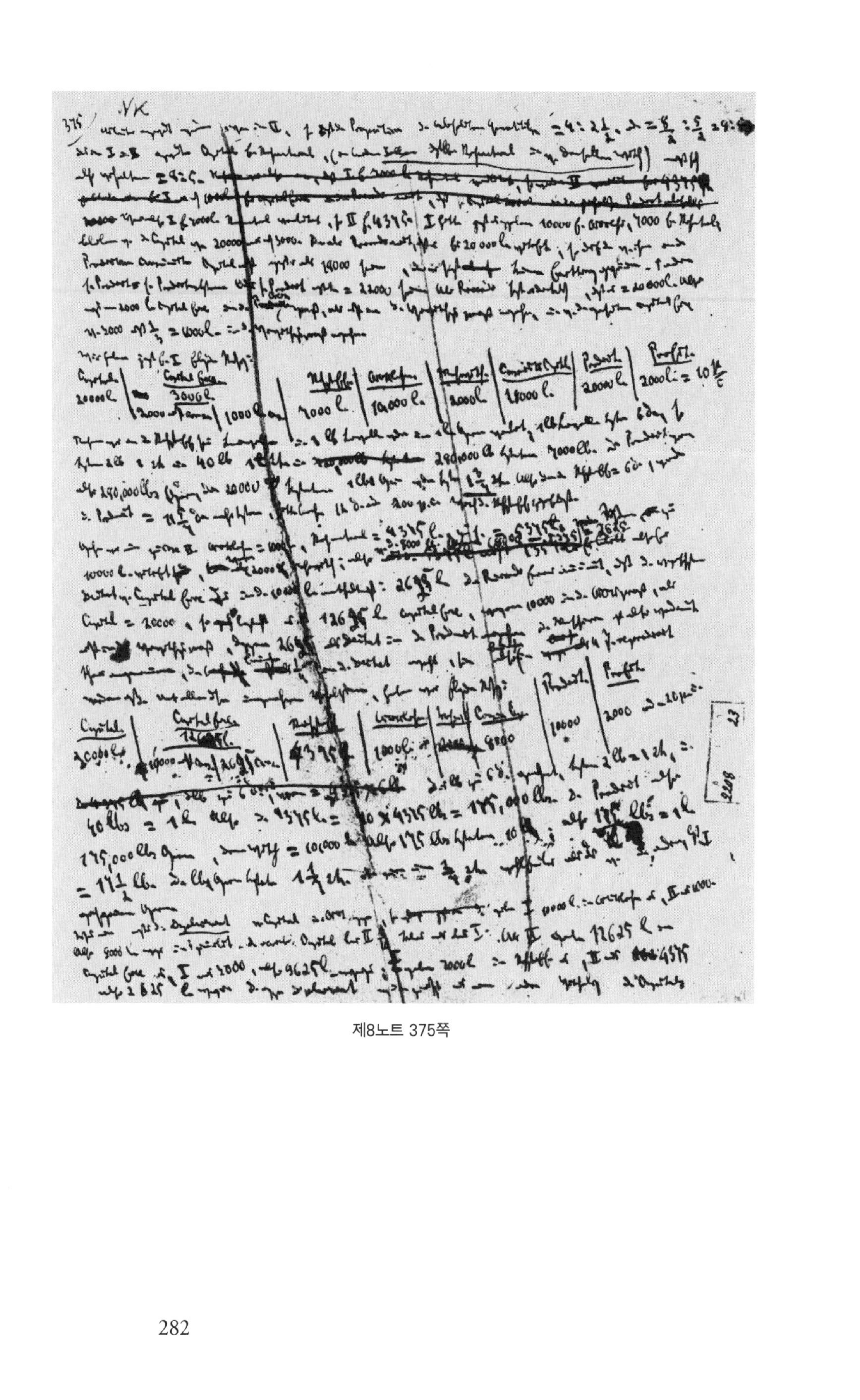

제8노트 375쪽

해 결정되는 생산량)을 구별해야만 한다. (I)과 (II)의 생산물의 비율＝1 : $2\frac{1}{2}$이다. (I)에서는 (II)에 비해 4배 더 많은 노동일 혹은 4배 더 많은 수의 ||375| 노동자들을 사용했으므로 절대량의 비율은 4 : $2\frac{1}{2}$ 혹은 $\frac{8}{2}$: $\frac{5}{2}$＝8 : 5이다. (I)과 (II)에서 원료에 사용된 자본(두 **경우** 모두 **사용된 원료와 그것의 가치는 동일하다**) 간의 비율은 8 : 5이다.[647] 즉 (I)에서 7,000파운드스털링의 원료가 가공되었다면 (II)에서는 4,375파운드스털링의 원료가 가공되었다. 이 경우 나는 임금에 10,000파운드스털링을 지출하고 원료에 7,000파운드스털링을 지출했을 것이다. 그러면 20,000파운드스털링의 자본에서 남는 것은 3,000파운드스털링이 될 것이다. 그런데 리카도는 생산물을 20,000파운드스털링에 판매한다고 가정하기 때문에 그가 생산에 소비한 자본은 18,000파운드스털링보다 커서는 안 된다. 왜냐하면 만일 그렇다면[648] 그는 땡전 한 푼도 벌지 못하게 될 것이기 때문이다. 즉 그의 생산물＝그의 생산비용이 될 것이다. 혹은 그렇지 않다면 그의 생산물은 22,000파운드스털링이 되어야 할 것이다. 그러나 리카도는 생산물이 20,000파운드스털링이라고 분명히 밝히고 있다. 따라서 2,000파운드스털링의 고정자본은 노동과정[649]에는 들어가지만 가치증식과정에는 들어가지 않아야만 하고 총고정자본 3,000파운드스털링 가운데 $\frac{1}{3}$＝1,000파운드스털링만이 가치증식과정에 들어가야만 한다.

그리하여 우리는 다음과 같은 계산을 얻게 된다.

자본	고정자본		원료	임금	잉여가치	소비된 자본	생산물	이윤
20,000 파운드스털링	3,000파운드스털링		7,000 파운드스털링	10,000 파운드스털링	2,000 파운드스털링	18,000 파운드스털링	20,000 파운드스털링	2,000 파운드스털링 ＝10퍼센트
	2,000 소비되지 않음	1,000 소비됨						

원료가 면화이고 1파운드의 면화가 1파운드의 면사로 가공된다고 하자. G548
그리고 면화 1파운드의 가격이 6펜스라면 2파운드의 면화는 1실링이며 40파운드의 면화는 1파운드스털링이고 280,000파운드의 면화는 7,000파운드스털링이 될 것이다. 생산물은 280,000파운드의 면사가 되고 그것의 가격은 20,000파운드스털링이 될 것이다. 1파운드 면사의 가격은 $1\frac{3}{7}$ **실링**이 될 것이다. 따라서 면화＝6펜스이므로 생산물＝$11\frac{1}{7}$[650]펜스 이상이 되고 거의 12펜스(즉 200퍼센트)가 원료의 가치에 부가될 것이다.

이제 두 번째 경우에서 임금=1,000파운드스털링, 원료=4,375파운드스털링, 합계=5,375파운드스털링이라고 하자. 상품은 10,000파운드스털링에 판매되고 그중 2,000파운드스털링이 잉여가치라고 하자. 그러면 8,000파운드스털링[651]의 면사에서 (8,000-5,375)=2,625파운드스털링이 남는다.[652] 즉 고정자본의 마모분은 10,000파운드스털링에 2,625파운드스털링어치로 포함되어 있다. 한편 리카도는 선대자본=20,000파운드스털링이라고 가정하고 있으므로 고정자본은 12,625파운드스털링으로 이루어지고 그중 10,000파운드스털링은 노동과정에는 들어가지만 가치증식과정에는 들어가지 않고, 2,625파운드스털링은 마모분으로 생산에 들어간다. 마모분이 거의 $\frac{1}{4}$이기 때문에(즉 약 4년 만에 재생산되어야 하기 때문에)[653] 기계는 매우 비싸게 상정된다. 이 모든 조건을 수용하면 계산은 다음과 같이 된다.

자본	고정자본		원료	임금	잉여가치	소비된 자본	생산물	이윤
20,000 파운드스털링	12,625파운드스털링		4,375 파운드스털링	1,000 파운드스털링	2,000 파운드스털링	8,000 파운드스털링	10,000 파운드스털링	2,000 파운드스털링 =10퍼센트[654]
	10,000 소비되지 않음	2,625 소비됨						

[655][면화] 1파운드를 6펜스로 계산한다면 2파운드=1실링이고 40파운드=1파운드스털링이다. 따라서 4,375파운드스털링=40×4,375파운드스털링[656]=175,000파운드이다. 따라서 생산물은 175,000파운드의 면사이고 그것의 가치=10,000파운드스털링이다. 175파운드의 가치는 10파운드스털링이므로 $\frac{175}{10}$ 파운드=1파운드스털링=17$\frac{1}{2}$파운드이다. 면사 1파운드의 가치는 1$\frac{1}{7}$실링이고 그것은 (I)에서 방적한 면사보다 $\frac{2}{7}$실링만큼 더 저렴하다.

여기에서는 첫째 자본과 노동의 **대체**가 일어나서 (I)에서는 임금으로 10,000파운드스털링이 지출되고 (II)에서는 1,000파운드스털링만이 지출되었다. 즉 방적노동이 9,000파운드스털링만큼 감소한 것이다. (II)의 가변자본은 (I)보다 $\frac{9}{10}$[657]만큼 더 적다. 그러나 고정자본의 경우 (II)에서는 12,625파운드스털링이 지출되었는데 (I)에서는 3,000파운드스털링만 지출되어 9,625파운드스털링만큼 더 적게 지출되었다. 원료에는 (I)에서 7,000파운드스털링이, (II)에서는 4,375파운드스털링이 지출되어 2,625파운드스털링만큼 더 적게 지출되었다. 이런 대체는 무엇보다도 단지 면사를 구성하는 ||376| 생산요소들[658]에 대[한] 자본의 분배만을 변화시킬 것이다. 그러나

그것만으로 그치지는 않을 것이다. 고정자본은 [xxxx][659] 약 5년 만에 재생산되기 때문에 이 자본 부분의 재생산에 필요한 것은 매년 $\frac{1}{5}$일 것이다. 기계 제조에 충당되는 자본이 매년 사용될 수 있는 경우는 단지 5년마다 생산되어야 하는 기계가 5대 있거나 매년 1대씩을 생산해야 하는 경우뿐일 것인데 이것은 (II)의 생산방식[660]의 성장 정도에 의존할 것이다.

(I)에서는 400[661]명의 노동자를 사용하는 데 비해 (II)에서는 100명의 노동자를 사용하고 (I)에서는 노동자들에게 25파운드스털링을 임금으로 지불하는 데 비해 (II)에서는 10파운드스털링(즉 I의 $\frac{2}{5}$)을 지불한다. 만일 (II)에 G549
서 노동생산성에 비례하여 임금을 인하하지 않고 그가 상품을 가치대로 판매한다면 (II)의 자본가는 300명의 노동자를 줄인 것으로는 단 한 푼의 이익도 얻지 못할 것이다. 그는 100명의 노동자에게 2,500파운드스털링의 임금을 지불할 것이고 그의 총잉여가치는 500파운드스털링이 될 것이다. 즉 그의 이윤은 그가 사용한 노동시간에 비례하여 (I)의 이윤에 비해 $\frac{1}{4}$에 그칠 것이다. 따라서 만일 임금률의 하락이 없다면 노동자 수와 임금의 **단순한 감소만**으로는 아무런 변화도 일어나지 않는 것이다. 위의 예에서 노동자의 수는 $\frac{1}{4} = \frac{5}{20}$ 만큼 감소했지만[662]임금은 $\frac{2}{5} = \frac{8}{20}$ 만큼[663] 감소했다. 그런데 (I)에서 면사 1파운드를 생산하는 데 $1\frac{3}{7}$실링이 들었고 (II)에서는 $1\frac{1}{7}$만 들었기 때문에 만일 (II)가 면사를 $1\frac{2}{7} + \frac{1}{35}$ 실링 $= 1\frac{11}{35}$ 실링에 판매한다면 그는 (I)보다 더 낮은 가격에 면사를 판매할 수 있을 것이다. (I)은 면사를 $1\frac{3}{7}$, 즉 $1\frac{15}{35}$ 실링에 판매할 것이기 때문이다. 이 경우 (II)는 (I)과 동일한 임금을 지불할 수 있을 것이다. 왜냐하면 175,000파운드에 대하여 $\frac{1}{7}$실링을 곱하면 25,000실링(혹은 1,250파운드스털링)이 되고, $\frac{1}{35}$ 실링에 175,000실링을 곱하면 5,000실링(혹은 250파운드스털링)이 될 것이기 때문이다. 이들 두 가격 인상분을 합하면 1,500파운드스털링이 된다. 우리는 (II)가 (I)과 마찬가지로 노동자들에게 25파운드스털링을 지불한다면 그의 잉여가치가 500파운드스털링이 될 것임을 이미 보았다. 이 잉여가치+가치 이상의 가격 초과분 1,500파운드스털링(그는 사회적 생산비 이하로 생산했다)=2,000파운드스털링. 따라서 만일 (II)가 (I)과 경쟁을 하고 그가 면사 1파운드를 $1\frac{1}{7}$ 실링이 아니라 $1\frac{11}{35}$실링에 판매했다면 그는 (I)과 동일한 임금을 지불할 수 있을 것이다. (I)은 면사 1파운드를 1실링 $5\frac{1}{7}$ 펜스(혹은 1실링 5펜스 $\frac{4}{7}$파딩)에 판매할 것이다.

(II)는 면사 1파운드를 1실링 $3\frac{27}{35}$펜스(혹은 1실링 3펜스 $3\frac{3}{35}$파딩)에 판매할

것이다. (II)가 만일 1실링 4펜스에 판매한다면 그는 (I)보다 더 많은 이윤을 얻고 항상 $1\frac{1}{7}$ 펜스만큼 더 저렴하게 판매하게 될 것이다.

(I)은 280,000파운드의 면사를 공급하고 (II)는 175,000파운드를(즉 105,000파운드만큼 적게) 공급한다. 그러나 노동자가 생산물을 스스로 소비한다면 노동자의 몫으로 (I)에서는 140,000파운드가 돌아갈 것이다. 그래서 (I)에서는 140,000파운드만을 유통에 투입할 것이다. (II)에서는 노동자가 10,000파운드스털링(=175,000파운드의 면사)의 $\frac{1}{10}$(즉 17,500파운드)만을 소비할 것이다. 여기에는 명백히 하나의 오류가 존재하는데[664] 왜냐하면 140,000을 400으로 나누면 1인당 350이 되기 때문이다. 이것을 100명에 대해서 계산하면 35,000이 되고 그것은 총공급량의 $\frac{1}{10}$이 아니라 $\frac{2}{10}$인데 우리는 이미 (II)의 노동자가 (I)의 노동자와 같은 생산물을 얻는다고 가정했기 때문이다.[665]

이 계산은 폐기되어야 한다. 리카도의 오류를 검토하는 데 시간을 허비할 필요가 없기 때문이다.

———|

|IX-377| 리카도의 저작(제3판, 제26장, 415, 416, 417쪽)에서 해당 부분은 다음과 같이 되어 있다.

"A. 스미스는 한 나라가 자신의 총소득에서 얻는 이익을 순소득에서 얻는 이익에 비해 지나치게 과장하고 있다. (왜냐하면 자본이 움직이는 생산적 노동의 양이 더욱 커질 것이기 때문이라고 애덤은 말한다.) … 한 나라가 생산적 노동에 사용하는 노동량이 많든 적든 상관없이 순지대와 이윤이 변하지 않는다면 노동을 생산적 노동에 사용하는 것으로부터 얻는 이익은 도대체 무엇일
G550 까? 〔이 말은 곧 더 많은 노동에 의해 생산된 잉여가치가 더 적은 노동에 의해 생산된 잉여가치와 같다는 뜻이다. 그러나 그렇다면 그것은 또 그 나라에서 낮은 잉여가치율로 더 많은 수의 노동자를 사용하고 높은 잉여가치율로 더 적은 수의 노동자를 사용하는 것이 똑같다[666]는 뜻이기도 하다. n이 노동자 수를 나타내고 $\frac{1}{2}$과 $\frac{1}{4}$이 잉여노동을 나타낸다면 $n\times\frac{1}{2}$은 $2n\times\frac{1}{4}$과 같다. '생산적 노동자' 자체는 단지 잉여를 생산하기 위한 도구에 지나지 않고 따라서 결과가 똑같다면 이 '생산적 노동자'의 수가 더 많은 것은 성가신 일일 뿐이다.〕 … 20,000파운드스털링의 자본을 가지고 매년 2,000파운드스

털링의 이윤을 만들고 있는 어떤 사람에게, 만일 그의 이윤이 2,000파운드스털링 이하로 떨어지지만 않는다면, 그의 자본이 100명을 고용하든 1,000명을 고용하든, 혹은 그 자본의 생산물이 10,000파운드스털링에 판매되든 20,000파운드스털링에 판매되든 그런 것들은 전혀 상관이 없을 것이다. 〔나중에 뒷부분에서도 드러나게 되겠지만 이것은 극히 진부한 이야기에 지나지 않는다. 예를 들어 한 포도주 상인이 20,000파운드스털링을 투자하여 매년 12,000파운드스털링어치는 지하실에 저장해두고[667] 8,000파운드스털링어치를 10,000파운드스털링에 판매한다면 그는 사람을 별로 고용하지 않고도 10퍼센트의 이윤을 얻게 된다.[668]은행가의 경우도 똑같을 것이다!〕 한 나라의 경우에도 실질적인 이익은 비슷한 것이 아닐까? **한 나라의 실질적인 순소득(즉 지대와 이윤)이 같다면 그 나라의 주민이 1000만 명이든 1200만 명이든 그것은 전혀 중요하지 않을 것이다.** 육군과 해군, 그리고 **온갖 종류의 비생산적 노동자들**(이 부분은 리카도가 A. 스미스의 생산적 노동과 비생산적 노동에 대한 견해를 그대로—스미스의 생산적 노동자에 대한 환상적인 섬세함까지는 따르지 않지만—따르는 것을 보여준다)을 유지할 수 있는 그 나라의 힘은 그 나라의 총소득이 아니라 순소득에 비례하는 것이 틀림없다. 만일 500만 명이 1000만 명에게 필요한 식량과 의복을 생산할 수 있다면 500만 명분의 식량과 의복은 순소득이 될 것이다. 만일 이것과 **똑같은 순소득을 생산하는 데** 700만 명이 필요하다면, 다시 말해 1200만 명에게 필요한 식량과 의복을 생산하는 데 700만 명이 고용되어야 한다면, 그것이 이 나라에 조금이라도 이익이 되는 일일까? 순소득은 여전히 500만 명분의 식량과 의복일 것이다. 더 많은 사람을 고용한다 하더라도 그것은 단 1명의 육군이나 해군을 늘리는 것은 물론 단 한 푼의 세금도 늘려주지 못할 것이다."[669]

한 나라의 생산적 인구가 총생산물에 비하여 **상대적으로** 적을수록 그 나라는 더 부강해질 것이다. 이는 개별 자본가가 똑같은 잉여를 얻는 데 필요한 노동자 수가 적을수록 그에게는 더 좋은 것과 마찬가지이다.[670]한 나라에서 생산물의 양이 동일할 때 비생산적 인구에 비해 생산적 인구가 적을수록 그 나라는 더욱 부강할 것이다. 왜냐하면 생산적 인구가 상대적으로 적다는 것은 바로 노동생산성이 상대적으로 높다[671]는 것을 다르게 표현한 것일[672] 뿐이기 때문이다.[673]한편으로[674]상품생산에 필요한 노동시간(생산량에 **비하여** 생산적 인구의 상대적인[675]수)을 최대한 줄이려는 것은 자본의 경향이다. 그러나 다른 한편 자본은 축적의 경향,[676] 즉 이윤을 자본으로 전화 G551

시켜 최대한 많은 양의 타인의 노동을 취득하려는 경향도 가지고 있다. 자본은[677] 필요노동의 비율을 줄이려고 하지만 이 비율이 주어진 경우에는 최대한 많은 생산적 노동을 사용하려 한다. 이 경우 인구에 대한 생산물의 비율은 아무 상관이 없다. 곡물이나 면화[678]가 포도주, 다이아몬드 등과 교환될 수 있으며, ||378| 혹은 노동자가 생산물(소비재)에 직접 가치를 부가하지 않는(철도 부설과 같이) 생산적 노동에 사용될 수도 있다. 만일 어떤 발명이 이루어진 결과 한 자본가가 이전에는 자신의 사업에 20,000파운드스털링을 투자하다가 이제는 10,000파운드스털링만 투자하게 되었다고 하더라도, 그리고 만일 그 10,000파운드스털링이 10퍼센트가 아니라 20퍼센트의 이윤을 만들어주게 되어 이전에 20,000파운드스털링이 벌어다 주던 것과 같은 이윤을 벌어다 주게 되었다고 하더라도, 그가 이전에 자본으로 지출하던 10,000파운드스털링을 새삼 자신을 위한 소득으로 지출할 이유는 없을 것이다(자본이 곧바로 소득으로 전화하는 경우는 국채의 경우에만 해당된다). 자본가는 그 10,000파운드스털링을 다른 곳에 투자할 것이고 거기에다 자신의 이윤 가운데 일부를 추가로 자본으로 전화시킬 것이다. 경제학자들에게서도(리카도도 부분적으로[679] 해당된다) 이 문제와 관련하여 똑같은 이율배반이 존재한다. 기계는 노동자들을 내쫓고 순소득(리카도가 특히 여기에서 순소득이라고 부르는 것은 소득으로 소비하는 생산물의 양을 가리킨다)을 증가시킨다. 그것은 노동자 수를 줄이고 생산물(그런데[680] 이 생산물 가운데 일부는 비생산적 노동자들이 소비하고 일부는 외국과 교환되기도 한다)의 양을 늘린다. 따라서 이것은 바람직할 것이다. 그러나 그렇지 않다. 그런 다음 이제는 이 기계가 노동자들의 빵을 빼앗지 않는다는 것을 입증해야만 한다. 이것은 어떻게 입증될 것인가? [681]그것은 기계가 잠깐 충격(아마도 기계로 인해 쫓겨나는 사람들은 이 충격에[682] 저항할 수 없을 것이다)을 준 후에 다시 그것이 도입되기 전보다 더 많은 사람들을 고용하고, 따라서 "생산적 노동자"의 수가 다시 증가하여 불균형이 다시 회복된다는 것으로 입증되어야만 할 것이다. 그것은 실제로 그렇게 되기도 한다. 즉 노동생산성의 증가에도 불구하고 노동인구는 꾸준히 증가할 수 있는데 — 그러나 생산물에 비례하여 증가하지는 못한다. 생산물은 노동인구와 함께 증가하지만 상대적으로는 그보다 빨리 증가한다 — 이는 예를 들어 노동생산성의 증가와 함께 자본의 집적이 이루어져서 이전에 비생산적[683] 계급에 속해 있던 사람 가운데 일부가 프롤레타리아 계급으로 전락하는 경우가 그러하다. 프롤레타리아 가운데 소수는[684] 중간

계급으로 [685]상승하기도 한다. 하지만 비생산적 계급은 이들에게 지나치게 많은 몫이 돌아가지 않도록 신경을 쓴다. 이윤의 자본으로의 끊임없는 재전화[686]는 항상 이 순환의 토대를 확장한다. 그리고 리카도에게는 축적에 대한 우려가 순이윤에 대한 우려보다 더 커서 순이윤은 어디까지나 축적을 위한 수단으로만 적극 찬사를 받고 있다. 이 때문에 노동자들에 대해서도 경고와 위로가 모순된 형태로 엇갈려 나타나게 된다. 노동자들은 자본의 축적에 매우 큰 관심을 쏟는데 이는 노동자들에 대한 수요가 거기에 달려 있기 때문이다. [687]노동에 대한 수요가 증가하면 노동의 가격도 상승할 것이다. 따라서 노동자들은, 자신들에게서 빼앗아 간 잉여가 다시 자본으로 전화하여 새 G552
로운 노동을 구하기 위해 자신들에게 되돌아와서 자신들의 임금을 높일 수 있도록, 자신들의 임금을 인하하는 것을 스스로 원해야만 한다. 그러나 이런 임금의 인상은 축적을 방해할 것이기 때문에 나쁜 것이다. [688]한편으로 노동자들은 자식을 낳지 않아야 한다. 그래서 노동의 공급[689]이 감소하면 노동의 가격은 상승할 것이다. 그러나 노동가격의 상승은 축적률을 감소시킬 것이고 이는 노동의 수요를 감소시켜 노동의 가격은 하락할 것이다. 노동의 공급이 감소하는 것보다 더 빨리 자본은 감소할 것이다. 만일 그들이 자식을 낳는다면 그것은 노동의 공급을 늘릴 것이고 노동의 가격은 하락하지만 그로 인해 이윤율은 상승하고 자본축적은 증가할 것이다. 그러나 노동인구의 증가는 자본축적과 보조를 맞추어야 할 것이다. 즉 노동인구는 정확하게 자본가가 필요로 하는 양만큼 존재해야만 한다. 그러지 않아도 그것은 실제로 그렇게 된다.

가닐의 순생산물에 대한 찬사는 전적으로 일관된 것은 아니다. 그는 세로부터 이렇게 인용하고 있다. "나는 노예노동의 경우 소비를 초과하는 생산물의 잉여가 자유인들이 노동하는 경우보다 더 클 것이라는 점을 추호도[690] 의심하지 않는다. … 노예의 노동이 갖는 한계는 바로 그의 육체적 능력뿐이다. … 노예(자유로운 노동자도 마찬가지이다)는 [691]**자기 주인의 탐욕, 즉 무한한 욕망을 위해서 노동한다.**"(가닐 엮음, 제2판, 231쪽)|[692]

|379| 가닐은 여기에 다음과 같은 주석을 달고 있다.

"자유로운 노동자는 노예에 비하여 더 많이 지출하고 더 적게 생산할 수 없다. … 모든 지출은 그 지출을 지불하기 위해 생산된 등가물을 전제로 한다. 만일 자유로운 노동자가 노예보다 더 많이 지출한다면 그의 노동생산물도 또한 노예의 노동생산물보다 더 많아야 한다."(가닐 엮음, 제1권, 234쪽) 그

는 마치 임금의 크기가 **오로지** 노동자의 생산성에만 달려 있고,[693] 주어진 생산성 아래서 노동자와 주인 사이에서의 생산물 분배에는 달려 있지 않은 것처럼 말하고 있다.

그는 계속해서 말한다. "나는 **주인이 노동자**[694]**의 비용에서 절약한**[695] 부분(여기에서 그것은 물론 노예의 [696]임금을 절약하는 것을 가리킨다)이 주인의 개인적 지출을 증가시킬 수 있다는 이야기가 어느 정도 맞는다는 것을 잘 알고 있다. … 그러나 사회 전반의 부의 측면에서는 사회의 모든 계급이 복리를 누리게 되는 것이 소수가 과도한 부를 누리는 것보다 더 나은 일이다."(234, 235쪽)

이것은 어떻게 순생산물과 맞추어지는 것일까? 그런데 가닐은 곧바로 자신의 자유주의적 장광설을 철회해버린다.(같은 책, 236, 237쪽) 그는 식민지에서의 흑인 노예제[697]를 지지한다. 그는 먼저 유럽에서는 자유로운 노동자[698]가 오로지 자본가, 지주, 그들을 시중드는 하인들을 위한 순생산물을 생산하기 위해서만 존재하는 노예라는 점을 분명하게 밝힌 다음, 흑인 노예제가 유럽으로 다시 도입되는 것은 바라지 않을 만큼만 자유주의적이다.

"그(**케네**)는 임노동계급의 절약이 자본을 증가시킬 수 있다는 이야기에 단호히 반대한다. 그에 대한 근거로 그는 이 계급이 절약을 할 가능성이 전
G553 혀 없다는 점을 제시한다. 이들이 **잉여**를 갖는다면 그것은 오로지 사회적 경제체제에 문제가 발생했거나 그것이 무질서에 빠졌을 경우뿐이라는 것이다."(같은 책, 274쪽) 그 증거로 가닐은 케네의 다음 구절[699]을 인용하고 있다.

"만일 비생산적 계급이 그들의 현금 보유량을 늘리기 위하여 저축을 한다면 … 그들의 일자리와 수익은 그에 비례하여 감소할 것이고 그들은 몰락할 것이다."(『**중농주의**』, 321쪽)[700]

이런 멍청한 사람 같으니! 그는 케네를 전혀 이해하지 못하고 있다.[701]

가닐은 다음과 같은 문장으로 끝을 맺는다.

"그것(임금)이 늘어날수록 사회 전체의 소득은 그만큼 줄어들고(사회는 임금을 토대로 하여 그 위에 서 있지만 임금은 사회 속에 들어가 있지 않다) 정부의 모든 정책은 임금의 액수를 줄이는 데 맞추어져야만 한다.[702] … **이것은 우리가 살고 있는 이 계몽된 세기에 부여된 … 하나의 과업이다.**"(제2권, 24쪽)

생산적 노동과 비생산적 노동에 대하여 **로더데일**(그에 뒤이은 브로엄의 시시한 농지거리는 다룰 필요가 없다), (페리에?), **토크빌**, **시토르흐**, **시니어**, **로시** 등의 견해를 짤막하게 살펴볼 필요가 있다.

소득과 자본의 교환

9. 소득과 자본의 교환

〔(이 꺾쇠괄호는 G574쪽 첫 문장이 끝나는 곳에서 닫힘 — 옮긴이) 구별해야 할 사항: 1) **소득에서 새로운 자본으로 전화하는** 부분, 즉 이윤 가운데 [1]다시 자본으로 전화하는 부분. 이 부분은 여기에서 완전히 제외하기로 한다. 이 부분은 축적 편에 속한다. 2) 생산과정에서 소비된 자본과 교환되는 소득. 이 교환에서는 새로운 자본이 형성되는 것이 아니라 낡은 자본이 보전된다. 즉 낡은 자본이 보존된다. 그래서 우리는 소득 가운데 새로운 자본으로 전화하는[2] 부분을 이 연구에서는 0으로 놓고 모든 소득을 소득 그 자체로 혹은 소비된[3] 자본과 일치하는 것처럼 문제를 고찰할 수 있다.

그리하여 연간 생산물의 총량은 두 부분으로 나누어진다. 한 부분은 소득으로 분해되고 다른 한 부분은 소비된 불변자본을 현물로 보전한다.

a) 소득과 소득의 교환

예를 들어 [4]아마포 생산자가 자신의 생산물인 아마포 가운데 자신의 소득인 이윤과 임금을 나타내는 부분 가운데 일부를 곡물(경작자의 ||380| 이윤과 임금 가운데 일부를 나타내는)과 교환한다면 소득은 소득과 교환되는 셈이다. 따라서 이때 아마포와 곡물의 교환은, 이들 두 상품이 모두 개인적 소비에 들어가는 것이기 때문에 아마포의 형태를 가진 소득과 곡물의 형태를 가진 소득의 교환이다. 여기에는 아무런 어려움도 없다. 만일 개인적 소비에 들어가는 생산물이 욕망에 맞는 비율로 생산된다면, 즉 그것을 생산하는 데 필요한 사회적 노동량이 알맞은 비율로 분배된다면(물론 정확하게 이렇게 분배되는 일은 결코 없다. 그 자체 서로 상쇄되기도 하는 불균형과 불비례가 끊임없이 발생하고 끊임없이 상쇄되는 운동 자체가 끊임없는 불비례를 전제로 한다), 예를 들어 아마포 형태로 존재하는 소득은 정확하게 그것이 소비재로 필요한(즉 다른 생산자의 소비재에 의해 보전되는) 양[5]만큼 존재하게 된다. 아마포 생산자가 곡물 등으로 소비하는 것을 농민 등은 아마포로 소비한다. 따라서 소득을 나타내는 생산물 가운데 그가 다른 상품(소비재)과 교환하는 부분은 이 다른 상품의 생산자에 의해 소비재로 구매된다. 그가 다른 사람의 생산물로 소비하는 것을 다른 사람은 그의 생산물로 소비한다. 덧붙여서 이야기한다면, [6]한 단위의 생산물을 생산하는 데 필요한 노동시간이 사회적 필요노동시간 — 즉 이 상품의 생산에 필요한 평균시간 — 보다 많지 않다는 것은 자본주의적 생산(즉 필요노동시간을 끊임없이 최소 수준으로 끌어내리는)의 결과물이다. 그러나 그러기 위해서 자본주의적 생산은[7] 지속 G554

적으로 규모를 확대해야만 한다. 만일 1엘레의 아마포에 1시간이 소요되고 이것이 사회가 1엘레에 대한 욕망을 충족하기 위해 지출해야만 하는 필요노동시간이라 하더라도, 1200만 엘레 — 즉 1200만[8]시간의 노동, 혹은 100만 노동일, 같은 말이지만 100만 명의 방직공 노동자가 사용된 경우 — 를 생산하는 데 사회가 자신의 노동시간 가운데 그만한 부분[9]을 "반드시" 방직업에[10] 지출해야만 하는 것은 아니다. 필요노동시간이 주어져 있다면, 즉 하루 동안에 생산할 수 있는 일정량의 아마포가 주어져 있다면, 아마포 생산에 며칠이 지출되어야 할까? 예를 들어 일정한 생산물의 총량[11]에 1년간 지출된 노동시간은 [12]이 사용가치의 일정량 즉 1엘레의 아마포(=1노동일)×사용된 노동일의 수와 같다. 일정 생산부문에 사용된 노동시간의 총량은 — [13]생산물의 각 구성부분이 그것을 생산하는 데 필요한 노동시간만을 포함한다 하더라도, 혹은 사용된[14] 노동시간의 각 구성부분이 총생산물[15] 가운데 거기에 해당하는 구성부분을 만드는 데 필요한 것이었다 할지라도 — 사용 가능한 사회적 노동 총량에 대한 그것의 정확한 비율보다 높거나 낮을 수 있다. 이런 관점에서 본다면 필요노동시간은 다른 의미를 갖는다. 필요노동시간 그 자체는 여러 생산영역들 사이에 얼마만 한 양으로 배분되는 것일까? 경쟁은 이 배분을 끊임없이 폐기하기도 하고 또한 끊임없이 조절하기도 한다. 사회적 노동시간 가운데 지나치게 많은 양이 한 생산부문에서 사용되었을[16]
G555 경우, 그에 대한 등가는 사회적으로 필요한 양만큼에 대해서만 지불될 수 있다. 따라서 이 경우 이 생산부문의 총생산물(즉 총생산물의 가치)은 그 속에 실제로 포함된 노동시간과 같은 것이 아니라, 이 총생산물이 다른 생산부문의 생산물들에 대해 갖는 비율에 따라 사용되었을 것으로 여겨지는 노동시간과 일치한다. 그러나 총생산물의 가격이 그 가치 이하로 하락하면 총생산물을 구성하는 각 부분의 가격도 그만큼 하락한다. 4,000엘레 [17]대신 6,000엘레의 아마포가 생산되고 6,000엘레의 가치가 12,000실링이라면 이 6,000엘레의 아마포는 8,000실링에 판매될 것이다. 1엘레당 가격은 2[18]실링 대신 $1\frac{1}{3}$[19]실링, 즉 그것의 가치보다 $\frac{1}{3}$ 낮을 것이다. 따라서 이것은 마치 1엘레의 생산에 $\frac{1}{3}$만큼의 노동시간이 과도하게 사용된 경우와 똑같을 것이다. 어떤 상품에 사용가치가 있다고 할 때 그 상품의 가격이 가치 이하로 하락한다면, 그것은 모든 생산물에 단지 사회적으로[20] 필요한 노동시간만이 지출되었다 하더라도〔여기에서 생산조건은 불변이라고 가정한다〕[21]이 상품의 생산부문에는 사회적으로 필요한 노동 총량보다 더 많은 노동이 사용되었

다는 것을 의미한다. 생산조건의 변화로 인하여 ||381| 상품의 상대적 가치가 하락하는 경우는 이와 전혀 사정이 다르다. 시장에 나와 있는 아마포 한 조각이 [22]2실링이고 그것이 가령 1노동일과 같다고 하자. 그런데 그것이 매일 1실링에 재생산될 수 있게 되었다고 하자. 가치는 사회적 필요노동시간에 의해 결정되는 것이지, 개별 생산자가 실제 생산에 필요로 하는 노동시간에 의해 결정되지 않기 때문에, 생산자가 1엘레의 생산에 필요로 하는 노동일은 이제[23] 사회적으로 규정된 노동일의 절반과 같게 된다. 이 생산자의 아마포 1엘레의 가격이 2실링에서 1실링으로(즉 가격이 거기에 **들어간** 가치 이하로) 하락한 것은 단지 생산조건의 변화, 즉 [24]필요노동시간 그 자체의 변화를 보여주는 것일 뿐이다. 다른 한편 아마포의 생산비가 불변이고 금(즉 화폐재료)을 제외한 다른 모든 품목의 생산비가 상승한다면 — 혹은 아마포의 구성부분으로 들어가지 않는 곡물, 구리[25] 따위 특정 품목의 생산비가 상승한다면 — 1엘레의 아마포는 여전히 2실링일 것이다. 그것의 **가격**은 하락하지 않을 것이다. 그러나 곡물, 구리 등으로 표시되는 아마포의 상대적 가치는 하락할 것이다.[26]

한 생산부문(소비재를 생산하는)의 소득 가운데 다른 생산부문의 소득으로 소비되는 부분에 대해서는 (생산이 **적절한 비율로** 이루어지는 한) 그 수요가 해당 생산부문 자신의 공급과 일치하는 것으로 간주된다. 그것은 마치 이 생산부문의 각 생산자들이 이 부분을 자신의 소득으로 직접 소비하는 것과 마찬가지일 것이다. 그것은 단지 상품의 형식적 형태변화, 즉 아마포 — 화폐 — 곡물이라는 W — G — W에 지나지 않는다.

여기에서 교환되는 두 상품은 1년 동안 새로 부가된 노동 가운데 단지 일부를 나타낼 뿐이다. 그러나 분명한 사실은 첫째 두 생산자가 모두 자신의 생산물 가운데 소득을 나타내는 부분을 서로 상대방의 상품으로 소비하는 G556
이 교환은 단지 소비재 물품 — 개인적 소비에 직접 들어가는 물품, 따라서 소득이 소득으로 지출될 수 있는 물품 — 을 생산하는[27] 부문에서만 일어난다는 점이다. 둘째 또 하나의 분명한 사실은 생산자의 공급이 그가 소비하려는 다른 생산물의 수요와 동일한 것은 생산물 교환의 **이 부분**에 대해서만 해당된다는 점이다. 여기에서 문제가 되고 있는 것은 사실상 단순상품교환이다. [28]자신의 생활수단을 스스로 생산하는 대신 그는 자신의 생활수단을 생산하는 다른 사람의 생활수단을 생산한다. 여기에는 소득과 자본의 관계가 전혀 나타나지 않는다. 소비재의 한 형태를 취하는 소득이 다른 형태

를 취하는 소득과 교환된다. 즉 사실상 소비재와 소비재가 교환되는 것이다. 이들의 교환과정을 결정짓는 것은 이들이 소득이라서가 아니라 소비재이기 때문이다. 이들의 형태가 소득이라는 점은 여기에서 전혀 드러나지 않는다. 물론 그것이 소득이라는 점은 서로 교환되는 두 상품의 사용가치를 통해서 나타나긴 하지만 이들 두 상품이 개인적 소비에 들어간다는 점은 다시 바로 소비재 가운데 일부가 다른 소비재 가운데 일부와 교환된다는 의미 이외에 아무것도 아니다. 소득의 형태는 자본의 형태가 그것과 대립하는 경우에만 비로소 파악될(혹은 드러날) 수 있다. 그러나 그럴 경우에도 세[29]와 다른 속류경제학자들의 주장처럼 가령 A가 자신의 아마포를 판매할 수 없거나 혹은 그 가격 이하로만 판매할 수 있다면 — 즉 그의 아마포 가운데 그가 스스로 소득으로서 소비하고자 하는 부분을 가리킨다 — 이것이 B, C 등이 밀, 고기 등을 너무 적게 생산했기 때문은 아니다. 물론 B, C 등의 생산이 부족해서 그럴 경우가 생길 수도 있긴 하다. 그러나 A가 지나치게 많이 생산하는 경우에도 그렇게 될 수 있다. 왜냐하면 B, C 등이 A의 아마포를 모두 구매할 수 있을 만큼 밀 등을 충분히 생산한 경우에도 아마포 가운데 그들이 일정량만 **소비하기** 때문에 아마포를 모두 구매하지 않을 수 있기 때문이다. 혹은 또 B, C 등이 자신들의 수입 가운데 일반적으로 의류에 지출할 수 있는 부분보다 더 많은 아마포를 A가 생산했기 때문에, 즉 누구나 자신의 생산물 가운데 일정량만을 소득으로 지출할 수 있는 데 비해 A의 아마포 생산은 현존하는 소득보다 더 많은 소득을 전제로 했기 때문에 그렇게 될 수도 있다. 그러나 소득과 소득의 교환만을 문제로 삼는 경우 각자가 필요로 하는 것이 생산물의 사용가치가 아니라 이 사용가치의 양이라고 가정하는 것 — 즉 **이** 교환에서는 단지 욕망을 충족하는 것이 문제가 될 뿐, 교환가치의 경우처럼 양을 문제로 삼는 것이 아님을 또다시 잊고 있는 것 — 은 우스운 일이다. 하지만 누구나 물품의 양이 적은 것보다는 많은 것을[30] 원하지 않는가! 만일 이런 방식으로 문제를 해결할 수 있다고 생각한다면, ||382| 아마포 생산자
G559 가 왜 자신의 아마포를 다른[31] 소비재와 교환하여 쌓아두는 대신 자신의 소득 가운데 일부를[32] 과잉이 된 아마포로 소비한다는 이 단순한 과정을 수행하지 않는지를 결코 알 수 없을 것이다. 그는 도대체 왜 자신의 소득을 아마포의 형태에서 다른 형태로 전화시키는가?[33] 아마포만으로는 충족할 수 없는 다른 욕망을 충족하기 위해서이다. 그는 왜 아마포 가운데 일정 부분만을 스스로 소비하는가? 아마포 가운데 양적으로[34] 일정한 부분만이 그에게 사

제9노트 382쪽

용가치를 갖기 때문이다. 그런데 B, C 등의 경우도 마찬가지이다. 만일 B가 포도주, C가 책, D가 거울을 판매한다면 이들은 아마도 각자 자신들의 소득 가운데 잉여분을 아마포보다는 자신들의 생산물인 포도주, 책, 거울로 소비하려 할 것이다. 따라서 A가 아마포로 이루어진 자신의 소득을(혹은 그것의 가치에 해당하는 만큼을) 포도주, 책, 거울로 전화시킬 수 없다고 해서 반드시 포도주, 책, 거울이 적게 생산되어야 한다고 이야기할 수는 없다. 더구나 소득과 소득이 교환되는 이 교환—상품 교환 가운데 일부에 불과한—을 상품교환 전체로 바꿔치기해버리는 것은 더더욱 우스운 일일 것이다.

이리하여 우리는 생산물 가운데 일부를 처리했다. 소비재 가운데 일부는 이 소비재 그 자체의 생산자들 사이에서 서로 교환된다. 이들 생산자는 모두 자신의 소득(이윤과 임금) 가운데 일부를 자신이 생산한 소비재가 아니라 다른 사람이 생산한 소비재로 소비하는데 그것도 단지, 다른 사람들도 역시 자신이 생산한 소비재 대신 타인이 생산한 소비재를 서로 바꾸어 소비하는 한에서만 그렇게 할 수 있다. 그것은 마치 각 생산자가 자신이 생산한 소비재 가운데 자신의 소득을 나타내는 부분을 스스로 소비한 경우와 마찬가지이다.[35]

그러나 생산물 가운데 이 부분을 제외한 나머지 전체에서는 복잡한 관계가 발생하고 또한 바로 거기에서 비로소 교환되는 상품들은 소득과 자본(즉 소득이 아닌)으로 대립하여 나타난다.

b) 소득과 자본의 교환

먼저 구별해야 할 사항은 다음과 같다. 모든 생산부문에서 [36]총생산물 가운데 일부는 소득 즉 부가된 노동(1년간), 다시 말해 이윤과 임금을 나타낸다. 〔지대, 이자 등은 이윤의 일부이고 관리 나부랭이들의 소득은 이윤과 임금의 일부이며, 기타 비생산적[37] 노동자들[38]의 소득은 그들이 비생산적 노동으로 구매하는 이윤 및 임금의 일부이다. 따라서 이것들은 임금과 이윤으로 존재하는 생산물을 증가시키는 것이 아니고 단지 그 생산물 가운데 비생산적 노동자가 소비하는 부분과 노동자와 자본가가 소비하는 부분의 크기를 결정할 뿐이다.〕 그러나 많은 생산영역들 가운데 일부 영역에서만 생산물 중 소득을 나타내는 부분이 직접 현물로(혹은 **사용가치**의 측면에서) 소득으로서 소비될 수 있다. **단지** 생산수단**으로만** 나타나는 모든 생산물은 현물형태로(즉 직접적인 형태로) 소득으로서 소비될 수는 없으며 단지 그 **가치**만이 소비될 수 있다. 그러나 이때 그 가치는 직접 소비재를 생산하는 부문에서 소
G560 비되어야만 한다. 생산수단 가운데 말이나 마차같이 그 용도에 따라서 직접

적 소비수단이 될 수 있는 것들도 있다. 또한 직접적 소비수단 중에는 [39]양조용 곡물이나 종자용 밀과 같이 생산수단으로 사용될 수 있는 것들도 있다. 거의 모든[40] 소비수단이 예를 들어 낡아서 거의 못 쓰게 된 아마포 넝마 조각이 제지공장에서 원료로 사용되는 것과 같이, 소비의 부산물로서 다시 생산과정에 사용될 수 있다. 그러나 어느 누구도 종이의 원료로 사용하기 위해 아마포 넝마를 생산하지는 않는다. 아마포의 넝마 형태는 아마포 방직노동의 생산물이 소비에 투입된 이후에야 비로소 취할 수 있는 형태이다. 이 소비의 부산물로서만, 즉 그 소비과정의 잔여물이자 생산물로서만 그것은 다시 새로운 생산영역에 생산수단으로 투입될 수 있다. 따라서 이런 경우는 여기에서 논의하는 범위에 들어가지 않는다.

그리하여 생산물 가운데 소득을 나타내는 부분이지만 그것의 생산자가 사용가치가 아니라 가치의 측면에서만 소비할 수 있는[41] 그런 생산물은 — 그래서 예를 들어 기계 생산자는 자신의 기계[42] 가운데 임금과 이윤을 나타내는 부분을 소비하기 위해서는, 이 부분이 [43]기계의 형태로는 아무런 개인적 욕망도 직접 충족해줄 수 없기 때문에 그 기계를 판매해야만 한다 — 다른 생산물의 생산자에 의해서도 [44]소비될 수[45] 없고(즉 그들의 개인적 소비에 들어갈 수[46] 없고), 따라서 생산물 가운데 그들의 소득이 지출되는 부분을 이룰 수[47] 없다. 왜냐하면 그것은 이 상품의 사용가치와 모순되기 때문인데, 즉 이 상품의 사용가치는 본질적으로 개인적 소비를 **배제하고** 있기 때문이다. 그래서 이런 소비재가 아닌 생산물의 생산자들은 오로지 그 생산물의 **교환가치**[48]만을 소비할 수 있을 뿐이다. 즉 그들은 생산물을 먼저 화폐로 전화시킨 다음 이 화폐를 다시 소비재 상품으로 재전화시켜야만 한다. 그러나 이 생산물을 도대체 누구에게 ||383| 판매해야 한단 말인가? 개인적 소비에 들어가지 않는 생산물을 생산하는 다른 생산자에게? 그럴 경우 그것은 단지 소비재가 아닌 생산물을 역시 소비재가 아닌 다른 생산물로 바꾼 것에 불과하다. 그러나 우리가 가정한 바에 따르면 생산물 가운데 이 부분은 소득을 이루는 것으로 그것의 가치를[49] 소비재로 소비하기 위해서 판매되는 것이었다. 따라서 이 부분은 개인적 소비에 들어가는 생산물의 생산자에게만 판매될 수 있다.

상품교환 가운데 이 부분은 한 사람의 자본과 다른 사람의 소득의 교환, 그리고 한 사람의 소득과 다른 사람의 자본 사이의 교환을 나타낸다. 소비재 생산자의 총생산물에서 소득을 나타내는 것은 일부일 뿐이며 다른 부분은 불변자본을 나타낸다. 이 생산자는 불변자본 부분을 스스로 소비할 수도 없으며 그것을 다른 사람의 소비재와 교환할 수도 없다. 그는 생산물 가운데 이 부분의 사용가치를 현물로 소비할 수도 없고 가치로 소비할—다른 소비재와 교환하는 방식으로—수도 없다. 그는 단지 이 부분을 자신의 불변자본의 현물요소로 재전화시켜야만 한다. 그는 자신의 생산물 가운데 이 부분을 **산업적으로**, 즉 생산수단으로 **소비해야만** 한다. 그러나 그의 생산물은
G561 사용가치의 측면에서 단지 개인적 소비에 들어갈 수 있을 뿐이다. 따라서 그는 이것을 현물형태 그대로 다시 자신의 생산요소로 재전화시킬 수는 없다. 그것의 사용가치는 산업적 소비를 배제한다. 그래서 이 생산자는 이것의 **가치**만을 산업적으로 소비할—자신의 생산에 사용되는 생산요소를 생산하는 다른 생산자에게 판매함으로써—수 있을 뿐이다. 그는 자신의 생산물 가운데 이 부분을 현물로 소비할 수도 없고 그것의 가치를 소비할—그것을 판매하여 다른 소비재와 바꾸는 방식으로—수도 없다. 그는 자신의 생산물 가운데 이 부분을 자신의 소득으로 넣을 수도 없으며 다른 소비재[50] 생산자의 소득으로부터 보전받을 수도 없다. 왜냐하면 그러기 위해서는 그가 자신의 생산물을 그 생산자의 소비재 생산물과 교환할 수 있어야(즉 [51]자신의 생산물가치를 **소비할** 수 있어야) 하는데 그런 일은 일어날 수 없기 때문이다. 그러나 그의 생산물 가운데 이 부분은 그가 소득으로 소비하는 다른 부분과 마찬가지로 사용가치의 측면에서 소득으로만 소비될 수 있기(즉 개인적 소비에 들어가야만 하고 불변자본을 보전할 수 없기) 때문에, 이 부분은 소비재가 아닌 생산물의 생산자의 소득으로 들어가야 하고, 이들 생산자의 생산물 가운데 그들이 소비할 수 있는 가치 부분, 즉 그들의 소득을 나타내는 부분과 교환되어야만 한다. 이 교환을 교환 당사자들 각각의 관점에서 살펴보면, 소비재의 생산자인 A에게 이 교환은 자본이 자본으로 전화하는 과정으로 나타난다. 이 교환은 그의 총생산물[52] 가운데 그 속에 포함된 불변자본의 가치에 해당하는 부분을, 그가 불변자본으로 사용할 수 있는 현물형태[53]로 다시 재전화시켜준다. 교환의 이전과 이후 모두 그것은 가치의 측면에서 오로지 불변자본만을 나타낸다. 거꾸로 소비재가 아닌 생산물의 생산자인 B에게 이 교환은 소득이 하나의 형태로부터 다른 형태로 전화하는 것에 지나지 않는다. 이 교환은 그의 총생산물 가운데 그의 소득을 이루는 부분—그의 소득을 나타내는 부분, 즉 새로 부가된 노동, 다시 말해 그(노동자와 자본가) 자신의 노동—을 비로소 그가 소득으로 소비할 수 있는 현물형태로 전

화시켜준다. 교환의 이전과 이후 모두 그것은 가치의 측면에서 단지 그의 소득을 나타낼 뿐이다.

이 관계를 양쪽에서 모두 살펴본다면 A는 자신의 불변자본을 B의 소득과 교환하고 B는 자신의 소득을 A의 불변자본과 교환한다. B의 소득은 A의 불변자본을 보전하고 A의 불변자본은 B의 소득을 보전한다.

교환 그 자체에서는〔교환의 목적은 무시하기로 한다〕 상품들만이 서로 만나고 서로가[54] 단지[55] 상품으로만 관계하고 소득이나 자본의 규정들이 어떠하든 상관하지 않는 단순상품교환이 존재할 뿐이다. 이들 상품의 서로 다른 **사용가치**만이 어떤 것은 산업적 소비에, 어떤 것은 개인적 소비에 들어 G562
갈 수 있는지를 보여줄 뿐이다. 그러나 각 상품들의 서로 다른 사용가치의 다양한 용도는 소비와 관련된 문제이지 상품으로서 그것들이 교환되는 과정과는 아무런 상관이 없다. 그러나 만일 자본가의 자본이 임금으로 전화하고 [56]노동이 자본으로 전화하는 경우에는 사정이 완전히 달라진다. 여기에서는 상품들이 단순한 상품으로 서로 만나지 않고 자본이 자본으로서 만난다.[57] 방금 고찰한 교환에서는 판매자와 구매자가 단지 그 자체 단순한 상품 소유자로서만 서로 만난다.

또 한 가지 분명한 것은 개인적 소비 용도로만 정해진 모든 상품 혹은 개인적 소비에 들어가는 모든 생산물은 — 그것이 개인적 소비에 실제로 들어가는 한 — 소득하고만 교환될 수 있다는 점이다. 산업적으로 소비될 수 없다는 말은 곧 소득으로만(즉 개인적으로만) 소비될 수 있다는 것을 의미한다. 〔위에서도 지적했듯이 여기에서는 이윤의 자본으로의 전화는 무시한다.〕 만일 A가 개인적으로[58] 소비되는 생산물의 생산자이고 [59]그의 총생산물 가운데 $\frac{1}{3}$은 그의 소득이고 $\frac{2}{3}$는 그의 불변자본이라고 하자. 그는 가정에 따라 전자의 $\frac{1}{3}$을 소비하는데 그는 ||384| 그것을 모두 혹은 일부만 현물로 소비할 수도 있고, 현물로는 전혀 소비하지 않고 그 가치만큼 다른 소비재로 소비할 수도 있다. 마지막의 경우 이 소비재의 판매자는 자신의 전체 소득을 A의 생산물로 소비한다. 그리하여 소비재 가운데 [60]소비재 생산자의 소득을 나타내는 부분은 그 생산자 자신에 의해 직접 소비되거나, [61]생산자들 사이에서 각자가 소비할 수 있는 생산물을 서로 교환하는 — 따라서 이 부분의 경우는 **소득과 소득이 교환**되는 셈이다 — 간접적인 방식으로 소비된다. 이것은 A가 모든 소비재 생산자를 대표하는 경우와 마찬가지이다. [62]즉 소비재 생산 총량의 $\frac{1}{3}$(즉 A의 소득을 나타내는 부분)은 A가 스스로 소비한다.

그러나 이 부분은 A 범주의 생산자들이 1년 동안 불변자본에 부가한 노동량[63]을 정확하게 나타내고 또한 이 노동량[64]은 A 범주의 생산자들이 1년 동안 생산한 임금 및 이윤의 총액과 같다.

A 범주의 총생산물 가운데 나머지 $\frac{2}{3}$는 [65]불변자본의 가치와 같고, 따라서 B 범주 — 개인적 소비가 아니라 산업적 소비에만[66], 즉 생산수단으로 생산과정에 들어가는 생산물을 공급하는 범주 — 의 연간 노동생산물에 의해 [67]보전되어야 한다. 그런데 A 범주의 총생산물 가운데 이 $\frac{2}{3}$는 첫 번째 $\frac{1}{3}$과 마찬가지로 모두 개인적 소비에 들어가야 하기 때문에 범주 B의 생산자에 의해 범주 B의 생산물 가운데 그들의 소득을 나타내는 부분과 [68]교환된다. 그리하여 A 범주의 생산자들은 자신들의 총생산물 가운데 불변 부분을 그 원래의 현물형태와 교환했다. 즉 B 범주가 새로 공급한 생산물로 재전화
G563 시켰다. 그런데 B 범주는 자신의 생산물 가운데 자신의[69] 소득을 나타내면서 자신이 단지 A의 생산물로만 소비할 수 있는 부분으로만 그것을 지불했다. 그리하여 B 범주의 생산자들은 사실상 자신들이[70] 새로 부가한 노동으로 그것을 지불한 셈인데, 이 노동은 B의 생산물 가운데 A의 생산물의 뒷부분[71] $\frac{2}{3}$와 교환되는 모든 부분을 나타낸다. 결국 A의 총생산물은 [72]소득과 교환되고 모두[73] 개인적 소비에 들어간다. 한편 (가정에 따라 여기에서는 소득[74]이 자본으로 전화하는 부분은 없는 것으로, 즉 배제하고 있기 때문에) 한 사회의 **총소득**도 A의 생산물에 지출된다. 왜냐하면 [75]A의 생산자들도 자신들의 소득을 A로 소비하고 B 범주의 생산자들도 역시 A로 자신들의 소득을 소비하기 때문이다. 그리고 이들 두 범주 외에는 아무런 범주도 존재하지 않는다. A의 총생산물은, 비록 그 가운데 $\frac{2}{3}$가 A의 생산자들이 소비해서는 안 되고 그 현물형태의 생산요소로 재전화해야만 하는 불변자본임에도 불구하고, 모두 소비된다. A의 총생산물은 그 사회의 총소득과 동일하다. 그러나 사회의 총소득은 그 사회가 1년 동안 현존하는 불변자본에 부가한 노동시간의 총량을 나타낸다. 그런데 A의 총생산물은 그중 $\frac{1}{3}$만이 새로 부가된 노동이고 나머지 $\frac{2}{3}$는 과거노동, 즉 보전되어야만 하는 노동으로 이루어져 있음에도 불구하고 모두 새로 부가된 노동에 의해 구매될 수 있는데, 이는 이 새로 부가된 노동의 연간 총량 가운데 $\frac{2}{3}$가 자신들의 생산물이 아니라 A의 생산물로 소비되어야만 하기 때문이다. A는 자신이 포함한 것보다 $\frac{2}{3}$ 더 많은 노동(새로 부가된)에 의해 보전되는데, 이는 이 $\frac{2}{3}$가 B에 부가된 노동이며 B는 [76]이 $\frac{2}{3}$를 단지 개인적 소비에만(즉 A로만) —A가 똑같은 이 $\frac{2}{3}$를 단지

산업적 소비로만(즉 B로만) 소비할 수 있는 것과 마찬가지로 — 소비할 수 있기 때문이다. 그리하여 A의 총생산물은 첫째 모두 소득으로 소비될 수 있으며 동시에 자신의 불변자본을 보전할 수 있다. 혹은 다른 말로 A의 총생산물은 모두 소득으로만 소비되는데, 이는 그중 $\frac{2}{3}$가 불변자본의 생산자들 — 이들은 자신들의 생산물 가운데 소득을 나타내는 부분을 현물로 소비할 수 없고 A로(즉 A의 $\frac{2}{3}$와 교환함으로써만) 소비해야만 한다 — 에 의해 보전되기 때문이다.

그리하여 우리는 A의 나머지 $\frac{2}{3}$ 부분을 모두 처리했다.

[77]산업적 소비와 개인적 소비에 모두 사용될 수 있는 생산물 — 예를 들어 사람의 식량, 가축의 사료, 혹은 씨앗이나 빵으로 사용될 수 있는 곡물, 수레, 말, 가축 등 — 을 생산하는 제3의 범주 C가 존재한다 하더라도 사정은 전혀 달라지지 않을 것임이 분명하다. 이들 생산물이 개인적[78] 소비에 들어갈 경우 이것들은 소득으로서 [79]그것들의 생산자들에 의해 직접 혹은 간접적으로, 혹은 이들 생산물에 포함된 불변자본 부분의 생산자들에 의해(직접 혹은 간접적으로) 소비되어야만 한다. 그리하여 이들 생산물은 모두 A 범주에 포함된다. 만일 이들 생산물이 개인적 소비에 들어가지 않으면 그것들은 B의 범주에 포함될 것이다.

이 두 번째 유형의 교환과정 — 소득과 소득이 교환되는 것이 아니라 자 G564
본과 소득이 교환되는, 즉 불변자본 전체가 최종적으로는 소득(새로 부가되는 노동)으로 분해되어야 하는 — 은 이중적인 형태로 나타날 수 있다. 예를 들어 A의 생산물이 아마포라고 하자. A의 불변자본(혹은 그 가치)에 해당하는 $\frac{2}{3}$의 아마포는 실, 기계, 보조재료에 지불된다. 그러나 방적업자와 기계 제조업자는 ||385| 이 생산물 가운데 자신들의 소득을 나타내는 양만큼만 소비할 수 있다. 아마포업자는 이 생산물의 $\frac{2}{3}$를 가지고 실과 기계의 가격을 모두 지불한다. 이를 통해 그는 방적업자와 기계 제조업자에게 아마포 생산에 불변자본으로 들어간 그들의 생산물을 모두 보전해 주었다. 그러나 이 총생산물 = 불변자본 + 소득 = 방적업자와 기계 제조업자가 부가한 노동 + 그들 자신의 생산수단(즉 방적업자의 아마, 윤활유, 기계, 석탄 등과 기계 제조업자의 석탄, 철, 기계 등)의 가치이다. 따라서 A의 불변자본 즉 $\frac{2}{3}$[80]는 방적업자와 기계 제조업자의 [81]총생산물, 즉 그들의[82] 불변자본(그들의 자본) + 그들에 의해 부가된 노동(그들의 소득)을 보전했다. 그런데 이들은 자신들의 소득만을 A로 소비할 수 있다. [83]A의 $\frac{2}{3}$ 가운데 그들의 소득에 해당하는 부분을 공

제하고 난 다음 그 나머지를 가지고 그들은 그들의 원료와 기계에 대하여 지불한다. 그런데 가정에 따르면 이들은 불변자본을 보전할 필요가 없다. 이들의 생산물 가운데 A의 생산물에 들어갈 수 있는(A의 생산수단이 될 수 있는) 부분의 양은 A가 지불할 수 있는 양에만 해당된다. 그런데 A는 자신의 생산물 가운데 $\frac{2}{3}$를 가지고[84] B가 자신의 소득으로 구매할 수 있는 양(즉 [85]B와 교환한 생산물이 소득, 즉 부가된 노동을 나타내는 양)만큼만 지불할 수 있다. 만일 A의 제일 끝의 생산요소(아마, 윤활유 등 — 옮긴이)의 생산자들이 방적업자에게 자신들의 생산물 가운데 [86]그들의 불변자본을 나타내는 부분에 해당하는 양[87](즉 그들이 자신들의 불변자본에 부가한 노동보다 많은 양)을 판매해야 했다면 그들은 그 대금으로 A를 지불받을 수 없었을 것이다. 왜냐하면 그들은 이 생산물 가운데 일부를 소비할 수 없기 때문이다. 그리하여 이제 반대의 경우가 발생한다.

이제 반대 방향으로 올라가 보기로 하자. 아마포의 총량이 12노동일과 같다고 하자. 아마 재배업자, 제철업자 등의 생산물은 4노동일과 같고 [88]그것은 방적업자와 기계 제조업자[89]에게 판매되는데 이들은 여기에 다시 4일의 노동을 부가한다. 그것은 [90]방직업자에게 판매되고 방직업자는 여기에 다시 4일의 노동을 부가한다. 아마포 방직업자는 자신의 생산물 가운데 $\frac{1}{3}$을 스스로 소비할 수 있다. 8노동일은 그의 불변자본을 보전해 주고 방적업자와 기계 제조업자의 생산물에 대해서 지불된다. 이들은 8노동일 가운데 4노동일을 소비할 수 있고 나머지 4노동일을 가지고 [91]아마 재배업자 등에게 지불하고 그럼으로써 자신들의 불변자본을 보전한다. 아마 재배업자 등은 마지막 4일을 가지고 아마포로 자신들의 노동만 보전하면 된다. 세 경우 모두 소득은 똑같이 4노동일로 전제되어 있지만 이들 소득이 A의 생산에 참여하
G565 는 세 범주의 생산자들의 생산물에 들어가는 비율은 모두 제각기 다르다. 아마 방직업자의 경우 소득은 그의 생산물 가운데 $\frac{1}{3}$[92](12노동일의 $\frac{1}{3}$), 방적업자와 기계 제조업자[93]의 경우에는 그들의 생산물 가운데 $\frac{1}{2}$[94](8노동일의 $\frac{1}{2}$), 아마 재배업자의 경우에는 그의 생산물(4노동일)과 같다. 그러나 총생산물과 관련하여 이들 생산자의 소득은 모두 똑같이 12노동일의 $\frac{1}{3}=4$노동일이다. 그러나 방적업자, 기계 제조업자, 아마 재배업자가 방직업자에게 새로 부가한 노동은 불변자본으로 나타난다. 방적업자와 기계 제조업자에게 그들 자신과 아마 재배업자가 새로 부가한 노동은 총생산물로 나타나고 아마 재배업자의 노동시간은 불변자본으로 나타난다. 불변자본의 형태

로 나타나는 이런 모습은 아마 재배업자에게서는 이제 나타나지 않는다. 그렇기 때문에 예를 들어 방적업자는 방직업자와 같은 비율(예를 들어 $\frac{1}{3}$: $\frac{2}{3}$)로 기계(불변자본)를 사용할 수 있다. 그런데 첫째 방적업에서 사용되는 자본의 총액은 방직업에 들어가는 자본의 총액보다 적어야만 한다. 방적업의 생산물은 모두 불변자본으로 방직업에 들어가기 때문이다. 둘째 방적업자에게도 똑같이 $\frac{1}{3}$: $\frac{2}{3}$의 비율이 적용된다면 그의 불변자본은 $\frac{16}{3}$(즉 $5\frac{1}{3}$ 노동일), 그가 부가한 노동은 $\frac{8}{3}$(즉 $2\frac{2}{3}$ 노동일)이 될 것이다. 그럴 경우 그에게 아마 등을 공급하는 생산부문에는 상대적으로 더 많은 노동일이 포함될 것이다. 그래서 그는 새로 부가된 노동시간에 대하여 4노동일 대신 $5\frac{1}{3}$ 노동일을 지불해야만 할 것이다. A 범주의 불변자본 가운데 A의 가치증식과정에 들어가는 부분(즉 A의 노동과정 기간에 소비되는 부분)만 새로운 노동에 의해 보전되어야 한다는 것은 너무도 당연한 일이다. 원료, 보조재료, 고정자본의 마모분 등은 모두 가치증식과정에 들어간다. 고정자본 가운데 나머지 부분은 가치증식과정에 들어가지 않으며 따라서 보전될 필요도 없다. 따라서 현존하는[95] 불변자본의 대부분 — 총자본에 대한 고정자본의 [96]비율에 따라 그 크기가 결정된다 — 은 매년 새로운 노동에 의해 보전될 필요가 없다. 그렇기 때문에 보전되는 불변자본의 양(절대적인)은 클 수 있으나 총생산물(연간)에 대한 상대적인 비율은 그렇게 크지 않다. A와 B의 **불변자본 가운데** 이윤율의 결정에 관여하는(잉여가치가 주어져 있을 경우) **이들 모든 부분**은 고정자본의 실제 재생산과정에는 관여하지 않는다. 총자본에 대한 이들 부분의 상대적인 비율이 크면 클수록 — 미리 설치된 현존의 고정자본이 생산에 투입되는 규모가 크면 클수록 — 마모된 고정자본의 보전[97]에 사용할 **실제 재생산의 총량**은 더욱 커질 것이고 총자본에 대한 그것의 **상대적 비율**은 더욱 줄어들 것이다. 모든 종류의 고정자본의 재생산기간이 (**평균적으로**) 10년이라고 하자. ||386| 다양한 유형의 고정자본의 회전기간이 20, 17, 15, 12, 11, 10, 8, 6, 4, 3, 2, 1, $\frac{4}{6}$, $\frac{2}{6}$년(14가지)[98]이고 따라서 고정자본 전체의 **평균** 회전기간이 10년[99]이라고 하자.

따라서 고정자본은 평균적으로 10년 만에 보전되어야 할 것이다. 고정자 G566
본의 총액이 총자본의 $\frac{1}{10}$이라고 한다면, 매년 보전되어야 할 고정자본은 이 고정자본의 $\frac{1}{10}$, 즉 총자본의 $\frac{1}{100}$이 될 것이다.

고정자본이 총자본의 $\frac{1}{3}$을 이룬다면 총자본의 $\frac{1}{30}$이 매년 보전되어야 할 것이다.

이제 재생산기간이 서로 다른 고정자본, 예를 들어 하나는 재생산에 $\frac{1}{3}$년이 필요하고 다른 하나는 20년이 필요한 두 개의 고정자본을 서로 비교해 보기로 하자.

20년 만에 재생산되는 고정[100]자본은 매년 그것의 $\frac{1}{20}$만 보전하면 된다. 따라서 그것이 총자본의 $\frac{1}{2}$에 해당한다면 매년 총자본의 $\frac{1}{40}$만 보전되면 되고, 만일 그것이 총자본의 $\frac{4}{5}$를 차지한다면 매년 총자본의 $\frac{4}{100} = \frac{1}{25}$만 보전되면 될 것이다. 그러나 만일 재생산에 $\frac{2}{6}$년이 소요되는(즉 1년에 3번 회전하는) 고정자본이 총자본의 $\frac{1}{10}$만을 차지한다면 고정자본은 1년에 3번 보전되어야 하고, 이것은 총자본의 $\frac{3}{10}$(즉 거의 $\frac{1}{3}$에 해당하는)이 보전되어야 하는 것을 말한다. 평균적으로 총자본에 대하여 고정자본이 클수록 그것의 **상대적인**(절대적이 아니라) 재생산기간은 그만큼 [101]커지고, 총자본에 대한 고정자본의 비율이 작을수록 **상대적인** 재생산기간은 그만큼 작아진다. 수공업 도구가 형성하는 수공업 자본[102]은 기계가 형성하는 대공업 자본에 비해 그 크기가 훨씬 작다. 그러나 수공업 도구는 기계에 비하여 훨씬 빨리 마모된다.

고정자본의 절대적 크기가 증가하면 그것의 재생산(혹은 그것의 마모분)의 절대적 크기도 함께 증가하지만, 그것의 상대적인 크기는, 그것의 회전기간과 내구연한이 대체로 그 크기에 비례하여 증가하는 한, 대부분의 경우 감소한다. 이것은 기계(혹은 고정자본)를 [103]재생산하는[104] 노동량이 원래 이 기계를 생산한 노동과는 전혀 비례하지 않는다(생산조건이 불변일지라도)는 것을 보여주는데 그것은 보전되어야 하는 것이 연간 마모분에 국한되기 때문이다. 만약 이 부문에서 끊임없이 이루어지고 있는 것처럼 노동생산성이 증가한다면 불변자본 가운데 이 부분의 재생산에 필요한 노동량은 더욱더 감소할 것이다. 물론 여기에다 기계의 매일의[105] 소비수단(그러나 이것은 기계제조 그 자체에 사용된 노동과는 직접적으로 아무런 관련이 없다)이 더해져야 할 것이다. 그러나 석탄, 윤활유, 유지(油脂) 따위가 필요할 뿐인 기계는 노동자(기계가 대체하는 노동자뿐 아니라 기계 그 자체를 만드는 노동자도 포함한다)에 비해 한없이 더 소비를 줄여가며 살아간다.

c) 자본과 자본의 교환

이제 우리는 A 범주의 생산물 전체와 B 범주의 생산물 가운데 일부를 모두 처리했다. A는 모두 소비되는데, 즉 $\frac{1}{3}$은 A의 생산자 자신에 의해, 그리고 $\frac{2}{3}$는 B의 생산자 가운데 자신의 소득을 자신의 생산물로 소비할 수 없는 생산자들에 의해 소비된다. A 가운데 $\frac{2}{3}$는 B의 생산자들이 자신들의 생산

물가치 가운데 소득을 나타내는 부분[106]을 소비하는 부분인데, 이것은 또한 생산자 A에게 그들의 불변자본을 현물로 보전해 준다(혹은 그들에게 **산업적으로 소비되는** 상품을 공급한다). 이를 통해서, [107]즉 생산물 A가 모두 소비되고 A 가운데 $\frac{2}{3}$는 B에 의해 불변자본으로 보전됨으로써, 생산물 가운데 연간 새로[108] 부가된 노동을 나타내는 부분도 [109]**모두** 처리된다. 따라서 이 노동은 총생산물 가운데 어떤 다른 부분도 구매할 수 없다. 사실상 연간 부가된 총노동(이윤이 자본으로 전화하지 않는다고 가정한다) = **A에 포함된 노동**이다. 왜냐하면 A 가운데 생산자 자신이 소비하는 $\frac{1}{3}$은 이들 생산자가 나머지 $\frac{2}{3}$(A의 불변자본을 이루는)에 1년 동안 새로 부가한 노동을 나타내기 때문이다. 그들은 자신들의 생산물로 스스로 소비하는 이 노동 이외에는 그 이상 아무 노동도 수행하지 않았다. 그리고 A의 나머지 $\frac{2}{3}$ — [110]즉 B의 생산물로 보전되고 B의 생산자가 소비하는 — 는 B의 생산자가 자신의 불변자본에 부가한 전체 노동시간을 나타낸다. 그는 노동을 더 부가하지도 않았고 더 ||387| 소비하지도 않았다. G567

생산물 A는 그 **사용가치**의 측면에서 연간[111] 총생산물 가운데 연간 개인적 소비에 들어가는 부분 전체를 나타낸다. **교환가치**의 측면에서 그것은 1년 동안 생산자들이 새로 부가한 노동 총량을 나타낸다.

그러나 우리는 아직 **잔여분**으로 총생산물 가운데 제3의 부분을 남겨두고 있는데, 이들의 구성부분은 [112]그 교환에서 소득과 소득의 교환도, 자본과 소득의 교환 그리고 그 반대의 교환도 나타낼 수 없는 부분이다. 그것은 곧 [113]생산물 B 가운데 B의 불변자본을 나타내는 부분이다. 이 부분은 B의 소득으로 들어가지 않으며, 따라서 생산물 A에 의해 보전되거나 그것과 교환될 수 없으며, A의 불변자본의 구성부분으로 들어갈 수도 없다. 또한 이 부분은 B의 노동과정은 물론 가치증식과정에도 들어가는 한에서만 (산업적으로) 소비된다. 따라서 이 부분은 총생산물의 모든 다른 부분과 마찬가지로 **그것이 총생산물에서 차지하는 비율에 따라** — 그것도 같은 종류의 **새로운** 생산물에 의하여 현물로 — 보전되어야만 한다. 다른 한편 그것은 어떤 새로운 노동에 의해서도 보전되지 않는다. 왜냐하면 새로 부가되는 노동 총량은 곧 A에 포함된 노동시간과 같기 때문인데, 이 노동시간은 오로지 B가 자신의 소득을 $\frac{2}{3}$의 A로 소비하고, A와의 교환을 통해서 A에서 소비되고 보전되어야 하는 생산수단을 A에 공급하기 때문에 보전되는 노동시간이다. 그리고 또한 그것은 생산자 자신이 소비하는 A의 첫 $\frac{1}{3}$이 단지[114] — 교환가치의 측면에서—생산자 자신이 새로 부가한 노동으로만 이루어지고 불변자본을 하나도 포함하지 않기 때문이기도 하다.

이제 이 잔여분을 살펴보기로 하자.

그것을 구성하는 것은 첫째 원료에 들어가는 불변자본, [115]둘째 고정자
G568 본의 형성에 들어가는 불변자본, 셋째 보조재료에 들어가는 불변자본 등이다.[116]

첫째, 원료. 이 불변자본은 일차적으로 기계, 작업도구, 건물 등의 고정자본과 사용되는 기계의 소비수단인 보조재료 등으로 분해된다. 가축, 곡물, 포도와 같이 원료 가운데 직접 소비될 수 있는 부분의 경우에는 앞서 이야기한 어려움이 발생하지 않는다. 그것들은 직접 소비될 수 있는 성격에 따라 A 범주에 속한다. 이것들 속에 포함된 불변자본 부분은[117] A의 불변자본인 $\frac{2}{3}$ 부분에 들어가는데 이 부분은 자본으로 직접 소비될 수 없는 B의 생산물과 교환되거나 B가 자신의 소득으로 소비하는 부분이다. 직접 소비될 수는 없지만 현물 그 자체로 직접 소비될 수 있는 생산물[118]에 들어가는—아무리 많은 중간 생산과정을 거친다 하더라도—원료의 경우에도 이것은 똑같이 적용된다. 아마 가운데 실로 전화했다가 나중에 아마포로 전화하는 부분은 모두 소비재에 들어간다.

그런데 목재, 아마, 대마, 피혁 같은 **유기질 원료**는 일부는[119] 고정자본의 구성요소로 직접 들어가고 일부는 고정자본의 보조재료로 들어간다. 즉 윤활유, 유지 등의 형태로만 들어간다.[120]

다음으로 종자. 식물성 재료와 동물성 재료는 스스로 재생산된다. 즉 식물의 생장과 동물의 번식이 바로 그것이다. 이 종자라는 말에는 본래 의미의 씨앗과 나중에 거름으로 토지에 되돌려지는 가축의 사료, 그리고 종자용 가축 등이 모두 포함된다. 연간 생산물—혹은 연간 생산물 가운데 불변 부분—가운데 여기에 속하는 부분은 대부분 곧바로 재생의 소재로 사용된다. 즉 이들은 대부분 스스로 재생산된다.

금속, 암석 등과 같은 **무기질 원료.** [121]이들의 가치는 두 부분으로만 이루어지는데 왜냐하면 이들의 경우에는 농업부문의 원료를 대표하는 종자가 떨어져 나가기 때문이다. 이들의 가치는 부가된 노동과 소비된 기계(여기에는 기계의 소비수단도 포함된다)로만 이루어진다. 따라서 생산물 가운데 새로 부가된 노동을 대표하는 부분(즉 [122]B와 $\frac{2}{3}$A 사이의 교환에 들어가는 부분)을 제외하고 보전되어야 할 부분은 곧 고정자본 및 고정자본의 소비수단(석탄,

윤활유 같은)의 마모분뿐이다. 그런데 이들 무기질 원료는 불변자본[123] — 곧 고정자본(기계, 작업도구, 건물 등) — 의 주요 구성부분이다. 따라서 이들 원료는 자신들의 불변자본을 교환을 통해 현물로 보전한다.|

|388| **둘째 고정자본(기계, 건물, 작업도구)(온갖 종류의 용기들)**.

이들의 불변자본은 1) 그것들의 원료인 금속, 석재, 그리고 기타 원료(나무, 피댓줄, 밧줄 같은)[124]로 이루어진다. 그런데 만일 이들 원료가 이들 고정자본의 원재료를 이룬다면[125] 그것들은 그 자체 노동수단으로서 이들 원재료를 형성하는[126] 데 투입된다. 따라서 이것들은 서로를 현물로 보전한다.
제철업자는 기계를 보전해야만 하고 기계 제조업자는 철을 보전해야만 한 G569
다. 채석장에서는 기계의 마모가 진행되지만 공장 건물에서는 건물에 사용된 석재의 마모가 진행되는 것이다 등등. 2) **기계 제조에 사용되는 기계의 마모**. 이들 기계는 일정한 기간 내에 같은 종류의 새로운 생산물에 의해 자신을 보전해야만 한다. 그런데 같은 종류의 생산물은 당연히 자신을 보전할 수 있다. 3) **기계의 소비수단**(보조재료).[127] 기계는 석탄을 소비하고 석탄은 기계를 소비한다 등등. 용기, 관, 호스 등의 형태를 띤 온갖 종류의 기계가 유지, 비누, 가스(조명용[128]) 등의 기계 소비수단을 생산하는 데 투입된다. 따라서 여기에서도 이들 영역의 생산물들은 서로가 다른 부문의 불변자본에 들어가고, 따라서 서로를 현물로 보전한다.

역축을 기계로 간주한다면 그것들에 대해서는 사료를 보전해야만 하고 일정 조건하에서는 축사(건물)도 보전해야만 한다. 그러나 [129]사료가 역축의 생산에 들어가는 것처럼 역축도 사료의 생산에 들어간다.

셋째 보조재료. 이들 가운데 일부, 즉 윤활유, 비누, 유지, 가스 등은 원료를 필요로 한다. 다른 한편 이들은 비료 등의 형태로 일부가 다시 이들 원료를 형성하는 데 들어간다. 가스의 형성에 석탄이 들어가고, 가스 조명은 다시 석탄 생산에 사용되는 등의 경우가 이에 해당한다. 그 밖의 **보조재료**는 단지 부가된 노동과 고정자본(기계, 용기 등)으로만 이루어진다. 석탄은 자신을 생산하는 데 사용된[130] 증기기관의 마모를 보전해야만 한다. 그런데 증기기관은 석탄을 소비한다. 석탄 자신도 석탄의 생산수단에 들어간다. 따라서 이 경우 석탄은 자신을 현물로 보전한다. 석탄의 철도 수송은 석탄의 생산비에 들어가는데 석탄은 다시 기관차의 생산비에 들어간다.

화학공장에 대하여 나중에 다시 부가적으로 이야기해야 할 부분이 있는데, 이들 공장은 모두 정도의 차이는 있지만 보조재료나 용기(유리그릇, 도자기)

의 원료, 마지막으로는 직접 소비되는 물건을 생산하는 곳들이다.

안료는 모두 보조재료이다. 이들은 연료로 사용된 석탄이 면직물의 가치에 들어가는 경우처럼 가치에서 볼 때 생산에 들어가는 것은 물론 (그 색채를 띤) 생산물의 형태를 통해서도 자신을 재생산한다.

보조재료는 우선 **기계의 소비수단**이다. 이 경우 그것은 동력기의 연료일 수도 있고 [131]작업기계의 마찰을 줄이기 위한 수단으로(유지, 비누, 윤활유 등과 같이) 사용되는 것일 수도 있다. 또한 그것은 시멘트 등과 같은 건축물의 보조재료이거나 생산과정을 수행해나가는 데 필요한 보조재료 — 조명, 난방 등과 같이 노동자들이 작업을 수행하기 위해 필요로 하는 보조재료 — 일 수도 있다.

G570 또는 온갖 종류의 비료, 혹은 원료에 의해 소비되는[132] 화학적 생산물과 같이 원료의 형성에 들어가는 **보조재료들**도 있다.

그 밖에 안료, 광택제[133]와 같이 최종 생산물에 들어가는 **보조재료**도 있다.

이것들을 모두 정리하면 다음과 같다. [134]A는 자신의 생산물 가운데 $\frac{2}{3}$에 해당하는 불변자본을 개인적 소비에 들어갈 수 없는 B의 생산물 가운데 B의 소득(즉 생산영역 B에서 1년 동안 부가된 노동)을 나타내는 부분과의 교환을 통해 보전한다. 그러나 A는 B의 불변자본을 보전하지 않는다. B는 스스로 이 불변자본을 같은 종류의 새로운[135] 생산물에 의해 현물로 보전해야만 한다. 그러나 B에게는 이것을 보전하기 위한 노동시간이 남아 있지 않다. 왜냐하면 그가 새로 부가한 모든 노동시간은 그의 소득을 이루고 따라서 B의 생산물 가운데 불변자본으로 A에 들어가는 부분을 나타내기 때문이다. 그렇다면 B의 불변자본은 어떻게 보전되는 것일까?

한편으로는 농업과 축산업 전 부문처럼 **자체 내에서의** (식물 혹은 동물의) **재생산**을 통해서, 그리고 또 다른 한편으로는 한 부문의 불변자본 가운데 [136]일부를 다른 부문의 불변자본 일부와 서로 **현물로 교환**함으로써 — 서로 간에 한 부문의 생산물이 원료나 생산수단으로 다른 부문으로 들어가는 방식으로, 다시 말해 각기 ||389| 다른 생산부문의 생산물들, 즉 다양한 종류의 불변자본이 현물로 서로의 생산조건으로 들어가는 방식으로 — 보전된다.

개인적 소비에 사용될 수 없는 생산물의 생산자들은 개인적 소비에 사용되는 생산물의 생산자들에게 불변자본의 생산자들이다. 그러나 그들의 생산물은 또한 그들 상호 간에 그들 자신의 불변자본 요소로 사용되기도 한다. 즉 이들은 서로 자신의 생산물을 **산업적으로** 소비하는 것이다.[137]

A의 생산물은 모두 개인적으로 소비된다. 따라서 그 속에 포함된 불변자본도 역시 그렇게 소비된다. A의 $\frac{1}{3}$은 A의 생산자 자신이 소비하고 $\frac{2}{3}$는 생산재 B의 생산자가 소비한다. A의 불변자본은 B의 생산물 가운데 B의 소득을 이루는 부분에 의해 보전된다. 이것은 사실상 불변자본 가운데 **새로 부가된 노동**에 의해 보전되는 유일한 부분인데, 그것이 이렇게 보전되는 까닭은 B의 생산물 가운데 B에서 새로 부가된 노동에 해당하는 양이 B에 의해 소비되지 않고 A에 의해 산업적으로 소비되는 한편, B는 A의 $\frac{2}{3}$를 개인적으로 소비하기 때문이다. A＝3노동일이라고 하자. 그러면 가정에 따라 A의 불변자본＝2노동일이다. B는 A의 생산물 $\frac{2}{3}$를 보전하며 따라서 2노동일에 해당하는 생산재를 공급한다. 이제 3노동일이 개인적으로 소비되고 나면 2노동일이 남는다. 혹은 A의 과거의 2노동일은 B의 새로 부가된 2노동일에 의해 보전되는데 그러나 이것은 단지 B에서 새로 부가된 2노동일의 가치가 A로 소비되고 자신의 생산물 B로 소비되지 않기 때문에 그러하다.[138]

또한 B의 불변자본은 그것이 B의 총생산물에 들어간 만큼 같은 종류의 새 G571
로운[139] 생산물―즉 B의 **산업적** 소비를 위해 필요한 생산물―에 의해 **현물로** 보전되어야만 한다. 그러나 이 불변자본은 그것이 1년 동안 새로 사용된 노동시간의 **생산물**에 의해 보전되긴 하지만 **새로운** 노동시간에 의해 보전되는 것은 아니다. [140]B의 총생산물에서 거기에 들어가는 불변자본이 $\frac{2}{3}$라고 하자. 그러면 새로 부가된 노동(＝임금과 이윤 총액)이 1일 경우 노동재료[141]와 노동수단으로 사용된 과거노동은 2가 될 것이다. 그러면 이제 이 2는 어떻게 보전되는가? B의 각 생산영역마다 불변자본과 가변자본의 비율은 모두 제각기 다를 것이다. 그러나 가정에 따르면 이들의 평균비율은 $\frac{1}{3}$: $\frac{2}{3}$ 혹은 1 : 2이다. B의 모든 생산자들은 이제 각자 가지고 있는 자신의 생산물(석탄, 철, 아마, 기계, 가축, 밀 등[142]과 같은) 가운데 $\frac{2}{3}$에 대해서는(즉 가축이나 밀 가운데 개인적 소비에 들어가지 않는[143] 부분) 그 생산요소를 보전해야만 한다. 다시 말해 그것들을 그 생산요소의 현물형태로 재전화시켜야만 한다. 그러나 이들 생산물은 모두 그 자체 다시 산업적 소비에 들어간다. 밀은 (씨앗으로) 다시 자신의 원료를 보전하고 사육된 가축 가운데 일부는 소비된 가축(즉 자기 자신)을 보전한다. 따라서 B 가운데 이들 생산영역(경작과 목축)에서는 자신의 생산물 가운데 일부만을[144] 자신의 불변자본을 현물형태 그대로 보전한다. 말하자면 이들 생산물 가운데 일부는 유통에 [145]들어가지 않는다(적어도 유통에 들어갈 필요가 없으며 유통에는 단지 형식적으로만 들어갈 수 있을 뿐이다). 이들 생산물 가운데 다른 것들, 즉 아마, 대마, 석탄, 철, 목재, 기계 등은 일부는 자신의 생산에 생산수단으로 들어가는데 — 농업에서 씨앗으로 들어가는 경우와 마찬가지로 — 예를 들어 석탄이 석탄의 생산에 들어가고 기계가 기계의 생산에 들어가는 경우가 바로 그러하다. 그리하여 기계나 석탄으로 이루어진 생산물 가운데 일부, 혹은 이들 생산물에서 불변자본을 나타내는 일부는 자신을 스스로 보전한다. 말하자면 단지 자신의 위치만을 바꾼다. 즉 생산물의 위치에서 자신의 생산수단의 위치로 자리를 바꾸는 것이다. 이들 생산물과 다른 생산물의 또 다른 부분은 각기 서로 상대방의 생산요소로 들어간다. 즉 기계는 철과 목재의 생산요소로, 철과 목재는 기계의 생산요소로, 윤활유는 기계의 생산요소로, 기계는 윤활유의 생산요소로, 석탄은 철의 생산요소로, 철은(철로와 같은 형태로) 석탄의 생산요소로 들어가는 등의 경우가 바로 그러하다. 그러므로 [146]이들 B의 생산물 가운데 $\frac{2}{3}$가 자신을 보전하지 않을 경우에는, 즉 그것들이 현물형태로 자신의 생산에 다시 투입되지 않을 경우에는 — 그리하여 A 가운데 일부가 A의 생산자에 의해 직접 개인적으로 소비되지 않는 것처럼 B에서도 생산물 가운데 일부가 B의 생산자에 의해 직접 산업적으로[147] 소비되지 않을 경우 — 그 생산물들은 B의 생산자들 상호 간에 서로의 생산수단으로 보전된다. a의 생산물이 b의 산업적 소비에 들어가고 b의 생산물이 a의 산업적 소비에 들어가거
G572 나 혹은 우회적인 방식으로 a의 생산물이 b의 산업적 소비에 들어가고, b의
생산물이 c의 산업적 소비에 들어가고 c의 생산물이 a의 산업적 소비에 들어가는 것이다. 즉 B의 생산영역 가운데 한 곳에서 불변자본으로 소비되는 것이 다른 곳에서 새로[148] 생산되고, 또 후자의 생산영역에서 소비되는 것이 전자의 생산영역에서 생산되는 것이다. 한 생산영역에서는 기계와 석탄에서 그 형태가 철로 바뀌고 다른 생산영역에서는 철과 석탄이 기계로 [149]그 형태가 바뀌는 것이다.|

|390| 문제는 B의 불변자본이 자신의 현물형태로 보전되어야 한다는 점이다. B의 총생산물은 바로 온갖 현물형태를 띠는 B의 불변자본 총액을 나타낸다. 그리고 B의 어떤 개별 생산영역의 생산물이 현물형태로 자신의 불변자본을 보전하지 못할 경우에는 구매와 판매, 즉 교환을 통해서 이 모든 것이 다시 제자리를 잡게 된다.[150]

이처럼 여기에서는 불변자본에 의한 불변자본의 보전이 이루어진다. 이 보전과정이 직접(교환을 거쳐) 이루어지지 않을 경우에는 **자본과 자본 간의**

교환, [151]즉 서로 상대방의 생산과정에 들어가는[152] — 그리하여 한 생산자의 생산물이 다른 생산자에 의해 산업적으로 소비된다 — 생산물들끼리의 교환(사용가치에 따른)[153]이 일어난다.

이 자본 부분은 이윤으로도, 임금으로도 분해되지 않는다. 그것은 새로 부가된 노동을 전혀 포함하지 않는다. 그것은 소득과 교환되지 않는다. 그것은 직접적이든 간접적이든 소비자에 의해 지불되지 않는다. 이 자본의 보전이 상인(즉 상업자본가)에 의해 매개되는지의 여부는 이 문제에 아무런 영향도 미치지 않는다.[154]

그러나 이 생산물들은 새것이고, 즉 [155]서로를 보전해 주는 기계, 철, 석탄 목재 등은 새것이고, 다시 말해 그것들은 작년의 노동생산물이고, [156]바로 그래서 종자로 사용되는 밀은 [157]개인적 소비에 사용되는 밀과 똑같이 새로운 노동의 산물인데, 그렇다면 어떻게 해서 이 생산물에는 새로 부가된 노동이 전혀 들어 있지 않다고 말할 수 있다는 것인가? 게다가 이것들의 형태도 분명히 그것들이 새로운 노동의 산물이라는 것을 보여주지 않는가? 밀이나 가축의 경우에는 비록 분명하게 보기 어렵지만 기계의 경우에는 [158]그 기계의 형태를 통해서 그것이 철 등으로부터 기계로 전화한 노동이라는 사실이 뚜렷하게 드러나지 않는가? 등등.

이 문제는 앞에서[159] 모두 해결되었기 때문에 여기에서 다시 다룰 필요는 없다.

〔따라서 기업가와 기업가 사이의 거래액[160]이 기업가와 소비자(여기에는 개인적 소비자만 해당되고 산업적 소비자는 이미 기업가에 포함되어 있어서 해당되지 않는다) 사이의 거래액과 일치해야 한다는 A. 스미스의 주장은[161] 틀린 것이다. 이 주장은 생산물 전체가 소득으로 분해된다는[162] 명제에 근거해 있는데, 이는 사실상 상품교환 가운데 자본과 소득 사이의 교환[163]에 해당하는 부분이 상품교환 전체와 같다고 생각하는 것이다. 그러므로 이 주장이 틀린 것과 마찬가지로 투크가 이 주장을 화폐유통(특히 기업가들 사이에 유통 G573
되는 화폐량과 기업가와 소비자 사이에서 유통되는 화폐량 간의 관계)에 그대로 적용한 것도 틀린 것이다. 소비자와 마지막으로 상대하는 기업가로 생산물 A를 구매하는 상인을 보자. 이 생산물은 생산자 A의 소득(=$\frac{1}{3}$A)과 생산자 B의 소득(=$\frac{2}{3}$A)에 의해 이 상인에게 구매된다. 이들 두 소득에 의해 그의 상인자본은 보전된다. 이들 두 소득의 합계는 그의 자본 총액과 일치해야 한다. (이 사기꾼이 얻는 이윤은 A 가운데 일부를 자신의 몫으로 보유한 다음 A의 나

머지 부분을 A의 가치로 판매하여 얻어진 것으로 간주되어야만 한다. 이 사기꾼을 필수적인 생산담당자로 생각하든, 중간에서 이익을 편취하는 사람으로 간주하든 사정은 전혀 달라지지 않는다.) A의 판매자와 소비자 사이에서 이루어지는 이 교환은 가치의 측면에서 볼 때 A의 판매자와 A의 생산자 전체 사이의 교환(즉 이들 생산자 상호 간의 교환)과 일치한다. 상인은 아마포를 구매한다. 그것은 기업가와 기업가 사이의 [164]마지막 거래이다. 아마 방직업자는 실, 기계, 석탄을 구매한다. 이것은 기업가와 기업가 사이의 끝에서 두 번째 거래이다. 방적업자는 아마, 기계, 석탄 등을 구매한다. 이것은 기업가와 기업가 사이의 끝에서 세 번째 거래이다. 아마 재배업자와 기계 제조업자는 기계와 철 등을 구매한다 등등. 그러나 아마, 기계, 철, 석탄의 생산자들 사이의 교환—각자의 불변자본을 보전하기 위한—과 이들 교환의 가치액은 생산물 A가 거쳐가는 교환들—소득과 소득 사이의 교환이든, 소득과 불변자본 사이의 교환이든—에는 들어가지 않는다. 이 교환은 B의 생산자와 A의 생산자 [165]사이의 교환이 아니라 B의 생산자들 사이에서만 이루어지는 교환이며, 그것은 A의 구매자가 A의 [166]판매자에게 아무것도 보전해 주지 않는다. 이는 B 가운데 이 부분의 가치가 A의 가치에 들어가지 않는 것과 마찬가지이다. 이 교환도 역시 화폐를 필요로 하며 상인의 중개를 받는다. 그러나 화폐유통 가운데 이 영역에만 속하는 부분은 기업가와 소비자 사이의 교환과는 완전히 분리되어 있다.]|

|391| 아직 해결되어야 할 문제가 두 가지 있다.

1) 지금까지의 논의에서는 임금을 소득으로 다루면서 이윤과 구별하지 않았다. 임금이 자본가의 유동자본의 한 부분으로 나타나는 점을 여기에서 어느 정도까지 고려해야 하는 것일까?

2) 지금까지는 소득 전액이 모두 소득으로 지출된다고 가정했다. 따라서 소득(즉 이윤) 가운데 일부가 자본화될 경우에는 어떤 변화가 일어날 것인지가 고찰되어야 한다. 이것은 사실상 축적과정의 고찰과 일치하는 것이지만 형태적인 측면[167]에서도 그런 것은 아니다. 생산물 가운데 잉여가치를 나타내는 부분이 일부는 임금으로 일부는 불변자본으로 재전화하는 것은 문제가 아니다. 여기에서 논의해야[168] 할 문제는 그런 재전화가 지금까지 논의
G574 되었던 항목들—상품교환이 그 담당자들과의 관련을 통해 고찰될 수 있는 그런 항목들, 즉 소득과 소득 사이의 교환, 소득과 자본 사이의 교환, 그리고 마지막으로 자본과 자본 사이의 교환—에 어떤 영향을 미치는지에 대한

것이다.〕〔그래서 이런 삽입 부분들은[169] 때때로 이런 역사적-비판적 부분에서 끝을 맺어야만 한다.〕

페리에. (F. L. A.)(세관 부감독관): 『**상업의 관점에서 본 정부에 대하여**』(파리, **1805년**)(이 책은 F. 리스트[170]가 주로 의존했던 책이다). [171]이 사람은 **보나파르트의** 대륙 봉쇄령 지지자이다. 그는 사실상 정부[172](따라서 비생산적[173] 노동자인 정부관리도 포함된다)를 생산에 직접 개입하는 관리자로서 중요하게 생각한다. 따라서 이 세관원은 A. 스미스가 정부관리를 비생산적 노동자로 부른 것에 매우 분노하고 있다. [174]"스미스가 **국가의 경제에 대하여 정하고 있는** 원칙들은 생산적 노동과 비생산적 노동에 대한 구별에 기초해 있다.[175] …〔왜냐하면 스미스는 가능한 한 많은 부분을 자본으로(즉 생산적 노동과의 교환에), 가능한 한 적은 부분을 소득으로(즉 비생산적 노동과의 교환에) 지출해야 한다고 생각하기 때문이다〕… 이런 구별은 본질적으로 틀린 것이다. **비생산적 노동이란 존재하지 않는다.**"(141쪽) "그러므로 국가 단위의 절약과 낭비가 존재하긴 하지만 어떤 나라는 **다른** 나라와의 관계에서만 낭비적이거나 경제적이다. 이 문제는 그런 관점에서 고찰해야만 한다."(같은 책, 143쪽) 여기에서 우리는 페리에를 분노하게 만든 A. 스미스의 논의를 함께 대비해 보기로 하자. 페리에는 이렇게 말한다. "국가적인 절약이 존재하긴 하지만 그것은 스미스가 말하는 것과는 다른 것이다.[176] 그것은 자기 나라의 생산물로 지불할 수 있는 것보다 더 많은 생산물을 외국으로부터 수입하지 않는 것을 의미한다. 그것은 때때로 외국의 생산물을 전혀 구매하지 않는 것을 의미하기도 한다."(같은 책, [174,] 175쪽)

10. 페리에. 생산적 노동과 축적에 관한 스미스 이론과의 논쟁에서 드러나는 보호주의적 성격. 축적 문제에서 스미스의 혼란. 스미스의 생산적 노동에 대한 견해에 담긴 속류적 요소

〔**A. 스미스**는 "상품가격의 구성부분"을 다루는 제1편 제6장(가르니에 역음, 제1권, 108, 109쪽)의 끝부분에서 이렇게 말하고 있다. "문명화된 나라에서는 **교환가치 전체가 오로지 노동으로만 이루어진 그런 상품은 거의 없기** 때문에, 그리고 **대부분의 상품의 교환가치에는 지대와 이윤이 상당 부분을 차지하기** 때문에, **이런 나라의 연간 노동생산물은 항상 이들 생산물을 생산하고 가공하여 시장에 내놓기 위해 지출해야만 하는 노동량보다 훨씬 더 많은 노동을 구매하고 지휘하기에 충분하다. 만일 한 사회가 매년 구매할 수 있는 노동을 모두 사용한다면, 노동량은 매년 급격히 증가할 것이기 때문에** 그다음 해의 생산물도 또한 그 전해의 생산물에 비해 비교할 수 없을 만큼 훨씬 더 큰 가치를 갖게 될 것이다. 그러나 노동자를 먹여 살리기 위해 자신의 **연간 생**

G575 **산물 전체**를 사용하는 나라는 없다. 곳곳에서 무위도식자들이 연간 생산물 가운데 상당 부분을 소비하며, 이 생산물이 이들 두 부류의 계급 사이에 배분되는 비율의 변동에 따라 연간 생산물의 통상(혹은 평균적) 가치는 어쩔 수 없이 해마다 증가하기도, 감소하기도 혹은 때때로 같은 수준에 머물기도 한다."[177]

스미스가 본격적으로 축적의 비밀을 풀려고 했던 이 부분에는 갖가지 혼란이 존재한다.

첫째 연간노동의 생산물의 "교환가치"(즉 "**연간 노동생산물**")가 임금과 이윤(지대도 포함된다)으로 분해된다는 잘못된 전제가 다시[178] 나타난다. 우리는 이 잘못된 전제를 다시 다루지는 말자. 단지 같은 점만 여기에서 지적해두기로 하자. 즉 연간 생산량(혹은 연간 노동생산물에 해당하는 상품량)은 ||392| 현물 상태에서 그 대부분이 **오로지** 산업적으로만 소비될 수 있는 불변자본의 요소로만 투입될 수 있는 상품들([179]원료, 종자, 기계 등)로 이루어져 있다는 점이다. 이 상품들(불변자본으로 투입되는 상품들의 대부분이 이에 해당된다)은 이미 그 **사용가치**를 통해서 그것들이 [180]개인적 소비에는 사용될 수 없다(즉 임금이나 이윤 혹은 지대와 같은 소득으로 지출될 수 없다)는 것을 보여주고 있다. 원료 가운데 일부는(그것이 원료 그 자체의 재생산에 필요하지 않거나 보조재료 혹은 직접적인 구성요소로 고정자본에 들어가지 않는 한) 나중에 개인적으로 소비될 수 있는 형태가 되기도 하지만 그것은 그해의 노동에 의해서만 그렇게 된다. 전년도 노동의 생산물인 한 이 원료도[181] 결코 소득의 일부가 되지 못한다. [182]소비될 수 있고 개인적 소비에 들어갈 수 있는 것(즉 소득을 이룰 수 있는 것)은 오로지 생산물 가운데 소비될 수 있는 부분뿐이다. 그러나 이런 소비재 생산물 가운데 일부도 재생산을 불가능하게 만들지 않고는 소비될 수 없다. 따라서 소비재 상품 가운데 일부는 **산업적으로 소비되어야** 할(즉 노동자나 자본가의 생활수단이 아니라 노동재료[183]나 종자 등으로 사용되어야 할) 부분으로 떨어져 나온다. 그러므로 [184]생산물 가운데 이 부분은 A. 스미스의 계산에서 가장 먼저 제외되거나 혹은 부가되어야 한다. **노동생산성**[185]**이 불변**이라면—즉 노동생산성이 불변인 조건에서 사용된 노동시간이 동일하다면—연간 **생산물** 가운데 소득으로 분해되지 않는 이 부분의 크기도 불변이다.

만일 매년 전년도보다 **더 많은** 노동량이 사용된다고 가정하면 그로 인해 불변자본은 어떻게 되는지를 살펴보아야만 한다. 한마디로 말하면, 더 많은 양의 노동을 사용하기 위해서는 **더 많은 양의 노동**을 처분할 수 있고, **더 많은 양의 노동에 대해 지불하는**(즉 더 많은 임금을 지출하는) 것으로는 충분하지 않고, 더 많은 양의 노동을 흡수하기 위한 노동수단(원료와 고정자본)이 있어야만 한다. 따라서 이 점은 A. 스미스가 다루고 있는 문제들을 먼저 해결한 **후에** 다시 다루기로 하자. G576

스미스의 첫 문장을 다시 한번 보자.

"문명화된 나라에서는 교환가치 전체가 **오로지 노동으로만 이루어진** 그런 상품은 거의 없**기** 때문에, 그리고 대부분의 상품의 교환가치에는 **지대와 이윤이 상당 부분을 차지하기** 때문에, **이런 나라의 연간 노동생산물은** 항상 **이들 생산물을 생산하고** 가공하여 시장에 내놓기(달리 말해 생산하기) **위해 지출해야만 하는** 노동량보다 훨씬 더 **많은 노동을 구매하고 지휘하기에 충분하다.**"[186] 여기에서는 명백하게 여러 사안들이 서로 뒤엉켜 있다. 연간[187] 총생산물의 교환가치에는 **살아 있는 노동**(즉 그해에 사용된 살아 있는 노동)뿐 아니라 과거노동(즉 전년도 노동의 생산물)도 들어간다. 다시 말해 살아 있는 형태의 노동뿐 아니라 대상화된 형태의 노동도 들어가는 것이다. 생산물의 교환가치 = 그 속에 포함된 노동시간의 합계(이것 가운데 일부는 살아 있는 노동으로 일부는 대상화된 노동으로 이루어져 있다)이다. 둘 사이의 비율 = $\frac{1}{3}$: $\frac{2}{3}$, 즉 1 : 2라고 하자. 그러면 생산물의 총가치가 3이 되고 그중 2는 대상화된 노동시간이고 1은 살아 있는 노동시간이 될 것이다. 따라서 대상화된 노동과 살아 있는 노동이 서로 등가로 교환된다는(즉 일정량의 대상화된 노동이 그것과 동일한 양의 살아 있는 노동만을 지휘한다는) 가정[188]에서 출발한다면 총생산물의 **가치**는 그 속에 포함된 것보다 더 많은 양의 살아 있는 노동을 구매할 수 있을 것이다. 왜냐하면 생산물 = 3노동일이지만 그 속에 포함된 살아 있는 노동시간 = 1노동일이기 때문이다. 생산물을 생산하는 데는(사실은 생산물의 요소들에 최종적인 형태를 부여하는 데는) 살아 있는 노동의 1노동일만으로 충분했다. 그러나 생산물에는 3노동일이 포함되어 있다. 따라서 만일 생산물이 모두 살아 있는 노동시간과 교환된다면, 즉 모든 생산물이 단지 살아 있는 노동량을 "구매하고 지휘하는" 데만 사용된다면, 그 생산물은 3노동일만큼의 노동을 구매하고 지휘할 수 있을 것이다. 그러나 이것은 명백히 A. 스미스가 생각했던 것이 아닐 것이고 그에게는 전혀 쓸모없는 가정이기도 할 것이다. 그가 생각했던 것은 생산물의 교환가치 가운데 상당 부분이 노동에 대한 임금으로 분해되지 않고[189](혹은 앞서 지적했던 혼동 때문에 그

가 달리 **잘못** 사용했던 그 표현대로) 이윤과 지대(혹은 단순하게 말한다면 이윤)
로 분해된다는 것이었다. 달리 말해서 생산물의 가치 가운데 전년도에 부가
된 노동량에 해당하는 부분[190](즉 사실상 생산물 가운데 말 그대로 전년도 노동
의 생산물인 부분)은 첫째는 노동자에게 지불되고 둘째는 자본가의 소비재원
인 소득으로 들어간다는 것이다. 총생산물 가운데 이 부분은 모두 노동으로
G577 부터, 오로지 노동으로부터만 발생한다. 그러나 그것은 지불노동과 비지불
노동으로 구성되어 있다. 임금은 지불노동의 합계와 같으며, 이윤은 ||393|
비지불노동의 합계와 같다. 따라서 이 생산물 전체가 임금에 지출된다면 그
생산물은 당연히 그것을 생산한 노동보다 더 많은 [191]양의 노동을 사용할 수
있을 것이다. 그리고 그 생산물이 사용할 수 있는 노동시간과 그것이 스스
로 포함하는 노동시간 사이의 비율은, 노동일이 지불된 노동시간과 지불되
지 않은 노동시간으로 나뉘는 비율에 정확하게 의존할 것이다. 가령 이 비율
이, 노동자가 자신의 임금을 6시간(즉 노동일의 절반) 만에 생산(혹은 재생산)
하는 비율이라고 하자. 그러면 나머지 6시간(즉 노동일의 절반)이 잉여가 될
것이다. 따라서 예를 들어(1노동일[192]=10실링이고, 따라서 100노동일=1,000
실링=50파운드스털링이라고 하자) 100노동일(=50파운드스털링)인 생산물
가운데 25파운드스털링은 임금에 해당하고 나머지 25파운드스털링은 이윤
(지대)이 될 것이다. 25파운드스털링(=50노동일)은 100명의 노동자들에게
지불될 것인데 이들 노동자는 바로 자신들의 노동시간 가운데 절반을 무상
으로 (즉 자신들의 고용주를 위해) 노동했을 것이다. 따라서 만일 생산물 전체
(100노동일)가 임금으로 지출된다면 50파운드스털링으로 200명의 노동자
가 사용될 수 있을 것이고 이들 노동자는 각자 변함없이 5실링(혹은 자신의
노동생산물의 절반)을 임금으로 받을 것이다. 이들 노동자의 생산물은 100파
운드스털링(즉 200노동일=2,000실링=100파운드스털링)일 것이고 이 금액
으로는 400명의 노동자(노동자 1인=5실링이므로 2,000실링)를 사용할 수 있
을 것이고 이들 400명의 생산물은 200파운드스털링이 될 것이다 등등. 이것
이 바로 A. 스미스가 했던 이야기, 즉 "연간 노동생산물"이 그 생산물을 생
산하는 데 필요한 것보다 "훨씬 더 많은 노동을 구매하고 지휘하기에" 항상
충분하다고 했던 바로 그 이야기의 의미이다. (노동자에게 그의 노동생산물 전
체가 지불된다면, 즉 100노동일에 대하여 50파운드스털링이 지불된다면, 이 50파
운드스털링도 역시 100노동일만을 고용할 수 있을 것이다.) 그래서 스미스는 계
속해서 이렇게 말한다. "만일 한 사회가 매년 구매할 수 있는 노동을 모두 사

용한다면, 노동량은 매년 급격히 증가할 것이기 때문에 그다음 해의 생산물도 또한 그 전해에 비해 비교할 수 없을 만큼 훨씬 더 큰 가치를 갖게 될 것이다.” 그러나 이 생산물 가운데 일부는 이윤과 지대의 소유자들이 먹어치우며 다른 일부는 이들을 뜯어먹고 사는 사람들이 먹어치운다. 따라서 이들 생산물 가운데 (생산적) 노동자에게 다시 지출될 수 있는 부분은 자본가, 지대생활자, 그리고 이들을 뜯어먹고 사는 사람(즉 비생산적 노동자들)이 먹어치우지 않는 부분에 의해 결정된다.

그러나 지난해의 노동생산물 가운데 올해에 더 많은 노동자를 사용하는 데 쓸 새로운[193] 재원(새로운[194] 임금 재원)은 항상 존재한다. 그리고 연간 생산물의 가치는 사용된 노동시간의 양에 의해 정해지기 때문에 [195]연간 생산물의 가치는 매년 증가한다. 물론 “훨씬 더 많은 노동”이 아예 시장에 나와 있지 않다면, 지난해에 비해 “훨씬 더 많은 노동을 **구매하고 지휘하기**” 위 G578
한 재원이란 것도 아무런 쓸모가 없을 것이다. 내가 아무리 상품을 구매할 수 있는 돈을 더 많이 가지고 있다 하더라도 시장에 이 상품이 나와 있지 않다면 아무런 쓸모가 없을 것이다. 만일 50파운드스털링으로부터 지난해의 100명(=25파운드스털링) 대신에, 이제 200명이 아니라 150명의 노동자만 고용하고 또한 자본가들 자신의 소비도 25파운드스털링 대신 $12\frac{1}{2}$파운드스털링이라고 하자. [196]150명의 노동자들(=$37\frac{1}{2}$파운드스털링)은 150노동일=1,500실링=75파운드스털링을 생산해줄 것이다. 그러나 만일 사용할 수 있는 노동자의 수가 여전히 100명뿐이라면 이제 이들 100명은 임금으로 이전에 그들이 받던 25파운드스털링이 아니라 $37\frac{1}{2}$파운드스털링을 받겠지만 그들의 생산물은 여전히 50파운드스털링일 것이다. 따라서 자본가들의 [197]소득은 25파운드스털링에서 $12\frac{1}{2}$파운드스털링으로 하락할 것인데 이는 임금이 50퍼센트 상승했기 때문이다. 그러나 A. 스미스는 증가된[198] 노동량을 구할 수 있으리라는 것을 알고 있다. 그중 일부는 인구의 연간 증가에 의해 가능하다.[199](그러나 이 증가된 노동량은 기존의 임금비용으로 사용할 수 있는 것이어야만 한다.) 그리고 또 다른 일부는 실업 상태의 빈민이나 반실업 상태의 노동자들에 의해 가능하다. 다음으로는 비생산적 노동자들에 의해서도 가능한데, 이들 가운데 일부는 잉여생산물의 용도를 변경함으로써 **생산적** 노동자로 전환할 수 있다. 마지막으로 똑같은 수의 노동자가 과거보다 **더 많은 양의** 노동을 제공할 수 있다. 내가 100명 대신 125명의 노동자들에게 임금을 지불하는 것이나 100명의 노동자가 매일 12시간 대신 15시간의 노동을 내게 제공하는 것은 완전히 똑같은 일이다.

게다가 **사용되는 노동**(살아 있는 노동, 임금으로 지출되는 부분[200])이 생산적 자본의 증가—혹은 연간 생산물 가운데 재생산 용도로 정해놓은 부분의 증가—와 똑같은 비율로 증가해야 한다는 것도 역시 A. 스미스의 오류인데 이 오류는 생산물 전체가 소득으로 분해된다는 것과 긴밀하게 관련된 것이다.|

|394| 그래서 일단 그는 지난해보다 더 많은 양의 노동을 "구매하고 지휘할" 수 있는 생활수단의 소비재원을 갖고 있다. 더 많은 노동과 이 노동에 필요한 더 많은 생활수단이 존재하는 것이다. 이제 이 추가적인 노동량이 어떻게 실현될 것인지를 살펴보아야만 한다.]

만일 A. 스미스가 잉여가치에 대한 자신의 소재적 분석—잉여가치는 오로지 자본과 임노동 간의 교환에서만 창출된다는 바로 그 분석—에 대한 인식을 놓치지 않았다면 그는 생산적 노동이 단지 자본하고만 교환되는 것이고 소득 그 자체와는 결코 교환되는 것이 아니라고 했을 것이다. 소득이 생산적 노동과 교환되기 위해서는 소득은 그 전에 먼저 자본으로 전화해야만 한다.

그러나 스미스는 또한[201] 물질적 부를 직접 생산하는 노동이 생산적 노동이라는 전통적 견해의 한 측면에서 출발하여, 여기에 자신의 견해—생산적 노동이 자본과 노동(혹은 소득과 노동) 간의 교환에 기초해 있다는 견해—를 함께 결합함으로써 자본과 교환되는 노동이 생산적이라고(항상 물
G579 질적 부를 창출한다 등등) 이야기할 수 있었던 것이다. 소득과 교환되는 노동은 생산적일 수도 있고 비생산적일 수도 있지만 대개 소득을 지출하는 사람들은 생산적 노동보다는 비생산적 노동을 직접 사용하기를 좋아한다. 우리는 여기에서 A. 스미스가 자신의 두 가지 개념을 함께 뒤섞어버림으로써 핵심 개념을 매우 흐릿하게 만들어버린 것을 볼 수 있다.

A. 스미스가 노동이 고정되는 것을 전적으로 외형적인 것으로만 간주하지 않았다는 것은 고정자본의 다양한 구성요소들을 설명하는 다음의 구절에서 알 수 있다.

"4) 한 사회의 주민(혹은 구성원)들이 가진 쓸모 있는 능력. 그들이 이 능력을 획득하기 위해서는 그들이 학교를 다니거나 교육을 받는 기간 동안 먹고 살기 위해 필요한 실질적 지출이 있어야 하고 이 지출은 하나의 고정된(이른바 그의 인격체에 실현된) 자본이다. 만일 이 능력이 그의 자산 가운데 일부를

이룬다면 그것은 동시에 그가 속해 있는 사회의 자산 가운데 일부가 되기도 할 것이다. 노동자들의 숙련의 증가는, 마치 노동을 용이하게 하고 노동시간을 단축해주는 기계나 작업도구가 비록 지출을 발생시키긴 하지만 수익과 함께 그 지출을 보전해 주는 것과 똑같은 관점에서 고찰될 수 있다."(같은 책, 제2권, 제2편, 제1장, 204, 205쪽)

축적의 특이한 발생과 그 필연성:

[202]"분업도 없고 교환도 거의 없이 모든 개인이 자신의 필요를 자신의 손으로 해결하던 사회의 유아기 상태에서는 **사회적 업무를 운영해나가기 위해 필요한 미리 축적된 재원이 있을 필요가 없다**(즉 사회가 존재하지 않는다는 것을 전제로 하고 있는 것이다). 모든 개개인은 그때그때 필요가 생길 때마다 자신의 필요를 충족하기 위한 수단을 자신의 활동을 통해 조달하고자 한다. 배가 고프면 사냥을 하러 숲으로 가거나 하는 것이다."(제2권, 191, 192쪽) (제2편, 서론) "그러나 분업이 일단 깊숙이 도입되고 나면 사람들은 자신의 노동만으로는 자신의 필요 가운데 극히 적은 부분밖에 충족할 수 없게 된다. 나머지 대부분의 필요는 **타인의 노동생산물**(자신의 노동생산물을 주고 구매한 — 옮긴이)에 의해서 충족되거나 (결국 같은 이야기가 되기는 하지만) 그 생산물의 가격을 치르고 충족된다. 그러나 이 **구매**가 이루어지기 위해서는 그가 **자신의 노동생산물**을 **만들어내는** 시간은 물론 그것을 **판매하는** 시간까지도 포함하는 충분한 시간이 경과되어야만 한다. (전자의 경우에도 그는 토끼를 죽이기 전까지는 토끼를 먹을 수 없으며, 고전적인 '활'이나 다른 비슷한 사냥도구를 생산하기 전까지는 토끼를 죽일 수 없다. 따라서 후자의 경우에 새로 부가되는 유일한 조건은 식량에 대한 필요가 아니라 단지 '자신의 노동생산물을 **판매하기** 위해 필요한 … 시간'이다.) 이 두 가지 조건을 모두 달성하기 전까지는,
그는 자신을 유지하고 원료나 기타 필요한 작업도구를 조달하기 위해 필요 G580
한 **각종 재화를 미리 수집해서 저장해**두어야만 한다. 방직업자가 만일 자신의 직물을 완성하는 것은 물론 그것을 판매하기 전까지 자신을 유지하고 자신의 방직노동에 필요한 작업도구와 원료를 조달하기에 충분할 만큼의 **재원**을(**자신의 소유이든, 제삼자의 소유이든**) **미리** 확보해두지 못한다면 그는 자신의 방직노동에 전적으로 **매진할 수 없을 것이다**. 그가 이 방직노동을 수행하고 완성하는 데 자신의 활동을 집중할 시점에는 이미 **축적이 선행되어** 있어야 한다는 것은 분명한 사실이다. … 사태의 본질에서 **자본**[203]**의 축적**은 **분업이 이루어지기 위해 필요한 선행조건**이다."(같은 책, 192, 193쪽) (한편 애덤

스미스는 도입부에서 분업이 이루어지기 **전**에는 어떤 자본축적도 이루어지지 않는다고 주장하는데 그것은 마치 여기에서 자본축적이 이루어지기 전에는 어떤 분업도 있을 수 없다고 하는 것과 꼭 같아 보인다.) 계속해서 그는 이렇게 말한다. "분업은 오로지 사전에 축적되는 자본이 늘어나는 정도에 따라서만 더욱 진전될 수 있다. 분업이 발전함에 따라서 **같은 수의 사람이 가공할 수 있는 원료의 양도 급격히 증가한다**. 그리고 모든 노동자의 작업이 고도로 단순화하기 때문에 이런 작업의 부하를 줄이고 ||395| 시간을 단축할 수 있는 새로운 기계가 대량으로 발명되기에 이른다.[204] 분업이 발전함에 따라 같은 수의 노동자를 계속해서 고용하는 데는 분업이 덜 발달한 상태였을 때 필요하던 것과 **똑같은 양의 생활수단을 축적해야 하지만 원료나 작업도구는 더 많은 양을 축적해야만** 한다."(같은 책, 193, 194쪽) "**선행하는 자본의 축적이 없이는** 생산력의 이런 엄청난 증대가 있을 수 없는 것과 마찬가지로 바로 이 자본축적이 그런 생산력의 증대를 가져온다. **자신의 자본을 노동자의 고용에 사용한 사람은 누구나** 틀림없이 노동자들이 되도록 최대한의 노동 성과를 만들어내는 방식으로 그 자본을 사용하고자 한다. 따라서 그는 자신의 노동자들에게 노동을 최대한 합목적적으로 배분하는 것은 물론 자신이 발명하거나 구매할 수 있는 가장 좋은 기계를 노동자들에게 제공하기 위해서 노력한다. 이 두 가지 목표를 그가 어느 정도 달성할 수 있는지는 일반적으로 그가 자본을 얼마나 많이 가지고 있는지와 그가 이 자본으로 얼마나 많은 노동자를 사용할 수 있는지에 달려 있다. 따라서 **한 나라 전체로 보면** 노동자들을 고용하는 **자본의 증가에 발맞추어 노동량이 증가**하는 것은 물론 **이런 자본의 증가에 힘입어** 같은 **양의 노동이 훨씬 더 많은 노동 성과**를 만들어내기도 한다."(194, 195쪽)

A. 스미스는 이미 소비재원에 들어가 있는 물건들도 생산적 노동 및 비생산적 노동과 똑같이 다루고 있다. 예를 들어 "주택은 그 자체로는 그 거주자
G581 에게 아무런 소득도 가져다주지 않는다. 거주자에게 그것은, 역시 그에게 매우 유용한 것이긴 하지만 그의 지출의 한 부분을 이룰 뿐 그의 소득을 이루지는 않는 그의 의복이나 가구와 마찬가지로 간주될 뿐이다."(같은 책, 제2권, 제2편, 제1장, 201, 202쪽) 반면 고정자본에 속하는 것으로 "유용한 목적에 사용되면서 그것을 빌려주고 세를 받는 소유주에게나 소유주에게 세를 지불하는 임차인에게나 모두 소득의 한 수단이 되는 온갖 건물이 있는데, 예를 들어 점포, 창고, 작업장, 그리고 잡다한 부속 건물과 마구간, 헛간 등을 갖춘

농장 건물 등이 그런 것들이다. 이것들은 단순한 주택과는 매우 달라서 일종의 작업도구에 해당한다."(같은 책, 제2편(원서에는 제1편으로 잘못 표기되어 있음 — 옮긴이), 제1장, 203, 204쪽)

"같은 수의 노동자들이 같은 양의 작업 성과를 이전에 비해 더 간단하고 저렴한 기계로 생산할 수 있도록 만들어주는 모든 새로운 기술 진보는 항상 그 사회 전체로 볼 때 매우 큰 이익이 되는 것으로 간주된다. 과거에는 더 복잡하고 더 비싼 기계를 움직이기 위해 사용되던 일정량의 원료와 일정한 숫자의 노동자들의 노동이 이제는 작업 성과의 양을 증대시키는 데(기계는 바로 이런 목적을 위해 만들어진 것이다) 사용될 수 있게 되는 것이다."(같은 책, 제2권, 제2편, 제2장, 216, 217쪽)

"**고정자본**의 유지에 들어가는 비용은 … 반드시 사회의 순소득에서 공제되어야만 한다."[205](같은 책, 제2권, 제2편, 제2장, 218쪽) "노동생산력을 감소시키지 않으면서 **고정자본**의 유지에 들어가는 비용을 절약하는 것은 모두 생산에 사용되는 재원을 증대시키고 따라서 토지와 노동의 연간 생산물, 즉 그 사회의 실질소득을 증가시킨다."(같은 책, 제2권, 제2편, 제2장, 226, 227쪽)

은행권(일반적으로 지폐)의 형태로 외국으로 방출되는 현금 — "국내에서 소비할 외국 상품을 구매하기 위해" 지출될 경우 — 은 외국산 포도주나 비단과 같은 사치품(요컨대 "아무것도 생산하지 않는 [206]**무위도식자**가 소비하는 … 상품")을 구매하거나 "혹은 … **이윤과 함께 자신의 연간 소비가치를 재생산하는 노동자들의 추가적인 숫자를 부양하고 고용하는 데 필요한 원료, 작업도구, 생활수단 등의 추가적인 재원**을 구매하는 데 사용된다."(제2권, 제2편, 제2장, 231, 232쪽)

스미스는 이렇게 말한다. 첫 번째 방식(사치재의 구매에 사용하는 것을 의미함 — 옮긴이)은 낭비를 증가시키고 "생산에 아무것도 부가하지 않고, 낭비를 보전하기 위한 상시적인 재원을 만들지도 않는 그런 낭비와 소비를 증가시킬 뿐으로 어떤 점에서 보더라도 사회 전체의 입장에서는 해로운 것이다."(같은 책, 제2권, 232쪽) 반면 "두 번째 방식(추가적인 재원의 형성에 사용하는 것을 의미함 — 옮긴이)으로 사용될 경우 현금은 생산 규모를 확대시킨다. 즉 사회적 소비는 증가하지만 현금은 이런 소비를 보전할 수 있는 상시적인 재원도 함께 증가시키는데 왜냐하면 **이것을 소비하는 사람들은 자신의** G582
연간 총소비 가치를 이윤과 함께 재생산하기 때문이다."(제2권, 제2편, 제2장, 232쪽)

"어떤 자본이 사용할 수 있는 노동의 양은, 그 자본이 노동의 유형에 맞게 원료, 작업도구, 생활수단을 제공할 수 있는 노동자의 수와 같을 것이 틀림없다."(같은 책, 제2편, 제2장, 235쪽)|

|396| **제2편 제3장**에서 스미스는 이렇게 말한다(같은 책, 제2권, 314쪽 이하).

"생산적 노동자와 비생산적 노동자, 그리고 어떤 노동도 전혀 하지 않는 사람까지도 모두 똑같이 그 나라의 토지와 노동이 생산한 연간 생산물에 의해 부양된다. 이 생산물은 … 반드시 한계가 있다. 따라서 한 해 동안 이 생산물 가운데 얼마만큼을 비생산적인 사람들이 가져가느냐에 따라서 그 가운데 얼마만큼이 생산적 노동자들에게 돌아갈 것인지가 결정되고 그에 따라 다음 해의 생산물이 얼마나 될지도 함께 결정될 것이다. … 한 나라의 토지 및 노동의 연간 총생산물은 … 궁극적으로 그 주민들의 소비에 사용되고 주민들의 소득을 이루게 되어 있다. **하지만** 그것이 토지나 생산적 노동자의 손을 떠나는 **순간** 그것은 반드시 두 부분으로 분할된다. 일단 한 부분(종종 이 부분이 더 큰 부분을 이룬다)은 **자본을 보전하거나** 혹은 자본에서 빠져나간 **생활수단, 원료, 완제품 등을 갱신하는** 데 사용된다. 다른 한 부분은 소득(즉 이 자본 소유자의 이윤 혹은 토지를 가진 다른 사람의 지대)이 된다. … **한 나라의 토지 및 노동의 연간 생산물 가운데 자본으로 보전되는 부분**은 생산적 노동자를 부양하는 이외의 다른 용도로는 결코 직접 사용되지 않는다. 이 부분은 오로지 생산적 노동자를 위한 임금으로만 지불된다. 직접적으로 소득을 이루는 다른 한 부분은 … 생산적 노동자와 비생산적 노동자 모두의 부양을 위해서 사용될 수 있다. … 비생산적 노동자와 아예 노동 자체를 전혀 하지 않는 사람들은 모두 **소득을 통해서** 살아가게 된다. 즉 첫째로는 연간 생산물 가운데 처음부터 몇몇 특정한 사람을 위한 소득(즉 지대[207] 혹은 자본이윤)을 이루는 부분이 바로 그런 소득이며 둘째로는 자본을 보전하고 생산적 노동자를 부양하는 용도로만 사용되는 부분이 바로 그런 소득으로, 이 부분은 일단 노동자들의 수중에 들어가고 나면 그들 자신을 부양하는 데 필요한 부분을 초과하여 생산적 노동자는 물론 비생산적 노동자까지도 모두 부양할 수 있는 것이 된다. 그래서 그냥 단순한 노동자일 뿐인 사람도 자신의 임금이 높기만 하면 … 자신의 개인적인 서비스를 위해 봉사할 하인을 부리거나 또는 가끔씩 연극이나 인형극을 보러 감으로써 비생산적 노동자계급의 부양에 일부 기여할 수 있다. 또 그는 세금을 납부함으로써 … 역시 비생산적인
G583 또 다른 계급의 부양에 기여할 수도 있다. 하지만 토지생산물 중 원래 자본

을 보전하는 용도로 되어 있던 이 부분 가운데 어떤 부분도 그것이 모두 생산적 노동을 사용하는 데 사용되기 전까지는 결코 비생산적 노동자를 부양하는 데 사용되지 않는다. … 노동자는 노동을 수행하여 자신의 임금을 충분히 벌기 전에는 비생산적 노동에 단 한 푼도 지출할 수 없다. … 지대와 자본이윤은 … 도처에서 비생산적 노동자들이 자신들의 부양 수단을 얻게 되는 주요 원천이다. … 이들 두 소득은 생산적 노동자와 비생산적 노동자 모두를 부양할 수 있다. 그러나 그들 소득은 언제나 비생산적 노동자들을 더 선호하는 것처럼 보인다. … 모든 나라에서 생산적 노동자와 비생산적 노동자 사이의 비율을 주로 결정하는 것은 연간 생산물 가운데 — 이 생산물이 토지 혹은 이 생산물을 생산하는 노동자들의 수중에서 벗어나는 순간 — 자본을 보전하는 용도로 지정되는 부분과 소득(지대 혹은 이윤)을 이루도록 지정되는 다른 부분 사이의 비율이다. 그러나 이 비율은 부유한 나라와 가난한 나라 사이에서 크게 차이가 난다." 그런 다음 애덤 스미스는 "유럽의 부유한 나라들, 즉 토지생산물 가운데 상당히 많은 부분(종종 거의 대부분)이 **부유하고 독립적인 차지농의 자본을 보전하는** 경우"와 이와는 정반대로 봉건제가 지배적인 나라, 즉 "생산물 가운데 농업에 사용된 자본을 보전하는 부분이 매우 적은 경우"[208]를 비교하고 있다. "상업이나 공업도 이와 마찬가지이다. 이들 산업부문은 오늘날 매우 큰 자본이 사용되고 있지만 이전에는 극히 작은 자본이 사용되었고 그러면서도 이윤은 상당히 컸다.[209] 이전에는 이자가 10퍼센트 이하인 곳이 전혀 없었고 자본이윤은 이처럼 높은 이자를 지불하기에 충분했다. 오늘날 유럽의 선진국들에서 이자는 어디에서도 6퍼센트를 넘지 않으며 아주 부유한 나라들에서는 2~4퍼센트에 불과하다.[210] 만일 주민들의 소득 가운데 이윤에서 비롯된 부분이 가난한 나라에 비해서 부유한 나라가 항상 훨씬 더 크다면 그것은 부유한 나라의 자본이 훨씬 더 크기 때문이다. 그러나 자본에 대한 비율 측면에서 부유한 나라의 이윤은 전반적으로 가난한 나라에 비해 훨씬 더 낮다. 따라서 부유한 나라에서는 연간 생산물 가운데 — 이 생산물이 토지 혹은 생산적 노동자들의 수중에서 벗어나는 순간 — 자본을 보전하는 부분이 ||397| 가난한 나라보다 훨씬 더 클 뿐 아니라, 직접 소득(지대 혹은 이윤)을 이루는 부분에 대한 그 부분의 비율도 훨씬 더 크다. 부유한 나라에서는 생산적 노동을 부양하기 위한 재원이 가난한 나라에 비해 훨씬 더 클 뿐 아니라 다른 재원 — 생산적 노동자와 비생산적 노동자 모두를 부양하는 데 사용될 수 있긴 하지만 대개 비생산적 노동자의

G584 부양에 사용되는 경향을 가진 재원—에 대한 이 재원의 비율도 훨씬 더 크다. (스미스는 생산적 자본의 크기와 **그 자본 가운데** 생산적 노동을 부양하는 데 사용되는 **부분의 크기**를 동일시하는 오류에 빠져 있다. 그러나 사실 그는 대공업에 대해서는 아직 초기적인 형태만 알고 있었을 뿐이었다.) 이들 서로 다른 두 재원 사이의 비율은 필연적으로 그 나라 주민들의 일반적 속성, 즉 그들이 부지런한지 게으른지를 결정한다." 스미스는 이렇게 말한다. "그래서 예를 들어 낮은 계층의 주민들이 투하된 자본에 의존하여 살아가는 영국이나 네덜란드의 공업도시들에서는 전반적으로 주민들이 부지런하고 검소하고 절약적인 편이다. 반면에 [211]낮은 계층의 주민들이 낭비와 타인의 소득에 의존하여 살아가는 수도나 궁정들(즉 로마나 베르사유 같은 곳)에서는 전반적으로 주민들이 게으르고 방탕하고 가난한 편이다. …"[212]

"그래서 어디에서나 근면함과 나태함 사이의 비율을 결정하는 것은 자본 총액과 소득 총액 사이의 비율이다. 자본 총액이 더 많은 곳은 어디나 근면함이 지배적이며 소득 총액이 더 많은 곳은 나태함이 지배적이다. 그래서 **자본 총액의 증가 혹은 감소**[213]는 반드시 노동 총량—즉 생산적 노동자 수, 그리고 그에 따른 그 나라의 토지 및 노동의 연간 총생산물의 교환가치, 그 나라 모든 주민의 부와 실질적 소득—을 사실상 증가 혹은 감소시킨다. … 연간 절약되는 것은 연간 지출되는 것과 마찬가지로 규칙적으로 소비되며, 그것도 거의 같은 기간 동안에 소비된다. 그러나 그것은 다른 계층의 사람들에 의해 소비된다. 연간 소득 가운데 지출되는 부분은 자신들의 소비를 보전할 수 있는 어떤 것도 남기지 않고 모두 소비해버리는 서비스노동자들에 의해 소비된다.[214] [215]그러나 연간 소득 가운데 절약되는 부분은 자신들이 연간 소비한 가치액을 이윤과 함께 재생산하는 노동자들[216]에 의해 소비된다. … 둘 모두 똑같은 소비이긴 하지만 소비하는 사람은 서로 다른 것이다." 그리하여 이제 자신의 연간 저축에 의해 생산적 노동자 수를 추가로 늘릴 수 있는 공공 작업장을 창설하는 검약가[217]에 대한 스미스의 설교(같은 책의 이어지는 부분, 제2권, 제2편, 제3장, 328, 329쪽 이하)가 나온다. "그 사람은 같은 수의 생산적 노동자를 부양하는 데 사용할 일종의 영구적인 재원을 만드는 셈이다. 반면 낭비자는 생산적 노동자를 부양하는 데 사용할 재원의 양을 감소시킨다. … 비생산적 노동자가 소비하는 바로 이런 식량과 의복(낭비자의 지출로 인한 결과)이 만일 생산적 노동자에게 배분된다면 생산적 노동자들은 자신들이 소비한 것들의 가치를 **이윤과 함께 재생산할**[218] 것이다. …" 이 윤리적 결론은 이것들(절약과 낭비)이 개인들 사이에서 서로 상쇄되고 사실상 "이성"(sagesse)이 모든 것을 지배하게 되는 것으로 마무리된다. "큰 나라들은 개인의 낭비나 나태함으로 인해서는 결코 가난해지는 법이 없지만 그 정부의 낭비나 나태함으로 인해서는 가난해질 수 있다. 대부분의 나라들에서 G585 는 그 사회의 거의 모든 소득이 비생산적인 사람들을 고용하는 데 사용된다. 궁정에 근무하는 사람들, 교회,[219] 해군, 육군[220] — 이들은 평화 시에는 아무것도 생산하지 않고, 전시에도 전쟁 기간에 그 유지비용을 보전할 만한 어떤 수익도 벌어들이지 못한다 — 등이 바로 여기에 해당하는 사람들이다. **이런 종류의 사람들**은 **스스로 아무것도** 생산하지 않는다. **이들은 모두 다른 사람들의 노동생산물로 먹고산다.**[221] 따라서 이들의 숫자가 필요 이상으로 늘어나면 이들이 다른 사람의 노동생산물 가운데 소비하는 부분이 너무 커서 그다음 해에 노동생산물을 재생산할 생산적 노동자의 부양을 위해 남겨지는 부분이 충분하지 않게 된다. … "

제2편 제4장. "생산적 노동을 부양할 재원이 날로 증가하기 때문에 이 노동에 대한 수요도 날로 증가한다. 노동자들은 일자리를 ||398| 얻기 쉬워지고 자본소유자들은 고용할 수 있는 노동자를 찾기 어려워진다. 자본가들 사이의 경쟁으로 임금은 상승하고 이윤은 하락한다."(같은 책, 제2권, 제2편, 제4장, 359쪽)

제2편 제5장(제2권, 369쪽 이하) **"자본의 다양한 사용 방식"**에서 스미스는 이들 자본을 생산적 노동자를 얼마나 많이 고용하는지(즉 그 결과[222] 연간 생산물의 교환가치를 얼마나 높이는지)에 따라서 분류하고 있다. 그는 첫째는 **농업**, 다음은 **공업**, 그다음은 **상업**이고 마지막을 **소매업**으로 배열하고 있다. 이 순서는 생산적 노동을 얼마나 고용했는지에 따른 것이다.[223] 우리는 여기에서 생산적 노동에 대한 완전히 새로운 개념을 보게 된다.

"이 네 가지 방식으로 자신의 자본을 사용하는 사람들은 그 자신이 **생산적 노동자**[224]이다. 만일 이들의 노동이 제대로 사용되기만 하면 이들의 노동은 그것이 지출된 물적 대상(혹은 판매될 수 있는 물건)에 고정되고 실현되어, 대개 이 물적 대상의 가격에 적어도 자신들을 부양하는 데 필요한(그리고 그들의 개인적 소비에 들어가는) 가치를 부가한다."(같은 책, 374쪽) 〔전반적으로 스미스는 자본의 생산성을 자본이 고용하는 생산적 노동의 양으로 귀결시키고 있다.〕

차지농업가에 대해서는 이렇게 말하고 있다. "똑같은 양의 자본을 가지고 차지농업가보다 더 많은 양의 **생산적 노동**을 고용하는 자본은 없다. 그가 고용한 농업노동자뿐 아니라 **그가 사용하는 역축까지도 모두 생산적 노동자**이다."[225][376쪽] 이리하여 결국 황소까지도 생산적 노동자가 된다.

11. 로더데일. 스미스의 축적이론과 생산적 노동 및 비생산적 노동의 구별에 대한 반대론자

로더데일(백작), 『**사회적 부의 본질과 기원**』(런던, **1804**년)(**라장티 드 라바이스**가 번역한 프랑스어판은 **파리, 1808년**)

로더데일의 이윤에 대한 변호론은 나중에 제3장에서 다루게 될 것이

G586 다.[226] 그의 변호론에 따르면 이윤은 자본이 노동을 "**대신하기**" 때문에 자본 자신으로부터 발생한다. 자본은, 자본이 없다면 인간이 몸소 하거나 혹은 인간이 아예 할 수 없는 것을 해내는 대가로 이윤을 지불받는다는 것이다. ("오늘날 자본이윤의 원천이, 만일 자본이 없다면 인간이 자신의 손으로 직접 수행해야만 하는 노동 가운데 일부를 자본이 대신해주거나, 혹은 인간의 신체적 힘을 넘어서고 인간이 혼자 힘으로는 아예 해낼 수 없는 노동 가운데 일부를 자본이 완수해내는 데 있다는 것은 당연한 사실로 이해되고 있다."(프랑스어판, 119쪽))[227]

이 "백작" 나리께서는 스미스의 축적이론과 절약이론에 대한 강력한 반대자이다. **생산적 노동자와 비생산적 노동자**의 구별에 대한 그의 견해에 따르면 스미스가 "노동생산력"이라고 불렀던 것은 "자본의 생산력"에 불과한 것이기도 하다. 그는 잉여가치의 원천에 대한 스미스의 견해에도 곧바로 다음과 같은 이유로 반대한다.[228] "자본이윤에 대한 이 개념이 엄밀하게 맞는 것이라면, 이윤은 부의 본원적인 원천이 아니라 하나의 파생적인 원천에 불과한 것이 된다. 우리가 자본을 부의 원천 가운데 하나로 간주할 수 없는 까닭은 자본이 얻는 이윤이란 노동자의 호주머니에 있던 것을 자본가의 호주머니로 옮기는 것에 불과하기 때문이다."(같은 책, 116, 117쪽) 이런 생각에 비추어 볼 때 스미스에 대한 그의 반론도 매우 천박할 것임이 분명하다. 그는 이렇게 말한다. "그래서 똑같은 노동이라 할지라도 나중에 그 노동을 사용하게 되는 대상에 따라 생산적 노동이 될 수도 있고 비생산적 노동이 될 수도 있다. 예를 들어 내 요리사가 내가 즉석에서 먹어치울 타르트를 만든다면 그는 비생산적 노동자가 되고, 그의 노동도 또한 그것이 곧바로 사라져버릴 것이기 때문에 비생산적 노동이 될 것이다. 그러나 똑같은 노동이 제과점에서 이루어진다면 그것은 생산적 노동이 될 것이다."(같은 책, 110쪽) (이 견해는 **가르니에**가 로더데일에 비해 우선권을 갖는데, 왜냐하면 가르니에가 스미스에 대한 주석을 붙인 책을 출판한 것이 1802년으로 로더데일보다 2년 앞서 있기 때

문이다.) "단지 서비스노동의 지속성에만 근거하는 이 이상한 구별은 사회에서 가장 중요한 기능을 수행하는 사람들을 비생산적 노동자의 범주에 포함시킨다. 군주, 성직자, 정부관리, 군인과 같은 사람들(국민의 건강을 유지하고 교육을 담당하는 … 고도의 숙련을 갖춘 사람들을 포함하여)이 모두 비생산적 노동자로 간주된다."(같은 책, 111쪽)(혹은 A. 스미스가 제2권 제2편 제3장 313쪽에서 열거하는 바와 같이 "성직자, 법률가, 의사, 문인, 그리고 연극배우, 어릿광대, 음악가, 가수, 오페라의 무용수 등.") "교환가치가 부의 기초라는 주장에 대해서는, 그것이 틀렸다는 것을 보여주기 위해 오래 심사숙고할 필요가 전혀 없다. 이들의 봉사에 대해서 ||399| 사람들이 어떤 대가를 지불하고 있는지를 보는 것만으로도 이런 주장이 틀렸다는 것은 금방 알 수 있는 일이다." 그는 계속해서 이렇게 말한다.

"공업노동자의 노동은 어떤 판매 가능한 생산물에 고정되고 대상화된다. … 물론 [229]**서비스노동자의 노동**이나 유동자본〔그가 여기에서 유동자본이라고 생각한 것은 **화폐**이다〕의 노동은 모두 일정한 가치에 따라 양도되는 하나의 재원(혹은 축적)을 이루지는 않는다. 이들 후자의 노동이 만들어내는 수익은 공업노동자의 노동과 똑같은 방식으로 그것들이 그들 노동의 **주인**이나 소유자의 **노동을 절약해주는** 데서 비롯된 것이다. 이들이 만들어내는 성과는 전자의 노동과 별로 다르지 않은 것이어서, 만일 후자의 노동을 비생산적이라고 생각하는 사람이 있다면 그 사람은 전자의 노동에 대해서도 똑같이 비생산적이라고 생각해야만 할 것이다."〔여기에서 로더데일은 스미스의 제2편 제2장을 인용하고 있다〕[230](**로더데일, 같은 책, 144, 145쪽**) G587

그리하여 우리는 페리에, 가르니에, 로더데일,[231] 가닐이 일렬로 똑같은 줄에 나란히 서 있다는 것을 알 수 있다. 마지막 부분에 있는 "**노동을 절약해준다**"는 구절은 **토크빌**이 특히 자주 사용하던 구절이다.

12. 비물질적 생산물에 대한 세이의 견해. 비생산적 노동의 지속적 증가에 대한 변호론

가르니에의 번역본이 출판되고 나서 천박한 **J. -B. 세**의 『**경제학 개론**』이 출판되었다. 그는 스미스가 "이들의 활동의 **결과물**에 대해서 **생산물**이라고 부르기를 거부했고 이들의 노동을 **비생산적** 노동으로 불렀다"(제3판, 117쪽)고 비난했다. 그러나 스미스는 "이들의 활동"이 하나의 "결과물", 즉 일종의 "생산물"을 생산한다는 점을 결코 부인하지 않았다. 더구나 그는 "국방, 치안, 방위"가 (정부관리들의) "연간노동의 결과물"이라는 점을 명시적으로 언급했다(**스미스**, 가르니에 엮음, 제2권, 제2편, 제3장, 313쪽).[232] 세는 스미스의 부수적인 규정에 대해서는 스스로 지지를 보내고 있는데 그 규정

은 이들 "서비스노동"과 그것의 "생산물이 대개 그것이 수행되는 순간(즉 그것이 생산되는 순간) 곧바로 소멸한다"는 것이다(스미스, 같은 곳).[233] 세는 이렇게 소비되는 "서비스노동" 혹은 그것의 생산물, 결과물(요컨대 그것의 사용가치)을 "비물질적 생산물 혹은 생산되는 순간 소비되는 가치"[116쪽]라고 부른다. 그는 이들 노동에 대하여 "비생산적"이라는 표현 대신에 "[234]비물질적 생산물을 생산하는" 노동이라고 부른다. 그는 다른 명칭을 부여한 것이다. 그러나 그런 다음 그는 계속해서 이렇게 설명한다.[235] "이들 노동자는 국가의 자본을 증가시키는 데는 기여하지 않는다."(제1권, 119쪽) "많은 음악가, 성직자, 관리 등을 가지고 있는 나라는 매우 즐거운 생활을 누리고, 좋은 설교를 듣고, 잘 갖추어진 행정체계 속에서 살아갈 수 있다. 그러나 그것이 전부이다. 이 나라의 자본은 이들 분야에서 종사하는 사람들의 노동으로부터 조금도 증가할 수 없다. 왜냐하면 이들의 생산물은 만들어지는 족족 모두 소비되어버리기 때문이다."(같은 책, 119쪽) 그래서 세는 이들 노동을 스미스가 말했던 극도로 편협한 의미에서의 **비생산적 노동**으로 규정해버린다. 그러나 그는 이와 함께 가르니에의 "진일보한 견해"도 자신의 것으로 취하려고 한다. 즉 그는 비생산적 노동에 대하여 새로운 이름을 찾아냈다. 이것이 그의 독창적[236]이고 생산적인 측면이자 새로운 발견이었다. 그러면서 그는 자신에게 익숙한 논리로 다시 자기 자신에게 반론을 제기한다. "의사, 법률가, 기타 그런 종류의 사람들의 노동이 생산적이라는 이유로, 다른 노동과 마찬가지로 이들의 노동을 증가시키는 것도 한 나라에 이익이 된다는 결론을 이끌어내는 가르니에의 견해에는 결코 동의할 수 없다."(같은 책, 120쪽) 그러나 만일 어떤 노동이 다른 노동과 마찬가지로 생산적이고, 생산적 노동의 증가가 일반적으로 "한 나라에 이익이" 된다면 왜 이 견해에 동의할 수
G588 없는 것일까? 이런 노동을 증가시키는 것은 왜 다른 노동을 증가시키는 것과 마찬가지로 이익이 되지 않는 것일까? 세는 특유의 심각한 어조로 이렇게 답한다. 왜냐하면 어떤 종류의 생산적 노동을 그 노동에 대한 수요 이상으로 증가시키는 것은 일반적으로 이익이 되지 않기 때문이다. 그러나 만일 그렇다면 가르니에의 견해가 맞지 않는가? 만일 그렇다면 어떤 종류의 노동을 일정량 이상으로 증가시키는 것은 다른 종류의 노동과 마찬가지로 이익이 될 수도 있으며 손해가 될 수도 있을 것이다. 세는 계속해서 이렇게 말한다. "이것은 어떤 생산물을 생산하는 데 필요한 것보다 더 많은 양을 사용하는 육체노동의 경우와 똑같다. ([237]탁자를 만드는 데 탁자의 생산에 필요한 것보

다 더 많은 노동을 사용할 필요는 없다. 마찬가지로 환자의 몸을 치료하는데 치료에 필요한 것보다 더 많은 노동은 필요 없다. 따라서 변호사와 의사는 자신들의 비물질적 생산물을 생산하는 데 필요한 노동만을 사용한다.) 비물질적 생산물을 생산하는 생산적 노동은 **다른 모든 노동과 마찬가지로** 그것이 생산물의 유용성, 따라서 가치를(즉 사용가치를 말하는데 세는 여기에서 유용성을 교환가치와 혼동하고 있다) 증가시키는 한에서만 생산적이다. 그 한도를 넘으면 그 노동은 순전히 비생산적 노동이다."(같은 책, 120쪽) 따라서 세의 논리는 이렇게 된다.[238]

한 나라에서 "비물질적 생산물의 생산자"를 증가시키는 것은 물질적 생산물의 생산자 수를 늘리는 것에 비해 **유용하지 못하다**. 그 **근거**는 다음과 같다. 즉 어떤 생산물의 생산자든(물질적 생산자든, 비물질적 생산자든) 필요 이상으로 그 수를 늘리는 것은 절대적으로 쓸모없는 일이다. **따라서** 물질적 생산자의 수를 필요 이상으로[239] 늘리는 것이 비물질적 생산자를 늘리는 것보다는 더 유용하다. 두 경우 모두 생산자 수를 늘리는 것 자체가 쓸모없는 것이 아니라 특정 부문의 생산자 수를 다른 부문의 생산자 수에 비해 늘리는 것이 쓸모없는 것이다. 물질적 생산물은 ||400| 비물질적 생산물과 마찬가지로 결코 지나치게 많이 생산될 수 없다. 그러나 다른 것과의 교환은 즐거움을 안겨준다. 따라서 두 부문 모두 서로 다른 종류의 생산물을 생산할 필요가 있다. 게다가 세는 이렇게 가르치고 있다. "여러 생산물의 판매가 지체되는 것은 다른 여러 생산물이 부족한 데서 비롯된 것이다."[438쪽] 따라서 탁자가 지나치게 많이 생산되는 경우란 결코 있을 수 없고 기껏해야 [240]탁자 위에 놓을 접시가 너무 적게 생산되는 경우 정도[241]가 있을 뿐이다. 의사가 지나치게 많아졌다면[242] 그들의 의료 서비스가 지나치게 많아진 것이 문제가 아니라 다른 비물질적 생산물의 생산자, 예를 들어 매춘부(같은 책, 123쪽을 보라. 거기에서 세는 짐꾼이나 매춘부의 노동을 똑같은 것으로 취급하며 매춘부에 대한 "교육은 아무런 쓸모도 없는 것"이라고 단언하고 있다)의 수가 지나치게 적은 것이 문제인 것이다. 결국 세에 따르면 "비생산적 노동자" 쪽의 균형이 문제가 된다. 우리는 주어진[243] 생산조건하에서 하나의 탁자를 만드는 데 몇 명의 노동자가 필요하며 일정량의 생산물을 생산하는 데 특정 종류의 노동이 얼마나 필요한지를 정확하게 알고 있다. 그런데 많은 "비물질적 생산물"
의 경우에는 그렇지 않다. 그 경우에는 일정한 결과물을 얻기 위해 필요한 G589
노동량은 그 결과물[244] 자체와 마찬가지로 예측하기 어렵다. 신부 20명이 한

데 힘을 합쳐 신부 한 사람으로는 도저히 해낼 수 없는 개과천선을 이루어낼 수 있으며 의사 6명이 서로 힘을 합쳐 의사 한 사람으로는 도저히 찾아낼 수 없는 치료법을 찾아낼 수 있다. 여러 재판관이 함께 판결을 내리는 합의부는 단 한 사람의 판사가 모든 것을 판결하는 단독부보다 훨씬 더 공정한 판결을 내릴 수 있다. 나라를 지키는 데 필요한 병사의 수, 치안을 유지하는 데 필요한 경찰의 수, 행정 업무를 잘[245] 처리하는 데 필요한 관리의 수 같은 것은 모두 논란의 여지가 많아서 예를 들어 [246]영국 의회에서 — 실 1,000파운드를 생산하는 데 방적공 몇 명이 필요한지에 대해서는 매우 정확하게 알고 있는 바로 그 영국에서 — 자주 논쟁을 불러일으키는 사안들이다. 이런 종류의 여타 "생산적" 노동자들은 그 개념 속에 이미 그들이 만들어내는 유용성이 그들의 수에 의존하고 그들 자신의 수로 이루어진다는 것을 포함하고 있다. 예를 들어 하인들은 곧 그들의 주인이 누리는 부와 고귀한 신분에 대한 [247]증거이다. 이들 하인의 수가 많을수록 이들이 "생산하게" 되는 효과도 그만큼 더 커질 것이다. 그래서 세에게는 "비생산적 노동자"가 과도하게 증가하는 일이 결코 있을 수 없다.

G. 가르니에는 **1796년** 파리에서 『**경제학 원리 개요**』를 출간했다. 이 책에는 농업만이 생산적이라는 중농주의적 견해와 함께 다른 견해(A. 스미스에 대한 그의 비판적 견해가 매우 잘 드러나는)가 담겨 있는데 그것은 곧 소비("비생산적 노동자"에 의해 잘 대표되는)[248]가 생산의 원천이며 생산의 크기는 소비의 크기에 의해 측정된다는 견해이다. 비생산적 노동자는 인위적 욕구를 충족해주고 물적 생산물을 소비하기 때문에 어떤 경우에도 항상 유용하다. 그래서 그는 절약에 대해서도 반대한다. 그는 서문 13쪽에서 이렇게 말하고 있다. "개인의 부는 절약에 의해 증가한다. [249]**그러나** 사회적 부는 소비의 증가를 통해서 늘어난다." 그리고 국채에 관한 장(章)의 240쪽에서 그는 이렇게 말하고 있다. "농업의 개량과 확대, 그리고 그에 따른 공업과 상업의 발달에는 **다름 아닌** 인위적 욕구의 증가 외에는 다른 **원인**이 없다." 그리하여 그는 국채가 바로 이런 욕구를 증가시키는 것이기 때문에 매우 유용한 것이라는 결론을 내리고 있다.

13. 데스튀트 드 트라시. 이윤의 원천에 대한 속류적 견해. 산업자본가를 유일한 생산적 노동자로 미화

데스튀트 드 트라시. 『이데올로기의 기본 원리. 제4부와 제5부, 의지와 그 작용에 대한 고찰』, 파리, 1826년(1815년〔초판 — 옮긴이〕).

"모든 유용한 노동은 사실상 생산적이며 노동하는 모든 사회적 계급은 똑

같이 **생산적**이라고 불릴 자격을 가지고 있다."(87쪽) 그러나 그는 이들 생산적 계급 중에서 "우리의 모든 부를 **직접 생산하는** 노동계급"(88쪽)을 따로 구별하고 있는데 그것은 바로 스미스가 생산적 노동자라고 부른 계급이다.

반면 **비생산적** 계급은 지대와 이자를 소비하는 부자들로 이루어진다. 이 G590
들은 **무위도식하는 계급**이다. "진정한 의미의 **비생산적** 계급은 무위도식자들로서, 이들은 그들보다 앞서 수행된 노동의 생산물—즉 그들이 노동자들에게 **임대한**[250] 토지의 소유를 통해 실현된 생산물 혹은 역시 어떤 보상을 대가로 대여한(이것도 역시 하나의 **임대행위**[251]인데) 화폐나 물건을 통해 획득한 생산물—에 의해 **고귀하게** 생활하는 것 외에는 아무것도 하지 않는 자들이다. 이들은 진정한 의미에서 벌통의 수벌들(오로지 소비만을 위해 태어난)이다."(87쪽) 또한 이 무위도식자들은 "자신들의 [252]**소득** 이외에는 아무것도 지출할 수 없다. 만일 이들이 자신들의 재원을 ||401| 갉아먹는다면 그것은 결코 보전되지 못할 것이고 그들의 소비는 일순간 팽창하겠지만 곧바로 영원히 중단될 것이다."(237쪽) "이 **소득**은 … 다름 아닌 노동하는 시민들의 활동이 만들어낸 생산물에서 공제된 것이다."(236쪽) 이 무위도식자들이 직접 사용하는 노동자들의 경우는 어떻게 되는가? 이 무위도식자들이 상품[253]을 소비하는 한 이들은 노동을 직접 소비하는 것이 아니라 생산적 노동자들의 생산물을 소비한다. 따라서 이 경우에는 무위도식자들이 자신들의 소득을 직접 지출하고[254] 제공받는 노동을 수행하는 노동자들, 즉 자신들의 임금을 직접 소득(자본이 아니라)으로부터 지불받는 노동자들이 문제가 된다. "그것(소득)을 소유하고 있는 사람들은 무위도식자들이기 때문에 이들이 **생산적 노동을 지휘하지 않는다**는 것은 명백하다. 그들로부터 임금을 지불받는 노동자들은 모두 오로지 이들에게 향락을 제공하도록 되어 있는 사람들뿐이다. 이런 향락의 종류가 여러 가지일 것은 틀림없다. … 이들 계급 전체의 지출은 … 많은 사람들을 부양하고 그 생존을 가능하게 하지만 그들의 노동은 전적으로 비생산적이다. … 이들의 지출 가운데 일부는 어느 정도 생산적인 것일 수도 있는데 예를 들어 집을 짓거나 토지를 개량하는 경우가 거기에 해당한다. 그러나 이것은 무위도식자들이 일시적으로 생산적 노동을 지휘하는 극히 예외적인 경우이다.[255] 이런 극히 드문 예외를 제외하고는 이런 종류의 자본가들이 행하는 모든 소비는 재생산의 관점에서 볼 때 무조건 하나의 순손실이며 과거에 얻은 부에서 공제되는 부분에 해당한다." [본래적 의미에서 스미스 경제학은 자본가를 오로지 인격화된 자본으로만, 즉

G — W — G의 생산을 담당하는 자로만 간주한다. 그러나 이들이 생산한 생산물을 누가 소비한단 말인가? 노동자가 하는 것일까? 아니다. 자본가 자신이 하는 것일까? 만일 그렇다면 그는 엄청난 무위도식의 소비자이지 자본가가 아니다. 그렇다면 지대를 받는 토지소유자와 이자를 받는 화폐소유자가 하는 것일까? 이들은 자신들이 소비한 것을 재생산하지 않으며 따라서 부를 잠식하고 있을 뿐이다. 그런데 [256]이 모순된 견해 — 자본가를[257] 본래적 의미의[258] 화폐축장자(환상적인)가 아니라 오로지 현실적 화폐축장자로만 간주하는 — 에는 옳은 점이 두 가지 있다. 1) 자본(따라서 그것이 인격화된 존재인 자본가도)[259]은 오로지 생산과 생산력의 발전을 위한 담당자로만 간주된다. 2) 앞으로 닥쳐올 자본주의 사회의 관점, 즉 사용가치가 아니라 교환가치를 중시하고 향락이 아니라 부를 중시하는 관점이 바로 그것이다. 이
G591 런 관점에서는, 사회가 스스로 착취와 소비를 결부하는 것을 배우고 향락적인 부를 자신에게 예속시키기 전까지는, 그런 향락적인 부가 하나의 방종으로 간주되었다.](236쪽)

“이 소득(무위도식자들을 먹여 살리는)이 어떻게 형성되는지를 알아내기 위해서는 언제나 **산업자본가들**에게로 되돌아가야만 한다.”(237쪽 각주) **산업자본가** — 두 번째 부류의 자본가 — 란 “각 산업부문의 모든 기업가를 포괄하는데, 이들은 곧 **자본을 소유하고** 있으면서 … 그것을 타인에게 빌려주는 것이 아니라, 자신의 능력과 노동을 발휘하여 스스로 그 자본을 증식시키는 사람들을 가리킨다. 따라서 임금이나 소득으로 살아가는 사람들이 아니라 **이윤**으로 살아가는 사람들을 말한다.”(237쪽) 데스튀트에게서는 — A. 스미스에게서도 이미 나타났듯이 — 외견상 생산적 노동자에 대한 찬사가 사실상 오로지 자신들의 소득에만 의존해서 살아가는 지주와 화폐자본가들과 대비되는 **산업자본가들**에 대한 찬사로 드러나고 있다. “이들은 … 한 사회의 모든 부를 자신들의 수중에 장악하고 있다. … 이들은 매년 이 부에 대한 임대료뿐 아니라 바로 자본 자체까지도 함께 지출하는데, 만일 사업의 진행이 신속하게 이루어지기만 한다면 이런 자본지출을 한 해 동안에 여러 차례 수행하기도 한다. 왜냐하면 이들은 사업가로서 이윤과 함께 자신들에게로 환류되지 않는 지출은 일절 하지 않기 때문에 그들의 이윤은 그들이 이런 조건에서 수행할 수 있는 지출이 클수록 더욱 커질 것이기 때문이다.”(237, 238쪽)

개인적 소비에 관한 한, 그들은 무위도식하는 자본가들과 마찬가지의 소

비를 한다. 그러나 그들의 소비는 “대개 매우 절제된 것인데 왜냐하면 사업가들은 대개 검소하기 때문이다.”(238쪽) 그러나 산업적 소비의 측면에서는 그렇지 않다. “산업적 소비는 최종적인 것이 아니다. 그것은 이윤과 함께 그들에게 되돌아온다.”(같은 곳) 그들의 이윤은 그들 자신의 “개인적 소비뿐 아니라 무위도식하는 자본가들이 소유하고 있는 토지와 화폐에 대한 임대료”까지도 모두 지불할 수 있을 만큼 충분히 커야만 한다.(238쪽) 데스튀트의 이 말은 옳다. 토지와 화폐의 임대료는 산업이윤에서 **“공제된 것”**, 즉 산업자본가가 자신의 총이윤에서 지주와 화폐자본가에게 양도하는 부분에 불과하다.

“부유한 무위도식자들의 소득은 생산에서 공제된 임대료일 뿐이며 오로지 생산만이 이들 소득의 원천이다.”(248쪽) 산업자본가는 “임대료를 지불하고 이들(즉 무위도식하는 자본가)의 토지와 집과 화폐를 빌려서 그것을 사용하여 거기에서 **임대료를 초과하는 이윤**을 뽑아낸다.”[237쪽] 즉 그 임대료는 산업자본가가 무위도식자들에게 지불하는 것으로 그 이윤의 일부이다. 그들이 이렇게 해서 무위도식자들에게 지불하는 이 임대료는 “무위도식자들의 유일한 소득이며 그들의 연간 지출의 유일한 재원이다.”(238쪽)

여기까지는 모두 맞는 말이다. 그런데 **임노동자**(산업자본가가 고용하는 생산적 노동자)의 경우는 어떻게 되는 것일까?

G592 “그들은 자신의 일상적 노동 이외에는 아무것도 가진 것이 없다. 이 노동은 그들에게 임금을 만들어준다. … 그런데 이 임금은 어디에서 나오는 것인가? 그것은 명백히 임노동자들이 **자신의 노동을 판매하는** 사람들의 재산, ||402| 즉 이미 그 사람들의 소유물로 존재하던 재원(**다름 아닌 과거에 수행된 노동에 의해 축적된 생산물**)으로부터 나온다. 따라서 이 재원으로부터 지불된 소비는[260] 임노동자들이 그것으로 생계를 유지한다는 의미에서 임노동자들의 소비이긴 하지만, 본질적으로 볼 때 **그것을 지불한 사람은 그들 임노동자가 아니고 그들 고용주의 수중에 이미 존재하던 재원을 통해서만** 지불되는 것이다. 그러므로 그들의 소비는 그들을 고용한 사람들의 소비로 간주해야 한다. 그것은 단지 한 손으로 받았다가 다른 손으로 되돌려 주는 것에 불과하다. … 그들(임노동자)이 지출하는 것만이 아니라 그들이 받는 것도 모두 **그들의** 노동을 **구매한 사람의** 실질적인 지출이자 **소비**로 간주되어야 한다. 이것이 바로 진실이기 때문에 이 소비가 현존하는 부에 어느 정도의 손실을 끼칠지 아니면 그 부를 증가시키는 경향을 보일지 확인하기 위해서는 … 어

떻게 해서든 **자본가가 그들이 구매한 노동을 어떻게 사용하는지**를 알아야만 한다."(234, 235쪽)[261]

좋다. 그런데 기업가들로 하여금 그들 자신과[262] 무위도식하는 자본가들의 소득을 모두 지불할 수 있도록 만들어주는 이윤은 어디에서 오는 것일까?

"사람들은 내게 이 산업자본가가 그만한 크기의 이윤을 어떻게 만드는지, 어디에서 그런 이윤을 뽑아내는지를 묻는다. 나는 이렇게 대답한다. [263]**산업자본가들은 그들이 생산한 모든 것을 그것을 생산하는 데 들인 비용보다 더 비싸게 판매함으로써 그런 이윤을 만들어낸다**."(239쪽) 그렇다면 그들은 누구에게 더 비싸게[264] 판매하는가?

"그들은 그들이 생산한 것을

1) 그들의 욕망을 충족할 목적으로 그들이 자신들의 이윤 가운데 일부로 지불하는 그들의 소비 전체 부분에 대하여 서로 간에 판매한다.

2) 임노동자(그들이 직접 고용했거나 무위도식하는 자본가들이 고용한)에게 판매한다. 이를 통해서 그들은 임노동자들에게 지불한 **임금 가운데** 약간의 저축액을 제외한 **나머지 모두를 임노동자로부터 회수한다**.

3) 무위도식하는 자본가들에게 판매한다. 이들 무위도식하는 자본가들은 **산업자본가들의 소득 가운데** 그들이 직접 고용한 임노동자들에게 지불한 것 이외의 **부분으로 이 생산물의 대금을** 산업자본가들에게 **지불한다.** 그 결과 산업자본가들은 매년 그들이 무위도식하는 자본가들에게 지불한 임대료 전부를 이런저런 방식으로 무위도식 자본가들로부터 회수한다."(같은 책, 239쪽)

이제 판매와 관련된 이들 세 항목을 조금 더 자세히 살펴보기로 하자. 1) 산업자본가들은 자신들의 [265]생산물(이윤) 가운데 **일부를** 자신들이 먹어치운다. 그들은 서로를 속이거나 각자 자신들의 생산물을 자신들이 들인 **비용**보다 더 **비싸게** 서로에게 판매하는 방법을 통해서는 부자가 될 수 없다. 또한 어느 누구도 그런 방식으로 다른 사람을 속일 수도 없다. 산업자본가 A가 자신의 생산물 A를 그것을 소비할 산업자본가 B에게 더 비싸게 판매한다면, 산업자본가 B도 자신의 생산물 B를 그것을 소비할 산업자본가 A[266]에게 더 비싸게 판매할 것이다. 그것은 결국 A와 B가 자신들의 생산물을 서로 실제
G593 가치대로 판매한 경우와 마찬가지 결과가 될 것이다. 이 첫 번째 항목은 우리에게 자본가가 자신의 이윤 가운데 일부를 어떻게 소비하는지를 보여준

다. 그러나 그것은 그 이윤이 어디에서 온 것인지를 보여주지는 않는다. 어쨌든 자본가들은 "자신들이 생산한 것을 **서로에게** 그것을 생산하는 데 들인 비용보다 **더 비싸게 판매하는**" 방식으로 이윤을 만들지는 못한다.

2) 산업자본가들은 생산물 가운데 일부를[267] 자신의 노동자들에게 **생산비 이상**의 가격으로 판매하는 방식으로도 역시 마찬가지로 이윤을 만들 수 없다. 가정에 의하면 [268]노동자들의 모든 소비는 사실상 "그들의 노동을 구매한 사람들의 소비"이다. 게다가 데스튀트는 자본가들이 임노동자(자신과 무위도식하는 자본가들이 고용한)에게 자신의 생산물을 판매함으로써 "그들의 임금 총액을 회수한다"는 이야기까지 덧붙인다. 심지어 그것도 총액 모두가 아니라 일부 저축액을 제외한 나머지를 회수한다고 이야기한다. 그들이 임노동자들에게 생산물을 더 저렴하게 판매하든 더 비싸게 판매하든 그 결과는 전적으로 동일하다. 왜냐하면 그들은 언제나 단지 노동자들에게 자신이 지불한 것을 돌려받는 것일 뿐이기 때문이다. 다시 말해서 그의 표현대로 "임노동자들은 한 손으로 그것을 받았다가 다른 손으로 되돌려 주는" 것일 뿐이다. 자본가는 처음에 노동자들에게 임금을 **화폐**로 지불한다. 그런 다음 그는 노동자들에게 자신의 생산물을 더욱 "비싸게" [269]판매하고 그럼으로써 화폐를 되돌려 받는다. 노동자들은 자본가에게서 받은 것보다 더 많은 화폐를 자본가에게 되돌려 줄 수 없기 때문에 자본가는 **결코** 자신이 노동자의 노동에 **지불한** 것보다 **더 비싸게** 자신의 생산물을 노동자에게 판매**할 수 없다**. 그는 언제나 자신의 생산물 판매를 통해서 그가 노동자에게 노동의 대가로 지불한 것과 똑같은 양의 화폐를 회수할[270] 수 있을 뿐이다. 거기에서 한 푼도 더 되돌려 받을 수는 없다. 이 "유통"을 통해서 그의 화폐가 어떻게 더 늘어날 수 있겠는가?|

|403| 게다가 데스튀트는 또 하나의 불합리한 점을 안고 있다. 자본가 C는 노동자 A에게 주급으로 1파운드스털링을 지불한 다음 그에게 자신의 상품 1파운드스털링어치를 판매함으로써 그 1파운드스털링을 되돌려 받는다. 데스튀트는 이런 방식을 통해서 자본가가 임금 총액을 회수한다고 생각한다. 그런데 자본가는 처음에 노동자에게 1파운드스털링을 주었다. 그런 다음 그는 노동자에게 1파운드스털링어치의 상품을 주었다. 따라서 그가 노동자에게 준 것은 사실상 모두 2파운드스털링이다. 즉 1파운드스털링은 상품으로, 1파운드스털링은 화폐로 주었다. 이 2파운드스털링 가운데 그는 1파운드스털링을 화폐로 회수했다. 따라서 그는 임금 1파운드스털링 가운

데 한 푼도 사실상 회수하지 못했다. 그리고 만일 그가 이처럼 임금을 "되돌려 받는" 방식으로(노동자가 상품으로 그에게 선대되었던 것을 노동으로 되돌려 주는 방식이 아니라) 부자가 되려고 한다면 그는 곧 벽에 부딪히게 될 것이다. 고귀한 데스튀트는 여기에서 화폐유통을 현실의 상품유통과 혼동하고 있다. 자본가는 노동자에게 [271] 직접 상품 1파운드스털링어치를 주는 대신 화폐 1파운드스털링을 줌으로써, 노동자가 이 화폐를 가지고 자신이 구매하고 싶은 임의의 상품을 정하여 자본가의 생산물 가운데 일부를 자신의 몫으로 획득한 다음, 자본가에게 화폐형태로 된 그 증서(자본가가 노동자에게 자본가의 상품을 살 수 있도록 제공한)를 되돌려 주기 때문에, 데스튀트는 자본가가 동일한 금액의 화폐를 회수하는 방식으로 임금 총액을 되돌려 받는다고[272] 생각한다. 그리고 같은 곳에서 데스튀트는 유통 현상은 "알 수 없다"(239쪽)고
G594 지적하고 있다. 물론 그는 그 현상을 전혀 알지 못한다. 만일 데스튀트가 이런 특이한 방식으로 "임금 총액의 회수"를 설명하지 않았다 해도 이 불합리성은 적어도 이제 곧 이야기하게 될 방식으로 생각할 수 있었을 것이다. (그런데 그가 얼마나 영리한지를 설명하기 위해 미리 이야기해둘 것이 있다. 만일 내가 어떤 상점에 들어갔는데 상점 주인이 내게 1파운드스털링을 주었고 내가 그 돈으로 그의 가게에서 1파운드스털링어치의 상품을 구매했다면 그는 1파운드스털링을 회수하게 될 것이다. 그런데 어느 누구도 이 상점 주인이 이런 짓을 통해 부자가 되었다고 주장하지는 않을 것이다. 그는 원래 1파운드스털링의 화폐와 1파운드스털링어치의 상품을 가지고 있다가 이제 단지 1파운드스털링의 화폐만 갖게 되었다. 설사 그의 상품이 10실링의 가치밖에 되지 않는데 그것을 그가 내게 1파운드스털링에 판매했다고 하더라도 그는 판매를 하기 전에 비해 여전히 10실링만큼—1파운드스털링의 화폐 총액을 회수했음에도 불구하고—더 가난해졌을 것이다.) 만일 자본가 C가 노동자에게 1파운드스털링의 임금을 준 다음 10실링의 가치를 가진 상품을 1파운드스털링에 노동자에게 판매한다면 물론 그는 10실링의 상품을 노동자에게 더 비싸게 판매했기 때문에 10실링으로부터 이윤을 얻게 될 것이다. 그러나 데스튀트의 관점에서 보더라도 C의 이윤이 어디에서 생겨난 것인지는 알 수 없을 것이다. (이윤은 자본가가 노동자에게 **명목상** 지불한 것보다 더 적은 임금을 지불했기 때문에, 즉 생산물 가운데 노동에 대한 대가로 그가 노동자에게 제공한 부분이 명목상 노동자에게 지불된 것보다 더 적었기 때문에 발생한 것이다.) 만일 자본가가 노동자에게 10실링을 주고 상품을 10실링에 판매했다고 해도, 이때 자본가의 부는 그가 노동자에게 1파운드

스털링을 지불하고 자신의[273] 10실링어치의 상품을 노동자에게 1파운드스털링에 판매한 경우에 비해 조금도 달라지지 않았을 것이다. 게다가 데스튀트는 필요임금을 전제로 삼는다. 여기에서는 기껏해야 이윤이 임금 지불의 속임수를 통해 설명되고 있을 뿐이다.

따라서 이 2)는 데스튀트가 생산적 노동자가 무엇인지를 완전히 [274]잊고 있으며 이윤의 원천에 대해서도 까맣게 모르고 있다는 것을 보여준다. 기껏 이 경우를 통해 이야기할 수 있는 것이라곤 자본가가 자신의 생산물을 자신이 고용한 노동자가 아니라 무위도식하는 자본가가 고용한 노동자에게 판매하는 것인 한 자본가의 이윤은 생산물을 그 가치 이상으로 비싸게 판매함으로써 만들어낸다는 것 정도일 뿐이다. 그러나 비생산적 노동자의 소비는 사실상 무위도식하는 자본가의 소비 가운데 일부일 뿐이므로 이제 우리는 3)의 경우로 가게 된다.

3) 산업자본가들은 자신들의 생산물을 무위도식하는 자본가들에게 그 가치 이상으로 "더 비싸게" 판매하는데, "이들 무위도식하는 자본가들은 산업자본가들의 소득 가운데 그들이 직접 고용한 임노동자들에게 지불한 것 이외의 부분[275]으로 이 생산물의 대금을 산업자본가들에게 지불한다. 그 결과 산업자본가들은 매년 그들이 무위도식하는 자본가들에게 지불한 임대료 모두를 이런저런 방식으로 무위도식하는 자본가들로부터 회수한다."

여기에서 다시 앞서 임금 총액이 모두 회수된다고 했던 그 이야기와 마찬가지로 임대료가 모두 회수된다는 유치한 견해가 반복된다. 예를 들어 C가 토지와 화폐에 대한 임대료로 100파운드스털링을 O(무위도식하는 자본가)에게 지불한다고 하자. C에게 100파운드스털링은 지불수단이다. 그리고 O에게 그것은 구매수단으로 그는 이것을 가지고 100파운드스털링어치의 상품을 C의 가게에서 구입한다. 그리하여 100파운드스털링은 C의 상품이 전화한 형태로서 C에게로 회수된다. 그러나 C는 이제 과거에 비해 상품을 100파운드스털링어치 적게 가지고 있다. 그는 직접 100파운드스털링어치 G595 의 상품을 O에게 주는 대신 화폐를 주었고 O는 이 화폐로 C의 상품을 구매했다. 그런데 O는 이 100파운드스털링어치의 상품을 자신의 재원으로 구매한 것이 아니라 C의 화폐로 구매했다. 그리고 이런 방식을 통해서 C는 O에게 지불한 임대료를 모두 회수한다고 데스튀트는 생각한 것이다. 이 얼마나 어리석은가! 이것이 데스튀트의 첫 번째 불합리한 점이다.

둘째 데스튀트는 토지와 화폐의 임대료가 산업자본가의 이윤에서 공제된

부분, 즉 이윤 가운데 무위도식하는 자본가에게 떼어내 준 부분에 불과하다고 우리에게 스스로 말했다. 그런데 만일 C가 어떤 교묘한 방법으로 — 데스튀트가 이야기한 두 가지 방식으로는 모두 불가능한 일이긴 하지만 — 이 부분을 모두 ||404| 회수했다면, 다시 말해 자본가 C가 토지소유자와 화폐자본가 누구에게도 임대료를 한 푼도 지불하지 않고 그가 이윤을 **깡그리** 모두 가졌다고 가정한다 하더라도, 여전히 설명되어야 할 부분으로 남는 의문은 그가 도대체 이 이윤을 **어디에서** 가져왔으며 그는 그것을 어떻게 만들었는가, 이윤은 도대체 어떻게 생겨난 것인가 하는 문제이다. 그가 이 이윤에서 토지소유자나 화폐자본가의 몫을 떼어내 주지 않고 모두 **차지했다**고 하는 것으로는 이 의문이 설명되지 않는 것과 마찬가지로, 그가 자신의 이윤 가운데 [276]무위도식하는 자본가에게 이런저런 명목으로 지출한 부분을 어떤 방식으로든 이들로부터 전부 혹은 일부를 도로 회수한다는 것으로도 역시 이 의문은 설명될 수 없을 것이다. 이것이 데스튀트의 두 번째 불합리한 점이다.[277]

이런 불합리한 점들은 일단 무시하기로 하자. C는 자신이 빌린 토지 혹은 자본에 대한 임대료로 100파운드스털링을 O(무위도식하는 자본가)에게 지불해야 한다. 그는 자신의 이윤(이 이윤이 어디에서 만들어진 것인지 우리는 아직 모른다)으로부터 이 100파운드스털링을 지불한다. 그런 다음 그는 O에게 자신의 생산물을 판매하는데 이 생산물을 O가 직접 소비하든 그가 고용한 서비스노동자(비생산적 노동자)가 소비하든 그것은 상관없다. 그리고 이때 C는 자신의 생산물을 그 가치보다 (예를 들어 25퍼센트) **더 비싸게** 판매한다. 즉 그는 80파운드스털링의 가치를 가진 생산물을 100파운드스털링에 판매한다. 여기에서 C는 단연코 20파운드스털링의 이윤을 얻는다. 그는 O에게 100파운드스털링의 상품을 구매할 수 있는 증서를 주었다. O가 이 증서를 제시하자 그는 자기 상품의 명목가격을 그 가치[278]보다 25퍼센트 높임으로써 O에게 80파운드스털링어치만큼의 상품을 제공한다. O가 80파운드스털링의 상품을 소비하고 그 대가로 100파운드스털링을 기꺼이 지불한다 하더라도 C의 이윤은 결코 25퍼센트를 초과할 수 없을 것이다. 가격을 이렇게 매기는 행위(즉 사기행위)는 해마다 반복될 것이다. 그런데 O가 100파운드스털링어치의 소비를 원한다고 하자.[279] 만일 그가 토지소유자라면 어떻게 할까? 그는 C에게 자신의 토지를 담보로 25파운드스털링을 차입하여 이것으로 C에게서 20파운드스털링어치의 상품을 공급받을 것이다. 왜냐하면 C는 자신의 상품을 가치보다 25퍼센트($\frac{1}{4}$) 더 비싸게 판매하기 때문이다. 만일 O가 화폐자본가라면 그는 자신의 자본으로부터 25파운드스털링을 양도하고 그 대가로 20파운드스털링의 상품을 C에게서 공급받을 것이다. 가령 자본(혹은 토지가치)[280]이 5퍼센트에 대부된다고 하자. 그리고 원래의 자본은 2,000파운드스털링이었다고 하자. 이제 이 자본은 1,975파운드스털링이 되었다. 화폐자본가의 임대료는 이제 $98\frac{3}{4}$ 파운드스털링이 된다. 그리고 O가 계속해서 100파운드스털링의 현실적 가치를 갖는 상품을 소비하기 위해서 이런 과정을 반복한다면 그가 벌어들이는 임대료는 계속 감소할 것이다. 왜냐하면 O는 100파운드스털링어치의 상품을 갖기 위해서 끊임없이 자신의 자본 가운데 점점 더 많은[281] 부분을 지출해야 할 것이기 때문이다. 그리하여 C는 점차로 O의 자본을 모두 자신의 수중에 넣게 될 것이고, G596 자본과 함께 자본에 대한 임대료(즉 그가 대부받은 자본에 의해 만들어낸 이윤 가운데 일부)까지도 모두 차지하게 될 것이다. 데스튀트가 이런 과정을 생각했다는 것은 분명한 사실이다. 그래서 그는 계속해서 이렇게 말한다.

"그러나 만일 사정이 이렇게 된다면, 즉 만일 산업자본가가 **매년** 실제로 **자신이 씨앗으로 뿌린 것보다 더 많은 것을 수확하게** 된다면 산업자본가는 매우 짧은 기간 동안에 **사회 전체의 부를** 모두 손에 넣을 것이고, 한 나라 전체에는 아무런 재산도 갖지 않은 임노동자와 자본가적 기업가만 남게 될 것이 틀림없다고 사람들은 말할 것이다. **그것은 맞는 말이다.** 그리고 만일 기업가나 그들의 후손들이 자신들의 부를 늘려나가다가 일정한 수준에 도달하면 휴식을 취하고 끊임없이 무위도식하는 자본가 계급에 합류하지 않는다면 사태는 실제로 그렇게 될 것이다. 그러나 부단히 이루어지는 자본가들의 이런 일탈을 무시하더라도 한 나라에서 생산이 그다지 큰 혼란 없이 일정 기간 지속되면, 이들의 자본이 부의 총액의 증가에 비하여 더욱 증가할 뿐 아니라 그 증가 비율도 더욱 가파르게 상승한다는 것을 우리는 쉽게 보게 된다. … 게다가 덧붙여 이야기한다면, 모든 나라가 매년 산업자본가 계급에게 세금의 형태로 부과하는 엄청난 부과금이 없을 경우 이런 작용은 훨씬 더 뚜렷하게 나타날 것이다."(240, 241쪽)[282]

데스튀트의 이야기는 비록 그가 설명하려 했던 것은 틀렸지만 그것을 제외한 나머지는 어느 정도까지 모두 옳다. 중세가 끝나가고 자본주의적 생산이 한창 발흥하던 시기에는 [283]산업자본가들의 급속한 치부를 토지소유주들에 대한 직접적인 사기행위로 일부 설명할 수 있다. 아메리카 대륙의 발견

으로 인해 화폐가치가 하락했을 때 차지농은 토지소유자에게 기존의 명목지대(실질지대가 아니라)를 지불한 반면 산업자본가는 토지소유자에게 자신들의 상품을 가치 이상으로(화폐가치의 상승분뿐 아니라)[284] 판매했다. 마찬가지로 예를 들어 아시아 국가들처럼 국가의 주된 소득이 지대의 형태로 지주나 군주의 수중에 있는 나라들에서 산업자본가는 그 **숫자가 많지 않아** 경쟁의 압박에 몰리지 않기 때문에[285] 지주나 군주에게 자신들의 상품을 독점가격에 판매하는 방식으로 이들의 소득 일부를 획득한다. 즉 이들은 ||405| 지주들에게 "비지불" 노동을 판매할 [286]뿐 아니라 상품에 포함된[287] 노동량보다 더 높은 가격에 상품을 판매함으로써 이중으로 부를 늘리고 있는 것이다. 데스튀트가 화폐자본가도 마찬가지의 사기를 당하고 있다고 생각했다면 그것도 역시 그의 오류일 뿐이다. 화폐자본가들은 오히려 높은 이자를 받아냄으로써 바로 그런 높은 이윤(즉 바로 그런 사기)에 직접적으로나 간접적으로 참여한다. 데스튀트가 이런 현상을 생각하고 있었다는 것은 다음 구절을 보면 알 수 있다. "유럽 전역에서 이들(산업자본가)이 300~400년 전만 하더라도 모든 권력을 한 손에 쥐고 있던 사람들의 엄청난 부에 비해 얼마나 보잘것없는 사람들이었으며, 지금까지 그 권력자들의 부는 계속 감소하고 이들 산업자본가들이 얼마나 엄청나게 부를 늘려왔는지를 생각해볼 필요가 있다."(같은 책, 241쪽)

G597 데스튀트가 설명하려고 했던 것은 산업자본의 **이윤**(특히 **높은 이윤**)이었다. 그는 그것을 두 가지 방식으로 설명했다. 첫째는 이 자본가들이 임금과 임대료라는 형태로 산업자본가들에게 지불하는 화폐가 그들에게 되돌아오기 — 이 임금과 임대료로 산업자본가의 상품을 구매하는 형태로 — 때문이라고 설명했다. 그런데 이것은 사실상 단지 그들이 임금과 임대료를 왜 **이중으로**(처음에는 화폐형태로, 두 번째는 같은 화폐액의 상품형태로) 지불하지 않는지를 설명하는 것일 뿐이다. 둘째로는 산업자본가들이 자신들의 상품을 그것의 가격보다 **더 비싸게** 판매하기 때문이라는 것이었다. 즉 첫째는 **자기 자신에게** 그렇게 판매하고(즉 자신을 속이고) 둘째는 노동자에게 그렇게 하는데 이것도 역시 자신을 속이는 것에 해당한다. 왜냐하면 데스튀트는 우리에게 임노동자의 소비를 "그들을 고용한 사람들의 소비로 간주해야 한다"(235쪽)고 말하기 때문이다. 그리고 셋째는 **임대료 수취자들**에게 더 비싸게 판매하여 그들을 속인다고 말하는데 이것은 [288]사실상 산업자본가들이 왜 자신들의 이윤 가운데 더 많은 부분을 항상 자신이[289] 차지하고 무위도식자들에

게 빼앗기지 않는지를 설명해준다. 그것은 [290]산업자본가와 비산업자본가 사이에서 이루어지는 **총이윤의 배분**이 왜 항상 후자를 희생시키면서 전자에게 계속해서 더욱 유리하게 진행되는지를 보여줄 수는 있을 것이다. 그러나 이 **총이윤**이 **어디에서** 비롯되는 것인지를 이해하는 데는 그것은 조금도 도움을 주지 못할 것이다. 산업자본가들이 이 이윤을 모두 차지했다 하더라도 여전히 남는 의문은 그 이윤이 도대체 어디에서 온 것이냐는 것이다.

그리하여 데[스튀트]는 결국 어떤 해답도 제시하지 않았으며 단지 자신이 화폐의 환류를 상품 그 자체의 환류로 간주한다는 사실을 고백하고 있을 뿐이다. 이 **화폐의 환류**는 자본가들이 임금과 임대료를 처음에는[291] 상품으로 지불하는 대신 화폐로 지불한다는 것, 그리고 이 화폐를 통해 그들의 상품이 구매되기 때문에 결국 그들이 이런 우회적인 방법을 통해 임금과 임대료를 상품으로 지불한다는 사실을 의미할 뿐이다. 이처럼 이 화폐는 끊임없이 산업자본가들에게 되돌아오는데, 그러나 그것은 오로지 그 화폐와 같은 금액의 상품이 최종적으로 그들에게서 빠져나가서 임노동자와 임대료 수취자들의 소비로 들어가는 범위 내에서만 그렇게 된다.

데스튀트는 (순전히 프랑스 방식으로 — 우리는 프루동에게서도 이와 비슷한 자화자찬의 탄성을 볼 수 있다) "우리의 부가 소비되는 방식에 대한 이 설명이 … 사회 전체의 광범위한 움직임"을 명료하게 밝혀준다고 감탄을 보내고 있다. "이런 일관된 논리와 명료한 인식은 어디에서 비롯된 것인가? 그것은 바로 그것이 진리이기 때문이다. 그것은 사물을 명료하게 비춰주는 거울의 작용을 떠올리게 한다. 즉 거울은 정확한 위치에서 사물을 비추면 올바른 비율로 그것의 모습을 보여주지만 지나치게 가까운 곳이나 먼 곳에서 비추면 비틀어지거나 흐트러진 모습으로 그것을 보여준다."(242, 243쪽)

뒷부분에서 데스튀트는 사물의 참된 진행과정에 대한 A. 스미스의 이야기를 언뜻언뜻 언급하고는 있으나 본질적으로 그 말의 참뜻을 이해하지 못하고 단지 형식적으로만 반복할 뿐이다. 왜냐하면 만일 그가 그 말의 참뜻을 이해했다면 그는 위에서 자신이 자화자찬한 그 명료한 사물의 진리를 결코 쏟아내지[292] 못했을 것이기 때문이다(데스튀트는 프랑스 학술원[293] 회원이었다).

"이 무위도식하는 사람들의 소득은 어디에서 오는가? 그것은 [294]**그들의 자본을 움직이는** 사람들 — 즉 그들의 재원을 가지고 **노동을 고용하여 그 비용보다 더 많은 것을 생산해내는** 사람들, 요컨대 산업자본가들 — 이 자신들의

G598 **이윤**으로부터 지불하는 임대료에서 비롯된 것이 아닌가?" (아하! 그러면 산업자본가들이 무위도식하는 자본가들에게 그들이 가지고 있던 재원을 빌리는 대가로 지불하는 임대료(그리고 [295]산업자본가 자신의 이윤)는 그들이 이 재원으로 임노동자를 고용하여 이들에게 "**지불한 비용보다 더 많은 것을 생산하게**" 만드는 것(즉 이 임노동자들이 생산한 생산물이 그들에게 지불된 것보다 더 많은 가치를 갖도록 만드는 것[296])에서 비롯된 것이다. [297]즉 이윤은 임노동자들이 자신들에게 지불된 비용을 초과하여 생산한 것, 즉 잉여생산물에서 비롯된 것이며 산업자본가들은 바로 이것을 취득한 다음 그중 일부를 토지와 화폐의 임대료로 떼어내는 것이다.) 이로부터 데스튀트는 우리가 생산적 노동자가 아니라 그들 노동자를 움직이는 자본가들에게로 되돌아가야만 한다고 결론을 내린다.[298] "무위도식하는 자본가들이 고용한 임노동자를 먹여 살리는 것은 사실상 바로 이 산업자본가들이다."(246쪽) 물론 그렇다. 산업자본가들이 노동을 직접 착취하는 것이고 무위도식하는 자본가들은 이들 대리인을 통해서 간접적으로 착취하는 것이다. 그리고 이런 의미에서는 산업자본을 모든 부의 원천으로 ||406| 간주하는 것이 맞다. "따라서 모든 부의 원천을 찾기 위해서는 이들(산업자본가)에게로 되돌아가야만 한다."(246쪽)

[299]"시간이 흘러감에 따라 **부는 많든 적든 점차 쌓여만 가는데 이는 과거노동의 산물이 생산되자마자 곧바로 모두 소비되지는 않았기 때문이다**. 이 부의 소유자 가운데 어떤 이들은 이 부로부터 임대료를 받아내어 그것을 소비하는 것으로 만족한다. 이들은 우리가 무위도식자라고 부르는 사람들이다. 또 다른 이들은 활동적인 사람들로서 자신의 재원과 무위도식자들로부터 빌린 재원을 가지고 노동하는 사람들이다. 이들은 그 재원을 **노동을 고용하여 지불하는** 데 사용하는데 **이들 노동은 이 재원을 이윤과 함께 재생산한다**. 〔즉 이 재원의 재생산뿐 아니라 **이윤**을 이루는 잉여의 재생산도 이루어진다.〕 이들은 이 이윤으로 자신의 소비는 물론 다른 사람들의 소비에도 지출한다. 이 소비 그 자체(그들 자신의 소비와 무위도식자들의 소비? 여기에서 다시 앞서 이야기한 불합리성이 반복된다)를 통해서 그들의 재원은 약간 증가하여 되돌아오고 그들은 다시 자신의 활동을 시작한다. 이것은 곧 유통을 나타낸다."(246, 247쪽)

"생산적 노동자"와 그 성과에 대한 연구 — 즉 생산적 노동자란 오로지 산업자본가가 구매하는 노동자로서 그들의 노동으로 산업자본가 자신을 위한 이윤을 생산하는 노동자만이 해당된다는 내용 — 를 통해서 데스튀트는 사실상 **산업자본가만이** 더 높은 의미에서의 **유일한 생산적 노동자**라는 결론으로 나아간다. "이윤으로 살아가는 사람(산업자본가)이 바로 나머지 다른 모든 사람을 부양하며 오로지 이들만이 공공의 부를 늘리고 우리가 누리는 온갖 향락의 수단들을 만들어낸다. 그것이 그럴 수밖에 없는 까닭은 **노동이 모든 부의 원천이고** 또한 산업자본가만이 **살아 있는 노동에 유용한 방향을** 제시하여 **축적된 노동을 유용하게 사용하도록** 만들기 때문이다."(242쪽) [300]그들이 "살아 있는 노동에 유용한 방향을" 제시한다는 말은 사실상 그들이 유용노동(즉 사용가치를 그 결과물로 만들어내는)을 사용한다는 것을 뜻한다. 그러나 그들이 "축적된 노동을 유용하게 사용"한다는 말은 — 만일 이 말이 다 G599
시 똑같은 의미, 즉 그들이 축적된 부를 산업적으로(즉 사용가치의 생산에) 사용한다는 의미가 아니라면 — 그들이 축적된 노동과 함께 더 많은 살아 있는 노동(축적된 노동에 포함된 것보다)을 구매하는 방향으로 "축적된 노동을 유용하게 사용"한다는 의미이다. 방금 인용한 문장에서 데스튀트는 자본주의적 생산의 본질을 이루는 모순을 소박한 형태로 요약하고 있다. 노동이 모든 부의 원천이기 때문에 자본은 모든 부의 원천이다. 진정한 의미에서 부를 증식시키는 사람은 노동하는 사람이 아니라 타인의 노동에 의해 이윤을 만들어내는 사람이다. 노동의 생산력은 자본의 생산력이다.

"우리의 능력이 모든 부의 유일한 원천이고 우리의 노동이 다른 모든 부를 생산하며 잘 관리된 노동은 모두 생산적이다."[301](243쪽) 그러므로 데스튀트에 따르면 산업자본가가 "다른 모든 사람을 부양하며 오로지 이들만이 공공의 부를 늘리고 우리가 누리는 온갖 향락의 수단들을 만들어낸다". 우리의 능력이 모든 부의 유일한 원천이며 그렇기 때문에 노동능력은 부가 아니다. 노동은 다른 모든 부를 생산하지만, 즉 노동은 자신 이외의 다른 모든 사람을 위한 부를 생산하지만, 노동 그 자체는 부가 아니고 단지 노동의 생산물만이[302] 부이다. 잘 관리된 노동은 모두 생산적이다. 즉 모든 생산적 노동, 다시 말해 자본가에게 이윤을 만들어 주는 노동은 모두 잘 관리된 것이다.

서로 다른 소비계급이 아니라 **서로 다른 소비의 성질**에 관한 데스튀트의 다음과 같은 지적은 A. 스미스의 제2편 제3장의 견해 — 여기에서 그는 어떤 종류의 (비생산적) 지출(즉 개인적 소비, 다시 말해 소득의 소비)이 유익한 것인지를 결론적으로 다룬다 — 를 매우 잘 정리하고 있다. 스미스는 거기에서 이 연구(가르니에 옮김, 제2권, 345쪽)를 다음과 같은 말로 시작한다. "만일 절약이 자본의 전체 크기를 늘리고 낭비가 자본의 전체 크기를 줄인다면, 자신들의 소득을 정확하게 모두 소비하는 사람들은 자신들의 재원을 늘리거나 감소시키지 않으므로 자본의 전체 크기의 증가나 감소에 아무런 영향을 끼치지 않을 것이다. 게다가 사회 전반의 복지를 증진하는 데 명백하게 다른 방법보다 더 도움이 되는 방향으로 화폐를 지출하는 방법이 존재한다."

데[스튀트]는 스미스의 이야기를 다음과 같이 요약하고 있다.

"만일 소비가 소비하는 사람에 따라 매우 다르다면 소비는 또한 소비되는 물건의 성질에 따라서도 상당히 다를 것이다. 모든 물건은 노동을 대표하지만 노동의 가치는 어떤 물건에서는 다른 물건에서보다 더 오래 지속적으로 고정되어 있다. 폭죽을 만드는 데 들어가는 수고는 다이아몬드를 찾아내서 연마하는 데 들어가는 수고와 같을 수 있고 이 둘은 동일한 가치를 가질 수 있다. 그러나 내가 만일 둘을 모두 구매하여 지불하고 각자의 목적에 맞게 사용한다면, 폭죽은 불과 30분만 지나면 아무것도 남지 않겠지만 다이아몬드는 백 년이 지난 다음에도 나의 자손들에게 부의 원천으로 남아 있을 것
G600 이다. … 사람들(세를 가리킨다)이 ||407| 비물질적 생산물이라고 부르는 것의 경우도 이와 똑같다. **발견은 항구적인 유용성을 갖는다**. 정신적인 작업물이나 그림도 역시 어느 정도 지속적인 유용성을 갖는다. 반면에 무용이나 음악, 연극 같은 것들의 유용성은 금방 사라지고 소멸해버린다. 의사, 변호사, 군인, 하인, 그리고 일반적으로 **사무직 노동자**로 불리는 모든 사람의 **개인적인 서비스노동**도 역시 마찬가지라고 말할 수 있을 것이다. 이들의 유용성은 그것이 필요한 순간에만 존재한다. … 가장 파괴적인 소비는 급속히 이루어지는 소비인데 왜냐하면 이것들은 같은 시간에 더욱 많은 노동을, 즉 더 짧은 시간에 같은 양의 노동을 파괴해버리기 때문이다. 이에 비하여 더 느린 소비는 일종의 **부의 축장**에 해당한다. 왜냐하면 그것은 지금 희생한 향락 가운데 일부를 미래에 누릴 수 있도록 해주기 때문이다. … **같은 가격에** 구입한 옷이 석 달 밖에 입을 수 없는 것보다는 3년 동안 입을 수 있는 것이 훨씬 더 경제적이라는 것은 누구나 다 아는 사실이다."(243, 244쪽)[303]

14. 생산적 노동과 비생산적 노동의 구별에 대한 스미스의 견해에 반대하는 주장들의 일반적 특징

생산적 노동과 비생산적 노동에 대한 스미스의 견해에 반대하는 대부분의 저술가들은 **소비**를 생산에 필요한 하나의 자극제로 간주했다. **따라서** 그들에게는 소득에 의존해서 살아가는 **임노동자**—즉 이들을 구매하는 것이

부를 생산하기 위한 것이 아니고 부의 새로운 소비가 되는 비생산적 노동자 — 도 생산적 노동자와 마찬가지로 **물질적 부에 도움을 주는** 생산적 성격을 갖는데 이는 그들이 물적[304] 소비의 영역을 확대하고 그럼으로써 생산의 영역도 확대하기 때문이다. 이것은 대부분이 부르주아 경제학의 관점에서 한편으로는 무위도식하는 부자들과 [305]이들에게 **서비스노동**을 제공하는 "비생산적 노동자들"을 옹호하고 다른 한편으로는 엄청난 지출을 행하는 "강력한 정부"와 계속 늘어나는 국가 채무, 교회와 정부의 고위직, 기타 하는 일 없이 높은 봉급을 받는 각종 고위직들을 위한 변론이었다. 왜냐하면 이들 "비생산적 노동자" — 그들의 **서비스노동**은 무위도식하는 부자들의 지출에 의해 이루어진다 — 는 모두 **"비물질적 생산물"을 생산하면서 "물질적 생산물"**(즉 생산적 노동자의 생산물)을 소비한다는 공통점을 가지고 있기 때문이다. 맬서스와 같은 다른 경제학자들은 생산적 노동자와 비생산적 노동자의 구별을 받아들이긴 하지만 산업자본가에게 비생산적 노동자도 생산적 노동자와 마찬가지로 물질적 부의 생산에 필요하다는 것을 논증하고 있다. 이들의 논증에서는 생산과 소비가 동일하다거나 소비가 모든 생산의 목적이라든가, 혹은 생산이 모든 소비의 전제라든가 하는 말이 전혀 필요하지 않다. 모든 논쟁의 밑바탕에 놓여 있는 것은 — 위에서 언급했던 이들의 공통된 경향을 무시한다면 — 다음의 문제이다.

노동자의 소비는 평균적으로 볼 때 그의 생산물과 같은 것이 아니라 그의 생산비와 같을 뿐이다. 따라서 그가 생산하는 모든 잉여는 타인을 위한 것이고 **그의 생산물** 가운데 이 부분은 모두 **타인을 위한 생산물**이다. 또한 산업자본가는 노동자로 하여금 이런 **과잉생산**(즉 자신의 생활에 필요한 부분[306]을 넘 G601
어서는 생산)을 하도록 요구하고 이 과잉생산(필요생산에 대비되는 상대적 **과잉생산**)을 최대한 늘리도록 온갖 수단을 동원하고 잉여생산물을 자신이 직접 차지한다. 그런데 그는 인격화된 자본으로서 생산을 위한 생산, 치부를 위한 치부를 목표로 한다. 그리하여 그가 단지 자본의 기능을 수행하는 대리인(즉 자본주의적 생산의 담당자)인 한, 그에게 중요한 것은 오로지 교환가치와 그것의 증식이지 사용가치와 그것의 증식이 아니다. 그에게 중요한 것은 추상적 부의 증가, 즉 타인의 노동을 더 많이 취하는 것이다. 그는 화폐축장자와 마찬가지로 절대적인 치부의 욕망에 지배를 받는데 단지 그와 다른 점이라면 그는 이 욕망을 [307]금은과 같은 재물을 모으는 환상적 형태로 추구하는 것이 아니라 [308]자본을 형성하는 — 현실의 생산 그 자체이기도 한 — 형

태로 추구한다는 것이다. [309]노동자의 과잉생산이 **타인을 위한 생산**이라면 정상적인 자본가(즉 진정한 의미에서의 산업자본가)의 생산은 생산을 위한 생산이다. 그의 부가 증가할수록 그는 이 목표와 반대 방향으로 나아가게 되고 스스로 낭비적인 사람이 되는데 이는 단지 부를 과시하기 위한 목적 때문이다. 그러나 그것은 언제나 더러운 양심과 절약, 그리고 타산을 감추고 있는 향락적 부이다. 온갖 낭비에도 불구하고 그는 화폐축장자와 마찬가지로 탐욕적인 본질에서 결코 벗어나지 않는다. 시스몽디는 노동생산력의 발전이 노동자에게 점점 더 많은 향락을 가능하게 만들어주긴 하지만 이 향락 그 자체는 그것이 노동자에게 주어질 경우 노동자로 하여금 노동하지 않도록(임노동자로서) 만들어버린다고 말했는데〔**시스몽디**는 이렇게 말했다. "산업과 과학이 발전함에 따라 모든 노동자는 매일 자신의 소비에 필요한 것보다 훨씬 더 많은 것을 생산할 수 있게 된다. 그러나 그의 노동이 부를 생산하는 것과 동시에 그가 그 부를 스스로 소비할 수 있게 된다면 그 부는 노동자로 하여금 노동에 적합하지 않은 사람으로 만들어버릴 것이다."[310](『**신경제학 원리**』, 제1권, 85쪽)〕[311], 이 말에 비추어서 산업자본가가 스스로 향락적 부를 누리는 사람이 되어 축적의 향락 대신 향락의 축적을 지향하게 된다면[312] 이 자본가는 자신의 기능을 수행할 수 없는 사람이 될 것이라고 말하는 것도 상당 부분 맞는 말이다. 따라서 산업자본가도 역시 **과잉생산**, [313]즉 **타인을 위한 생산**의 담당자이다. 이 과잉생산의 건너편에는 반드시 과잉소비가 존재하며 생산을 위한 생산의 건너편에는 반드시 소비를 위한 소비가 존재한다. 산업[314]자본가가 토지소유자, 국가, 국채소유자, 교회 등(단지 소득을 소비하기만 하는)에게 지불해야만 하는 부분은 ||408| 그의 부의 절대적 크기를 감소시키긴 하지만 그의 치부를 향한 열망을 죽이는 것은 아니며 따라서 그의 자본가적 정신을 없애지는 못한다. 만일 토지소유자와 화폐자본가도 또한 자신들의 소득을 비생산적 노동이 아니라 생산적 노동에 소비하게 된다면 산업자본가들의 목적은 전혀 달성되지 않을 것이다. 이들은 소비 기능
G602 그 자체의 담당자가 되는 대신 자신들이 스스로 산업자본가가 되어버릴 것이다. 우리는 이 점과 관련된 이야기를 나중에[315] 리카도주의자들과 맬서스주의자들 사이에서 벌어진 극히 우스꽝스러운 논쟁에서 살펴볼[316] 것이다. 생산과 소비는 **그 자체** 서로 분리될 수 있는 것이 아니다. 그런데 자본주의 체제에서는 이들이 사실상 분리되어 있기 때문에 이들의 통일은 이들의 대립을 통해서—즉 만일 A가 B를 위해 생산한다면 B는 A를 위해 소비해야

만 하는 형태로 — 이루어진다. 모든 개별 자본가가 그의 소득을 나누어 갖는 사람들이 낭비하기를 바라는 것과 마찬가지로, 과거의 중상주의 체제 전체를 받쳐주고 있던 생각은 한 나라가 자신은[317] 검소하더라도 향락적인 다른 나라를 위해서 사치품을 생산해야 한다는 것이었다. 이 생각도 역시 한쪽에서는 생산을 위한 생산이 있으면 다른 쪽에서는 타인이 생산한 것을 소비한다는 개념에 입각한 것이다. 중상주의의 이런 생각은 특히[318] **페일리 박사**의 『**도덕철학**』, 제2권, 제11장[319]에 이렇게 표현되어 있다. "검소하고 근면한 국민은 부유하고 사치를 좋아하는 나라의 욕망을 충족하는 데 자신의 활동을 소비한다."

데스튀트는 이렇게 말한다. "그들은"(가르니에를 비롯하여 우리의 정치가들은) "소비가 [320]생산의 원인이며 따라서 소비가 많을수록 좋다는 일반적 원칙을 제기한다. 그들은 바로 이 점이 사회 전체의 경제와 개인의 경제 사이의 커다란 차이점을 이룬다고 주장한다."(같은 책, 249, 250쪽)

다음 문장도 훌륭한 문장이다.

"**가난한 나라**는 국민이 잘사는 나라이며 **부유한 나라**는 대개 국민이 가난한 나라이다."(같은 책, 231쪽)

하인리히 시토르흐. 『경제학 강의』, J. B. 세 엮음, 파리, 1823년. (니콜라이[321] 대공을 상대로 한 강의로서 1815년에 마쳤음.) **제3권**.

15. 하인리히 시토르흐. 물적 생산과 정신적 생산의 관계에 대한 몰역사적 견해. 지배계급의 '정신노동'에 대한 그의 견해

시토르흐는 가르니에 이후, 생산적 노동과 비생산적 노동을 구별한 A. 스미스의 견해에 대하여 새로운 입장에서 반론을 제기한 사실상 최초의 사람이었다.

그는 물적 재화(즉 물적 생산의 구성요소)와 [322]"**내재적 재화** 혹은 문명의 구성요소"를 구별하고 "문명론"은 내재적 재화의 생산법칙을 통해 파악해야만 한다고 했다.(같은 책, 제3권, 217쪽) ("인간이 내재적 재화를 소유하지 못하는 한, 즉 인간이 자신의 신체적, 지적, 도덕적 능력을 발전시키지 못하는 한 — 이를 위해서는 그런 능력을 발전시키기 위한 수단, 즉 **사회제도** 같은 것들이 전제되어야 한다 — 부를 생산할 수 없다는 것은 분명한 사실이다. 따라서 어떤 국민이 문명화될수록 그 국가의 부는 그만큼 더 늘어날 수 있다. 그리고 이것은 반대의 경우에도 그대로 성립한다.")(같은 책, 제1권, 136쪽)

스미스에 대한 반론은 다음과 같다. "스미스는 … **직접** 부의 생산에 기여하지 않는 노동은 모두 **생산적 노동**에서 배제해버렸다. 또한 그는 오로지 국 G603

가의 **부**만을 염두에 두었다. … 그의 오류는 **비물질적 가치**와 **부**를 구별하지 않았다는 점에 있다."(제3권, 218쪽)

이것으로 이 문제는 사실상 종결되고 있다. 생산적 노동과 비생산적 노동의 구별은 스미스가 고찰하고 있던 것—물질적 부의 생산과 그 생산의 특정한 형태, 다시 말해 바로 자본주의 생산양식—에서 결정적으로 중요한 문제이다. 그런데 정신적 생산의 경우에는 다른 종류의 노동이 생산적 성격을 갖는다. 하지만 스미스는 그런 노동을 고찰하지 않았다. 또한 이들 두 종류의 생산[323] 사이의 상호작용이나 내적 관련성도 역시 스미스의 고찰 범위에는 들어가지 않으며 게다가 그런 것은 물적 생산을 고유의 형태로 고찰할 경우에만 비로소 의미 있는 내용을 가질 수 있다. 스미스가 직접적으로 생산적이지 않은 노동을 수행하는 노동자들에 대해 이야기하는 것은 오로지 이들이 물질적 부의 소비(생산이 아니라)에 **직접** 참여하고 있을 경우뿐이다.

시토르흐 자신의 이야기에서 **문명론**은—예를 들어 물적 분업이[324] 정신적 분업의 전제라든가 하는[325] 몇몇 재치 있는 지적들이 엿보이긴 하지만—하나 마나 한 시시한 이야기들뿐이다. 그렇게 **될 수밖에 없었던** 것은, 즉 그가[326] 과제의 해결은 고사하고 과제를 제대로 **정리하지도** 못한 것은 **단 하나의** 요인 때문이다. 정신적 ||409| 생산과 물적 생산 사이의 관련을 고찰하기 위해서는 무엇보다도 먼저 물적 생산 그 자체를 일반적 범주가 아니라 **일정한 역사적** 형태로 파악할 필요가 있다. 즉 예를 들어 자본주의 생산양식에서는 정신적 생산도 중세의 봉건적 생산양식과는 다른 종류의 형태를 취한다. 물적 생산 그 자체를 **특수한 역사적** 형태로 파악하지 않으면 물적 생산에 조응하는 정신적 생산을 규정하는 것은 물론 이 둘의 상호작용을 파악하는 것도 불가능해진다. 그럴 경우 이야기는 하나 마나 한 무의미한 이야기에 머물게 된다. 이것이 바로 "문명론"의 이야기들이 하나 마나 한 것으로 되어버린 까닭이다.

또한 물적 생산의 특정한 형태로부터 첫째 사회의 특정한 구조가 나오며 둘째 인간과 자연 사이의 특정한 관계가 비롯된다. 국가제도와 정신적 세계관은 이 둘 다에 의해서 결정된다. 따라서 정신적 생산의 유형도[327] 이들에 의해 결정된다.

마지막으로 시토르흐는 또한[328] 정신적 생산의 개념을, 사회적 기능을 하나의 사업으로 수행하는 지배계급의 온갖 직업 활동으로 이해한다. 이들 계급의 존재는 그들의 기능과 마찬가지로 그들이 처한 생산관계의 특정한 역사적 구조를 통해서만 이해될 수 있다.

시토르흐는 물적 생산 그 자체를 **역사적으로** 파악하지 않음으로써 — 즉 물적 생산을 단지 물적 재화 일반의 생산으로만 파악하고, 이 생산이 역사적으로 일정하게 발전된 특수한 형태로 파악하지 않음으로써 — 지배계급의 사상적 요소[329]와 이 주어진[330] 사회구성체의 자유로운[331] 정신적 생산을 파악할 수 있는 유일한 토대에서 스스로 발을 빼버렸다. 그는 평범하고 시시한 이야기의 수준을 넘어설 수 없었다. 사태의 내용도 그가 처음에 생각했던 것처럼 그렇게 단순한 것이 아니다. 예를 들어 자본주의적 생산은 예술이나 시와 같은 정신적 생산영역[332]을 모두 적대시한다. 그렇지 않으면 레싱이 그렇게 조롱했던[333] 18세기 프랑스 사람들의 망상에 빠지게 된다. 공학분야에서는 우리가 고대인보다 훨씬 앞서 있는데 서사시에서는 왜 우리가 고대의 것에 견줄 만한 위대한 작품들을 만들어낼 수 없는 것일까? 왜 우리에게는 일리아드는 없고 앙리아드[334]만 있는 것일까? G604

반면 시토르흐는 스미스의 반대자들이 문제를 잘못된 방향으로 이끌어갔다는 것을 — 특히 스미스에 대한 **이러한** 반대론의 아버지라고 할 수 있는 가르니에에 대한 비판과 함께 — 올바르게 지적하고 있다.

"스미스의 비판자들은 무엇을 하고 있는가? 이 구별(비물질적 가치와 부 사이의)을 정립할 생각은 하지 않고, 그들은 너무도 명백히 구별되는 이들 두 종류의 가치를 계속 혼동하고 있다. (그들은 정신적 생산물[335]의 생산 혹은 서비스노동의 생산을 **물적** 생산이라고 주장한다.) 그들은 비물질적 노동을 [336]**생산적인** 것으로 간주함으로써 이 노동이 **부**를, 즉 물적 가치이자 교환 가능한 가치를 **생산한다**고(즉 직접 생산한다고) 생각하지만 이 노동은 오로지 비물질적이며 직접적인 가치만을 생산한다. 그들은 비물질적 노동의 생산물이 물적 노동의 생산물과 똑같은 법칙에 따른다고 전제하지만[337] 전자의 생산물은 후자의 생산물과는 다른 법칙에 의해 규제된다."(제3권, 218쪽)

시토르흐의 후계자들이 흔히 베껴 쓰는 시토르흐의 다음 문장은 유의할 필요가 있다.

"내재적 재화가 부분적으로 서비스노동의 생산물이라는 사실로부터 사람들은 다음과 같은 결론, 즉 내재적 재화가 서비스노동 그 자체보다 오래 지속되지 않으며 그것은 반드시 생산되는 만큼 소비된다는 결론을 내려왔다."(제3권, 234쪽) "본래의 내재적 재화는 그것을 사용함으로써 파괴되는 것이 아니라 수행과정을 통해서 오히려 확대되고 증가하기 때문에 **소비**[338] 그 자체가 그것의 가치를 증가시킨다."(같은 책, 236쪽) "내재적 재화는 부와 마찬가지로 축적될 수 있으며 재생산에 사용할 수 있는 자본을 형성할 수도 있다."(같은 책, 236쪽) "물질적 노동은 분화되어야 하며, 물질적 노동의 생산물은 비물질적 노동의 분화를 생각하기 전에 축적되어 있어야만 한다."(241쪽)

이것들은 정신적 부와 물질적 부 사이의 극히 일반적인 피상적 유사점과 관계에 지나지 않는다. 예를 들어 정신적으로 낙후된 나라들이 정신적 자본을 외국으로부터 **빌려 오는** 것은 물질적으로 낙후된 나라들이 그들의 물질
G605 적 자본을 외국에서 빌려 오는 것과 마찬가지라거나(같은 책, 306쪽) 비물질적 노동의 분화는 그것에 대한 수요(즉 시장)에 의존한다(246쪽)는 등의 이야기도 역시 모두 그런 것들이다.

그런데 그대로 베껴 쓴 구절 중에는 다음과 같은 것들도 있다. ||410| "내재적 재화의 **생산**[339]은 물적[340] 생산물(내재적 재화의 생산에 필요한)의 소비를 통해 국부를 감소시키는 것이 아니라 오히려 국부를 증가시키는 강력한 수단인데 이는 거꾸로 부의 생산이 문명을 향상시키는 강력한 수단인 것과 마찬가지이다."(같은 책, 517쪽) "국가의 후생을 증가시키기 위해서는 두 종류의 생산이 균형을 맞추어야만 한다."(같은 책, 521쪽)

시토르흐에 따르면 의사는 건강을(그러나 질병도 함께) 생산하며, 교수와 작가는 계몽을(그러나 몽매함도 함께), 시인과 화가는 아름다움을(그러나 무미건조함도 함께), 도덕가는 도덕을, 목사는 예배를, 군주의 노동은 안전을 생산한다 등등(247~50쪽). 이와 마찬가지로 질병은 의사를, 몽매함은 교수와 작가를, 무미건조함은 시인과 화가를, 부도덕은 도덕가를, 미신은 목사를, 사회 전반의 불안은 군주를 생산한다고도 역시 말할 수 있을 것이다. 바로 이런 견해, 즉 사실상 이 모든 활동(즉 이들 서비스노동)이 현실적인(혹은 가상의) 사용가치를 생산한다고 말하는 것은 후대의 학자들이 다음과 같은 사실을 입증하려 할 때마다 반복적으로 따라 하던[341] 것인데, 그것은 곧 이들 서비스노동을 수행하는 사람들이 바로 스미스가 말하던 생산적 노동자라는 점, 다시 말해 이들이 특수한 종류의 생산물을 생산하는 것이 아니라 물적 노동의 생산물을 직접 생산하며 따라서 이들이 직접 부를 생산한다는 바로 그 사실이었다. 시토르흐에게서는 이런 불합리성이 아직 노골적으로 드러나지 않은 채 단지 다음과 같은 모습으로만 나타나고 있다.

1) 부르주아 사회의 다양한 기능들은 모두 서로를 전제로 한다.

2) 물적 생산에서의 대립은 이데올로기적인 계층으로 이루어진 상부구조

를 필요로 하고, 이들 상부구조의 작용은 좋건 나쁘건 필요하다는 점에서 좋은 것이다.

3) 모든 기능은 자본가들을 위해 사용되며 결국 자본가들에게 "좋은 것"이다.

4) 아무리 최고의 정신적 생산이라 할지라도 부르주아들을 물질적 부의 직접적 생산자로 왜곡해서 묘사할 경우에만 그것이 부르주아들에게 인정되고 **용인**된다.

W. 나소 시니어. 『경제학의 기본 원리』, 장 아리바베네 옮김, **파리, 1836년.**

16. 나소 시니어. 부르주아에게 유용한 모든 활동을 생산적 노동으로 미화. 부르주아와 부르주아 국가에 대한 아첨

나소 시니어는 거만을 떨며 이렇게 말한다.

"스미스의 견해에 따르면 유대의 율법학자들은 비생산적 노동자였다."(같은 책, 198쪽) 그가 말한 이 율법학자는 이집트에서 유대족을 탈출시킨 그 모세(Moses)를 가리키는 말일까 아니면 이름이 같은 모세인 모제스 멘델스존(Moses Mendelssohn: 1729~1786, 독일의 프티 부르주아 철학자—옮긴이)을 가리키는 말일까? 모제스가 이 말을 들었다면 그는 아마도 자신을 스미스가 말한 "생산적 노동자"로 만들어준 시니어에게 무척이나 감사를 드렸을 것이다. 시니어의 생각에 이들 율법학자는 확고한 부르주아적 관념에 사로잡혀 있어서 만일 아리스토텔레스나 카이사르를 "비생산적 노동자"라고 불렀다면 그들을 모욕하는 것이 된다고 생각했을 것이다. 그러나 아리스토텔레스와 카이사르는 "노동자"라는 명칭을 하나의 모욕으로 간주했을 것이다. G606

"병으로 아픈 어린이를 처방을 통해 치료하고 그럼으로써 어린이의 생명을 오래도록 보전해주는 의사는 지속적인 결과물을 **생산한**[342] 셈이 아닌가?"(같은 곳) 이런 말도 되지 않는 소리라니! 그 어린이가 죽어버릴 경우에도 그 결과물[343]은 똑같이 지속적인 것이 될 것이다. 그리고 만일 그 어린이가 늙어서도 여전히 병을 앓고 있다면 의사의 **서비스노동**은 여전히 지불을 받고 있을 것이 분명하다. 나소의 견해에 따른다면 의사는 병을 치료했을 때만 지불을 받아야 하고 변호사는 재판에서 이겼을 때만, 그리고 병사는 전투에서 승리했을 때에만 지불을 받아야 할 것이다.

이제 그는 정말로 우쭐해져서 이렇게 말한다.

"스페인의 폭정에 항거했던 네덜란드 사람들과 이보다 더 무서울 수 있었던 폭정에 대항한 영국인들은 과연 지속되지 않는 결과물을 생산했던 것인가?"(같은 책, 198쪽)

말 같잖은 소리! 네덜란드 사람들과 영국인들의 봉기는 모든 희생을 그들 스스로 감당한 것이었다. 어느 누구도 그들에게 "혁명을 위해" 몸을 바친 대가를 지불해주지 않았다. 그런데 생산적 노동자와 비생산적 노동자에 대한 논의에서 문제가 되는 것은 노동의 구매자와 판매자에 대한 것이다. 그의 이야기는 얼마나 얼토당토않은 이야기인가!

스미스를 비판하는 과정에서 나온 이 말 같잖은 소리는 단지 스미스가 노골적으로 막돼먹은 벼락부자 부르주아를 **설명해준** 것에 반해 그는 "교양 있는 [344]자본가들"을 변호한다는 것을 보여주었을 뿐이다. 교양 있는 부르주아와 그들의 대변인들은 둘 다 똑같이 너무나 멍청해서 모든 활동의 효과를 오로지 ||411| 돈지갑에 미치는 효과만으로 평가한다. 그런가 하면 또 이들이 갖춘 교양이란 것은 부의 생산과 [345]아무런 관련이 없는 기능과 활동에 대해서도 그것들을 **인정하고** 심지어 이들 활동이 자신들의 부를 "간접적으로" 증가시킨다고(요컨대 이들 활동이 부를 위해 "유익한" 기능을 갖는다고) 인정하는 것이었다.

인간은 그 자체로서 자신이 수행하는 다른 모든 생산에서와 마찬가지로 자신의 물적 생산의 토대이다. 따라서 생산의 **주체**인[346] 인간에게 영향을 미치는 모든 요인은 크든 작든 [347]인간의 모든 기능과 활동 — 따라서 물질적 부, 상품[348]의 창조자로서 그의 기능과 활동 — 에도 영향을 미친다. 이런 측면에서 사실상 **모든** 인간의 관계와 기능은 그것이 어떤 형태를 취한 것이든 물적 생산에 영향을 미치며 많든 적든 물적 생산에 결정적인 영향을 미친다.

"군인들의 보호가 없이는 토지를 경작하는 것이 전적으로 불가능한 나라들이 있다. 그런데 어쩌나! 스미스의 분류에 따르면 수확물은 밭을 가는 사람의 노동과 그 사람 곁에서 무기를 들고 그 사람을 보호하는 사람의 노동이 공동으로 만들어낸 산물이 아니다. 그의 견해에 따르면 농부는 생산적 노
G607 동자이지만 군인의 활동은 비생산적 노동이다."(같은 책, 202[349]쪽) 첫째 이 말은 틀린 말이다. 스미스는 군인의 활동이 방위를 생산하긴 하지만 곡물을 생산하지는 않는다고 말할 것이다. 만일 한 나라의 체제가 안정되어 있다면 농부는 단지 부가적으로 군인의 생계(즉 군인의 부양)를 생산할 필요만 없어진 채로 여전히 똑같이 곡물을 생산할 것이다. 군인 — 정신적인 것이든 물질적인 것이든 아무것도 스스로 생산하지 않지만 사회적 관계의 결함 때문에 필요하고 또 유용한, 다시 말해서 사회악 덕분에 존재하는 — 은 다른 비생산적 노동자 대부분과 마찬가지로 생산에 불필요한 비용의 영역에

속한다. 그런데 나소의 입장에서는 가령 20명의 노동자 가운데 19명을 불필요하게 만들어버리는 어떤 기계가 발명될 경우 이 19명도 생산에 불필요한 비용에 속한다고 말할 수 있을 것이다. 그러나 군인은 **물적 생산조건**(즉 농업 그 자체의 생산조건)이 불변인 경우에도 불필요한 비용에 속할 수 있다. 19명의 노동자가 불필요한 비용에 속하게 되는 것은 오로지 남은 1명의 노동자의 노동생산성이 20배가 될 경우에만(즉 주어진 물적 생산조건에서 하나의 혁명이 이루어짐으로써만) 가능하다. 게다가 **뷰캐넌**은 이미 이렇게 지적하고 있다. "예를 들어 만일 군인의 노동이 생산에 도움이 되기 때문에 군인을 생산적 노동자라고 부른다면 똑같은 원리로 생산적 노동자도 군인의 명예를 자신의 것이라고 주장할 수 있을 것이다. 왜냐하면 그의 도움이 없이는 어떤 군대도 전투를 수행할 수도 승리를 거둘 수도 없을 것이 분명하기 때문이다."(D. **뷰캐넌**, 『**스미스의 『국부론』이 다루고 있는 주제에 대한 고찰**』, 에든버러, 1814년, 132쪽) "한 국가의 부는 **서비스노동**[350]을 수행하는 사람과 **가치**[351]를 생산하는 사람 사이의 수적 비율에 의존하는 것이 아니라 이들 두 노동을 수행하는 사람들 사이에서 그 효율을 최대한 높이는 사람들의 숫자가 얼마나 많은지의 비율에 의존한다."(**시니어**, 앞의 책, 204[352]쪽) 스미스는 이런 점을 결코 부인하지 않았는데 왜냐하면 그는 정부관리, 변호사, 목사 등과 같은 사람들을 "필요한" 비생산적 노동자로 분류하고 이들의 불가피한 서비스노동을 **최대한** 줄이려고 했던 것이다. 그리고 그가 줄이려고 했던 것은 이들 비생산적 노동자들이 생산적 노동의 효율을 높여주는 바로 그 비율이었던 것이다. 한편 나머지 "비생산적 노동자"의 경우, 이들의 노동은 그들의 **서비스노동**[353]을 향유하려는—즉 그들의 서비스노동을 각자 자신들이 좋아하는 소비품목으로 소비하려는—사람이라면 누구나 **마음대로** 구매하는 것이고 그 종류는 매우 다양하다. 소득에 의해 살아가는 이들 노동자의 수가 "생산적" 노동자의 수에 비해 많을 경우도 있는데 그것은 첫째 부가 전반적으로 별로 풍족하지 않거나 한쪽으로 편중된 경우로서 예를 들어 가신을 거느린 중세 귀족의 경우가 바로 그러하다. 이들 귀족은 상당 분량의 공산품을 소비하는 대신 자신의 가신들과 함께 농산물을 소비했던 것이다. 이들 귀족이 농산물 대신 공산품[354]을 소비하기 시작하자마자 가신들은 곧바로 노동에 매달리지 않으면 안 되었다. 소득에 의해 살아가는 노동자들의 수가 많을 수 있는 경우는 오로지 연간 생산물 가운데 상당한 부분이 **재생산을 위해** 소비되지 않는 경우뿐이었던 것이다. 하지만 그럼에도 불구하고 총인구는 적었다. 소득에 의해 살아가는 노동자들의 수가 많은 두 번째 경우는 생산적 노동자들의 생산성이 높아서 이들의 잉여생산물이 비생산적 노동자
G608 들을 먹여 살릴 수 있는 경우이다. 이 경우 서비스노동자의 수가 많아서 생산적 노동자들의 노동이 생산적인 것이 아니라 거꾸로 생산적 노동자들의 노동이 생산적이기 때문에 비생산적 노동자들의 수가 많은 것이다. 이제 인구가 같고 노동생산력의 발전 수준이 동일한 두 나라가 있다고 가정한다면 A. 스미스가 말했던 것과 같이 이들 두 나라의 부는 생산적 노동자와 비생산적 노동자 사이의 비율에 의해 산정된다고 하는 것이 맞는 말일 것이다. 왜냐하면 생산적 노동자들의 수가 상대적으로 많은 나라에서는 연간 소득 가운데 상대적으로 더 많은 양이 재생산을 위해 소비되고 따라서 상대적으로 더 많은 양의 가치가 매년 생산될 것이기 때문이다. 그러므로 시니어는 애덤에 대하여 ||412| 어떤 새로운 반론을 제시한 것이 아니라 사실상 그의 이야기를 그대로 되풀이한 것에 불과하다. 게다가 그는 여기에서 스스로 서비스의 생산자와 가치의 생산자를 구별하는데 이것은 스미스의 구별에 반대하는 대부분의 사람들이 똑같이 저질렀던 오류로서, 즉 이들은 모두 스미스의 구별을 반대하면서 바로 그 스미스의 구별을 받아들이고 스스로 사용하기도 했던 것이다.

자신들의 전문영역에서 아무것도 만들어내지 못한 모든 경제학자들이 생산적 노동자와 비생산적 노동자의 구별을 반대하는 논의에서 전혀 "비생산적"이었다는 것은 매우 특징적인 사실이다. 그러나 이들의 무능력은 부르주아에 대한 아첨으로 나타나서 한편으로는 부르주아의 모든 기능이 부의 생산에 도움이 되는 것으로 또 다른 한편으로는 부르주아의 세상이 온갖 세상 중에서 가장 좋은 세상이며 부르주아의 세상에 있는 것은 모두 유용한 것이며 부르주아 자신은 이런 것을 통찰할 수 있는 교양을 갖추고 있다고 표현되고 있다.

한편 노동자들에 대해서는, 비생산적 노동자들도 비록 각자 자기 나름의 방식에 따른 것이긴 하지만 생산적 노동자들과 마찬가지로 부의 생산에 충분히 도움을 주기 때문에 이들이 소비하는 생산물의 양은 당연히 필요한 것이라는 견해를 보이고 있다.

그러나 마지막에 나소는 함부로 입을 놀림으로써 그가 스미스의 구별을 본질적으로 한 마디도 이해하지 못하고 있었다는 것을 드러내고 있다. 그는 이렇게 말한다.

[355]"이 경우 스미스는 사실상 비생산적 계급에 대한 그의 지적이 일반적으로 적용될 수 있는 유일한 계급인 **대토지소유자**의 상태에 주의를 온통 집중하고 있는 것처럼 보인다. 만일 그렇지 않다면 **비생산적 노동자가 소득에 의존하여 살아가는 반면 자본은 오로지 생산적 노동자의 부양에만 사용된다**는 그의 전제를 나는 설명할 수 없다. 진정한 의미에서 비생산적 노동자라고 그가 부르는 사람들의 대부분(교사, 국가의 통치 업무를 수행하는 사람들)은 **자본(즉 재생산을 위해 미리 지출되는 화폐)**에 의해 생계를 유지한다."(같은 책, 204, 205쪽)

여기에서는 사실상 어이가 없다. 국가와 교사가 소득이 아니라 자본에 의해 생활한다는 나소의 발견은 더 설명할 필요가 전혀 없다. 만약 여기에서 시니어가 말하려고 한 것이 [356]이들 계급이 자본의 이윤에 의해서(즉 자본의 비용으로) 생활한다는 것이라면 그는 자본의 소득이 자본 자체가 아니며 이 G609 소득(즉 자본주의적 생산의 결과물)이 재생산을 위해 미리 지출된 것이 아니라 오히려 반대로 재생산의 결과물이라는 사실을 잊고 있는 것일 뿐이다.[357] 그것이 아니라면 혹시 그는 각 상품의 생산비에 일정한 세금이 부과되기 때문이라고 생각하는 것일까? 즉 하나의 생산비로 생각하는 것일까? 만일 그렇다면 그는 이것이 소득에 세금을 부과하기 위한 하나의 형태일 뿐이라는 것을 알아야만 한다.

또한 시토르흐에 관하여 나소 시니어는 잘난 체하면서 다시 이렇게 지적하고 있다.

"시토르흐는 이들 **결과물**(건강, 취미 등)이 가치를 가진 다른 물건들과 마찬가지로 그것을 소유하는 사람들의 **소득** 가운데 일부를 이루고 그것들도 역시 교환될 수 있다고(그것들이 그 생산자들에 의해 판매될[358] 수 있는 한) 분명하게 말하는 순간 의심할 나위 없는 오류를 범했다. 만일 그렇다면, 즉 만일 취미, 윤리, 종교 등이 정말로 **구매할** 수 있는 **물건들**이라면 부는 경제학자들이 … 이야기하고 있는 것과는 전혀 다른 의미를 갖게 될 것이다. 우리가 구매하는 것은 결코 건강이나 지식 혹은 신앙심이 아니다. 의사, 성직자, 교사는 … 단지 이런 결과물을 어느 정도 확실하고 완전한 형태로 얻게 해주는 수단을 생산할 수 있을 뿐이다. … 만일 어떤 경우 성과를 거둘 수 있는 가장 적절한 수단이 사용되기만 한다면 이 **수단**을 생산한 사람은 비록 그가 성과를 직접 이루어주지 못하거나 기대했던 바의 성과를 얻지 못하는 경우에도 대가를 요구할 권리를 갖는다. 조언이나 강의가 이루어지고 그 대가가

지불되는 순간 교환도 곧바로 완료된다."(같은 책, 288~89쪽)

결국 위대한 나소는 스스로 스미스의 구별을 다시 받아들인다. 즉 그는 생산적 노동과 비생산적 노동을 구별하는 것이 아니라 "생산적 소비와 비생산적 소비"(206쪽)를 구별한다. 그런데 소비의 대상은 [359]상품일 수도 있고(여기에서 문제로 삼는 것은 이 경우가 아니다) 직접적인 노동일 수도 있다.

이 노동이 노동력 그 자체를 재생산하거나(예를 들어 교사나 의사의 노동이 수행하는 것) 노동력의 구매에 사용되는 상품의 가치를 **재생산하는** 데 사용된다면 소비는 생산적 소비가 될 것이다. 노동이 이런 두 가지 용도에 모두 사용되지 않을 경우 그 소비는 비생산적 소비가 될 것이다. 그런데 스미스는 생산적으로만(즉 산업적 용도로만) 소비될 수 있는 노동을 자신이 생산적 노동이라고 부르고 노동의 성질상 산업적으로 소비되지 않는 노동은 비생산적 노동이라고 부른다고 말한다. 따라서 시니어는 여기에서 단지 물건의 명칭을 새로 붙이는 방식으로 자신의 재주를 보였을 뿐이다. 전반적으로 나소는 시토르흐를 표절하고 있다.|

17. 로시. 경제 현상의 사회적 형태를 무시. 비생산적 노동자에 의한 '노동-절약'이라는 속류적 견해

|413| **P. 로시.『경제학 강의』**(1836~37년), **브뤼셀판, 1843[360]년.**

여기에서는 명석함의 진수를 보게 된다!

G610 "[361]**간접적** (생산)**수단**[362]에는 생산을 촉진하는 모든 것, 즉 생산의 장애물을 제거하고 생산의 활력을 불어넣고 생산이 더 신속하고 용이하게 이루어지도록 도와주는 모든 것이 포함된다. (이보다 앞서 268쪽에서 그는 이렇게 말하고 있다. "생산수단에는 직접적인 것과 간접적인 것이 있다. 즉 생산수단에는 목표로 한 결과를 가져오기 위해 **반드시 필요한** 요인이 되는 수단, 다시 말해 이 생산을 **직접 수행하는** 힘이 있으며, 반면 생산을 돕기는 하지만 생산을 직접 수행하지는 않는 또 다른 수단이 존재한다는 것이다. 전자는 **혼자서도**[363] 움직일 수 있지만 후자는 생산에서 단지 전자를 도울 수 있을 뿐이다." 268쪽) … 통치를 수행하는 모든 노동은 간접적인 생산수단이다. … 이 모자를 만든 사람들은 길거리에서 순찰을 도는 경찰, 재판정에 앉아 있는 판사, 범죄자를 받아들여 감옥에 가두어두는 간수, 적군의 침입으로부터 국경을 방위하는 군대 등이 모두 생산을 돕고 있다는 사실을 인정해야만 한다."(272쪽) 모자 제조업자에게 세상 모두가 자신이 모자를 만들어서 판매할 수 있도록 움직이고 있다는 사실은 얼마나 즐거운 일인가? 로시는 간수 등과 같이 통치행위를 수행하는 사람들이 물적 생산에 **직접적**이 아니라 **간접적**으로 도움을 준다고 말함으로써 사

실상 애덤이 했던 그 구별을 똑같이 수행하고 있다(제12강).

이어서 제13강에서 로시는 사실상 그의 선행자들이 했던 것과 〔똑같은 방법으로〕 스미스를 노골적으로 비판하고 있다.

그는 생산적 노동자와 비생산적 노동자의 구별에서 발생한 오류는 세 가지 원인에서 비롯되었다고 말한다.

1) "**구매자들** 가운데 어떤 사람은 생산물이나 **노동**을 구매하여 **그것을 직접 소비하는**[364] 반면 어떤 사람은 그렇게 구입한 생산물과 노동을 가지고 새로운 생산물을 만들어서 그것을 판매한다. 전자에게 구매 결정의 요인은 **사용가치**이고 후자에게는 그것이 교환가치이다." 여기에서 교환가치만을 염두에 둘 경우 우리는 스미스의 오류에 빠진다. "내 하인의 노동은 내게 비생산적이다(잠시 그렇다고 가정하기로 하자). 그런데 하인에게도 이 노동이 비생산적인 것일까?"(같은 책, [275,] 276쪽) 자본주의적 생산 전체는 노동을 직접 구매한 다음, 생산과정을 통해서 그 노동 가운데 일부(**판매하는** 생산물에 포함된다)를 **대가를 지불하지 않고** 취득하는 것에 기초해 있으므로 ― 이것이 바로 자본의 존재조건이자 자본 자체의 개념이므로 ― 자본을 생산하는 노동과 생산하지 않는 노동의 구별은 자본주의 생산과정을 이해하기 위한 토대가 아니겠는가? 하인의 노동[365]이 **하인 자신**에게 생산적이라는 점을 스미스는 부인하지 않는다. 모든 서비스노동은 그 노동의 판매자에게는 생산적이다. 거짓 서약도 현금을 받고 그것을 행하는 사람에게는 생산적이다. 문서위조도 돈을 받고 그것을 수행하는 사람에게는 생산적이다. 살인도 살인의 대가로 돈을 받는 사람에게는 생산적이다. 앞잡이, 고발자, 식객, 기생생활자, 아첨꾼 등은 그런 "서비스"를 무상으로 수행하지 않는 사람에게는 모두 생산적이다. 즉 그들은 "생산적 노동자"로서 부의 생산자일 뿐 아니라 자본 G611
의 생산자이기도 하다. 자신에게 스스로 대가를 지불하는 사기꾼은, 법원이나 국가가 하는 것과 꼭 마찬가지로, "하나의 힘을 지출하여 그것을 일정한 방식으로 사용함으로써 인간(즉 사기꾼 자신은 물론 아마도 거기에다 그의 처자식까지도 포함한)의 욕망을 충족하는 어떤 결과물을 생산한다."[275쪽] 따라서 단지 욕망을 충족하는 "결과물"을 생산하는지의 여부만 중요하다면(혹은 위의 경우처럼 노동자가 자신의 "서비스노동"을 "생산적"이 되도록 판매하는지의 여부만 중요하다면) 이 사기꾼은 생산적 노동자[366]이다.

2) "두 번째 오류는 직접적 생산과 간접적 생산을 구별하지 않은 것이다. 바로 그렇기 때문에 A. 스미스에게 관청의 공무원은 생산적 노동자가 아니

다.[367] 그러나 만일 (공무원의 노동이 없이는) 생산이 거의 불가능하다면 이 노동이 직접적이고 물질적인 도움은 아니라 할지라도 적어도 무시할 수 없는 간접적 활동을 통해 생산에 도움을 준다는 것은 분명한 일이 아니겠는가?"(같은 책, 276쪽) 생산에 간접적으로 기여하는 바로 이 노동(그리고 이 노동은 비생산적 노동의 일부를 이룰 뿐이다)을 우리는 비생산적 노동이라고 부르는 것이다. 혹은 그게 아니라면 공무원은 농부 없이는 절대로 생활할 수 없으므로 농부가 곧 법원 등에 대한 간접적 생산자라고 해야만 할 것이다. 웃기는 이야기가 아닌가! 분업과 관련된 측면도 있지만 그것은 나중에 다루기로 하자.

"생산 현상을 이해하려면 세 가지 기본적인 사실을 주의 깊게 구별해야 한다. **힘**(**혹은 생산수단**), 이 힘의 **사용**, 생산의 **결과물**이 바로 그것이다."[368] 우리는 시계업자에게서 시계를 구매한다. 이때 우리는 오로지 노동의 **결과물**에만 관심을 기울인다. 재단사에게서 옷을 구매할 경우에도 사정은 마찬가지이다. 그러나 "사물을 그렇게 처리하지 않는 낡은 사고방식을 가진 사람들이 항상 존재한다. 이들은 노동자를 자기 집으로 오게 하여 노동자에게 원료와 작업에 필요한 것들을 제공하고 이런저런 형태의 옷을 만들게 한다. 이들이 구매하는 것은 무엇일까? 그들은 하나의 힘을 구매한 것인데〔물론 이 힘의 사용권도 함께 구매했다〕, 그 힘은 곧 그들이 자신의 책임하에 일정한 결과물을 만들어내도록 하는 수단이다. … 계약의 대상은 이 힘의 구매이다." (재미있는 점은 이들 낡은 사고방식을 가진 사람들이 사용하는 생산방식이 자본주의 생산방식과는 전혀 공통점이 없고 자본주의가 만들어내는 온갖 노동생산력의 발전을 모두 불가능하게 만든다는 것이다. 그러나 이런 특수한 차이점이 로시와 사회 전체의 입장에서는 별로 중요하지 않다는 것이다.) 하인에게서 나는 [369]매우 다양한 서비스노동을 사용할 수 있는 힘을 구매하는데 이 힘을 사용하여 얻게 되는 결과물은 전적으로 내가 그 노동으로부터 만들어내는 것에 의존한다.(276, 277쪽) 하지만 이것들은 모두 문제의 본질과 아무런 관련이 없는 것들이다.|

|414| 3) "우리는 … 어떤 힘의 사용을 … 구매하거나 빌릴 수 있다. 나는 생산물을 구매하는 것이 아니며 눈에 보이는 결과물을 구매하는 것이 아니다.
G612 다. 변호사의 변론은 내가 재판에서 이기게 할 수도, 지게 할 수도 있다.[370] 어쨌거나 나와 변호사 사이의 거래는 그가 약정된 시간과 장소에서 나를 위해서 변론을 하고 나의 이익을 위해서 그의 정신적인 힘을 사용하도록 하는

대가로 내가 일정한 가치를 지불하는 내용으로 되어 있다."(276쪽)

〔여기에 더 이어지는 말이 있다. 제12강의 273쪽에서 로시는 이렇게 말한다. "나는 단지 사라사나 신발을 만들어서 생계를 꾸리는 그런 사람들만 생산자로 간주하지는 않는다. 어떤 노동이든 모두 존중하는데 … 이런 존중은 오로지 [371]**육체노동자**에게만 해당되는 것이어서는 안 된다." A. 스미스는 이런 말을 하지 않았다. 스미스에게 책, 그림, 음악, 동상을 만드는 사람은 두 번째 의미에서의 "생산적 노동자"였지만 즉흥시인, 낭독자, 연주자 등은 그렇지 못했다. 그리고 서비스노동의 경우 그것이 생산에 직접 들어가는 것이면 A. 스미스는 생산물에 대상화된 것으로 간주했는데, 여기에는 육체노동자의 노동은 물론 관리자나 지배인, 엔지니어, 심지어는 학자(그가 연구실 안이든 바깥이든 발명가로 기능하는 한)의 노동까지도 모두 포함되었다. 그는 분업에 대한 논의에서 이들 노동이 여러 사람들에게 어떻게 배분되는지 설명하고 이들 노동의 결과물인 상품이라는 생산물이 이들 가운데 어떤 한 사람의 노동에 의해서 만들어진 것이 아니라 이들 모두의 협업[372]에 의해서 만들어진 것이라는 점을 설명하고 있다. 그러나 로시와 같은 "정신적" 노동자[373]의 관심은 그들이 물적 생산과 관련되어 있다는 것을 정당화하는 데 거의 대부분 집중되어 있다.〕

로시는 이 논의에 이어서 다음과 같이 계속하고 있다.

"교환을 할 때 사람들은 이런 방식으로 생산의 세 가지 기본 사실들 가운데 이런저런 사실들에 주의를 기울인다. **그러나 이런 다양한 형태의 교환을 통해서** 특정의 **생산물**로부터 **부**의 성격을 제거하고 **특정 생산자 계급의 노력**으로부터 **생산적 노동의 질**을 제거할 수 있을까? 이런 개념들 사이에는 그런 결론을 끌어낼 만한 어떤 관련도 존재하지 않는다는 것이 분명하다. 내가 결과물을 구매하는 대신 결과물을 만들어내는 데 필요한 힘을 구매했다고 해서, 바로 그 이유 때문에 **이 힘의 사용은 비생산적인 것이 되고 그것의 생산물은 부가 되지 않는단** 말인가? 예를 들어 재단사의 경우를 다시 보기로 하자. 재단사가 만들어놓은 옷을 곧바로 구매하든, 재단사에게 재료와 임금을 제공해서 옷을 만들게 하든 두 경우 모두 결과물은 동일하다. 어느 누구도 전자의 **노동**만을 **생산적**이라고 하고 후자의 **노동**을 **비생산적**이라고 할 수는 없을 것이다. 후자의 경우는 **옷을 입으려는 사람**이 **자기 자신의 기업가 역할을 수행**한 것뿐이다. 생산력의 관점에서 집으로 불러들인 재단사와 집안에 고용된 하인 사이에 어떤 차이점이 있단 말인가? 둘 사이에는 전혀 차이점

이 없지 않은가!"(같은 책, 277쪽)

여기에는 거드름만 피우는 지질한 소인배 학자의 온갖 허위의식이 그대로 드러나고 있다. A. 스미스는 자신의 두 번째(보다 피상적인) 개념에서 노동이 구매자에게 판매할 수 있는 상품에 직접 실현되었는지의 여부에 따라
G613 생산적 노동과 비생산적 노동을 구별했고 이에 따른다면 재단사는 두 경우 모두 생산적 노동을 수행한 셈이다. 그러나 더 본질적인 그의 개념에 따른다면 (후자의 — 옮긴이) 재단사는 "비생산적 노동자"이다. 로시는 기껏 자신이 애덤 스미스를 "제대로" 이해하지 못했다는 사실을 보여주고 있을 뿐이다.

로시가 **"교환형태"**를 전혀 중요하지 않게 본 것은 마치 생리학자가 생명체의 형태[374]에 대하여 그것이 유기물질의 형태에 불과한 것이라고 하면서 전혀 중요하지 않게 보는 것과 마찬가지이다. 그러나 어떤 사회적 생산방식의 특수한 성격을 파악하려 할 때는 바로 이 형태야말로 유일하게 중요한 것이다. 웃옷은 웃옷이다. 그런데 그것이 첫 번째 교환의 형태로 만들어진다면[375] 그것은 자본주의적 생산이며 근대 부르주아 사회이다. 두 번째 교환의 형태일 경우 그것은 아시아적 생산이나 중세의 생산에서 볼 수 있는 수공업적 형태가 된다. 그리고 이들 **형태**는 소재적 부 그 자체의 측면에서 결정적으로 중요한 것들이다.

웃옷은 웃옷이다, 이것이 바로 로시의 명석함이다. 그런데 첫 번째 경우 재단사의 노동은 웃옷만 생산하는 것이 아니라 자본[376](따라서 이윤)도 함께 생산한다. 그는 자신의 고용주를 자본가로서, 그리고 자신을 임노동자로서 생산한다. 내가 재단사를 집으로 불러 내가 입을 웃옷을 만들게 할 경우, 나는 그런 행위를 통해서 나 자신의 **기업가**(범주적 의미에서)가 되는 것은 아니다. 이것은 마치 **의류업자인 기업가**가 ||415| 자신의 노동자들이 만든 웃옷을 스스로 입고 소비하는 것만으로 기업가가 되지 않는 것과 마찬가지이다. 첫 번째 경우 재봉노동의 구매자와 재단사는 단순한 구매자와 판매자로 서로 만난다. 한 사람은 화폐를 지불하고 다른 사람은 상품을 제공하는데 이 상품은 화폐가 사용가치로 전화한 것이다. 이 경우는 웃옷을 가게에서 구매하는 경우와 전혀 차이가 없다. 판매자와 구매자가 단지 그 자체로서 서로 만나고 있을 뿐이다. 그러나 두 번째 경우 이들은 자본과 임노동으로 서로 만난다. 내가 재단사 노동의 사용가치를 위해 재단사의 노동을 구매하는 두 번째 경우는 하인의 경우와 비교하여 형태적으로 아무런 차이가 없다. 두 경우 모두 단지 구매자와 판매자가 있을 뿐이다. 둘 사이의 차이점은 단지 사

용가치를 이용하는 방법에 있을 뿐인데 즉 하인의 경우에는 지배와 복종이라는 가부장적 관계—이 관계는 구매자와 판매자라는 관계를 그 경제적 형태에서 변화시키지는 않지만 내용 면에서 구역질 나는 형태로 변형시킨다—가 나타난다는 것뿐이다.

또한 로시는 가르니에의 이야기를 말만 바꾸어서 그대로 반복하고 있다.

"만일 스미스가 하인의 노동이 아무런 결과물도 남기지 않는다고 말했다
면 그것은 A. 스미스로서는 저질러서는 안 되는 오류를 범한 셈이다. 어떤 한
공장주가 몸소 큰 공장을 경영하고 있는데 이 공장을 감독하는 데는 많은
활동과 노동이 소요된다고 하자. … 자신을 위한 비생산적 노동자를 용인할
수 없는 이 사람은 하인을 두지 않는다. 그래서 그는 자신에 대한 모든 일을
스스로 수행해야만[377] 한다. … 그가 바로 이런 비생산적 노동에 바쳐야 하는
시간 동안에 그의 생산적 노동은 어떻게 되는 것일까? 그의 하인이 수행하 G614
는 노동은 그가 자신의 능력을 더 잘 발휘할 수 있는 활동에 바치도록 만들
어주는 것이 틀림없지 않은가? 그런데 어떻게 그의 하인이 아무런 결과물도
남기지 않는다고 말할 수 있단 말인가? 공장주가 한 것은 모두 남아 있는데,
그렇게 남은 그것들은 만일 이 하인이 그 공장주의 개인적인 용무나 집안일
을 대신 해주지 않았다면 그가 할 수 없었던 것들이다."(같은 책, 277쪽)

이것은 가르니에, 로더데일, 가닐 등이 이야기했던 **노동절약설**의 복제판이다. 이 견해에 따르면 비생산적 노동이 생산적 노동으로 될 수 있는 것은 오로지 이들이 자신들의 노동을 통해 산업자본가나 생산적 노동자들에게 그들의 노동이나 시간을 절약해줄 때—즉 비생산적[378] 노동자들[379]이 가치가 덜한 이런 노동을 대신 해줌으로써 생산적 노동자들이 더 가치 있는 노동을 수행할 수 있게 도와줄 때—뿐이라는 것이다. 그에 따라 비생산적 노동자 가운데 상당 부분이 (비생산적 노동으로부터—옮긴이) 제외되는데[380] 즉 그 자체 하나의 사치품에 지나지 않는 하인, 단순히 향락만을 생산하는 모든[381] 비생산적[382] 노동자, 그리고 **판매자가 생산하고 수행하는 노동을 향유하기 위해서는 구매자도 똑같은 시간**[383]**을 소비해야만 하는** 그런 비생산적 노동자가 모두 여기에 해당한다. 두 경우 모두 노동의 "절약"은 전혀 문제가 되지 않는다. 끝으로 실제로 노동을 절약하는 개인적 서비스노동은 그 소비자가 생산자일 경우에만 생산적 노동일 것이다. 만일 그 소비자가 무위도식하는 자본가라면 이들의 서비스노동은 그 자본가가 그냥 무엇인가를 하는 데 소비되는 노동을 절약해줄 뿐일 것이다. 행실이 나쁜 여자

는 머리를 손질하고 손톱을 깎는 것도 스스로 하는 대신 남을 시키며, 여우 사냥꾼은 자신이 말을 돌보는 대신 마구간지기를 시켜서 말을 손질하고 돼지처럼 식탐만 많은 자는 스스로 요리하지 않고 다른 사람에게 요리를 시킨다. 시토르흐에 따르면(같은 책) "**여가**"를 생산하여 누군가에게 향락이나 정신적인 작업에 사용할 수 있는 자유시간을 제공하는 사람도 이 노동자의 범주에 속한다. 경찰은 내가 직접 치안을 위해 소비해야 하는 시간을 절약해주며 군인은 내가 스스로 방위를 수행할 시간을 절약해주며 공무원은 행정 업무를 내게서 절약해주며 구두닦이는 내가 구두를 닦는 시간을 절약해주며 성직자는 내가 사색에 잠길 시간을 절약해준다 등등. 이들 이야기에서 맞는 부분이라곤 단 한 가지, **분업**에 대한 것이다. 모든 사람은 자신의 생산적 노동이나 생산적 노동에 대한 착취를 제외하고는 많은 [384]비생산적(부분적으로는 소비비용에 들어가는) 기능들을 수행해야만 한다. (진정한 의미에서의 생산적 노동자는 이런 소비비용을 스스로 부담해야만 하고 자신에게 필요한 비생산적 노동을 스스로 수행해야만 한다.) 만일 이런 "서비스노동"이 즐거운 것이라면, 초야권의 경우나 주인들이 직접 수행하는 감독노동의 경우에서 볼 수 있듯이 주인들은 노예를 대신해서 그런 서비스노동을 자신이 직접 수행할 것이다. 그러나 이렇게 한다고 해서 생산적 노동과 비생산적 노동 사이의 구별이 없어지는 것은 결코 아니다. 이런 구별은 그 자체 **분업**의 결과로서 나타나고, 그럼으로써 그것은 노동자의 전반적인 노동생산성을 촉진하여 분업은 비생산적 노동을 노동자들 가운데 일부가 **전담하는** 기능으로, 생산적 노동을 노동자들 가운데 다른 일부가 전담하는 기능으로 만들어버린다.

G615 그러나 허영심을 충족하기 위한 전시용으로 이루어지는 숱한 하인들의 **노동**까지도 "비생산적 노동이 아니다"라고 로시는 말한다. 왜 그랬을까? 그것은 그들이 **무엇인가를** 생산하기 때문이라는 것이다. 즉 이들 하인은 허영심을 충족하고 부를 과시하도록 만들어준다는 것이다(같은 책, 277쪽). 여기에서 우리는 다시 온갖 종류의 서비스노동이 모두 무엇인가를 생산한다는 말, 즉 매춘부는 쾌락을 생산하고 살인자는 살인을 생산한다는 터무니없는 이야기와 만나게 된다. 게다가 스미스는 이런 온갖 추잡한 일들도 모두 **가치**를 갖는다고 말했다. ||416| 이들 서비스노동은 무상으로 이루어진다는 결함도 가지고 있었다. 하지만 그것은 중요하지 않다. 설사 이들 서비스노동이 무상으로 이루어진다고 하더라도 이들은 단 한 푼의 부도 증가시키지 않을

것이다.

그런 다음 하나 마나 한 시시한 이야기들이 이어진다.

"사람들은 가수가 노래를 끝마치고 나면 우리에게 남겨지는 것이 아무것도 없다고 주장한다. — 하지만 가수는 우리에게 기억을 남겨준다! (멋진 말씀!) 샴페인을 마시고 나면 무엇이 남는가? … 소비가 생산행위의 뒤를 따라 곧바로 이루어지는지의 여부, 즉 소비가 즉시 이루어지느냐, 천천히 나중에 이루어지느냐에 따라 경제적 결과는 달라질 수 있다. 하지만 소비가 어떻게 이루어지든 상관없이 소비 그 자체가 생산물에서 부의 성격을 빼앗을 수는 없다. 비물질적 생산물 가운데에도 숱한 물질적 생산물보다 더 오랜 기간 지속되는 것이 있다. 궁전은 오래 지속된다. 하지만 『**일리아드**』는 그보다 훨씬 더 오래가는 향락의 원천이다."(277, 278쪽)

얼마나 웃기는 이야기인가!

로시가 여기에서 부라고 생각하는 것, 즉 사용가치의 관점에서는 **소비** — 소비는 즉시 이루어질 수도 있고 천천히 나중에 이루어질 수도 있다(이런 소비의 지속성 여부는 소비 그 자체와 소비 대상의 고유한 성질에 의존한다) — 만이 [385]생산물을 부로 만든다.[386] 사용가치는 쓸모에 대해서만 가치를 가지며 쓸모에 대한 그것의 현존재는 오로지 소비대상으로서의 현존재, 즉 소비과정에서의 현존재일 뿐이다. 샴페인을 마시는 것이, 비록 그것이 "숙취"를 생산한다 하더라도, 생산적 소비가 아닌 것처럼 음악을 듣는 것도, 비록 그것이 "기억"을 남긴다 하더라도, 생산적 소비는 아니다. 음악이 훌륭하고 청중이 그 음악을 잘 이해한다면, 설사 샴페인의 생산은 "생산적 노동"이고 음악의 생산은 비생산적 노동이라 하더라도, 음악의 소비가 샴페인의 소비[387]보다 더 고상한 것이 될 것이다.

생산적 노동과 비생산적 노동에 대한 스미스의 구별에 반대하는 논의들을 모두 종합하면, 가르니에의 논의에다 로더데일과 가닐의 논의(이들 두 사람의 논의에 새로운 것은 없다)를 조금만 더 추가하면 모든 논의의 밑천이 다 드러난다. 이들 이후의 논의들(시토르흐의 실패한 시도를 제외하고)은 오로지 하나 마나 한 이야기와 잡담들에 불과하다. 가르니에는 [388]집정정부 시절의 경제학자이고 페리에와 가닐은 제정시대의 경제학자들이다. 한편 백작 나리였던 로더데일은 **소비자를 "비생산적 노동"의 생산자라고 변호하는 데** 주로 관심을 기울였다. 하인제도와 세금징수업자, 기생소득자[389]에 대한 **찬양** G616
은 이들 모든 주구에게서 공통된 특징으로 나타나고 있다. 이와는 달리 고전경제학[390]의 조악한 냉소주의는 오히려 기존 질서에 대한 비판의 성격을 띠고 있다.

18. 찰머스가 부자, 국가, 교회의 낭비를 변호

찰머스 목사는 극히 광신적인 맬서스주의자 가운데 한 사람으로 그에 따르면 온갖 사회적 폐단을 구제하는 수단은 오로지 노동계급에 대한 종교적 교육(그가 생각하는 이 교육은 [391]맬서스 인구론을 성직자가 기독교적 장식을 붙여서[392] 주입하는 것이다)뿐이다. 또한 그는 국가에 의한 온갖 남용과 낭비적 지출, 성직자의 고소득, 부자들의 광적[393] 사치 등에 대한 강력한 옹호론자이기도 하다. 그는 "기아 상태에 해당하는 극도의 절약"이라는 시대정신에 대하여 한탄하면서(260쪽 이하), "고상"하고 비생산적인 노동자인 성직자 등의 풍족한 소비를 위한 세금의 인상을 주장하고(같은 곳), 스미스의 생산적 노동과 비생산적 노동의 구별에 대해서도 당연히 펄쩍 뛰면서 반대하고 있다. 그는 스미스의 비판에 장 하나(제11장)를 통째로 할애하는데 거기에는 절약이 "생산적 노동자들"에게 해악을 끼칠 뿐이라는[394] 이야기 외에는 아무것도 새로운 내용이 없다. 그의 주장을 요약하면 다음과 같다.

이 "구별은 별로 의미가 없는 것일 뿐 아니라 악의적으로 사용되고 있다."(같은 책, 344쪽) 이런 악의가 드러나는 곳은 어디인가? "우리가 이 문제를 그처럼 길게 다룬 것은 **오늘날의 경제학이 교회에 대해서 혹독하고 적대적인 관점을 가지고 있다**고 생각되기 때문이다. 그리고 우리는 **스미스의 유해한 구별**[395]이 바로 이런 경향을 조장하는 데 크게 기여했다는 점을 믿어 의심치 않는다."(**토머스 찰머스**(신학 교수), **『경제학 개론, 사회의 도덕적 상태와 전망에 관하여』, 제2판, 런던, 1832년,** 346쪽)[396]

여기에서 이 목사께서 말하는 "교회"란 바로 그 자신의 교회, 즉 법률에 의해 "설립된" 영국 국교회를 가리킨다. 게다가 그는 바로 이 "교회"를 아일랜드로 전파한 일당 가운데 한 사람이었다. 적어도 이 목사님에게 솔직한 면모는 있는 것 같다.|

19. 스미스와 그의 생산적 노동과 비생산적 노동의 구별에 대한 결론

|417| A. 스미스에 대한 논의를 끝맺기 전에 두 구절을 더 인용하고자 한다. 첫째는 그가 비생산적 정부에 대하여 적대감을 드러내는 부분이며 둘째는 산업의 발전이 왜 자유로운 노동을 전제로 하는지에 대해 그가 논의하고 있는 부분이다. **성직자들에 대한 스미스의 증오**[397]에 대하여!

첫 번째 구절은 다음과 같다.

"그러므로 국왕과 대신들이 사적 개인들의 절약을 감시하고, 사치를 금지

하는 법령이나 해외로부터의 사치품 수입을 금지하는 등의 방법으로 이들 개개인의 지출을 억제하려 하는 것은 건방진 일일 뿐 아니라 주제넘은 일이기도 하다. 그들 자신이야말로 언제나 단 하나의 예외도 없이 사회에서 가장 큰 낭비의 당사자들이다. 그들은 그들 자신의 지출에 대해서나 신경을 쓰고 사적 개인들의 문제는 각자에게 맡기는 것이 좋다. 그들 자신의 낭비에 의해 G617
나라가 망하지만 않는다면 일반 국민의 지출에 의해 나라가 망하는 일은 결코 없을 것이다."(제2편 제3장, 매컬럭 엮음, 122[398]쪽)[399]

다음 구절에서 그의 증오는 또 한 번 드러난다.

"사회적으로 가장 존경받는 지위에 있는 사람들의 노동은 **하인**의 노동과 마찬가지로 **아무런 가치도** 생산하지 **않으며** 〔이들의 노동은 가치를 가지고 있으며 따라서 일정한 등가가 지불되지만 아무런 가치도 생산하지 않는다〕 어떤 항구적인 물체(혹은 판매될 수 있는 상품)에 자신을 고정하거나 실현하지 않는다. … 예를 들어 군주와 더불어 그를 위해 봉사하는[400] 모든 관리(법관과 전쟁을 담당하는 육군과 해군을 모두 포함한)도 역시 **비생산적 노동자**이다. 그들은 공공을 위한 **봉사자들**이며 **다른 사람들의** 연간 **노동**생산물 가운데 일부에 의해 생계를 유지한다. … 이와 **같은 계급**으로 분류되어야 할 사람들로는 … 목사, 법률가, 의사, 온갖 종류의 문필가, 연극배우, 어릿광대, 음악가, 오페라 가수, 오페라 무희 등이 있다."(같은 책, 94, 95쪽)[401]

이것은 사회 전체와 국가를 아직 완전히 지배하지 못하고 따라서 아직 혁명적 성격을 띠고 있던 부르주아의 이야기이다. 오래전부터 고귀한 대접을 받아오던 이들 초월적인 직업, 즉 군주, 법관, 관리, 성직자,[402] 그리고 이런 사람들이 만들어낸 온갖 형태의 오랜 이데올로기적 신분들, 학자, 성직자[403] 등은 모두 부르주아 자신이 고용하는 하인이나 어릿광대 무리와 **경제적으로** 동일시되는데, 이들은 모두 부르주아 자신과 토지 귀족, 무위도식하는 부자나 자본가 등에 의해 부양된다. 이들은 전자가 부르주아의 하인인 것과 마찬가지로 단지 공공을 위한 **하인들**일 뿐이다. 그들은 **다른 사람들의 노동**생산물에 의존하여 살아간다. 따라서 이들의 숫자는 반드시 필요한 최소한의 수준으로 감축되어야만 한다. 국가, 교회 등이 정당화되는 것은 오로지 이들이 생산적 부르주아의 공동의 이익을 관리하고 집행하기 위한 위원회에 속해 있을 때뿐이며 이들에게 들어가는 비용은 그 자체 생산에 불필요한 비용에 속하는 것이기 때문에 반드시 필요한[404] 최소한의 수준으로 감축되어야만 한다. 이런 견해는 한편으로는 물적[405] 생산의 노동에 대해 노예의 낙인을 찍고 그런 노동을 단지 무위도식하는 시민을 위한 버팀목으로만 간주했던 고대의 견해에 대하여 날카로운 대립각을 세우는 것이며 또 다른 한편[406] 중세시대의 해체로부터 발생한 절대군주제나 입헌군주제의 견해 — 아직 이런 견해에 사로잡혀 있던 몽테스키외가 "부자들이 돈을 많이 쓰지 않으면 가난한 사람들은 굶어 죽는다"(『**법의 정신**』, 제7편, 제4장, [171쪽])라고 솔직하게 이야기했던 바로 그런 견해 — 와도 날카롭게 대립하는 것이다.

그러나 부르주아가 세상을 지배하게 되면, 즉 한편으로는 국가기구를 장악하고 다른 한편으로는 자신의 과거 주인들과 타협하게 되면, 그리고 또한 이데올로기적 신분들을 자신들의 피붙이들로 인정하고 도처에서 이들을 각각의 기능에 맞추어 변화시키고 나면, 그리하여 부르주아 자신이 생산적 노동의 대표자로서 이들 과거의 계급들과 대립하는 것이 아니라, 진정한 의미
G618 의 생산적 노동자들이 부르주아들에 대립하여 일어서서 부르주아 계급이야말로 다른 사람의 노동에 의해 살아간다는 이야기를 똑같이 하게 되면, 그리고 부르주아가 전적으로 생산에만 매진하는 것이 아니라 "교양 있는" 소비를 원할 만큼 충분히 교화되고 나면, 그리하여 정신적인 노동도 점점 더 그들의 **일**로 수행되고 자본주의적 생산을 위해 봉사하게 되면, 이제 사태는 완전히 달라져서 부르주아는 과거에 그들이 비판적으로 투쟁했던 바로 그것을 이제 자신의 관점에서 "경제적으로" 정당화하려고 노력하게 된다. 이런 측면에서 그들의 대변인[407]이자 양심적 변명을 담당해준 사람이 바로 가르니에 같은 사람이다. 여기에는 또한 스스로가 성직자이자 교수이기도 한 경제학자들이 자신들의 "생산적" 유용성을 입증하고 자신들이 받는 보수를 "경제적으로" 정당화하고자 하는 열망도 추가된다.|

|418| 두 번째 구절은 노예제와 관련된 부분으로 다음과 같다(**제4편**, 제9장, 가르니에 엮음, 549, 550쪽).

"그런 직업(수공업자와 공장주)은 (많은 고대국가에서는) 노예에게나 어울리는 것으로 간주되었으며 일반 시민들이 그런 일을 하는 것은 금지되었다. 직접 그렇게 금지하지는 않았던 아테네나 로마 같은 도시들에서도 오늘날 대개 도시의 하층민이 종사하는 이들 직업은 일반 시민들에게서 사실상 배제되어 있었다. 로마와 아테네에서 이들 직업은 부자의 노예들이 수행하는 것이었고 이들 노예는 자신의 주인에게 예속되어 이들 직업에 종사했다. 그리고 이들 주인의 부와 권력 그리고 특권 때문에 가난한 자유민들은, 자신들의 노동생산물이 부자의 노예들과 경쟁하게 될 경우 그 노동생산물을 어디

에도 판매할 수 없었다. 그러나 노예들은 거의 발명을 하지 않았고 생산에 도움이 되는 각종 개선 방법 — 기계나 혹은 작업의 배치나 분업을 통해 노동을 수월하게 만들어주거나 줄여주는 — 은 모두 자유민들이 고안해냈다. 혹시 어떤 노예가 그런 개선 방법을 고안해서 주인에게 제안하게 되면, 그 주인은 이런 제안을 게으름을 피우려는 의도로, 혹은 노예 자신의 노고를 줄이기 위해 주인에게 부담을 전가하려는 의도로 받아들이는 경향이 있었다. 불쌍한 노예는 아마도 칭찬을 받기는커녕 욕을 얻어먹거나 어쩌면 벌을 받게 될 가능성이 더 많았다. 따라서 노예들로 운영되는 작업장에서는 대개 자유민들이 운영하는 작업장보다 더 많은 노동이 사용되어야만 했다. 이로 인하여 전자의 작업장에서 생산된 물건들은 후자의 작업장에서 생산된 것보다 항상 더 비쌌다. 몽테스키외의 지적에 따르면 헝가리의 광산은 터키나 인근 국가들의 광산보다 매장량이 적은데도 불구하고 항상 비용이 더 적게 들었고 따라서 훨씬 더 많은 이윤을 얻었다고 한다. 터키의 광산들은 노예들에 의해 채굴되었으며 **이 노예집단은 터키인들이**[408] 광산 채굴에 사용하기 위해 생각했던 **유일한 기계**[409]였다. 반면 헝가리의 광산들은 자유민들에 의해 채굴되었고 이들은 자신들의 노동을 경감하기 위해 많은 기계들을 사용했다. G619
그리스와 로마 시대의 수공업 제품 가격을 알려주는 자료는 얼마 되지 않지만, 이들 자료에 의하면 품질이 좋은 수공업 제품의 가격은 상당히 비쌌던 것으로 보인다."(같은 책, 제3권)

A. 스미스는 스스로 제4편 제1장(같은 책, 제3권, 5쪽)에서 이렇게 말하고 있다.

"로크는 화폐와 다른 동산을 구별해야 한다고 지적하고 있다. 그의 생각으로는 다른 모든 동산은 **일시적으로만 존재하는 성질**[410]이 있어서 이런 종류의 동산으로 이루어진 부는 믿을 수 없는 것이었다. … 반면에 화폐는 정말로 믿을 수 있는 존재였다."(같은 책, 제3권, 5쪽) 계속해서 같은 책 24, 25쪽에서는 이렇게 말하고 있다.

"소비재는 금방 소멸하지만 금과 은은 **내구성**[411]이 있다고들 말한다. 따라서 만일 금과 은이 계속해서 유출되지 않는다면 그것들은 오랫동안 계속 축적될 수 있어서 한 나라의 실질적인 부는 엄청나게 증가할 것이다."

중금주의자들이 금과 은에 탐닉하는 것은 금과 은이 **화폐**, 즉 교환가치의 자립적 현존재이자 손에 잡을 수 있는 현존재 — 또한 [412]상품의 일시적인 교환가치 형태인 유통수단이 되지 않는 한, 소멸되지 않고 영원한 지속성을 갖는 현존재 — 이기 때문이다. 따라서 화폐의 축적과 축장은 중금주의자들의 치부 방식이다. 그리고 내가 페티의 인용 구절에서 보여준 바와 같이[413] 다른 상품들도 그것들이 어느 정도 지속성을 갖느냐(즉 얼마나 오랫동안 교환가치로 남느냐)에 따라 평가된다.

그런데 A. 스미스는 첫째 소비되는 품목의 지속 기간에 따라 소비가 부의 형성에 얼마나 쓸모가 있는지를 다룬 장에서 상품들의 지속성을 비교하는 고찰을 되풀이하고 있다. [414]따라서 이 부분에서는 중금주의적 견해가 드러나는데, 그것이 그럴 수밖에 없는 까닭은 곧바로 소비되는 경우에도 ||419| 소비물품은 **부** — 즉 상품, 다시 말해 사용가치와 교환가치의 통일체 — 로 남으며, 이때 소비물품이 부로 남는 정도는 사용가치의 지속성 — 즉 소비를 통해서 **상품**의 사용가치(교환가치를 가진 물건)로서의 가능성이[415] 얼마나 천천히 소멸하는지 — 에 의존하기 때문이다.

둘째 생산적 노동과 비생산적 노동에 대한 두 번째 구별에서 스미스는 완전히(더 넓은 의미에서) 중금주의의 구별 방법으로 되돌아가고 있다.

생산적 노동은[416] "어떤 특수한 물체(혹은 판매될 수 있는 상품)에 자신을 고정하고 실현하는데, **이 물체는 적어도 그의 노동이 끝난 후에도 상당 기간 존속하는 것이다**. 즉 그것은 필요할 때 사용하기 위해 저장되고 축적되는 일
G620 정량의 노동이다." 반면 비생산적 노동의 결과물이나 서비스는 "일반적으로 그것이 수행되는 순간 곧바로 소멸하고 어떤 흔적이나 **가치**[417](나중에 같은 양의 서비스노동을 얻을 수 있는)를 거의 남기지 않는다.(제2권, 제2편, 제3장, 94쪽)

따라서 스미스는 중금주의가 금은과 다른 상품을 구별하는 것과 똑같은[418] 구별을 상품과 서비스의 구별에 적용하고 있다. 여기에서도 축적은 축장의 형태가 아니라 실질적인 재생산의 의미를 갖는다. 상품은 소비되면서 사라지지만 그런 다음 더 큰 가치를 가진 상품을 만들어내거나, 혹은 그렇게 사용되지 않을 경우 스스로 다른 상품을 구매할 수 있는 가치가 된다. 정도의 차이는 있으나[419] 지속성을 갖는(따라서 다시 양도될 수 있는) 사용가치[420] — 판매될 수 있는 상품이자 교환가치를 지닌 물건, 다시 말해 그 자체 **상품**인 것, 혹은 사실상 **화폐**이기도 한 것 — 형태로 존재하는 것이 노동생산물이 갖는 성질이다. 비생산적 노동자의 서비스노동은 다시 **화폐**로 되지 않는다. 내가 변호사, 의사, 성직자, 음악가, 관리, 군인 등에게 지불한 대가로 제공받은 서비스노동을 가지고 나는 어떤 채무도 청산할 수 없으며 [421]상품을

구매할 수도, 잉여가치를 생산하는 노동을 구매할 수도 없다. 그것들은 곧바로 소멸하는 소비물품들과 마찬가지로 곧바로 사라지는 것들이다.

따라서 스미스는 본질적 측면에서 중금주의자들과 똑같은 이야기를 하고 있다. 중금주의자들에게는 오로지 **화폐**, 즉 금과 은을 만들어내는 노동만이 생산적이다. 스미스에게 생산적 노동은 오로지 그것을 구매한 사람에게 **화폐**를 만들어주는 노동뿐이다. 단지 둘 사이의 차이점은 스미스가 모든 상품에서 베일에 싸여 있는 화폐의 성격을 꿰뚫어 본 반면 중금주의자들은 교환가치의 자립적 현존재인 상품 속에서만 그것을 보았다는 것이다. 생산적 노동에 대한 이들의 이런 구별은 부르주아적 생산의 본질에 기초한 것인데 즉 부는 사용가치와 같은 것이 아니라 오로지 **상품**(교환가치를 지닌 사용가치, 즉 화폐로서의 사용가치)만이 부이기 때문이다. 중금주의자들은 이 화폐가 어떻게 만들어지고 어떻게 증식되는지 — 화폐의 증식은 상품의 금과 은으로의 전화(이 과정에서 상품은 자립적 교환가치로 응결되고 사용가치를 상실할 뿐 **가치크기**는 변하지 않는다)에 의해서가 아니라 상품의 소비를 통해 이루어진다 — 를 이해하지 못했다.

d) 네케르

자본주의의 계급 대립을 부와 빈곤의 대립으로 묘사

앞서 이미 인용한 랭게의 글은 그가 자본주의적 생산의 본질을 명확하게 이해하고 있었다는 것을 보여준다. 하지만 여기에서 우리는 네케르에 뒤이어 랭게를 다시 보게 될 것이다.[1]

네케르는 자신의 두 저서, 『**곡물법과 곡물거래**』(1775년 출판)와 『**프랑스의**
G621 **재정 운영**』에서 노동생산력이 발전하면 노동자들이 자신의 임금을 재생산하는 데 소요되는 **시간이 줄어들고** 따라서 자신의 고용주를 위하여 **무상으로** 노동하는 **시간이 더 늘어난다**는 것을 보여주었다. 이것을 논의하면서 네케르는 정확하게 평균임금, 즉 임금의 최저 수준에서 출발한다. 그러나 그의 논의의 본질은 노동 그 자체의 자본으로의 전화와 이 과정을 통한 자본의 축적에 있었던 것이 아니라, 필요생활수단을 생산하는 데 소요되는 노동량이 [2]감소하고 노동 가운데 점점 더 많은 노동이 잉여노동으로 되며, 그에 따라 이들 잉여노동이 사치품의 생산이나 다른 생산영역에 전용될 수 있게 됨에 따라, 빈부의 대립과 빈곤과 사치의 대립이 전반적으로 심화되어간다는 점에 집중되어 있었다. 이 사치품 가운데 일부는 지속성이 있어서 몇 세기에 걸쳐 잉여노동의 처분권을 가진 사람들의 수중에서 사치품이 축적되고 그에 따라 대립은 더욱더 심해진다.

네케르가 일반적으로 노동하지 않는 계층의 부(즉 이윤과 지대[3])를 ||420| 잉여노동으로부터 이끌어내고 있는 것은 중요하다. 그러나 그는 잉여가치의 고찰에서 상대적 잉여가치—총노동일의 연장이 아니라 **필요노동시간**의 단축에 의해 만들어지는—에만 주의를 기울이고 있다. 노동생산력은 노동조건의 소유자의 생산력[4]으로 된다. 그리고 생산력 그 자체는 일정한 생산물을 생산하는 데 필요한 노동시간의 단축을 의미한다. 이와 관련된 주요 구절들을 보면 다음과 같다.

첫째 『프랑스의 재정 운영』(『**저작집**』, 제2권, 로잔/파리, 1789년[5])

[6]"나는 사회계급 가운데 어떤 계급은 그 수입이 거의 변하지 않지만 다른 어떤 계급은 그 부가 반드시 늘어난다는 것을 알고 있다. 그래서 서로 대비되고 비교되는 것에 기초한 사치는 이런 불균형을 키워나가고 그것은 시간이 흘러갈수록 날로 심해질 수밖에 없다."(같은 책, 285, 286쪽) ([7]여기에는 이미 **두 계급** 간의 대립이 이야기되고 있다.) "사회계급 가운데 자신들의 운명이 어느 정도 사회법칙의 작용에 의해 **결정되어** 있는 계급은 모두 **자신들의 노**

동으로 살아가는 사람들로 이루어져 있기 때문에, 이들은 **소유자**(생산조건의 소유자[8])들의 법칙에 종속되어 어쩔 수 없이 **최소한의 생계에 적합한 임금**만을 받는 것으로 만족해야만 한다. 이들 사이의 경쟁과 **욕구의 절박함** 때문에 이들의 상태는 **예속적**이며 이런 관계는 변할 수 없다."(같은 책, 286쪽) "따라서 온갖 **기계적 숙련을 단순화해주는 작업도구들의 끊임없는 발명**은 **소유주들의 부와 자산[9]을 증대시켰다**. 이들 작업도구 가운데 **토지의 경작 비용을 감소시킨** 도구들은 이 토지소유자들의 **소득을 대폭 증가**시켰다. 인류의 발명 가운데 또 다른 부분들은 공업노동을 **용이하게 만들어줌**으로써 **생활수단을** G622 **분배하는 사람**(즉 자본가)**들에게 고용된 사람들**이 **동일한 시간에 동일한 임금을 받으면서** 온갖 종류의 생산물을 훨씬 더 많이 생산할 수 있도록 만들어 주었다."(287쪽) "지난 세기에는 10만 명의 노동자가 생산하던 것을 지금은 8만 명만으로 생산할 수 있게 되었다고 하자. 그러면 이제 남아돌게 된 2만 명의 노동자들은 임금을 벌기 위해 **다른 일자리**를 찾아야만 할 것이다. 이들에 의해서 새로 만들어진 생산물들은 부자들의 향락과 사치를 늘려줄 것이다."(287, 288쪽) "왜냐하면" 네케르는 이어서 말한다. "특별한 재능이 필요하지 않은 모든 직종의 임금은 언제나 각 노동자들에게 **필요한 생활수단의 가격**과 같고 따라서 작업 지식이 일반화되고 나면 **작업 속도의 증가는 노동하는 사람에게는 아무런 이익이 되지 않고 오로지** 토지생산물에 대한 처분권을 가진 사람들의 향락과 허영을 충족해주는 **수단을 증가시킬 뿐**이라는 점을 고려해야만[10] 하기 때문이다."(같은 책, 288쪽) "인간의 노동에 의해 형태가 만들어지고 가공되는 성질을 가진 여러 재화 중에는 그 내구성이 사람의 수명을 훨씬 초과하는 것들이 많다. 따라서 모든 세대는 선행하는 세대의 노동 가운데 일부를 상속받으며 〔여기에서 네케르가 생각하는 것은 A. 스미스가 소비재원이라고 불렀던 것의 축적이다〕 모든 나라들에서는 끊임없이 점점 더 많은 숙련 생산물들이 **축적된다**. 그리고 이들 생산물은 항상 소유자들 사이에 배분되기 때문에 이들의 재산과 다수의 일반 시민의 재산 사이에는 점점 더 현격하고 주목할 만한 불균형이 발생할 수밖에 없다."(289쪽) 그러므로 "온 세상에 사치품을 증가시키는 **공업 생산부문의 노동의 가속적인 증가, 그로 인해 증가한 축적 기간의 길이, 이들 사치품이 특정 사회계급에만 집중되는 소유의 법칙** … 이들 모든 사치의 원천은 주조된 화폐의 양이 얼마이든 그것과는 상관없이 존재한다."(291쪽) (이 마지막 부분은 사치가 화폐량의 증가에서 비롯된 것이라는 견해에 대한 반론이다.)

둘째 『곡물법과 곡물거래』(『저작집』, 제4권).

[11]"수공업자나 농민이 **예비재원을 더는 갖지 못하게 되면** 그들에게는 이제 선택의 여지가 없다. **내일 당장 굶어 죽지 않으려면 그들은 오늘 노동을 해야만** 한다. 그리고 소유자와 노동자 사이의 이 이해관계 투쟁에서 ||421| 한쪽은 여기에 자신과 가족의 생명을 걸고 있지만 다른 한쪽은 여기에 단지 사치 증가 속도를 늦출 것인지의 여부를 고민하고 있을 뿐이다."(같은 책, 63쪽)

노동하지 않는 사람들의 부와 살기 위해 노동해야 하는 사람들의 빈곤 사
G623 이의 이 대립은 또한 지식의 대립도 만들어낸다. 지식과 노동은 분리된다. 전자는 스스로 자본(혹은 부자들의 사치품)이 되어 후자와 대립한다.

[12]"지적 능력과 이해력은 자연이 준 일반적인 선물이다. 그러나 그것들은 교육을 통해서만 발전한다. 만일 재산이 모든 사람에게 균등하게 분배되어 있다면 사람들은 **모두 적당한 시간 동안만 일하게 될 것이다.** [13](따라서 결정적인 문제는 다시 노동시간의 양이다.) 그리고 사람들은 공부와 사색에 할애할 수 있는 **시간**(자유시간)을 갖게 될 것이므로 **모두가 일정한 지식을 갖게 될** 것이다. 하지만 사회제도의 작용으로 인해 재산의[14] 분배가 불균등할 경우에는, 재산을 갖지 못한 채 태어나는 모든 사람은 **교육을 받지 못할 것**이다. 한 나라 안에 있는 모든 생활수단을 **화폐 혹은 토지**를 소유한 일부 계층의 사람들이 가지고 있고, 이들이 이 생활수단을 다른 사람에게 조금도 무상으로 제공하지 않을 것이기 때문에, 자신의 육체적 힘 외에는 다른 아무런 예비재원[15]도 갖지 못한 사람들은 어쩔 수 없이 처음 태어난 순간부터 이 소유자들을 위해 일할 수밖에 없을 것이고, 이들은 아침부터 저녁까지(즉 그들의 육체적인 힘이 모두 소진되어 수면을 통해 이 힘을 다시 회복하지 않으면 안 될 때까지) 평생을 계속 그렇게 일을 해야만 할 것이다.(112쪽) 따라서 결국 이런 지식의 불평등이 모든 사회적 불평등—**바로 그 지식의 불평등을 만들어낸**—을 유지하는 데 필요하게 되었다는 것은 틀림없는 일이 아닌가?"(같은 책, 113쪽)(118, 119쪽을 보라)

네케르는 생산조건의 소유자들을 찬양하는 경제학적 혼동—중농주의자들에게서는 토지와 관련된 부분을 통해서, 그리고 이후의 모든 경제학자들에게서는 자본의 소재적 요소와 관련된 부분을 통해서 특징적으로 나타난다—을 비웃고[16] 있는데 즉 노동과 부의 생산에 필요한 것은 바로 이들 노동조건이지 그들 소유자 자신이 아니라는 점을 지적하고 있다.

"사람들은 토지소유자(누구나 쉽게 수행할 수 있는 기능)의 중요성을 토지

의 중요성과 혼동하면서 시작한다."(126쪽)[17]

슈말츠. 중농주의의 독일판 후예라고 할 수 있는 이 사람[18]은 생산적 노동과 비생산적 노동의 차이에 대한 스미스의 연구를 비판하면서 이렇게 말한다(독일어판, **1818년**).

"내가 지적하고 싶은 것은 단지 … 다른 사람의 노동이 일반적으로 우리에게는 단지 시간의 절약을 의미할 뿐이고 그 시간의 절약이 노동의 **가치**와 **가격**[19]을 형성하는 모든 것이라는 점을 고려한다면 스미스가 구별하는 **생산적** 노동과 **비생산적** 노동의 차이는 본질적으로 매우 정확한 것이라고 보기는 어렵다는 것이다. 〔여기에서 그는 분업으로 인한 시간의 절약은 어떤 물건의 가치나 가격을 결정하는 것이 아니라, 단지 동일한 시간에 더 많은 양의 생산물이 만들어짐으로써 동일한 가치로 더 많은 양의 사용가치를 얻는 것, 즉 노동이 더 생산적으로 되는 것일 뿐이라는 점을 혼동하고 있다. 그러나 물론 그는 중농주의자들의 후예로서 가치가 노동시간에 있다는 사실을 발견하지 못하고 있다.〕 예를 들어 내게 탁자를 만들어주는 목수와 내 편지를 부쳐주고 내 옷을 빨아주고 내게 필요한 것들을 제공하는 서비스노동자 G624
는 둘 다 내게 본질적으로 동일한 서비스를 제공한다. 즉 두 사람 모두 내가 이런 일들에 소비해야 하는 시간과 그런 일들을 하는 데 필요한 숙련과 능력을 얻기 위해 소비했어야 하는 시간을 절약하게 해준다."[20](**슈말츠, 『경제학』**, 앙리 주프루아 옮김, 1826년, 제1권, 304쪽) 하지만 이 엉터리 같은 슈말츠의 다음과 같은 언급은 가르니에의 소비체계(그리고 낭비의 경제적 유용성)가 중농주의와 어떻게 연결되어 있는지를 이해하는 데 중요하다.

"(케네의) 이 체계는 수공업자는 물론 **단순한 소비자**의 소비도, 비록 간접적이고 매개적인 방식이긴 하지만 국민소득의 증가에 기여한다는 [것을 이유로], 이들의 소비가 긍정적이라고 간주한다. 왜냐하면 [만일] **이들의 소비가 [없다면] 소비된 물건들이 토지에서 생산되지 않았을 것이고 토지소유자의 소득에 [부가될] 수 없었을** 것이기 때문이다."(321쪽)|

|X-422[1]| 여록. 케네의 경제표[2]

연간 총생산물 50억(리브르 투르누아)

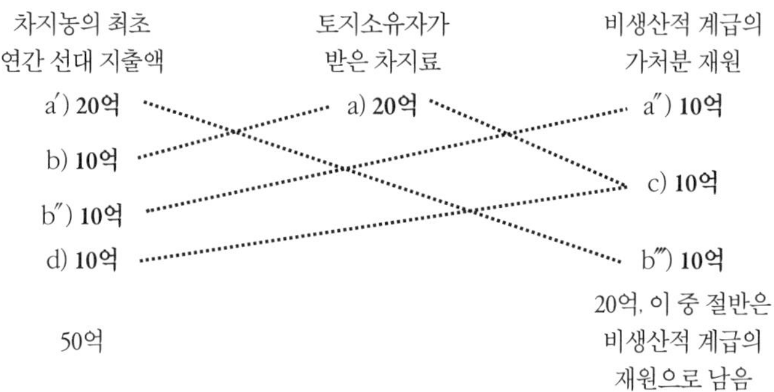

이 표를 좀 더 명확하게 하기 위하여 나는 케네가 항상 유통의 출발점이라고[3] 불렀던 것을 a, a′, a″으로, 유통의 그다음 단계를 b, c, d와 b′, b″으로 표시했다.

이 표에서 우선 주목해야 할 부분, 그리고 오늘날 우리에게 깊은 인상을 남기는 부분은 화폐유통이 상품유통과 상품재생산(즉 사실상 자본의 유통과정)에 의해 규정되는 것으로 표현된다는 점이다.

1. 차지농과 토지소유자 사이의 유통. 재생산이 발생하지 않는 차지농으로의 화폐 환류

G627

차지농업가는 처음에 20억 프랑을 토지소유자에게 지불한다. 토지소유자는 그것을 가지고 차지농업가로부터 10억 프랑어치의 생활수단을 구매한다. 그리하여 10억 프랑의 화폐는 차지농업가에게 되돌아오고 총생산물 가운데 $\frac{1}{5}$은 처분되어 유통에서 빠져나가 소비로 들어간다. 그런 다음 토지소유자는 10억 프랑의 화폐를 지불하여 10억 프랑어치의 공산품(비농업부문의 생산물)을 구매한다. 그리하여 (이제는 가공된 형태를 취하는) 생산물[4] 가운데 두 번째 $\frac{1}{5}$이 유통[5]에서 빠져나가 소비[6]로 들어간다. 이 10억 프랑의 화폐는 이제 비생산적 계급의 수중에 들어가고 그는 이 화폐로 차지농업가에게서 10억 프랑어치의 생활수단을 구매한다. 그리하여 차지농업가가 지대 형태로 토지소유자에게 지불한 두 번째 10억 프랑은[7] 차지농업가에게 되돌아온다. 한편 그의 생산물 가운데 또 다른 $\frac{1}{5}$이 비생산적 계급의 수중에 들어가고 그것은 유통에서 빠져나가 소비로 들어간다. 그리하여 이 첫 번째 운동이 끝나고 나서 우리는 20억 프랑의 화폐가 다시 차지농업가의 수중에 들

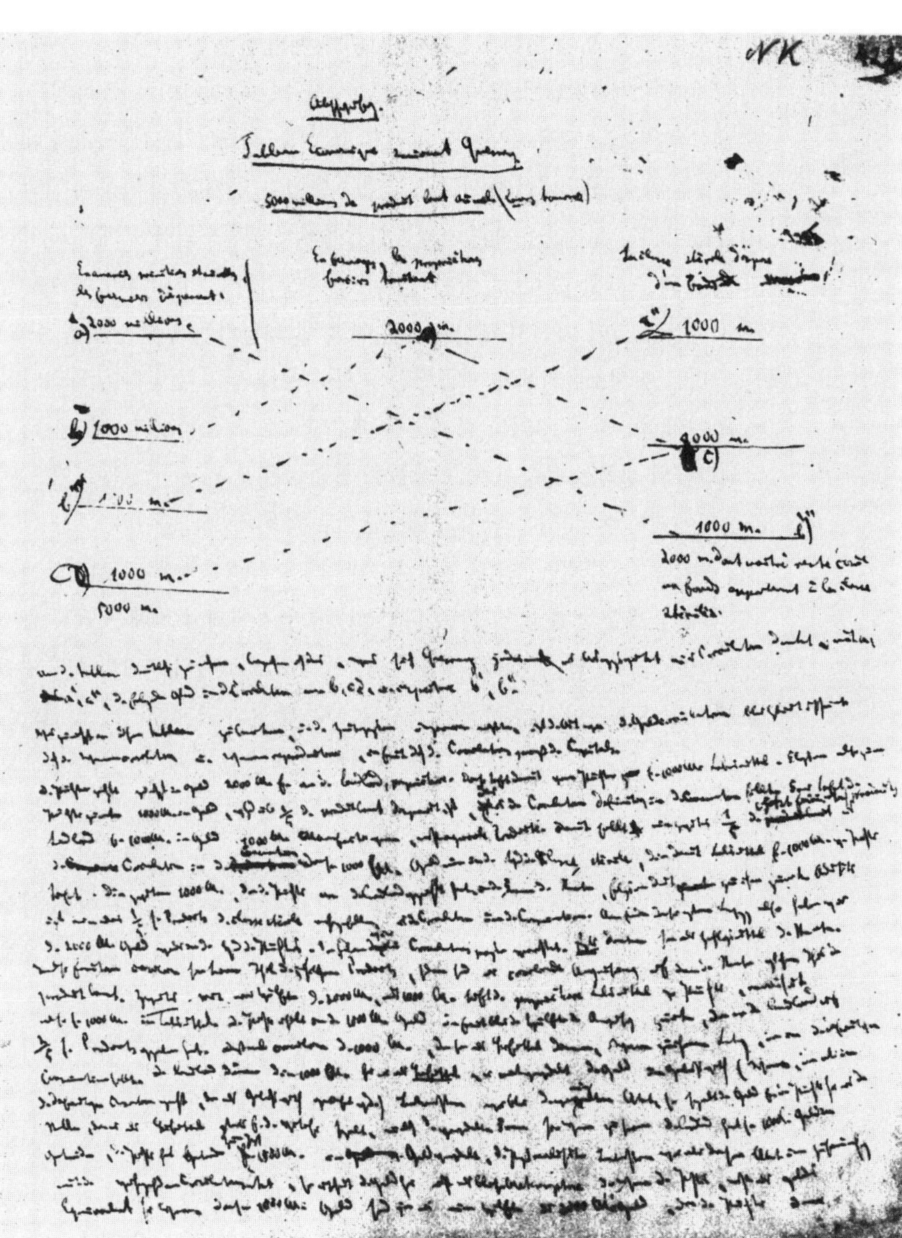

제10노트 422쪽

어가 있는 것을 보게 된다. 그 화폐는 네[8] 차례의 유통을 수행했다. **첫째** 그것은 지대의 지불수단으로 사용되었다. 이 기능을 수행하면서 그 화폐는 연간 생산물은 조금도 유통시키지 않았고 단지 총생산물 가운데 지대에 해당하는 부분의 유통에 대한 증서로 기능했을 뿐이다. **둘째** 20억 가운데 절반인 10억을 가지고 토지소유자는 차지농업가에게서 생활수단을 구매했고 따라서 그 10억은 생활수단으로 실현되었다. 차지농업가는 이 10억의 화폐를 통해서 사실상 그가 자신의 생산물 가운데 $\frac{2}{5}$에 해당하는 부분을 얻을 수 있는 권리로 토지소유자에게 제공했던 증서 가운데 단지 절반만을 돌려받았을 뿐이다. 이 경우 10억의 화폐는 구매수단으로 사용되었기 때문에 해당 금액만큼의 상품을 유통시켜 그 상품을 최종 소비로 넘겨주었다. 이때 토지소유자에게서 이 10억은 단지 **구매수단**으로 사용되었을 뿐이다. 그는 화폐를 사용가치(단지 최종 소비로 들어간, 사용가치로 구매된 상품)로 재전화시켰다. 각각의 개별 행위들만 고찰한다면 차지농업가에게서 화폐는 단지 판매자를 위한 구매수단(즉 자신의 상품이 전화한 형태)으로서의 역할만을 수행했을 뿐이다. 토지소유자는 자신이 가지고 있던 10억의 화폐를 곡물로 전화시켰고 차지농업가는 10억의 가격에[9] 해당하는 곡물을 화폐로 전화시킴으로써 그 가격을 실현했다. 그러나 우리가 이 행위를 그것에 선행하는 유통행위와 관련지어 고찰한다면 이 경우의 화폐는 단순히 차지농업가의 상품이 형태를 변화시킨 것(즉 상품의 화폐적 등가)으로 나타나지 않는다. 이 10억의 화폐는 바로 차지농업가가 ||423|[10] 토지소유자에게 지대의 형태로 지불한 20억의 화폐 가운데 절반에 해당할 뿐이다. 차지농업가는 10억의 상품을 주고 10억의 화폐를 받았다. 그러나 그것을 통해 그는 사실상 자신이 토지소유자에게 지대로 지불한 화폐를 도로 돌려받은 것일 뿐이다. 즉 [11]토지소유자가 차지농업가에게서 받은 10억을 가지고 차지농업가의 상품을 구매한 것이다. 그는 아무런 등가도 주지 않고 차지농업가에게서 얻었던 화폐를 차지농업가에게 도로 지불한 것이다. 이처럼 화폐가 차지농업가에게로 환류함으로써, 첫 번째 행위와 관련하여 우선 화폐는 차지농업가에게 단순한 유통수단으로 보이지 않는다. 그러나 이 환류된 화폐는, 이 운동이 하나의[12] 재생산과정을 나타내는 것인 한, 출발점에 있던 화폐와 본질적으로 다르다.

G628 예를 들어 자본가 혹은 (자본주의적 재생산의 성격을 완전히 배제하기 위하여) 어떤 생산자가 그가 원료, 작업도구, 노동하는 기간 동안에 필요한 생활수단 등에 100파운드스털링을 지출한다고 하자. 그리고 이 생산자가 생활

수단(즉 [13]자신에게 지불한 임금)에 지출한 것 이상의 노동을 생산수단에 부가하지 않는다고 가정하자. 원료 등 = 60(원문에는 80으로 되어 있으나 MEGA의 오식 — 옮긴이)파운드스털링이고, 소비된 생활수단 = 20파운드스털링, 부가된 노동도 마찬가지로 20파운드스털링이라고 한다면 생산물 = 100파운드스털링이 될 것이다. 그가 이 생산물을 다시 판매한다면 그에게는 100파운드스털링의 화폐가 다시 돌아올 것이다 등등. 여기에서 화폐가 이처럼 출발점으로 도로 돌아오는 것은 바로 끊임없는 재생산을 나타낸다. 여기에서 G — W — G의 형태변화, 즉 화폐의 상품으로의 전화와 상품의 화폐로의 재전화, 다시 말해 상품과 화폐의 단순한 형태전환은 동시에 [14]재생산과정을 나타낸다. 화폐의 상품(**생산수단**과 생활수단[15])으로의 재전화가 이루어지고 나면, 이들 상품은 노동과정의 요소로 투입되고 노동과정으로부터 생산물로 만들어져 나온다. 그런 다음 완성된 이 생산물이 다시 유통과정에 투입되고 그럼으로써 다시 상품으로서 화폐와 대립하고 그런 다음 결국 화폐로 재전화하게 되면 — 완성된 상품이 자신의 생산요소와 교환될 수 있으려면 그 상품이 미리 화폐로 전화해 있어야만 하기 때문이다 — 이제 상품은 다시 과정의 결과물이 된다. 여기에서 화폐의 출발점으로의 끊임없는 환류는 단지 화폐의 상품으로의 전화와 상품의 화폐로의 형태적 전화 — 단순한 유통과정(혹은 [16]단순상품교환)에서 나타나는 것과 같은 — 를 나타낼 뿐 아니라[17] 동시에 동일한 생산자의 관점에서 끊임없는 상품의 재생산을 나타낸다. 교환가치(화폐)는 [18]상품으로 전화하여 [19]소비에 투입되어 사용가치로 이용되고(단, 재생산적 소비 혹은 산업적 소비에 이용된다) 그 결과 원래의 가치를 다시 생산하고 **동일한** 화폐액(생산자가 오로지 자신의 생계를 위해서만 노동하는 위의 예에서와 같은 경우)으로 다시 나타난다. 여기에서 G — W — G가 표현하는 것은, G가 단지 형태적으로 W로 전화하는 것뿐 아니라 W가 사실상 사용가치로 소비되면서 유통에서 떨어져 나가 소비(단, 산업적 소비)로 들어가고, 그리하여 그것의 가치를 소비를 통해 보전하고 재생산하며 따라서 G는 과정의 끝부분에서 처음의 모습으로 다시 나타남으로써 G — W — G의 운동 속에서 자신을 보존한다는 사실이다.

하지만 위에서 말한 토지소유자에게서 차지농업가로의 화폐의 환류에서는 아무런 재생산과정도 일어나지 않는다. 그것은 마치 차지농업가가 토지소유자에게 10억어치의 생산물에 해당하는 전표나 티켓을 준 것과 마찬가지이다. 토지소유자가 이 전표를 사용하는 순간 그것은 차지농업가에게로

환류하고 차지농업가는 그것을 다시 인수한다. 만일 토지소유자가 지대 가
운데 절반을 현물로 지불한다면 화폐유통은 발생하지 않을 것이다. 전체 유
G629 통은 단순 이전, 즉 생산물이 차지농업가의 수중에서 토지소유자의 수중으
로 옮겨지는 것으로만 국한될 것이다. 처음에 차지농업가는 토지소유자에
게 상품 대신에 화폐를 주고 그런 다음 토지소유자는 차지농업가에게서 [20]
상품을 얻는 대신 화폐를 되돌려 줄 것이다. 차지농업가에게서 화폐는 토지
소유자에 대한 **지불수단**으로 사용된다. 토지소유자에게서 그 화폐는 차지농
업가에 대한 **구매수단**으로 사용된다. 첫 번째 기능을 수행하면서 화폐는 차
지농업가에게서 떨어져 나가고 두 번째 기능을 수행하면서 차지농업가에게
되돌아온다. 이런 유형의 화폐의 환류(생산자에게로)는 생산자가 자신의 생
산물 가운데 일부 대신 그 생산물의 가치를 자신의 채권자에게 화폐로 지불
하는 경우에는 언제나 나타날 수밖에 없으며 이때 그 잉여를 함께 공유하는
모든 사람은 채권자로 나타난다. 예를 들어 모든 세금은 생산자들이 화폐로
지불한다. 이 경우 생산자에게서 화폐는 국가에 대한 지불수단이다. 국가는
이 돈을 가지고 생산자들의 상품을 구매한다. 화폐는 국가의 수중에서 구매
수단이 되고 상품이 생산자에게서 떨어져 나가는 만큼 생산자에게로 되돌
아온다. 이런 환류, 즉 재생산에 의해 규정되지 않는 성격을 지닌 화폐의 환
류는 소득과 자본 사이의 교환에서는 도처에서 반드시 발생한다. 이 경우 화
폐를 환류시키는 것은 재생산이 아니라 소비이다. [21]소득은 화폐로 지불된
다. 그러나 소득은 상품으로만 소비될 수 있다. 따라서 생산자에게서 소득
으로 획득한 화폐는 [22]동일한 가치액의 상품을 얻기 위해(즉 소득을 소비하기
위해) 생산자에게 다시 지불되어야만 한다. 소득으로 지불되는 화폐, 즉 예
를 들어 지대 [23]혹은 이자, 세금[24] 등은 〔||424|[25] 산업자본가는 자신의 생산
물로 자신의 소득을 지불하거나 혹은 생산물을 판매한 것 가운데 일부를 자
신의 소득으로 취한다〕 지불수단의 일반적 형태를 취한다. 소득을 지불하는
사람은 가정에 따라 자신의 생산물 가운데 일부(예를 들어 차지농업가는 자신
의 생산물 가운데 $\frac{2}{5}$, 즉 케네가 지대를 구성하는 것이라고 했던 부분)를 자신의
채권자에게서 앞서 이미 받은 상태이다. 차지농업가는 이 부분에 대한 명목
상의(혹은 사실상의) 점유자일 뿐이다. 따라서 차지농업가의 생산물 가운데
지대를 이루는 부분은 차지농업가와 토지소유자 간의 유통을 위해서 단지
생산물의 가치에 해당하는 화폐액 — 비록 이 가치는 두 번 유통되긴 하지
만 — 만을 필요로 한다. 먼저 차지농업가가 지대를 화폐로 지불한다. 그런

다음 토지소유자가 이 화폐를 가지고 생산물을 구매한다. 전자의 과정은 단순한 화폐의 양도인데 이는 화폐가 이 경우 단지 **지불수단**으로만 기능하기 때문이다. 즉 여기에서는 화폐를 받고 지불되는[26] 상품이 이미 지불하는 사람의 소유로 되어 있고, 지불하는 사람은 이 화폐를 구매수단으로 사용하지 않으며 — 즉 그는 화폐에 대한 등가를 아무것도 받지 않는다 — 오히려 그 등가를 이미 사전에 가지고 있었던 것으로 가정하고 있다. 하지만 두 번째 과정에서 화폐는 상품의 구매수단(즉 유통수단)으로 작용한다. 그것은 마치 차지농업가가 자신이 지대로 지불한 화폐를 가지고 토지소유자에게서 생산물 가운데 토지소유자의 몫을 구매한 것과 마찬가지이다. 토지소유자는 그가 차지농업가에게서 받은 바로 그 화폐(그러나 사실 차지농업가는 이 화폐를 아무런 등가도 받지 않고 토지소유자에게 주었다)를 가지고 차지농업가에게서 생산물을 다시 구매한다.

따라서 생산자에게서 소득의 소유자에게 지불수단의 형태로 양도되는 바 G630
로 이 화폐는 소득의 소유자에게서 생산자의 상품을 구매하기 위한 구매수단으로 사용된다. 이 두 번에 걸친 화폐의 위치 변경 — 한 번은 생산자의 수중에서 소득 소유자의 수중으로, 그리고 다른 한 번은 후자의 수중에서 생산자의 수중으로 되돌아오는[27] — 은 단지 상품의 한 번의 위치 변경(즉 생산자의 수중에서 소득 소유자의 수중으로)을 나타낼 뿐이다. 가정에 따라 생산자는 소득 소유자에게 자신의 생산물 가운데 일부에 해당하는 채무를 지고 있기 때문에 그는 소득 소유자에게 지대의 형태로 (사실상 사후적으로만) 이미 소득 소유자의 소유가 된 상품의 가치를 지불한다. 상품은 그의 수중에 있다. 그러나 그것은 그의 것이 아니다. 따라서 그는 소득의 형태로 화폐를 지불하는 것과 동시에 상품을 자기 것으로 되찾는 것이다. 따라서 상품의 주인은 변하지 않는다.[28]화폐의 소유자가 바뀔 경우 그것은 단지 상품에 대한 **명목상의 소유권 변경**을 의미할 뿐 상품은 여전히 생산자의 수중에 머문다. 그래서 두 번에 걸친 화폐의 이 위치 변경은 단지 한 번의 상품의 위치 변경일 뿐이다. 화폐는 상품을 한 번 유통시키기 위해[29] 두 번 유통한다. 그런데 화폐는 또한 한 번은 유통수단(구매수단)으로만 유통하고 다른 한 번은 지불수단으로 유통하는데 이 후자의 유통에서는 우리가 위에서 이야기한 상품과 화폐의 동시적인 위치 변경이 전혀 일어나지 않는다.

만일 실제로 차지농업가가 자신의 생산물을 제외하고는 전혀 화폐를 갖고 있지 않다면 그는 자신의 상품을 판매한 이후에만 자신의 생산물을 지불할 수 있을 것이다. 즉 차지농업가가 상품을 화폐로서 토지소유자에게 계속 지불할 수 있으려면 상품이 먼저 첫 번째 형태변화를 마쳐야만 하는 것이다. 이 경우에도 위치 변경은 상품보다 화폐 쪽에서 더 많이 일어난다. 처음에는 W—G로 된다. [30]즉 상품 가운데 $\frac{2}{5}$가 판매되어 화폐로 전화한다. 이 경우 상품과 화폐는 동시에 서로 자리를 바꾼다. 그러나 바로 그런 다음 이 화폐는 상품의 위치 변경 없이 차지농업가의 수중에서 토지소유자의 수중으로 넘어간다. 여기에서는 상품의 위치 변경 없이 화폐의 위치 변경이 이루어진다. 그것은 마치 차지농업가가 동업자를 가지고 있는 경우와 마찬가지이다. 그는 화폐를 얻지만 그것을 동업자와 나누어야만 한다. 혹은 또 그것은 마치 차지농업가의 하인[31]이 $\frac{2}{5}$에 해당하는 화폐를 얻는 경우와 똑같다. 이 하인은 그 화폐를 차지농업가에게 주어야만 하고 그것을 자신의 호주머니에 넣을 수 없다. 이 경우 한 사람의 수중에서 다른 사람의 수중으로 화폐의 이전은 상품의 형태변화를 나타내는 것이 아니며 [32]단지 화폐가 직접적인 점유자의 수중에서 소유자의 수중으로 이전하는 것을 나타낼 뿐이다. 따라서 이것은 최초의 화폐 수령인이 자신의 고용주를 위해 화폐를[33] 심부름하는 사람인 경우일 수 있다. [34]그럴 경우 화폐는 또한 지불수단으로 기능하지도 않는다. 화폐는 단순히 그것을 수령한 사람(그는 이 화폐의 소유자가 아니다)의 수중에서 소유자의 수중으로 이전된 것에 지나지 않는다. 이런 경우 화폐의
G631 위치 변경은 상품의 형태변화와 아무런 관련이 없으며 화폐와 다른 화폐와의 교환으로 인해 발생하는 위치 변경과도 아무런 관련이 없다. 하지만 지불수단의 경우에는 언제나 지불하는 사람이 상품을 얻고 그 대가를 나중에 지불한다는 것을 전제로 한다. 차지농업가의 경우 그는 상품을 **얻지** 않았다. 상품은 [35]토지소유자의 수중에 있기 전에 그의 수중에 있었고 그 상품은 **그의** 생산물 가운데 일부이다. 그러나 **법적으로** 그는 상품의 대가로 받은 화폐를 토지소유자에게 넘겨줄 때 비로소 상품에 대한 소유권을 갖는다. 상품에 대한 그의 법률적 권리는 바뀌지만 상품 그 자체는 여전히 그의 수중에 있다. 그러나 그의 수중에서 상품은 원래 **점유**되고 있었을 뿐이며 그것의 소유권자는 토지소유자였다. 이제 상품은 그의 수중에서 차지농업가 자신의 소유가 된다. 상품이 동일한 사람의[36] 수중에서 겪는 법적 형태의 변화는 물론 상품 그 자체가 한 사람의 수중에서 다른 사람의 수중으로 이전되는 결과를 가져오지는 않는다.|

|425[37]|[38] 〔동시에 이로부터 우리는, 자본가가 상품을 화폐로 전화시키기

전에 노동자에게 화폐를 선대한다는 사실로부터 자본가의 이윤을 "설명"하려는 것이 얼마나 터무니없는지도 알 수 있다. **첫째** 내가 만일 나 자신의 소비를 위해 상품을 구매한다면, 이 경우 내가 곧 구매자이고 상품을 가지고 있는 사람이 "판매자"라고 해서, 그리고 내 상품은 화폐형태를 취하고 그의 상품은 이제 화폐로 전화해야 할 것이라고 해서 그로부터 내가 "이윤"을 얻을 수는 없을 것이다. 자본가는 노동에 대해서는 그것을 소비하고 나서야 비로소 그 대가를 지불하지만 다른 상품에 대해서는 그것을 소비하기 전에 이미 그 대가를 지불한다. 이것은 그가 구매하는 상품의 고유한 성질에서 비롯된 것이며 그 상품은 사실상 그것이 소비되고 나서야 비로소 그의 수중에 들어온다. 이 경우 화폐는 지불수단으로 나타난다. 자본가는 "노동"이라는 상품에 대해서 항상 그 대가를 지불하기 **전에** 먼저 그것을 손에 넣는다. 그런데 그가 이 상품을 구매하는 목적이 오로지 그 노동의 생산물을 되팔아서 이윤을 얻는 것에 있다고 해서 그것이 그가 이 이윤을 만들어내는 **원천**을 설명해주지는 않는다. 그것은 단지 하나의 동기일 뿐이다. 이 말은 곧 그가 임노동의 구매를 통해 이윤을 얻는 것이 그가 임노동의 재판매로부터 이윤을 만들어내려는 의도를 가지고 있었기 **때문이라는** 것을 이야기해줄 뿐이다. **둘째** 그래도 그는 생산물 가운데 노동자에게 임금으로 돌아가는 부분을 화폐형태로 노동자에게 선대하고, 그럼으로써 상품 가운데 임금으로 돌아갈 부분을 화폐로 전화시키는 데 노동자가 원래 부담했어야 할 노고와 위험, 그리고 시간[39] 등을 노동자에게서 면제해준다. 따라서 노동자는 이런 노고와 위험 그리고 시간 등에 대해 자본가에게 대가를 지불해야 하는 것이 아닐까? 즉 노동자는 그 대가로 생산물 가운데 원래 자신에게 돌아올 몫보다 더 적은 부분만을 받아 가야 하는 것이 아닐까? 그런데 이렇게 되면 자본과 임노동 사이의 관계는 모두 와해되어버리고 잉여가치의 경제적 정당성 문제는 아예 지워져버린다. 이 과정의 결과는 사실 자본가가 임노동자에게 지불하는 재원이 다름 아닌 임노동자 자신의 생산물이며 자본가와 노동자는 **사실상** 생산물을 서로 나누어 갖는다는 점에 있다. 그러나 이 실질적인 결과는 자본과 임노동 사이의 거래(잉여의 정당성이 상품교환 그 자체의 법칙[40]에서 유래한다는 경제적 논리의 토대가 되는 바로 그 거래)와는 결코 아무런 관계도 없다. 자본가가 구매한 것은 노동능력에 대한 일시적 처분권이다. 그는 이 노동능력이 사용되어[41] [42]생산물 속에 대상화되고 나면 비로소 그 대가를 지불한다. 화폐가 지불수단으로 사용되는 모든 경우와 마찬가지로 이 경우에

2. 자본가와 노동자 사이의 화폐 유통에 대하여
a) 임금을 자본가가 노동자에게 투하하는 선대로 간주하는 터무니없는 견해. 이윤을 위험수당으로 간주하는 부르주아적 견해

G632

도 구매와 판매는 구매자 측의 화폐의 실질적인 양도보다 먼저 이루어진다. 그러나 노동은 실제 생산과정이 시작되기 전에 이미 이루어진 바로 그 거래 이후에는 자본가에게 **귀속된다**. 이 생산과정에서 만들어진 생산물인 **상품**은 모두 자본가에게 귀속된다. 자본가는 자신이 소유한 생산수단과 자신이 구매하여(아직 그 대가를 지불한 것은 아니지만) 소유하게 된 노동을 가지고 상품을 생산한다. 그것은 마치 그가 자신의 생산을 위해 아무런 타인의 노동도 사용하지 않은 것과 같다. 자본가가 얻은 수익, 즉 자본가가 실현한 잉여가치는 바로 노동자가 상품 속에 실현한 노동을 그에게 판매한 데서 비롯된 것이 아니라 노동력 그 자체를 상품으로 판매한 데서 비롯된 것이다. 자본가와 노동자가 첫 번째 형태처럼 각자 서로 상품소유자로서 마주 선다면 자본가는 아무런 수익도 즉 아무런 잉여가치도 얻을 수 없을 것이다. 왜냐하면 가치법칙에 따라 교환은 등가물끼리(즉 동일한 양의 노동은 동일한 양의 노동과) 이루어질 것이기 때문이다. 자본가의 잉여는 바로 그가 노동자의 상품이 아니라 그의 노동능력 그 자체를 구매하고 이 노동능력이 자신의 생산물의 가치보다 더 적은 가치를 가지고 있기 때문이다. 혹은 또 같은 이야기이지만 노동능력이 자신 속에 실현된 것보다 더 많은 대상화된 노동을 실현하기 때문이다. 그런데 이제 이윤을 정당화하기 위해서 이윤의 원천 그 자체를 은폐하고 이윤을 만들어내는 거래 전체를 폐기한다. 자본가는 사실상 노동자에게 — 이 과정이 끊임없이 이어지는 것일 경우 — 노동자 자신의 생산물에서 그 대가를 지불하기 때문에, 즉 노동자는 자신의 생산물 가운데 일부만 지불받기 때문에 따라서 선대라는 행위는 단지 겉으로만 그렇게 보이는 것일 뿐이기 때문에 이제 노동자는 생산물 가운데 자신의 몫을 **생산물이 화폐로 전화하기 전에** 자본가에게 판매한다고 이야기된다. (아마도 "화폐로 전화될 수 있기 전에"라고 말할 수도 있을 것이다. 왜냐하면 노동자의 노동은 생산물 속에 대상화되기는 하지만 그것은 아마도 판매될 수 있는 상품 가운데 일부 — 예를 들어 가옥의 일부분 — 만 차지할 것이기 때문이다) 이렇게 되면 자본가는 생산물의 소유자가 아니며 그에 따라 그가 타인의 노동을 **무상으로** 취득한 전체 과정도 사라져버린다. 따라서 이제 상품을 소지한 사람들이 서로 마주 서 있을 뿐이다. 자본가는 화폐를 가지고 있고 노동자는 그에게 자신의 노동력이 아니라 상품(즉 노동자 자신의 노동이 실현된 생산물 가운데 일부)을 판매한다. 노동자는 이제 자본가에게 이렇게 말할 것이다. (다음 문장부터 G635쪽 후반의 "…아예 시장에 나타나지도 말게!"까지의 원문은 행이 바뀌지 않고 현재 문단과 하나로 이어져 있고, G636쪽 중반 "…더 많은 신용을 제공하지는 않을걸세." 까지는 따옴표를 쓰지도 않았으나, 독자가 읽기 편하도록 행을 바꾸고 따옴표를 써서 옮겼다. — 옮긴이)

"이 5파운드의 실 가운데 $\frac{3}{5}$은 불변자본을 나타내고 그것은 너의 것이다. 그리고 $\frac{2}{5}$에 해당하는 2파운드의 실이 내가 새로 부가한 노동을 나타낸다. 그러므로 너는 내게 2파운드의 실에 대한 대가를 지불해야 한다. 그러니 내게 2파운드의 실에 해당하는 가치를 지불해다오."[43]

그렇게 되면 노동자는 자신의 임금뿐 아니라 이윤(즉 실 2파운드의 형태로 G633
그가 새로 부가한 대상화된 노동량에 해당하는 화폐액)도 자신의 주머니에 넣게 될 것이다. 그러나 자본가는 이렇게 말할 것이다.

"나는 불변자본을 선대하지 않았는가?"

노동자는 말할 것이다.

"좋다, 그 대가로 너는 3파운드를 가져가고 내게는 2파운드만을 지불해다오."

자본가는 계속해서 말할 것이다.

"그러나 너는 내가 제공한 면화와 방적기[44]가 없었다면 너의 노동을 대상화하지도[45](즉 방적노동을 수행하지도) 못했을 것이다. 그러므로 너는 그 대가로 내게 그 이상을 지불해야만 한다."

노동자는 말할 것이다.

"그래? 만일 내가 방적노동에 사용하지 않았다면 너의 면화는 썩어서 못 쓰게 되고 방적기[46]는 녹슬고 말았을 것이다. ||426|[47] 네가 가져가는 3파운드의 실은 5파운드의 실을 만들면서 소비되고 따라서 그 속에 포함된 면화와 방적기의 가치만을 나타낼 뿐이다. 그런데 이들 생산수단을 생산수단으로 사용함으로써 면화와 방적기의 가치를 보존한 것은 오로지 내 노동 덕분이었다. 이들 가치를 보존하는 내 노동의 힘에 대해서 나는 네게 아무것도 요구하지 않는다. 왜냐하면 그것은 내게 방적노동 그 자체 외에는 아무런 추가적 노동시간을 지출하지 않았고 그 방적노동에 대해서 나는 이미 2파운드의 실을 받았기 때문이다. 아무런 비용도 들이지 않고 불변자본의 가치를 보존하는 것은 내 노동이 가진 천부적 성질이다. 불변자본을 보존해준 데 대하여 내가 네게 아무것도 요구하지 않는 것처럼 너도 내가 방적기와 면화 **없이는** 방적노동을 수행할 수 없었다는 것에 대해 아무것도 요구해서는 안 된다. 그리고 나의 방적노동이 없었다면 방적기와 면화는 단 한 푼의 가치도 없었

을 것이다."

궁지에 몰린 자본가는 이렇게 말한다.

"[48]2파운드의 실은 사실상 2실링의 가치를 가지고 있다. 그것은 곧 그만큼의 너의 노동시간을 나타낸다. 그런데 나는 그 실을 판매하기 전에 이미 네게 그것을 지불해야만 하는가? 그 실은 판매되지 않을 수도 있다. 그것이 첫 번째 위험이다. 둘째 나는 그 실을 제 가격 이하로 팔아야 할지도 모른다. 그것이 두 번째 위험이다. 그리고 셋째 어떤 경우에도 나는 그 실을 판매하기 위해 시간을 소비해야 한다. 내가 **아무 대가도 없이** 이 두 가지 위험과 판매를 위한 시간의 손실을 너를 위해 부담해야 한단 말인가? 아무런 대가 없이 얻을 수 있는 것은 죽음뿐이다."

노동자는 이렇게 대답한다.[49] "잠깐만! 우리가 어떤 관계지? 우리는 서로 **상품소유자**로 만나고 있다. **너는 구매자이고 우리는 판매자이다**. 왜냐하면 너는 우리에게서 생산물 가운데 우리의 몫인 2파운드를 구매하려 하는데, 그 2파운드에는 다름 아닌 우리 노동자 자신의 대상화된 노동시간이 포함되어 있다. 지금 너는 우리에게 우리의 상품을 그 가치 **이하로** 판매해야 한다고 주장함으로써 결과적으로 네가 지금 화폐로 가지고 있는 가치보다 더 큰 [50]가치를 가지고 있는 상품을 얻으려 하고 있다. 우리 상품의 가치는 2실링이다. 그런데 너는 그것에 대한 대가로 1실링을 지불하려 함으로써 — 1실링에는 실 1파운드에 포함된 것과 같은 노동시간이 포함되어 있기 때문에 — 네가 제공하는 것보다 2배의 가치를 얻으려 하고 있다. 우리는 2파운드의 실을 주고 단지 1파운드의 실에 해당하는 등가만을 얻게 됨으로써 우리가 주는 것에 비해 절반의 등가만을 얻게 된다. 가치의 법칙과 [51]가치에 비례하는 상품교환의 법칙과 모순되는 너의 주장은 도대체 어디에 근거한 것인가? 어디에 말인가? 네가 구매자이고 우리가 판매자라는 사실? 아니면 우리가 가지고 있는 가치는 실이라는 상품의 형태를 취하고 네가 가지고 있는 가치는 화폐형태를 취한다는 사실? 혹은 동일한 크기의 가치가 실의 형태와
G634 화폐의 형태로 마주 서 있다는 사실? 그런데 이 친구야! 그것들은 모두 가치의 **표현**과 관련된 단순한 형태의 차이일 뿐이고 **가치크기**에는 아무런 변동이 없는 것들일세. 혹은 자네는 모든 상품이 그 가격 **이하로**, 즉 그[52] 가치에 해당하는 화폐액 이하로(모든 상품이 화폐형태로는 **더 큰** 가치를 가진다는 이유로) 판매되어야 한다는 유치한 생각을 하고 있는 것인가? 그러나 그렇지 않네, 이 친구야, 어떤 상품도 화폐형태라고 해서 더 큰 가치를 갖지는 않는다

네. 그것의 가치크기는 변하지 않고 단지 순수한 교환가치로 표현된 것뿐이지. 친구야, 자네가 처해 있는 불쾌한 처지를 한번 생각해보게나. 자네의 주장은 결국 판매자가 상품을 항상 그 가치 **이하로 구매자**에게 판매해야[53] 한다는 것 아닌가. 물론 자네 입장에서 볼 때 우리가 아직 자네에게 우리의 상품이 아니라 우리의 노동력을 판매할 때는 상황이 그랬지. 자네는 우리의 노동력을 그 가치대로 구매하긴 했지만 우리의 노동 그 자체는 [54]노동력이 나타내는 가치보다 **더 낮게** 구매했지. 하지만 우리 노동자들은 이런 불쾌한 기억을 버리기로 하겠네. 우리가 다행히도 이런 불쾌한 처지에서 벗어나게 된 것은 우리가 자네에게—자네 자신의 결정에 따라—우리의 노동력을 상품으로 판매하는 것이 아니라 우리 노동의 산물인 상품 그 자체를 판매해야 했기 때문일세. 이제 자네가 처한 불쾌한 처지로 다시 돌아가보기로 하세. [55]자네가 새롭게 제기한 법칙—즉 판매자가 자신의 상품을 화폐로 전화시키면서 화폐에 대하여 자신의 상품을 제공하는 것이 아니라(말하자면 교환을 통해 자신의 상품을 화폐와 맞바꾸는 것이 아니라) 상품을 그 가격 **이하로** 판매하는 방식으로 그 대가를 지불한다는 법칙—다시 말해 구매자가 항상 판매자를 속여서 초과이익을 얻는다는 이 법칙은 모든 구매자와 판매자에게 똑같이 적용되어야만 하네. 이제 우리가 자네의 제안에 따른다고 해보세. 단 자네도 자네가 새롭게 제기한 법칙—구매자가 판매자에게[56] 상품을 화폐로 전화시켜주는 데 대한 대가로 판매자는 자신의 상품 가운데 일부를 구매자에게 **무상으로** 양도해야 한다는 법칙—에 따른다는 조건에서 말일세. 따라서 자네는 2실링의 가치를 가진 우리가 가진 실 2파운드를 1실링에 구매하고 1실링, 즉 100퍼센트의 이익을 남긴다고 하세. 이처럼 자네가 우리 소유였던 2파운드의 실을 구매하고 나면 이제 자네 수중에는 5[57]실링의 가치를 가진 5[58]파운드의 실이 존재하네. 이제 자네는 좋은 벌이가 될 일을 곰곰이 생각하겠지. 그래서 자네는 4실링을 지불하고 구매한 5[59]파운드의 실을 5실링에 판매하려 하겠지. 그런데 **자네의 구매자**는 이렇게 말할걸세. '잠깐! 네가 가진 5파운드의 실은 상품이다. 그리고 너는 판매자이다. 나는 동일한 가치의 화폐를 가지고 있고 나는 구매자이다. 따라서 네가 인정한 법칙에 따른다면 나는[60] 100퍼센트의 이익을 남겨야 한다.[61] 즉 너는 내게 5파운드의 실을 그 가치보다 50퍼센트 낮은 $2\frac{1}{2}$[62]실링에 판매해야만 한다. 나는 네게 $2\frac{1}{2}$[63]실링을 주고 그 대가로 5[64]실링의 가치를 가진 상품을 받아서 너로부터 100퍼센트의 이익을 얻어야만 한다. 한 사람에게 당연한 일이었던 것

은 다른 사람에게도 당연한 일이어야 하기 때문이다.' 이 친구야, 이제 자네
는 자네가 제기한 새로운 법칙이 어떤 결과를 가져오게 될지를 알게 되었겠
지. 자네는 자네 자신을 속인 것이네. 왜냐하면 처음에는 자네가 구매자이지
만 그런 다음에는 자네가 판매자가 될 것이기 때문이지. 이 경우 자네는 자
네가 구매자로서 얻었던 이익보다 더 큰 손실을 판매자로서 입게 되는 것이
아닌가. 곰곰이 잘 생각해보게나! 자네가 우리에게서 구매하려고 하는 2파
G635 운드의 실이 존재하기 전에 자네는 아무런 다른 구매 — 이 구매가 없이는
도대체 5파운드라는 실이 어디서 ||426a|[65] 나왔겠는가 — 를 한 적이 없지
않은가? 자네는 지금 3파운드의 실이 되어 있는 면화와 방적기를 앞서 이미
구매하지 않았는가? 그때 자네는 **구매자**로서 리버풀에 있는 면화 도매상과
올덤에 있는 방적기 제조업자를 **판매자**로, 즉 그들은 상품을 대표하고 자네
는 화폐를 대표하면서 서로 만나지 않았는가? 바로 이것이 우리가 서로 한
번은 이익을 보고 다른 한 번은 손해를 보면서 만나는 바로 그 관계가 아닌
가? 만일 자네가 그들에게 상품을 화폐로 전화시켜 주고 그들이 자네에게
화폐를 상품으로 전화시켜 준다는 이유로, 즉 그들은 판매자이고 자네는 구
매자라는 이유로, 자네가 그들에게 그들의 면화와 방적기 가운데 일부를 **무
상으로** 자네에게 양도하라고 한다면, 혹은 또 같은 말이지만 이들 상품을 그
가격(즉 그 가치) 이하로 판매하라고 한다면 약아빠진 면화 도매상과 쾌활한
올덤의 그 친구는 자네를 보고 비웃지 않겠는가? 그런데 그들은 아무런 위
험도 부담하지 않았어. 왜냐하면 그들은 현금 화폐, 즉 순수하고 자립적인
형태의 교환가치를 얻었기 때문이야. 그렇지만 자네는 위험을 부담하지 않
았는가? 첫째 방적기계와 면화로부터 실이 만들어지는 생산과정의 온갖 위
험을 모두 부담했고 그런 다음에는 실을 다시 판매하여 그것을 화폐로 재전
화시키는 위험을 부담했단 말이지! 실이 자신의 가치대로 혹은 그 이상이나
이하로 판매되는 데 따른 위험도 말이지. 실이 판매되지 않을 수 있는 위험,
즉 실이 화폐로 재전화하지 못할 위험도 있겠지. 실의[66] 품질에 관해서는 자
네가 신경 쓸 일이 아니겠지. 자네는 실을 먹지도 마시지도 않고 오로지 그
것을 판매하는 것 외에는 그 어떤 용도로도[67] 생각하지 않을 테니 말이야.
한편 항상 실을 화폐로 재전화시키는 데 걸리는 시간의 손실, 즉 [68]방적기와
면화를 화폐로 전화시키는 데 포함된 시간의 손실도 있지! 자네의 이런 주
장에 대해 자네 동료들은 이렇게 대답할걸세. '바보 같은 소리는 하지도 말
게. 그 무슨 말도 안 되는 소리인가. 자네가 우리의 면화와 방적기를 어떻게

사용하든 그것이 우리와 무슨 상관이란 말인가? 자네가 그것들을 어디에 사용하든 우리가 알 게 뭐람! 그것을 태워버리든, 매달든, 개에게 던져 줘버리든 자네 마음대로 하게나, 단지 그 대금은 지불해야 하네! 정말 기막힌 생각이야![69] 자네가 [70]방적업자가 되었다고 해서 그리고 그 사업이 잘 안되는 것처럼 보인다고 해서, 또한 사업의 위험과 위험 가능성을 자네가 과장한다고[71] 해서 바로 그 때문에 우리가 자네에게 우리 상품을 선물로 주어야[72] 한단 말인가? [73]당장 방적업을 걷어치우든가 아니면 그런 허튼 생각이나 하려거든 아예 시장에 나타나지도 말게!'"

노동자들의 이런 이야기에 자본가는 거드름을 피우면서 비웃음을 머금고 이렇게 대답할 것이다. "너희는 종소리를 듣고도 종이 어디에 매달려 있는지를 모르는 바보들이군. 너희는 자기가 무슨 말을 하는지도 모르고 있어. 내가 리버풀과 올덤의 그 녀석들에게 현금을 지불했다고 생각하는가? 말도 안 되는 소리. 나는 그들에게 어음을 지불했고 그 어음의 기한이 되기 전에 리버풀 녀석의 면화를 방적하여 팔아치웠지. 너희 경우와는 전혀 다르지. 너희는 현금을 원하니까 말이야."

노동자는 말한다. "그렇군, 그렇다면 리버풀과 올덤의 그 녀석들은 자네의 어음을 어떻게 처리하지?"

자본가는 대답한다. "그들이 그것을 어떻게 처리하느냐고? 말 같잖은 질문이군! 그들은 그것을 은행가에게 맡겨서 할인해서 사용하지!"

"그들이 은행가에게 지불하는 액수는 얼마나 되는가?" G636

"가만있어 보게나, 지금은 돈의 가격이 상당히 싸지. 내 생각에 그들은 아마도 3퍼센트 정도의 할인료[74]를 지불하지 않았을까 싶군. 여기에서 3퍼센트라는 것은 어음 금액에 대한 것이 아니라 어음이 1년 동안 유통될 경우 유통기간 전체[75]에 [76]대해서 3퍼센트라는 뜻이야."

노동자는 말한다. "더욱 좋은 이야기이군. 우리에게 우리 상품의 가치인 2실링을 당장 지불해 주게나. 아니면 매일매일 계산을 일주일 단위로 계산해서 아예 12[77]실링을 지불해 주게나. [78]단 그 액수에 대해서 연간 3퍼센트의 할인율을 적용하여 14일분을 공제해 가게나."

자본가는 이렇게 말한다. "그것은 은행가에게서 할인을 받기에는 너무 액수가 작아."

노동자가 대답한다. "좋네, 우리는 모두 100명일세. 따라서 자네는 우리에게 모두 1,200실링을 지불해야 하네. 이 금액에 대한 어음을 주게나. 그러면 어음 금액은 모두 60파운드스털링이 되고 그것은 할인받기 어려울 정도로 그리 적은 금액은 아닐세.[79] 게다가 자네가 직접 그것을 할인할 경우에도 그것은 그리 적은 금액이 아니지 않은가. 그것은 바로 자네가 우리에게서 이익을 얻으려고 했던 것과 같은 금액이 아닌가? 공제액은 그리 크지 않겠지. 그리고 우리는 우리의 생산물 가운데 대부분을 얻을 것이기 때문에 금방 [80]자네에게서 더는 할인을 받을 필요가 없어질걸세. 물론 우리는 은행가가 자네에게 제공하는 신용, 즉 14일의 신용보다 더 많은 신용을 제공하지는 않을걸세."

만일 임금을 (현실관계 전체를 완전히 뒤집는 방식으로) 총생산물 가운데 임금에 속하는 가치 부분에 대한 할인으로부터 — 즉 자본가가 노동자에게 이 부분을 미리 **화폐로** 지불하는 방식으로부터 — 끌어낸다면 자본가는[81] 그가 예를 들어 면화 도매업자 등에게 발행한 것과 마찬가지로 노동자들에게 매우 기한이 짧은 어음을 발행해야만 할 것이다. 노동자는 자신의 생산물 가운데 대부분을 갖게 될 것이고 자본가는 이제 더는 자본가일 수 없게 될 것이다. 자본가는 생산물의 소유자에서 단지 하나의 은행가로 노동자와 마주 보게 될 것이다. 게다가 자본가는 상품을 그 가치보다 ||427|[82] 낮게 판매할 위험에 처하는 것과 마찬가지로 상품을 그 가치보다 높게 판매할 기회도 가질 것이다. 만일 생산물을 판매할 수 없다면 노동자는 길거리로 쫓겨날 것이다. 만일 생산물의 가격이 오랜 기간 시장가격 이하로 떨어져 있다면 노동자의 임금은 평균 이하로 하락할 것이고 그의 노동시간은 단축될 것이다. 따라서 노동자는 가장 큰 위험을 부담한다고 할 수 있다.

셋째 차지농업가가 지대를 화폐로 지불해야 하기 때문에, 그리고 산업자본가가 이자를 화폐로 지불해야 하기 때문에 — 즉 이런 지불을 위해서 그들이 미리 자신들의 생산물을 화폐로 전화시켜야 한다는 이유 때문에 — 이들이 자신들의 지대나 이자 가운데 일부를 공제해도 된다고 생각하는 사람은 아무도 없을 것이다.〕

b) 노동자가 자본가에게서 구매하는 상품. 재생산이 발생하지 않는 화폐의 환류

자본 가운데 산업자본가와 노동자 사이에서 유통되는 부분(즉 유동자본 가운데 가변자본에 해당하는 부분)에서도 화폐가 자신의 출발점으로 되돌아오는 일이 발생한다. 자본가는 노동자에게 임금을 화폐로 지불한다. 노동자는
G637 그 임금으로 자본가에게서[83] 상품을 구매하고 따라서 화폐는 자본가에게 다시 흘러들어간다. (실제로는 자본가의 은행가에게로 들어간다. 그러나 사실상 은행가는 총자본[84] — 그것이 **화폐**로 표시되는 한에서 — 을 대표하여 개별 자본가

와 대립한다.) 이런[85] 환류는 그 자체로서는 재생산을 나타내는 것이 아니다. 자본가는 화폐를 가지고 노동자의 노동을 구매하고 노동자는 바로 그 화폐를 가지고 자본가에게서 상품을 구매한다. 똑같은 화폐가 처음에는 노동의 구매수단으로, 그 다음에는 상품의 구매수단으로 나타난다. 화폐가 자본가에게로 환류하는 것은 자본가가 처음에는 구매자로서 나타났다가 그 다음에는 다시 똑같은 상대방에게 판매자로 나타나기 때문이다. 그가 구매자일 때 화폐는 그에게서 떨어져 나갔다가 그가 판매자일 때 그에게로 다시 돌아온다. 반면 노동자는 처음에는 판매자로 나타났다가 그다음에는 구매자로 나타난다. 따라서 그는 처음에는 화폐를 얻었다가 다음에는 그것을 지출하는 반면 자본가는 처음에는 그것을 노동자에게 지출했다가 다음에는 그것을 손에 얻는다. 이 경우 자본가에게서 진행되는 운동은 G — W — G이다. 그는 화폐를 가지고 상품(노동력)을 구매한다. 이 노동력의 생산물인 상품을 가지고 그는 화폐를 구매한다(혹은 그는 이 생산물을 앞서 그에게 판매자[86]였던 노동자에게 다시 판매한다). 반면 노동자에게는 W — G — W라는 유통으로 나타난다. 그는 자신의 상품(노동력)을 판매하고 노동력을 판매한[87] 대가로 받은 화폐를 가지고 자신의 생산물인 상품 가운데 일부를 다시 구매한다. [88]물론 이렇게 말할 수도 있을 것이다. 즉 노동자가 돈을 받고 상품(노동력)을 판매하고 [89]이 돈을 상품에 지출한 다음 다시 자신의 노동력을 판매함으로써 그에게서도 [90]G — W — G가 나타나고, 화폐는 끊임없이 노동자와 자본가 사이에서 유통되기 때문에 두 사람 가운데 어느 쪽에서 보느냐에 따라 노동자도 자본가와 똑같이 G — W — G의 운동을 진행한다고 말할 수 있을 것이다. 그런데 자본가는 구매자이다. 이 과정의 갱신은 그에게서 출발하는 것이지, 노동자에게서 출발하는 것이 아니다. 또한 화폐의 환류는 반드시 노동자가 생활수단[91]을 구매해야 하기 때문에 일어난다. 한쪽의 유통형태는 G — W — G이고 다른 한쪽의 유통형태는 W — G — W로 나타나는 모든 운동의 경우와 마찬가지로 여기에서도 교환과정의 목적이 한쪽에서는 교환가치(즉 화폐와 그것의 증식)인 반면 다른 한쪽에서는 사용가치(즉 소비)라는 것이 드러난다. 이것은 위에서 이야기한 첫 번째 경우에서 화폐의 환류에서도 역시 마찬가지이다.[92] 여기에서는 차지농업가 쪽에서 G — W — G가 진행되고 토지소유자 쪽에서는 W — G — W이 진행되는데 여기에서 토지소유자가 차지농업가에게서 받은 G(즉 화폐형태의 지대)는 W — G의 결과물(즉 생산물 가운데 토지소유자의 몫으로 되어 있는 부분이 화폐로 전화한 것)이라는 것을 생각하면 그러하다.

이 G — W — G, 즉 노동자와 자본가 사이에서 자본가가 임금으로 지출한 화폐의 환류를 표현한 것에 지나지 않는 이 운동은, 그 자체로서는 재생산과정을 나타내지 않으며 단지 어떤 구매자가 똑같은 상대방에 대하여 다시 판매자가 된다는 사실을 나타낼 뿐이다. 그것은 또한 자본으로서의 화폐
G638 를 나타내는 것이 아니다. 즉 G — W — G′에서 두 번째 G′이 첫 번째 G보다 더 큰 화폐액이라는[93] 사실, 즉 G가 스스로 증식하는 가치(자본)를 나타낸다는 것을 표현하지 않는다. 오히려 그것은 **동일한**(종종 더 적은) 화폐액이 형식적으로 자신의 출발점으로 환류하는 것을 표현하는 데 지나지 않는다(물론 이 경우의 자본가는 자본가계급으로 이해해야만 한다). 따라서 내가 제1부에서[94] G — W — G는 반드시 G — W — G′이 되어야 한다고 했던 것은 틀렸다. 내가 거기에서[95] 화폐가 자신의 출발점으로 되돌아오는 운동은 구매자가 다시 판매자로 되기 때문이라고 설명함으로써 암시했던 바와 같이 그것은 단순히 화폐의 환류형태만을 표현한 것일 수 있다. 자본가가 부를 늘리는 것은 **이러한** 화폐의 환류를 통해서가 아니다. 예를 들어 그는 임금으로 10실링을 지불했다. 이 10실링으로 노동자는 그에게서 상품을 구매한다. 결국 그는 노동자에게 그의 노동력에 대한 대가로 10실링어치의 상품을 준 셈이다. 만일 그가 노동자에게 10실링어치의 생활수단을 현물로[96] 주었다면 화폐유통은 일어나지 않고 따라서 화폐의 환류도 일어나지 않았을 것이다. 따라서 화폐의 환류라는 이 현상은 자본가의 부의 증식 — 이것은 오로지 [97]생산과정 그 자체에서 자본가가 임금으로 지출한 것보다 더 많은 노동을 취득하는 방법으로만 이루어진다. 따라서 그의 생산물은 그 생산비보다 더 큰 반면 [98]그가 노동자에게 지불하는 화폐는 노동자가 그에게서 상품을 구매하는 데 사용하는 화폐보다 결코 더 클 수 없다 — 과 아무런 관련이 없다. 여기에서 이 형식적인 화폐의 환류는 부의 증식과는 아무런 관련이 없으며 따라서 자본으로서의 ||428|[99] G를 나타내는 것이 아니다. 이는 마치 [100]지대, 이자, 조세 등으로 지출되는 화폐가 지대,[101] 이자, 조세를 지불한 사람에게 도로 돌아오는 화폐의 환류에는 가치의 증식이나 보전이 전혀 포함되지 않는 것과 마찬가지이다.

G — W — G는 그것이 자본가에게로의 형식적인 화폐의 환류인 한, 자본가가 [102]화폐로 발행한 증서가 자본가 자신의 상품으로 실현되었다는 것을 나타낼 뿐이다.

이런 화폐환류 — 출발점으로의 화폐의 이런 복귀 — 를 잘못 설명한 비근한 예로는 위에서 이야기한[103] 데스튀트 드 트라시를 들 수 있다. 또한 노동자와 자본가 사이의 화폐유통[104]과 관련된 잘못된 사례로는 뒤에서 인용할 브레이[105]를 들 수 있다. 마지막으로 화폐를 대여하는 자본가와 관련된 잘못된 사례로는 **프루동**을 들 수 있다.[106]

화폐가 환류하는 이런 G — W — G의 형태, 즉 구매자가 다시 판매자가 되는 경우는 도처에서 볼 수 있는데 상업자본 전체가 바로 여기에 해당한다. 즉 모든 상인은 서로에 대해서 판매를 위한 구매를 하고 구매를 위한 판매를 한다. 예를 들어 구매자 G는 쌀이라는 상품을 그가 구매한[107] 것보다 비싸게 팔지 못할 수 있다. 어쩌면 그는 쌀을 그 가격 이하로 판매해야 할 수도 있다. 그럴 경우 여기에서는 단순한 화폐의 환류만 발생할 것이다. 왜냐하면 여기에서는 구매가 판매로 전환할 때 G가 스스로 증식하는 가치(즉 자본)로 나타나지 않았기 때문이다.

예를 들어 불변자본의 교환이 이루어지는 경우도 이와 똑같다. 기계 제조업자는 철 생산자에게서 철을 구매하고 기계를 그에게 판매한다. 이 경우 화 G639
폐는 환류한다. 화폐는 철의 구매수단으로 지출되었다. 그런 다음 그것은 철 생산자에게서 기계의 구매수단으로 사용되고 따라서 기계 제조업자에게로 되돌아온다. 기계 제조업자는 지출된 화폐의 대가로 철을 [얻었고] 도로 받은 화폐의 대가로 기계를 지출했다. 이 경우 [108]동일한 화폐는 자신의 두 배에 해당하는 가치를 유통시켰다. 예를 들어 기계 제조업자는 1,000파운드스털링을 주고 철을 구매했다. 똑같은 1,000파운드스털링을 가지고 철 생산자는 기계를 구매한다. 철과 기계의 가치를 합하면 2,000파운드스털링이 된다. 그런데 이럴 경우 모두 3,000파운드스털링이 운동을 해야 한다. 즉 1,000파운드스털링의 화폐, 1,000파운드스털링의 기계, 1,000파운드스털링의 철이 운동을 해야 한다. 만일 자본가들이 현물로 교환을 할 경우에는 화폐는 한 푼도 유통되지 않고 상품만 이 사람의 손에서 다른 사람의 손으로 넘어갔을 것이다.

자본가들이 서로 결제를 하면서 화폐를 지불수단으로 사용하는 경우도 이와 마찬가지이다. 지폐나 신용화폐(은행권)가 유통된다면 한 가지 점이 달라진다. 이 경우에는 1,000파운드스털링의 은행권이 존재하게 되지만 이 은행권은 아무런 내재적 가치도 갖지 않는다. 어쨌든 이 경우에도 1,000파운드스털링의 철, 1,000파운드스털링의 기계, 1,000파운드스털링의 은행권 등 모두 3,000파운드스털링이 운동을 하게 된다. 그러나 이 3,000파운드스털링이 존재하게 되는 것은 오로지 첫 번째 경우와 마찬가지로 기계 제조업자가 2,000파운드스털링, 즉 1,000파운드스털링의 기계와 1,000파운드스털링의 화폐(금은 혹은 은행권의 형태로)를 가지고 있었기 때문이다. 두 경우에서 모두 철 생산자가 기계 제조업자에게 화폐를 주는 것은 오로지 그가 화폐를 받았기 때문이며 그가 화폐를 받은 것은 오로지 기계 제조업자가 구매자에서 직접 다시 판매자[109]가 되지 않았기 때문에, 즉 첫 번째 상품인 철을 상품으로 지불하지 않고 화폐로 지불했기 때문이다. 그가 철에 대해 [110]상품으로 지불할 때(즉 상품을 철 생산자에게 판매할 때) 철 생산자는 기계 제조업자에게 화폐를 되돌려 준다. 이것은 지불이 두 번(즉 한 번은 화폐로, 한 번은 상품으로) 이루어지지 않기 때문이다. 두 경우 모두 화폐(혹은 은행권)는 이전에 기계 제조업자가 구매한[111] 상품 — 혹은 다른 사람이 구매한[112] 상품, 혹은 또 구매하지는 않았더라도 화폐로 전화한 상품(토지소유자[113]나 그의 선조 등과 같은 사람으로 대표되는 소득의 경우처럼) — 을 대표한다. 따라서 이 경우 화폐의 환류는 오로지 상품의 대가로 화폐를 지출한 [사람이] 자신이 유통에 투입한 다른 상품의 판매를 통해서 그 화폐를 다시 회수하는 것을 나타내는 것일 뿐이다. 방금 이야기한 이 1,000파운드스털링은 자본가들 사이에서 하루 동안에 30명의 손을 거쳐 갈 수 있고 그것은 단지 한 사람의 자본이 다른 사람의 수중으로 이전되는 것에 지나지 않는다. 즉 기계가 철 생산자에게, 철이 농부에게, 곡물이 전분 혹은 주정 공장주에게 이전되는 등과 같이 말이다. 최종적으로 이 1,000파운드스털링은 기계 제조업자의 수중에 다시 들어와서 철 생산자에게 새롭게 옮겨 갈 수 있을 것이다. 이런 식으로 1,000파운드스털링은 끊임없이 처음 그것을 지출한 사람의 수중으로 다시 흘러 들어오는 방식을 거쳐 40,000파운드 이상의 자본을 유통시킬 수 있을 것이다. 이런 점에 근거하여 프루동은 40,000파운드스털링을 가지고 만든 이윤 가운데 화폐이자로 분해되는 부분 즉 여러 자본가들에 의해 지불되는 부분 — 예를 들어 기계 제조업자는 그에게 1,000파운드스털링을 빌려준 사람
G640 에게 지불하고, 철 생산자는 이전에 그가 철을 구입하거나 임금을 지불하는데 쓴 1,000파운드스털링을 빌려준 사람에게 지불하는 등 — 요컨대 40,000파운드스털링에서 발생한 **이자 전액**은 이 1,000파운드스털링으로 지불된다는 결론을 끄집어냈다. 따라서 만일 이자율이 5퍼센트라면 이자는 2,000파운드스털링이 될 것이다. 이런 방식으로 그가 계산한 바에 따르면 1,000파

운드스털링은 200[114]퍼센트의 이자를 가져왔다. 이 사람이 바로 그 탁월한 경제학 비판가이다!

그런데 자본가와 노동자 사이의 화폐유통으로 나타나는 G — W — G는 비록 그 자체로는 아무런 재생산 행위를 나타내지 못한다고 하더라도 이 행위의 끊임없는 반복, 즉 환류의 연속성을 나타낸다. 어떤 구매자도 그가 판매하는 상품의 재생산 없이는 계속해서 판매자로 나타날 수 없다. 이것은[115] 지대나 이자 혹은 세금으로 살아가지 않는 모든 사람에게 그대로 적용된다. 그러나 어떤 부분에서는 이 행위가 완료될 때 늘 환류가 발생한다. 자본가와 노동자(혹은 토지소유자나 금리생활자) 사이에서와 같은 G — W — G의 환류가 발생하는 것이다(토지소유자와 금리생활자에게서는 화폐의 환류만 발생한다). 다른 부분에서는 그가 상품을 구매할 때, 즉 W — G — W가 진행될 때(노동자의 경우처럼) 이 행위가 완료된다. 노동자는 끊임없이 이 행위를 갱신한다. 그는 항상 구매자가 아니라 판매자로 이 행위를 시작한다. 소득의 지출만을 나타내는 ||429|[116] 모든 화폐유통의 경우에도 이것은 마찬가지이다. 예를 들어 자본가는 연간 일정량을 스스로 소비한다. 그는 자신의 상품을 화폐로 전화시켜 이 화폐를 최종적으로 자신이 소비할 상품의 대가로 지불한다. 이 경우 진행되는 운동은 W — G — W이다. 그리고 자본가에게로의 화폐환류는 발생하지 않으며 화폐환류는 판매자(예를 들어 상점 주인) — 소득의 지출로 자신의 자본을 보전하는 — 에게서 발생한다. 그런데 우리는 소득과 소득 사이에서 하나의 교환, 즉 유통이 발생한다는 것을 이미 보았다. 정육업자는 제빵업자[117]에게서 빵을 구매하고 제빵업자[118]는 정육업자에게서 고기를 구매한다. 두 사람은 모두 자신의 소득을 소비한다. 정육업자가 스스로 먹는 고기, 제빵업자가 스스로 먹는 빵에 대해서는 이들은 지불하지 않는다. 소득 가운데 이 부분을 이들은 각자 현물로 소비한다. 그러나 제빵업자가 정육업자에게서 구매하는 고기가 정육업자의 자본이 아니라 소득(즉 그가 판매한 고기 가운데 단지 이윤을 나타내는 부분이 아니라 그의 이윤 가운데 그가 소득으로 소비하려고 하는 부분)을 나타낼 수도 있다. 정육업자가 제빵업자에게서 구매한 빵도 역시 그의 소득의 지출이다. 만일 두 사람이 서로 결제를 한다면 두 사람 가운데 한 사람만 차액을 지불하면 될 것이다. 상호간의 구매와 판매 가운데 상쇄되는 부분에 대해서는 아무런 화폐유통도 발생하지 않는다. 그러나 제빵업자가 차액을 지불해야 하고 이 차액이 정육업자의 소득을 나타낸다고 하자. 그러면 정육업자는 제빵업자의 돈을 다른 소

비품목에 지출할 것이다. 그 돈이 10파운드스털링이라고 하고 그것을 정육업자가 재단사에게 지출한다고 하자. 이 10파운드스털링이 재단사에게 소득이라고 한다면 그도 이 돈을 비슷한 방식으로 지출할 것이다. 그는 그 돈으로 다시 빵을 구매하고 그럼으로써 화폐는 제빵업자에게로 환류할 것이다. 그러나 그것은 소득의 보전이 아니라 자본의 보전이 될 것이다.

G641 한 가지 문제가 더 있을 수 있다. 자본가가 수행하는 G—W—G, 즉 스스로 증식하는 가치를 나타내는 이 유통에서는 자본가가 유통에 투입한 것보다 더 많은 화폐를 유통에서 끌어낸다. (이것이야말로 바로 화폐축장자가 원하던 것이지만 그는 이것을 이룰 수 없다. 왜냐하면 그는 자신이 상품형태로 유통에 투입한 것보다 더 많은 가치를 금과 은의 형태로 유통에서 끌어낼 수 없기[119] 때문이다. 그는 더 많은 가치를 화폐형태로 소유하고 있지만 이전에는 더 많은 가치를 상품형태로 소유하고 있었다.) 그의 상품의 총생산비 = 1,000파운드스털링이다. 그는 그 상품을 1,200파운드스털링에 판매하는데 이는 그 상품 속에 20퍼센트(즉 $\frac{1}{5}$)의 비지불노동이 들어 있기 때문이고 그는 이 노동에 대해 아무것도 지불하지 않았지만 이제 그것을 판매한다. 그런데 자본가 전체(즉 산업자본가 계급)가 유통에 투입한 것보다 더 많은 화폐를 끊임없이 유통에서 끌어내는 것이 어떻게 가능할까? 첫째 다른 측면에서 보면 자본가가 끊임없이 유통에서 끌어내는 것보다 더 많은 화폐를 유통에 투입한다고 말할 수 있다. 자본가는 고정자본에 대해 지불을 해야만 한다. 그러나 그는 그것을 단지 고정자본이 소비되는 정도에 따라 조금씩만 판매한다. 고정자본의 **가치** 가운데 상품 속으로 들어가는 것은 언제나 매우 적은 부분뿐인 반면 상품의 생산과정에서 그것은 전체가 투입된다. 고정자본의 유통기간이 10년이라면 그중 $\frac{1}{10}$ 만이 매년 상품 속으로 들어가고 나머지 $\frac{9}{10}$에 대해서는 아무런 화폐도 유통되지 않는데 이는 그 $\frac{9}{10}$가 상품형태로 유통에 들어가지 않기 때문이다. 이것이 하나의 대답이다.

우리는 이 문제를 나중에[120] 다루기로 하고 잠시 케네로 다시 돌아가 보기로 하자.

그런데 그 전에 한 가지 더 이야기할 것이 있다. 어음을 할인하거나 은행권을 대부해준 다음에 이루어지는 은행권의 은행으로의 환류는 지금까지 이야기한 화폐의 환류와는 완전히 다른 현상이다. 이 경우에는 상품의 화폐로의 전화가 앞당겨진다. 상품은 판매되기 전에(어쩌면 생산도 되기 전에) 화폐형태를 취한다. 어쩌면 상품은 이미 판매되었을 수도 있다(어음을 받고).

어쨌든 상품은 아직 **지불되지** 않았다. 즉 아직 화폐로 다시 전화하지[121] 않았다. 따라서 이 전화는 어쨌든 앞당겨진다. 일단 상품이 판매되고 나면(혹은 판매될 것으로 **예상되면**) 화폐는 은행으로 환류하는데, 자신의 은행권으로 환류할 수도 있고(즉 유통에서 곧바로 회수되는 것이다) 다른 은행의 은행권으로 환류할 수도 있다. 그럴 경우 이 타 은행권은 은행가들 사이의 교환을 통해 [122]자신의 은행권과 교환됨으로써, 두 은행권은 모두 유통에서 빠져나와 원래의 출발점으로 되돌아오거나 금이나 은으로 전화할 것이다. 만일 이 금과 은이 제삼자의 수중에 있는 은행권과 태환된다면 [123]은행권은 다시 원래의 자리로 환류할 것이다. 은행권이 태환되지 않는다면, 은행권을 대신하여 은행의 준비금으로 머물러 있던 금과 은의 유통량은 그만큼 감소할 것이다. 이 모든 경우에 그 과정은 화폐의 현존재(즉 상품의 화폐로의 전화)를 앞당겨준다. 상품이 실제로 화폐로 전화하면 상품은 다시 한번 화폐로 전화한다. 그러나 상품의[124] 이 두 번째 화폐로서의 현존재는 출발점으로의 복귀로서, 자신의 첫 번째 화폐로서의 현존재를 해소하고 대체하는 것이며, 유통에서 은행으로 복귀하는 것이다. 두 번째 화폐로서의 현존재가 나타내는 은행권의 양은 첫 번째 현존재가 나타내는 양과 아마도 **똑같을** 것이다. 예를 들어 어떤 방적공장주가 어음을 할인받았다고 하자. 그는 그 어음을 방직업자에게서 받았다. 방적공장주는 할인을 통해 손에 넣은 1,000파운드스털링을 주고 석탄, 면화 등을 구매했다. 이 은행권은 여러 상품의 대금으로 지불되면서 많은 사람의 손을 거쳐 최종적으로 아마포의 지불에 사용되고 따라서 [125]이 은행권은 방직업자의 수중에 들어온다. 그는 어음 만기일에 이 은행권으로 방적공장주에게 지불하고 방적공장주는 그 은행권을 다시 은행으로 가져간다. 두 번째(사후적으로 이루어지는) 상품의 화폐로의 전화—앞서 이루어진 전화 다음으로—||430|[126] 가 첫 번째 전화와는 다른 화폐로 이루어져야 할 필요는 전혀 없다. 그래서 방적업자는 사실상 아무것도 얻지 못한 것처럼 보인다. 왜냐하면 그는 은행권을 대부받았다가 과정의 마지막에서 그 은행권을 다시 돌려받아 은행권의 발행자[127]에게 되돌려 주었기 때문이다. 그러나 실제로는 이 동일한 은행권은 이 기간 동안 유통수단과 [128]지불수단으로 사용되었고 방적업자는 그것을 가지고 한편으로는 자신의 부채를 상환했고 다른 한편으로는 실의 재생산에 필요한 상품을 구매하여 잉여(노동자에 대한 착취를 통해 얻은)—이 중 일부를 가지고 그는 은행에 상환을 할 수 있었다—를 실현했다(은행권이 아니라 화폐를 가지고 할 수도 있다). 왜 G642

냐하면 그에게는 그가 지출한(혹은 선대한) 것보다 더 많은 화폐가 되돌아왔기 때문이다. 어떻게 해서 그렇게 되었을까? 이 문제는 잠시 미루어두기로 하자.[129]

3. 경제표에서 차지농과 공업생산자 사이의 유통

그러면 케네에게로 돌아가 보자. 이제 우리는 세 번째 유통행위와 네 번째 유통행위로 넘어간다.

토지소유자 P는 S(비생산적 계급, 공업생산자)에게서 공산품 10억 파운드스털링어치를 구매한다(표에서 선분 a—c). 여기에서 이때 유통되는 화폐는 10억 파운드스털링이고 상품도 마찬가지 액수이다. 〔교환이 한 번 이루어졌기 때문이다. 만일 P가 S에게서 순차적으로 구매하고 자신의 지대도 F(차지농업가)에게서 순차적으로 받는다면 10억 파운드스털링의 공산품은 예를 들어 1억 파운드스털링씩 구매될 수 있을 것이다. 왜냐하면 P는 S에게서 1억 파운드스털링어치의 공산품을 구매하고 S는 F에게서 1억 파운드스털링어치의 생활수단을 구매하고 F는 P에게 1억 파운드스털링을 지대로 지불할 것이기 때문이다. 그리고 만일 이런 과정이 10번 이루어진다면 S에게서 P에게 판매되는 상품과 F에게서 S에게로 판매되는 상품은 10×1억 파운드스털링어치가[130] 되고 F에게서 P에게로 지불되는 지대도 10×1억 파운드스털링이 될 것이다. 그러면 전체 유통은 1억 파운드스털링으로 진행될 것이다. 그런데 만일 F가 지대를 한 번에 모두 지불한다면 S가 가진 10억 파운드스털링과 다시 F의 소유로 되는 10억 파운드스털링 가운데 일부는 금고 속에서 잠을 자고 일부만이 유통될 것이다.〕 이제 10억 파운드스털링어치의 상품이 S에게서 P에게로 이전되고, 그 대신 화폐 10억 파운드스털링이 P에게서 S에게로 넘어간다. 이것은 단순 유통이다. [131]화폐와 상품이 단지 서로 반대 방향으로 자리를 바꾸었을 뿐이다. 그러나 차지농업가가 P에게 판매하여 소비로 들어간 10억 파운드스털링어치의 생활수단 외에 S가 P에게 판매한 10억 파운드스털링어치의 공산품이 소비로 들어갔다. 이것은 새로운 수확이 이루어지기 전에 이미 존재하던 것이었다. 그 점을 유념해야만 한다(그렇지 않으면 P는 새로운 수확물을 가지고 그 공산품을 구매할 수 없었을 것이다).

G643 이제 S가 10억 파운드스털링을 가지고 F에게서 생활수단을 구매한다. 그러면 **총생산물 가운데 두 번째** $\frac{1}{5}$이 유통에서 소비로 넘어간다. 10억 파운드스털링은 S와 F 사이에서 유통수단으로 작용한다. 그러나 여기에서는 또한 S와 P 사이의 과정에서는 없던 두 가지 현상이 발생한다. 첫째 이 과정에서 S는 자신의 생산물 가운데 일부(10억 파운드스털링어치의 공산품)를 다시 화

폐로 전화시켰다. 그러나 F와의 교환에서 그는 이 화폐를 다시 생활수단(케네가 임금이라고 불렀던)으로 전화시킴으로써 임금으로 지출되어 소비된 자신의 자본을 보전한다. 10억 파운드스털링의 생활수단으로의 재전화는 P에게는 단순한 소비를 나타낼 뿐이지만 S에게는 산업적 소비(즉 재생산)를 나타내는데, 왜냐하면 그는 자신의 생산물 가운데 일부를 자신의 생산요소(생활수단)로 전화시키기 때문이다. 따라서 여기에서 상품의 형태변화(화폐로부터 상품으로의 재전화)는 상품의 **실질적**(단지 **형식적인** 것에만 그치는 것이 아닌) **형태변화** — 즉 상품의 재생산, 혹은 상품이 자신의 생산요소로 재전화하는 것 — 의 시작을 나타낸다. 이 경우 그것은 또한 자본의 형태변화이기도 하다. 반면 P에게는 소득이 단지 화폐형태에서 상품형태로 전화될 뿐이다. 그것은 단순한 소비를 나타낼 뿐이다. 그러나 둘째, S는 F에게서 10억 파운드스털링어치의 생활수단을 구매함으로써 F가 지대로 P에게 지불했던 두 번째 10억 파운드스털링을 F에게 되돌려 준다. 그런데 이 10억 파운드스털링이 F에게 되돌아가는 것은 단지 F가 10억 파운드스털링에 해당되는 등가의 상품을 가지고 이 10억 파운드스털링을 유통에서 다시 끌어냈기(즉 구매했기) 때문이다. 이것은 마치 토지소유자가 F에게서 10억 파운드스털링어치의 생활수단을(첫 번째 10억 파운드스털링과는 별도로) 구매한 것과 마찬가지이다. 즉 그것은 자신의 지대 가운데 두 번째 부분을 차지농업가에게서 상품으로 받아서 이 상품을 S의 상품과 교환한 것과 마찬가지이다. S는 단지 P를 대신해서 F가 P에게 화폐로 지불한 20억 파운드스털링 가운데 두 번째 부분을 상품으로 거두어들인 것뿐이다. 만일 현물형태로 지불이 이루어졌다면 F는 P에게 20억 파운드스털링어치의 생활수단을 주었을 것이다. P는 이 가운데 10억 파운드스털링을 자신이 직접 소비하고 나머지 10억 파운드스털링의 생활수단을 S의 공산품과 교환할 것이다. 여기에서는 단지 다음과 같은 일이 일어날 뿐이다. 1) F에게서 P에게로 20억 파운드스털링의 생활수단이 이전된다. 2) P와 S사이에 교환이 이루어지는데 이 교환에서는 10억 파운드스털링의 생활수단과 10억 파운드스털링의 공산품이 교환된다. 그 대신 우리의 경우에는 다음과 같은 4개의 행위가 발생했다. ||431|[132] 1) 20억 파운드스털링의 화폐[133]가 F에게서 P에게로 이전된다. 2) P가 F에게서 10억 파운드스털링의 생활수단을 구매한다. 화폐는 F에게로 환류되고 유통수단으로 사용된다. 3) P는 10억 파운드스털링의 화폐를 주고 S에게서 공산품을 구매한다. 화폐는 유통수단으로 작용하고 상품과 서로 자리를 맞

바꾼다. 4) S는 10억 파운드스털링의 화폐를 주고 F에게서 생활수단을 구매한다. 화폐는 유통수단으로 작용한다. 동시에 이 화폐는 S에게 자본으로 작용한다. 화폐는 F에게로 환류하는데 이는 [134]토지소유자가 F에게서 받은 두 번째 10억 파운드스털링어치의 생활수단에 대한 증서를 사용했기 때문이다. 그러나 화폐는 토지소유자에게서 곧바로 F에게로 환류하는 것이 아니라
G644 먼저 P와 S 사이에서 유통수단으로 사용된 다음에, 그리고 화폐가 10억 파운드스털링의 생활수단을 끌어내기 전에 [135]10억 파운드스털링어치의 공산품을 끌어내어 이것을 공업생산자에게서 토지소유자에게 이전한 다음에야 비로소 F에게로 환류한다. S의 입장에서 볼 때 그의 상품의 화폐로의 전화(토지소유자와의 교환을 통해서)와 그에 뒤이은 화폐의 생활수단으로의 전화(차지농업가와의 교환을 통해서)는 모두 그의 자본[136]의 형태변화이다. 즉 처음에는 화폐로의 형태변화, 그다음은 자본의 재생산에 필요한 구성요소로의 형태변화이다.

그리하여 지금까지 이야기한 네 가지 유통행위의 결과를 정리해보면 다음과 같다. 토지소유자는 자신의 소득을 절반은 생활수단에 나머지 절반은 공산품에 처분한다. 그럼으로써 그는 자신이 지대로 받은 20억 파운드스털링을 처분한다. 그중 절반은 그에게서 곧바로 차지농업가에게 도로 흘러들어가고 나머지 절반은 S를 통해 간접적으로 흘러들어간다. 그러나 S는 자신의 완제품 가운데 일부를 팔아치우고 그것을 생활수단(즉 재생산을 위한 요소)으로 보전한다. 이들 과정을 통해서 토지소유자가 등장하는 유통은 끝난다. 그러나 이를 통해 다음의 것들이 유통에서 소비(일부는 비생산적 소비로, 일부는 산업적 소비로 들어간다. 토지소유자는 자신의 소득을 가지고 S의 자본 가운데 일부를 보전해 준다)로 들어간다. 1) 10억 파운드스털링의 생활수단(새로 수확된 생산물). 2) 10억 파운드스털링의 공산품(전년도의 생산물). 3) 재생산에 들어가는(즉 S가 토지소유자의 지대 가운데 절반과 다음 해에 교환하게 될 상품의 생산에 들어가는) 10억 파운드스털링의 생활수단.

20억 파운드스털링의 화폐는 다시 차지농업가의 수중에 들어간다. 차지농업가는 최초의 선대와 연간 선대 — 이 중 일부는 작업도구 등으로, 다른 일부는 공산품으로 구성되는데 이들은 그가 생산기간 동안 소비하는 것들이다 — 를 보전하기 위해 S에게서 10억 파운드스털링의 공산품을 구매한다. 이것은 단순유통과정이다. 이를 통해 10억 파운드스털링은 S의 수중으로 들어가고 그가 상품으로 가지고 있던 생산물 가운데 두 번째 부분이 화

폐로 전화한다. 그것은 두 사람 모두에게 자본의 형태변화이다. 차지농업가의 10억 파운드스털링은 재생산을 위한 생산요소로 재전화한다. S가 만든 완제품은 화폐로 재전화함으로써 상품에서 화폐로의 **형태**변화를 수행하는데 그 형태변화는 자본이 자신의 생산요소로 재전화하기 위해, 자본이 재생산되기 위해서는 반드시 필요한 과정이다. 이것이 다섯 번째 유통과정이다. **10억 파운드스털링의 공산품**(전년도 생산물)이 유통에서 빠져나와 재생산적 소비로 들어간다(a′—b′).

마지막으로 S는 자신의 상품 가운데 절반의 존재형태인 10억 파운드스털링의 화폐를 자신의 생산조건(원료 등)의 나머지 절반으로 전화시킨다[137](a″—b″). 이것은 단순유통이다. 동시에 그것은 S에게서 자신의 자본이 재생산을 위한 형태로 전화하는 것이며, F에게는 자신의 생산물이 화폐로 재전화[138]하는 것이다. 이제 총생산물 가운데 마지막 $\frac{1}{5}$이 유통에서 소비로 들어간다.[139]

즉 $\frac{1}{5}$은 [140]유통이 아니라 차지농업가의 재생산과정에 들어간다. $\frac{1}{5}$은 토 G645
지소유자가 먹어치운다. 이 둘을 합하면 $\frac{2}{5}$가 된다. S는 $\frac{2}{5}$를 얻는다. 이를 모두 합하면 $\frac{4}{5}$가 된다.

계산은 여기에서 명백히 막혀 있다. 케네는 다음과 같이 계산한 것처럼 보인다. [141]F[142]는 10억 파운드스털링($\frac{1}{5}$)의 생활수단을 P에게 준다(선분 a—b). F는 10억 파운드스털링의 원료를 가지고 S의 재원을 보전한다(a″—b″). 그리고 10억 파운드스털링의 생활수단은 S의 임금을 이루고[143] S는 그것을 상품가치에 부가하고 이 부가과정 동안 생활수단으로 소비한다(c—d). 그리고 10억 파운드스털링은 유통에 들어가지 않고 재생산과정 속에 남는다(a′). 마지막으로 10억 파운드스털링의 생산물이 최초의 지출을 보전한다(a′—b′).[144] 케네는 S가 이 10억 파운드스털링의 [145]공산품으로 차지농업가에게서 생활수단과 원료를 구매하는 것이 아니라 차지농업가 자신의 화폐를 되돌려 준다는 사실을 보지 못한다.

왜냐하면 그는 처음부터[146] 차지농업가가 자신의 총생산물 외에 20억 파운드스털링의 화폐를 가지고 있다는 것을 전제로 해서 출발하며 바로 이 화폐가 유통되는 화폐를 조달해주는 재원이기 때문이다. 그 밖에 그는 50억 파운드스털링의 총생산물 외에 새로운 수확이 이루어지기 전에 생산된 20억 파운드스털링의 공산품이 존재한다[147]는 사실도 잊고 있다. 왜냐하면 50억 파운드스털링은 차지농업가의 연간 총생산물 ||432|[148](즉 차지농업가

가 수확한 총량)을 나타낼 뿐이고 이 수확물을 통해 재생산 요소를 보전해야 하는 공업생산자의 총생산물을 나타내는 것은 아니기 때문이다.

이리하여 현존하는 것을 정리하면 다음과 같이 된다. 1) 차지농업가가 가진 20억 파운드스털링의 화폐. 2) 총토지생산물 50억 파운드스털링. 3) 20억 파운드스털링의 가치를 가진 공산품. 즉 20억 파운드스털링의 화폐와 70억 파운드스털링의 생산물(농산물과 공산품)이다. 이것을 요약된 형태의 유통과정으로 표시하면 다음과 같이 된다(F = 차지농업가, P = 토지소유자, S = 비생산적 공업생산자).

F가 P에게 20억 파운드스털링의 화폐를 지대로 지불한다. P는 F에게서 10억 파운드스털링의 생활수단을 구매한다. 이리하여 차지농업가의 총생산물 가운데 $\frac{1}{5}$이 처분된다. 그와 함께 10억 파운드스털링의 화폐가 차지농업가에게로 환류된다. P는 다시 10억 파운드스털링의 상품을 S에게서 구매한다. 이를 통해 S의 총생산물 가운데 $\frac{1}{2}$[149]이 처분된다. 그 대신 S는 10억 파운드스털링의 화폐를 갖게 된다. 그는 이 화폐를 가지고 10억 파운드스털링의 생활수단을 F에게서 구매한다. S는 이것을 가지고 자기 자본의 재생산 요소의 $\frac{1}{2}$을 보전한다. 이를 통해서 차지농업가의 총생산물 가운데 또 다른 $\frac{1}{5}$이 처분된다. 동시에 차지농업가는 20억 파운드스털링의 화폐(그가 P와 S에게 판매한 생활수단 20억 파운드스털링의 가격)를 다시 갖게 된다.[150] 이제 F는 자신의 최초의 자본투하 가운데 $\frac{1}{2}$을 보전하기 위해 S에게서 10억 파운드스털링의 상품을 구매한다. 이를 통해 공업생산자의 총생산물 가운데 나머지 $\frac{1}{2}$이 처분된다. 마지막으로 S는 이 마지막[151] 10억 파운드스털링의 화폐를 가지고 차지농업가에게서 원료를 구매하는데 이를 통해 차지농업가는 자신의 총생산물 가운데 세 번째 $\frac{1}{5}$을 처분하게 되고 S의 자본은 그 재생산요소 가운데 나머지 절반을 보전하게 되며 또한 10억 파운드스털링의 화폐가 차지농업가에게로 환류한다. 차지농업가는 다시 20억 파운드스털링을 수중에 갖게 되고[152] 그리하여 모든 것이 제대로 정리된다. 왜냐하면 케네는
G646 차지농업가를 자본가로 간주하고 P는 소득의 수령자로만, S는 임금을 받는 사람으로만 차지농업가와 관련을 맺는 것으로 간주하기 때문이다. 만일 차지농업가가 이들에게 현물로 지불했다면 차지농업가는 전혀 화폐를 지출하지 않았을 것이다. 하지만 그가 화폐를 지출했다면 이들은 그 화폐를 가지고 차지농업가의 생산물을 구매하고 화폐는[153] 차지농업가에게로 환류할 것이다. 이것은 곧 구매자로서 모든 사업을 개시하고 또 그것을 마감하는 산업자

본가에게로의 화폐의 형식적인 환류이다. 또한 최초의 자본투하를 보전한 $\frac{1}{5}$의 총생산물은 재생산에 들어간다. 그러면 이제 총생산물 가운데 유통에 전혀 들어가지 않은 $\frac{1}{5}$의 생활수단이 남게 된다.[154]

4. 경제표에서 상품유통과 화폐유통. 화폐가 출발점으로 환류하는 여러 경우

S는 차지농업가에게서 10억 파운드스털링의 생활수단과 10억 파운드스털링의 원료를 구매하고 F는 S에게서 자신의 자본투하를 보전하기 위해 10억 파운드스털링의 상품을 구매한다. 따라서 S는 차액인 10억 파운드스털링을 지불해야 하는데 그는 마지막에 P에게서 얻은 10억 파운드스털링으로 이를 지불한다. F에 대한[155] 이 10억 파운드스털링의 **지불**을 케네는 10억 파운드스털링어치의 F의 생산물에 대한 **구매**와 혼동한 것처럼 보인다. 이에 대한 이야기(어떻게 된 것인지의 여부)는 보도(Baudeau)의 주석을[156] 찬찬히 살펴보아야 한다.

사실 (우리의 계산에 따르면) 20억 파운드스털링은 단지 다음의 용도로 사용되었을 뿐이다. 1) 20억 파운드스털링의 지대를 화폐로 지불하는 데, 2) 차지농업가의 총생산물 30억 파운드스털링어치(그중 10억[157] 파운드스털링의 생활수단은 P에게, 20억 파운드스털링의 생활수단과 원료는 S에게)와 S의 총생산물 20억 파운드스털링(그중 10억 파운드스털링은 그것을 소비할 P에게, 10억 파운드스털링은 그것을 재생산에 사용할 F에게)을 유통시키는 데.[158]

S가 F에게서 원료를 구매하는 과정인 마지막 구매 ― a″ ― b″ ― 로부터 차지농업가는 화폐를 회수한다.|

|433|[159] 그리하여 다시 한번 정리하면 다음과 같이 된다.

S는 P에게서 10억 파운드스털링의 화폐[160]를 받는다. 그는 이 10억 파운드스털링의 화폐를 가지고 [161]F에게서 10억 파운드스털링어치의 생활수단을 구매한다. F는 바로 이 10억 파운드스털링의 화폐를 가지고 S에게서 상품을 구매한다. 그 화폐를 가지고 S는 F에게서 원료를 구매한다.

혹은 이렇게 이야기할 수도 있다. S는 F에게서 10억 파운드스털링어치의 원료와 역시 10억 파운드스털링어치의 생활수단을 구매한다. F는 10억 파운드스털링어치의 상품을 S에게서 구매한다. 이 과정에서 10억 파운드스털링은 S에게로 환류하는데 그러나 이는 오로지 그가 토지소유자에게서 받은 10억 파운드스털링의 화폐와 아직 판매해야 할 10억 파운드스털링의 상품 외에도, 다시 그가 스스로 유통에 투입한 10억 파운드스털링의 화폐[162]를 가지고 있다는 것이 전제되어 있기 때문이다. 이 전제에 따른다면 S와 차지농업가 사이의 상품유통을 위해 사용된[163] 화폐는 10억 파운드스털링이 아니

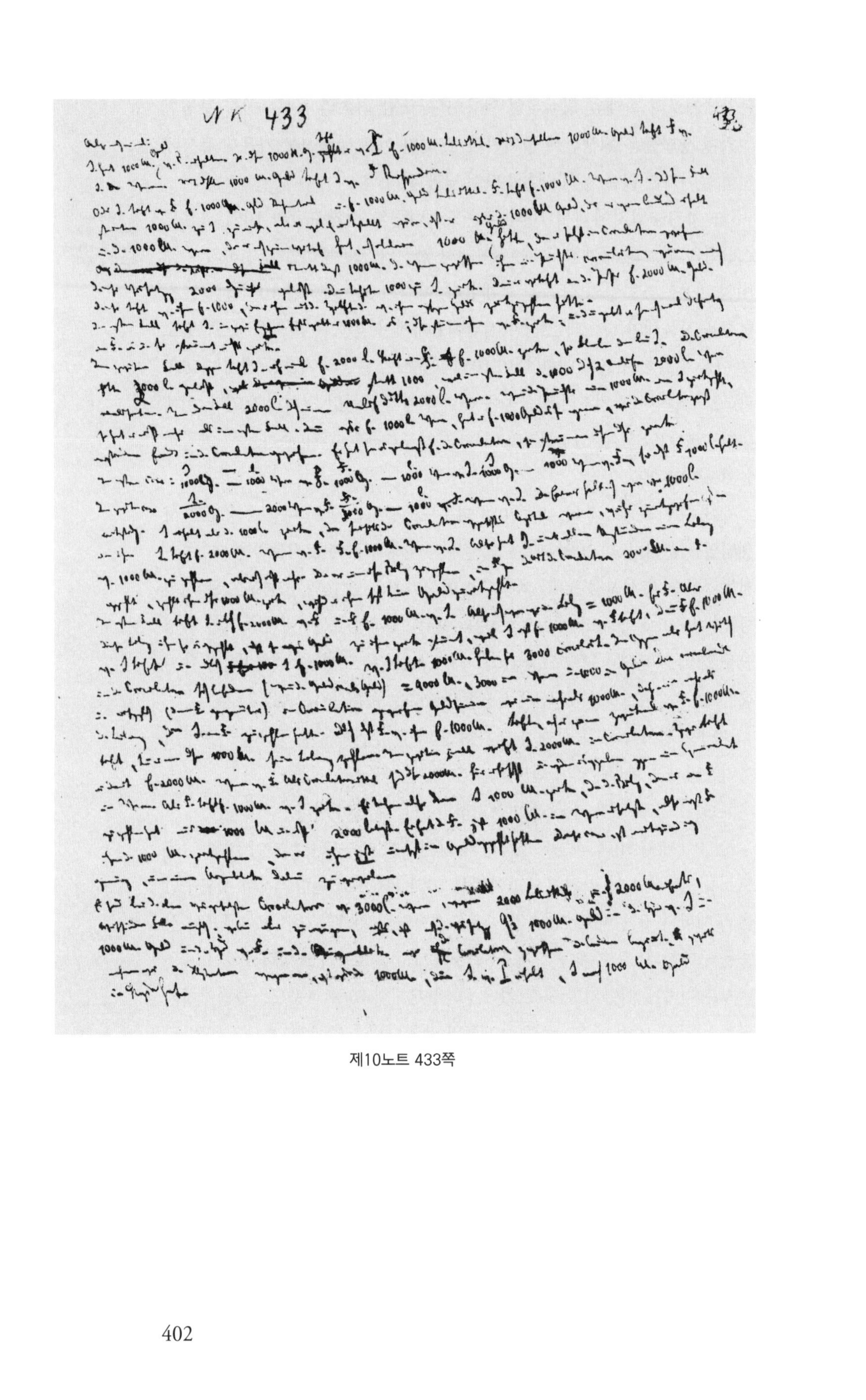

제10노트 433쪽

라 20억 파운드스털링이다. 그런 다음 10억 파운드스털링의 화폐는 S에게로 환류한다. 왜냐하면 그는 차지농업가에게서 20억 파운드스털링어치를 구매하지만[164] 차지농업가도 S에게서 10억 파운드스털링어치를 구매하고 따라서 차지농업가는 S에게서 받은 화폐 가운데 절반을 도로 돌려주기 때문이다.

전자의 경우 S는 구매를 두 번 한다. 처음에 그는 10억 파운드스털링을 지출한다. 이것은 F에게서 그에게로 환류한다. 그런 다음 그는 다시 한번 F에게 최종적으로 지출하고 그것은 그에게로 환류하지 않는다.

반면 후자의 경우 S는 한 번에 20억 파운드스털링을 지출한다. F는 구매를 통해 10억 파운드스털링을 돌려주고 이것은 S의 수중에 남는다. 유통에는 10억 파운드스털링이 아니라 20억 파운드스털링이 사용되는데 [165]이는 G649
첫 번째 경우에는 10억 파운드스털링이 두 번의 회전을 통해 20억 파운드스털링의 상품을 실현했기 때문이다. 이제 두 번째 경우에는 한 번의 회전을 통해 20억 파운드스털링의 화폐가 똑같은 20억 파운드스털링의 상품을 실현했다. 차지농업가가 10억 파운드스털링을 S에게 도로 지불한다 하더라도 S는[166] 첫 번째 경우에 비해 더 많은 것을 갖는 것은 아니다. 왜냐하면 10억 파운드스털링의 상품 외에, 그는 유통이 이루어지기 전에 이미 가지고 있던 자신의 재원에서 10억 파운드스털링의 화폐를 유통에 투입했기 때문이다. 그는 유통을 위해 이 화폐를 지출했고 바로 그렇기 때문에 그것은 그에게로 환류한 것이다.

첫 번째 경우에는 S가 10억 파운드스털링의 화폐로 10억 파운드스털링의 상품을 F에게서 구매한다. F가 10억 파운드스털링의 화폐로 10억 파운드스털링의 상품을 S에게서 구매한다. S가 10억 파운드스털링의 화폐로 10억 파운드스털링의 상품을 F에게서 구매한다. 그리하여 F는 10억 파운드스털링을 갖는다. 두 번째 경우에는 S가 20억 파운드스털링의 화폐로[167] 20억 파운드스털링의 상품을 F에게서 구매한다. F가 10억 파운드스털링의 화폐로[168] 10억 파운드스털링의 상품을 S에게서 구매한다. 차지농업가에게는 첫 번째 경우와 마찬가지로 10억 파운드스털링의 화폐가 남는다. 그러나 S는 자신이 유통에 투입했다가 유통에서 다시 돌아오는 자본 10억 파운드스털링을 회수한다. S는 20억 파운드스털링어치의 상품을 F에게서 구매한다. F는 10억 파운드스털링어치의 상품을 S에게서 구매한다. 그리하여 S는 결국 10억 파운드스털링의 차액을 지불해야 하지만 물론 그 이상을 지불하지는 않는다. 그는 이 두 번째 유통의 성격 때문에 이 차액을 지불하기 위해 먼저 F에게 20억 파운드스털링의 화폐를 지불하고 그에게서 다시 10억 파운드스털링의 화폐를 도로 지불받는 반면, 첫 번째 경우에는 F가 S에게 아무런 화폐도 도로 지불하지 않는다.

즉 첫 번째 경우, S는 20억 파운드스털링어치를 F에게서 구매하고 F는 10억 파운드스털링어치를 S에게서 구매한다. 따라서 F에게 차액은 똑같이 10억 파운드스털링이다. 그러나 이 차액은 F 자신의 화폐가 되돌아오는 형태로 지불된다. 왜냐하면 S가 먼저 10억 파운드스털링어치를 F에게서 구매하고 그런 다음 F가 10억 파운드스털링어치를 S에게서 구매하고, 마지막으로 S가 10억 파운드스털링어치를 F[169]에게서 구매하기 때문이다. 여기에서는 10억 파운드스털링의 화폐가 30억 파운드스털링어치를 유통시킨다. 그러나 전체적으로 유통되는 가치는 모두 40억 파운드스털링이 되는데(화폐가 현금화폐일 경우) 즉 30억 파운드스털링의 상품과 10억 파운드스털링의 화폐가 바로 그것이다. 유통되는, 그리고 처음에 (F에 대한 지불을 위해) 유통에 투입된 화폐 총액은 10억 파운드스털링, 즉 S가 F에게 지불해야 하는 차액을 결코 넘지 않는다. F는 S가 F에게서 두 번째 구매를 하기 전에 S에게서 10억 파운드스털링어치를 구매하기 때문에 S는[170] 이 10억 파운드스털링의 화폐로 F에게 차액을 지불한다. 두 번째 경우, S는[171] 20억 파운드스털링의 화폐를 유통에 투입한다. 즉 그는 그것을 가지고 F에게서 20억 파운드스털링의 상품을 구매할 수 있다. 여기에서 이 20억 파운드스털링은 유통수단으로 필요하고 상품에 대한 등가로 지출된다. 그런데 F는 S에게서 10억 파운드스털링어치를 다시 구매한다. 그래서 10억 파운드스털링의 화폐는 S에게로 환류하는데 이는 그가 F에게 지불해야 할 차액이 20억 파운드스털링이 아니라 10억 파운드스털링이기 때문이다. S는 여기에서 F에게 10억 파운드스털링어치의 상품을 보전해 주었고 따라서 F는 S에게 10억 파운드스털링의 화폐를 도로 지불하게 되는데 이것은 S가 F에게 **이 경우** 10억 파운드스털링의 화폐를 더 지불했기 때문이다. 이 경우는 유념할 필요가 있기 때문에 조금 더 살펴보기로 한다.

위에서 전제한 30억 파운드스털링의 상품유통(20억 파운드스털링의 생활수단과 10억[172] 파운드스털링의 공산품)은 여러 경우가 있을 수 있다. 거기에서 언급해두어야 할 점은 **첫째** 케네의 전제에 따르면 두 사람 사이의 유통[173]이 시작될 시점에 또 다른 10억 파운드스털링의 화폐는 S의 수중에 있고 10억

파운드스털링의 화폐는 F의 수중에 있다. 둘째 우리는 설명의 편의를 위해 S 가 P에게서 받은 10억 파운드스털링 외에 또 다른 10억 파운드스털링의 화폐를 금고 속에 가지고 있다고 가정했다.| G650

|434|[174] I) **첫째** 케네의 경우와 동일한 경우. S는 10억 파운드스털링의 화폐를 가지고 F에게서 10억 파운드스털링의 상품을 구매한다. F는 이렇게 S에게서 받은 10억 파운드스털링의 화폐를 가지고 S에게서 10억 파운드스털링의 상품을 구매한다. 마지막으로 S는 이렇게 돌려받은 10억 파운드스털링의 화폐를 가지고 F에게서 10억 파운드스털링의 상품을 구매한다. 그리하여 F에게는 10억 파운드스털링의 화폐가 남게 되는데 그것은 그에게 자본을 나타낸다. (사실 이 10억 파운드스털링은 그가 P에게서 돌려받은 10억 파운드스털링의 화폐와 함께 소득을 이루는데 그는 이 소득을 가지고 다음 해에 다시 [175]지대를 20억 파운드스털링의 화폐로[176] 지불한다.) 이 경우 10억 파운드스털링의 화폐는 S에게서 F로, F에게서 S로, S에게서 F로 매번 10억 파운드스털링어치의 상품을 모두 3번(즉 30억 파운드스털링어치) 유통시킨다. 만일 G 화폐 자신도 가치를 갖는다면 유통되는 가치는 모두 40억 파운드스털링이 된다. 여기에서 화폐는 단지 유통수단으로만 기능하지만, 최종적으로 화폐가 수중에 남게 되는 F에게 그것은 화폐(혹은 자본)로 전화한다.

II) **둘째** 화폐는 단지 지불수단으로만 기능한다. 이 경우 F에게서 20억 파운드스털링어치의 상품을 구매하는 S와, S에게서 10억 파운드스털링어치의 상품을 구매하는 F는 서로 결제액을 상쇄한다. S는 마지막 거래를 하면서 10억 파운드스털링의 결제 차액을 화폐로 지불한다. 10억 파운드스털링의 화폐는 앞의 경우와 마찬가지로 유통수단으로 사용되지 않고 F의 금고 속으로 들어간다. F에게 이 화폐는 자본의 이전인데 왜냐하면 그것은 F에게 단지 10억 파운드스털링의 자본을 보전하는 것일 뿐이기 때문이다. 그리하여 앞의 경우와 마찬가지로 모두 40억 파운드스털링의 가치[177]가 유통에 들어간다. 그러나 10억 파운드스털링의 화폐는 3번이 아니라 1번의 운동만을 수행하고 이 화폐는 단지 자신과 동일한 가치 총액을 지불했을 뿐이다. 반면에 앞의 경우에는 30억 파운드스털링의 화폐가 지불되었다. I에 비해 여기에서는 두 번의 유통이 절약되었다.

III) **셋째** F는 10억 파운드스털링의 화폐(그가 P에게서 받은)를 가지고 먼저 구매자로 등장하여 S에게서 10억 파운드스털링어치의 상품을 구매한다. 그는 다음 해에 지대로 지불할 10억 파운드스털링의 화폐를 금고 속에 넣어두는 대신 이제 그것을 유통시킨 것이다. 이제 S는 20억 파운드스털링의 화폐를 갖게 된다(P에게서 10억 파운드스털링, F에게서 10억 파운드스털링을 받은 것이다). 그는 이 20억 파운드스털링의 화폐를 가지고 F에게서 20억 파운드스털링의 상품을 구매한다. 그리하여 이 경우 유통되는 가치 총액은 모두 50억 파운드스털링이 된다(30억 파운드스털링의 상품과 20억 파운드스털링의 화폐). 한 번의 유통에서는 10억 파운드스털링의 화폐와 10억 파운드스털링의 상품이 유통되었고 또 다른 한 번의 유통에서는 20억 파운드스털링의 화폐와 20억 파운드스털링의 상품이 유통되었다. 이 20억 파운드스털링의 화폐 가운데 차지농업가에게서 나온 10억 파운드스털링은 2번 유통되고 S에게서 나온 10억 파운드스털링은 1번만 유통되었다.[178] 20억 파운드스털링의 화폐는 F에게로 환류하는데 그 가운데 10억 파운드스털링은 F가 자신의 차액을 청산하는 데 사용되고 나머지 10억 파운드스털링은 그 자신에 의해 유통에 투입되었다가(그가 구매자로 유통을 시작했기 때문이다) 유통을 통해 그에게로 다시 환류한다.

IV) **넷째** S는 20억 파운드스털링의 화폐(10억 파운드스털링은 P에게서 받은 것이며 10억 파운드스털링은 그가 스스로 자신의 금고에서 꺼내어[179] 유통에 투입하는 것이다)를 가지고 한꺼번에 20억 파운드스털링의 상품을 F에게서 구매한다. F는 다시 10억 파운드스털링의 상품을 S에게서 구매하고 따라서 10억 파운드스털링의 화폐는 S에게로 환류한다. 앞의 경우와 마찬가지로 F와 S 사이의 결제 차액을 위해 S는 10억 파운드스털링의 화폐를 남겨둔다. 유통되는 가치 총액은 모두 50억 파운드스털링이며 유통행위는 모두 2번 발생했다.

S가 F에게 반환한 20억 파운드스털링의 화폐 가운데 10억 파운드스털링
G651 은 F가 스스로 유통에 투입한 화폐를 나타내고 S가 유통에 투입한 화폐는 10억 파운드스털링뿐이다.[180] 이 경우 F에게로 환류하는 화폐는 10억 파운드스털링이 아니라 20억 파운드스털링이지만 실제로 그가 얻는 것은 10억 파운드스털링뿐인데, 이는 그가 스스로 다른 10억 파운드스털링을 유통에 투입했기 때문이다. 이것은 III의 경우와 같다. 단지 IV에서는 F가 아니라 S에게로 10억 파운드스털링의 화폐가 환류하는데, 이 10억 파운드스털링은 S가 자신의 상품을 P에게 판매해서 얻은 것이 아니라 자신의 금고에서 꺼내어 스스로 유통에 투입한 것이다.

만일 II와 마찬가지로 I에서도 10억 파운드스털링 이상의 화폐는 유통되

지 않고, I에서는 3번, II에서는 1번만 유통되면서 소유자가 번갈아 바뀐다고 한다면, 이것은 단지 II에서는 신용이 발달하여 지불의 절약이 이루어졌다는 것을 가정하고 I에서는 유통속도가 빠르고 단지 화폐가 계속 유통수단으로—즉 매번 가치가 양극에서 두 가지 형태로(한 번은 화폐로, 한 번은 상품으로)—나타난다는 것을 가정할 뿐이다. III과 IV에서 화폐가 I과 II에서처럼 10억 파운드스털링이 아니라 20억 파운드스털링이 유통되는 까닭은, 이들 두 경우에서 모두(III에서는 S가 유통과정을 종결짓는 구매자로, IV에서는 S가 유통과정을 시작하는 구매자로) 20억 파운드스털링어치의 가치[181]를 가진 상품가치가 한꺼번에 모두, 요컨대 20억 파운드스털링의 상품이 한꺼번에 유통에 투입되기 때문이며 이들 상품이 차액을 상쇄한 다음 지불되는 것이 아니라 구매와 함께 곧바로 지불된다는 것을 전제로 하기 때문이다.

어쨌든 이 운동에서 가장 흥미를 끄는 것은 III에서는 차지농업가, IV에서는 공업생산자의 수중에 남게 되는—비록 두 경우 모두 [182]10억 파운드스털링의 차액이 차지농업가에게 지불되긴 하지만 차지농업가는 이 금액에서 한 푼도 더 많이(III의 경우에) 받거나 적게(IV의 경우에) 받지 않는다—10억 파운드스털링의 화폐이다. 물론 이 경우[183] 교환은 항상 등가물끼리 이루어지고, 차액에 대해서 이야기할 경우 그것은 상품이 아니라 화폐로 지불되는 가치 등가물을 의미하는 것이다.

III의 경우 F는 10억 파운드스털링의 화폐를 유통에 투입하고 그 대가로 S에게서 등가의 상품(즉 10억 파운드스털링의 상품)을 받는다. 그런 다음 S는 F에게서 20억 파운드스털링어치의 상품을 구매한다. 그리하여 F가 처음에 투입한 10억 파운드스털링은 그에게 도로 돌아오는데 이는 그가 그 대가로 10억 파운드스털링의 상품을 방출했기 때문이다. 이 10억 파운드스털링의 상품에 대한 지불이 F가 지출한 바로 그 10억 파운드스털링의 화폐를 통해 이루어진 것이다. 그는 나머지 10억 파운드스털링의 상품에 대한 지불을 통해 또 다른 10억 파운드스털링의 화폐를 받는다. 그에게 이 화폐 차액이 생기는 까닭은 그가 10억 파운드스털링어치의 상품만 구매하고 20억 파운드스털링어치의 상품을 판매했기 때문이다.|

|435|[184] IV의 경우 S는 한 번에 20억 파운드스털링의 화폐를 유통에 투입하고 그 대가로 20억 파운드스털링의 상품을 F에게서 받는다. F는 S가 지출한 화폐를 가지고 S에게서 다시 10억 파운드스털링의 상품을 구매하고 따라서 10억 파운드스털링의 화폐는 S에게로 도로 환류한다.

IV에서 S는 F에게 사실상 10억 파운드스털링어치의 상품과 20억 파운드스털링의 화폐(즉 모두 30억 파운드스털링)를 주고[185] 그에게서 단지 20억 파운드스털링의 상품만을 받는다.[186] 따라서 F는 그에게 10억 파운드스털링의 화폐를 돌려주어야만 한다.

III에서 F는 S에게 20억 파운드스털링어치의 상품과 10억 파운드스털링의 화폐(즉 모두 30억 파운드스털링)를 주고 10억 파운드스털링어치의 상품
G652 만을 받는다. 따라서 S는 F에게 20억 파운드스털링의 화폐를 돌려주어야만 하고 그는 이것을 F가 유통에 투입한 10억 파운드스털링의 화폐와 자신이 유통에 투입한 10억 파운드스털링으로 지불한다. F의 수중에는 차액 10억 파운드스털링(20억 파운드스털링이 아니라)이 남는다.

두 경우 모두 S는 20억 파운드스털링의 상품을 얻고 F는 10억 파운드스털링의 상품+10억 파운드스털링의 화폐(즉 화폐 차액)를 얻는다. 만일 III에서 그 외에도 F에게 10억 파운드스털링의 화폐가 더 흘러들어온다면 그 화폐는 F가 유통에서 끌어낸 상품보다 더 많이 유통에 투입한 화폐일 뿐이다. IV의 S에게도 이것은 마찬가지이다.

두 경우에서 모두 S는 10억 파운드스털링의 차액을 화폐로 지불해야 하는데 이는 그가 유통에서 20억 파운드스털링의 상품을 끌어내고 단지 10억 파운드스털링의 상품만을 유통에 투입하기 때문이다. 두 경우에서 모두 F는 10억 파운드스털링의 화폐를 차액으로 받는데 이는 그가 유통에 20억 파운드스털링의 상품을 투입하고 단지 10억 파운드스털링의 상품만을 유통에서 끌어내고 따라서 나머지 10억 파운드스털링의 상품을 화폐로 청산받아야 하기 때문이다. 결국 두 경우 모두 소유자가 바뀌는 것은 바로 이 화폐 10억 파운드스털링뿐이다. 그러나 유통에는 [187]20억 파운드스털링의 화폐가 존재하기 때문에 이 10억 파운드스털링의 화폐는 그것을 유통에 투입한 사람 — 그것이 10억 파운드스털링의 차액을 화폐로 받고 그와는 별도로 10억 파운드스털링을 유통에 투입하는 F일 수도, 혹은 차액으로 10억 파운드스털링을 지불하고 그 밖에 별도로 10억 파운드스털링의 화폐를 유통에 투입하는 S일 수도 있다 — 에게로 환류해야만 한다.

III의 경우 다른 조건하에서 상품을 유통시키는 데 필요한 화폐량[188]보다 10억 파운드스털링의 화폐가 더 많이 유통에 투입되는데 이는 F가 처음에 구매자로 나타나서 — 최종 정산은 어떻게 되든 — 화폐를 유통에 투입해야 하기 때문이다. IV에서도 역시 20억[189] 파운드스털링(II에서처럼 10억 파운

드스털링이 아니라)의 화폐가 유통되는데 이는 먼저 S가 구매자로 등장하여 20억 파운드스털링의 상품을 한 번에 모두 구매하기 때문이다. 두 경우에서 모두 이들 구매자와 판매자 사이에서 **유통되는** 화폐는 최종적으로 두 사람 가운데 한 사람이 지불해야 하는 차액과 같아야만 할 것이다. 왜냐하면 S나 F가 이 금액을 넘어서 지출하는 화폐는 [190]이들에게 도로 지불될 것이기 때문이다.

가령 F가 S에게서 20억 파운드스털링어치의 상품을 구매한다고 하자. 이 경우는 다음과 같이 될 것이다. F는 S의 상품에 대한 대가로 10억 파운드스털링의 화폐를 S에게 준다. S는 20억 파운드스털링어치의 상품을 F에게서 구매하는데 이를 통해 10억 파운드스털링의 화폐는 F에게로 환류하고 10억 파운드스털링은 유통에 투입된다. F는 다시 10억 파운드스털링어치의 상품을 S에게서 구매하는데 그럼으로써 이 10억 파운드스털링의 화폐는 S에게로 환류한다. 이 과정이 모두 끝나고 나면 F는 20억 파운드스털링의 상품과 10억 파운드스털링의 화폐를 갖게 되는데 이 10억 파운드스털링의 화폐는 유통과정이 시작되기 전에 그가 이미 가지고 있던 것이다. S도 20억 파운드스털링의 상품과 10억 파운드스털링의 화폐를 갖는데 이 10억 파운드스털링의 화폐도 역시 그가 원래 가지고 있던 것이다. F와 S가 각각 가진 10억 파운드스털링의 화폐는 단지 유통수단으로만 기능을 수행한 것이고 그런 다음 화폐로서(이 경우에는 자본으로서도[191]) 두 사람의 지출자에게로 환류한 것이다. 만일 이들 두 사람이 이 화폐를 지불수단으로 사용한다면 이들은 20억 파운드스털링의 상품에 대하여 20억 파운드스털링의 상품을 결제할 것이다. 이들의 계산은 서로 상쇄되고 이들 사이에는 단 한 푼의 화폐도 유통되지 않았을 것이다. 따라서 두 사람(서로 구매자와 판매자로 두 번[192] 만나는) 사이에서 유통수단으로 유통되고 환류하는 이 화폐가 [193]유통되는 경우는 세 가지가 있을 수 있다. 첫째 공급되는 상품의 가치가 같은[194] 경우 G653
가 있을 수 있다. 이 경우 화폐는 그것을 유통에 투입하여 자신의 자본을 유통비로 지불한 사람에게로 환류한다. 예를 들어 만일 F와 S가 각각 20억 파운드스털링어치의 [195]상품을 상대편에게서 구매하고 S가 첫 거래를 시작한다면 그는 20억 파운드스털링어치의 상품을 F에게서 구매할 것이다. F는 S에게서 20억 파운드스털링의 화폐를 받은 다음 다시 그 화폐를 가지고 S에게서 20억[196] 파운드스털링어치의[197] 상품을 구매한다. 그리하여 S는 거래를 하기 전과 마찬가지로 20억 파운드스털링의 상품과 20억 파운드스털링의 화폐를 갖는다. 혹은 만일 앞서 언급한 경우처럼 두 사람이 똑같은 액수를 유통수단으로 투입한다면 두 사람은 각자 상대방에게서 자신이 유통에 투입한 것과 같은 액수의 화폐를 돌려받을 것이다. 즉 위에서 본 것처럼 10억 파운드스털링은 F에게로, 10억 파운드스털링은 S에게로 환류할 것이다.

둘째. 양측에 의해 서로 교환된 상품가치액은 모두 상쇄되지 않는다. 그러면 화폐로 지불되어야 할 나머지 결제 차액이 발생한다. 그런데 위에서 이야기한 I[198]의 경우처럼 이 차액의 지불에 필요한 금액보다 더 많은 화폐가 **유통에** 투입되지 않는—두 사람 사이에서 언제나 이 금액만큼만 오감으로써—형태로만 상품유통이 이루어진다면 [199]이 화폐는 궁극적으로 차액을 흑자로 갖는 마지막 판매자의 수중에 들어갈 것이다.

셋째. 양측에 의해 서로 교환된 상품가치액은 모두 상쇄되지 않는다. 그리하여 차액은 화폐로 지불되어야 한다. 그런데 이번에는 차액 지불에 필요한 액수보다 더 많은 화폐가 유통에 투입되는 형태로 상품유통이 이루어진다. 이 경우 이 차액을 넘는 화폐는 그것을 선대한 사람에게로 환류한다. 즉 III에서는 차액을 받는 사람에게, IV에서는 차액을 지불해야 하는 사람의 수중으로 환류한다.

둘째의 경우에서 화폐가 **환류하는** 것은 오로지 노동자와 자본가의 경우처럼 차액을 받는 사람이 최초의 구매자일 경우에만 이루어진다. II에서처럼 상대방이 최초의 구매자가 될 경우 화폐는 상대방의 수중으로 넘어간다.|

|436|[200] 〔물론 이것은[201] 오로지 동일한 두 사람 사이에서 일정액의 상품이 매매되고 따라서 두 사람이 모두 상대방에 대한 구매자와 판매자 역할을 번갈아 가면서 하게 된다는 것을 전제로 할 때만 있을 수 있다. 이와는 달리 30억 파운드스털링의 상품이 판매자가 되는 A, A′, A″ 세 사람의 상품소유자에게 균등하게[202] 분할되어 있고 이들에 대응하는 구매자가 B, B′, B″라고 하자. 세 번의 구매가 시간적으로도 동시에 그리고 공간적으로도 나란히 함께 이루어진다고 한다면 모두 30억 파운드스털링이 유통되어야 할 것이고 따라서 세 사람의 A는 각기 10억 파운드스털링씩의 화폐를 가지고 세 사람의 B는 각기 10억 파운드스털링씩의 상품을 갖게 될 것이다. 만일 시간적으로 차례차례 구매가 이루어진다면, [203]단지 상품의 형태변화가 서로 얽혀서 이루어질 경우—즉 여섯 사람이 모두 구매자와 판매자로 나타날 경우(비록 위에서 이야기한 경우처럼 동일한 사람에 대해서가 아니고 제각기 다른 사람

에게 구매자와 판매자가 된다고 할지라도) — 에만 똑같은 10억 파운드스털링의 화폐가 유통에 투입되는 경우가 발생할 수 있다. 즉 예를 들어 1)[204] A가 B에게[205] 10억 파운드스털링을 판매한다. 2)[206] A는 10억 파운드스털링을 가지고 B′에게서 상품을 구매한다. 3)[207] B′은 10억 파운드스털링으로 A′에게서 상품을 구매한다. 4)[208] A′는 B″(원문에는 B′으로 되어 있으나 문맥상 B″으로 수정함 — 옮긴이)에게서 10억 파운드스털링으로 구매한다. 5)[209] B′은 A″(원문에는 A′로 되어 있으나 문맥상 A″로 수정함 — 옮긴이)에게서 10억 파운드스털링으로 구매한다. 화폐는 6명 사이에서[210] 5번 자리를 옮길 것이고 50억 파운드스털링의 상품을 유통시킬 것이다. 만일 30억 파운드스털링의 상품만 유통되어야 한다면 1)[211] A가 B에게서 10억 파운드스털링으로 구매 G654
하고 2)[212] B가 A′에게서 10억 파운드스털링으로 구매하고 [3)] A′이 B′에게서 10억 파운드스털링으로 구매하면 된다. 10억 파운드스털링은 4명 사이에서 3번 자리를[213] 바꿀 것이다. 그것은 곧 G — W[214]이다.〕

위에서 이야기한 경우들은 [215]앞서 이야기했던 법칙 — "화폐유통 속도와 상품가격 총액이 주어져 있을 경우 유통수단의 양은 일정하다"(I, 85쪽)[216] — 과 모순되지 않는다. 위의 예 I에서는 10억 파운드스털링의 화폐가 3번 유통하고 모두 30억 파운드스털링어치의 상품이 유통된다. 따라서 유통되는 화폐량은 $= \frac{30억\ 가격\ 총액}{3회\ 유통속도}$ 혹은 $\frac{30억\ 가격\ 총액}{3회의\ 유통} = 10$억 파운드스털링이 된다. III이나 IV에서도 유통되는 상품의 가격총액은 똑같이 30억 파운드스털링이다. 그러나 유통속도는 다르다. 20억 파운드스털링, 즉 10억 파운드스털링+10억 파운드스털링이 한 번 유통된다. 그러나 이 20억 파운드스털링 가운데 10억 파운드스털링은 한 번 더 유통된다. 20억 파운드스털링은 30억 파운드스털링의 상품 가운데 $\frac{2}{3}$를 유통시키고 그중 절반인[217] 10억 파운드스털링은 나머지 $\frac{1}{3}$의 상품을 유통시킨다. 한[218] 10억 파운드스털링은 2번 회전하고 다른 10억 파운드스털링은 1번만 회전한다. 2회전 하는 10억 파운드스털링은 20억 파운드스털링의 상품가격을 실현하고 1회전 하는 10억 파운드스털링은 10억 파운드스털링의 상품가격[219]을 실현하여 결국 이 둘은 모두 30억 파운드스털링의 상품가격을 실현한다. 이 경우 화폐가 유통시키는 상품가격에 대비되는 화폐의 유통속도는 얼마가 될까? 20억 파운드스털링의 화폐는 [220]$1\frac{1}{2} = \frac{3}{2}$ 회전한다(이것은 화폐 총액이 **일단** 한 번 회전한 다음 그 절반이 다시 한번 회전하는 것과 동일하다). 그리고 사실 $\frac{30억\ 가격\ 총액}{\frac{3}{2}회전} = 20$억 파운드스털링의 화폐이다.

그러나 이 경우 **서로 다른** 화폐유통 **속도**는 무엇에 의해 결정될까?

III과 IV의 경우 I과 유통속도가 다른 이유는 I에서는 매번[221] 유통되는 상품의 가격 총액[222]이 유통되는 전체 상품의 가격 총액의 $\frac{1}{3}$보다 더 많지도 더 적지도 않기[223] 때문이다. 거기에서는 언제나 10억 파운드스털링어치의 상품만이 유통된다. 반면 III과 IV에서는 한 번은 20억 파운드스털링어치[224]가, 또 한 번은 10억 파운드스털링어치[225]가(다시 말해 한 번은 현존 상품 총액의 $\frac{2}{3}$, 다른 한 번은 $\frac{1}{3}$이) 유통된다. [226]대규모 도매업에서 소매업의 경우보다 액면가가 더 큰 화폐들이 유통되는 것은 바로 이러한 이유에서이다.

내가 앞서(I, **화폐의 유통**)[227] 이미 지적했듯이 화폐의 환류는 **구매자가 다시 판매자**가 된다 — 이때 그가 판매하는 사람이 바로 그가 구매한 사람과 동일인인지의 여부는 사실상 전혀 문제가 되지 않는다 — 는 사실을 보여준다. 그러나 이것이 같은 사람들 사이에서 일어날 경우 그것은 많은 오해를 불러일으킬 수 있는(데스튀트 드 트라시) 현상으로 나타난다.[228] 구매자가 판매자로 되는 것은 새로운 상품을 판매해야 한다는 것을 의미한다. 즉 그것은 상품유통의 연속성 — 상품유통이 끊임없이 갱신된다는 것(I, 78쪽)[229]과 같은 의미이다 — 즉 재생산을 의미한다. [230]그런데 공업생산자와 노동자 사이에서처럼 재생산의 행위를[231] 나타내지 않고도 구매자는 다시 판매자로 될 수도 있다. 따라서 오직 화폐환류의 연속성, 즉 반복만이 이 경우 재생산이라고 말할 수 있다.

G655 자본이 화폐형태로 재전화하는 것을 나타내는 화폐의 환류는, 자본 그 자체가 운동을 계속 진행할 경우, 반드시 하나의 혁명이 [232]완료되었다는 것, 즉 새로운 재생산[233]이 다시 시작된다는 것을 의미한다. 다른 모든 경우와 마찬가지로 이 경우에도 자본가는 판매자로서 W — G를 수행하고 그런 다음 다시 구매자가 되어 G — W를 수행한다. 그러나 그의 자본은 G의 형태를 통해서만 비로소 자신의 재생산요소들과 교환될 수 있는 형태를 갖게 되고 여기에서 W는 바로 이 재생산요소를 나타낸다. 여기에서 G — W는 화폐자본이 생산자본(혹은 산업자본)으로 전화하는 것을 나타낸다. 또한 우리가 이미 보았듯이 화폐가 자신의 출발점으로 환류하는 것은 일련의 구매와 판매 과정에서의 화폐 차액이 이 일련의 과정을 처음 시작한 구매자에게로 돌아온다는 것을 의미한다. [234]F는 S에게서 10억 파운드스털링어치를 구매한다. S는 F에게서 20억 파운드스털링어치의 상품을 구매한다. 이 경우 F에게는 10억 파운드스털링의 화폐가 환류한다. 나머지 10억 파운드스털링은

단지 S와 F 사이에서 화폐가 자리를 서로 맞바꾼 것에 불과하다.|[235]

|437|[236] 그런데 마지막으로 화폐는 차액의 지불 없이도[237] 처음의 출발점으로 환류할 수 있는데 그것은 1) 결제 차액이 [238]완전히 상쇄되어 화폐로 지불해야 할 차액이 존재하지 않는 경우와 2) **아무런** 상쇄도 발생하지 **않고** 화폐 차액을 지불해야 하는 경우이다. 위에서 이야기한 경우들을 보자. 이 모든 경우에서 예를 들어 F가 S와 마주 거래하는지의 여부는 전혀 중요하지 않다. 여기에서 S와 F는 판매하는 사람과 구매하는 사람 모두를 대표하고 있다(차액의 지불이 화폐의 환류를 나타내는 경우와 마찬가지이다). 이 모든 경우에 화폐는 이른바 화폐를 유통에 처음 투입한 사람에게로 되돌아온다. 이 화폐는 은행권과 같이 자신의 업무를 수행한 것이며 자신의 발행자에게로 **되돌아**온다. **여기에서 이 화폐는 단지 유통수단일 뿐이다. 나중의**(원본에는 bewussten(의식적인)으로 되어 있고 MEW에는 letzten으로 되어 있음 — 옮긴이) **자본가들은 서로 간에 지불을 수행하고 화폐는 처음 그것을 유통에 투입한 사람에게 도로 돌아온다.**[239]

그리하여 이제 나중에 논의하게 될 문제 — 즉 자본가는 어떻게 그가 처음에 유통에 투입한 것보다 더 많은 화폐를 유통에서 회수하느냐는 문제 — 만 남는다.

케네에게 돌아가기로 하자. 5. 경제학의 역사에서 경제표의 중요성

A. 스미스는 미라보 후작의 과장된 문장을 약간의 풍자를 섞어서 이렇게 인용하고 있다. "세상이 만들어진 이후 세 개의 위대한 발명이 있었다. … 첫째는 **문자**의 발명이다. … 둘째는 **화폐**의 **발명**[240](!)이다. … 셋째는 **경제표**인데 이것은 앞의 두 발명의 결과이자 그것들의 완성이기도 하다."(**가르니에 엮음**, 제3권, 제4편, 제9장, 540쪽)

그러나 사실 이 세 번째 발명은 자본의 생산과정 전체를 **재생산과정**으로, 유통을 단지 이 재생산과정의 형태로만 나타내려 한 것이다. 즉 화폐유통을 단지 자본유통의 한 계기로만 나타내고, 동시에 이 재생산과정 속에 소득의 G656
원천, 자본과 소득 사이의 교환, 최종 소비와 재생산적 소비의 관계를 포함시키고, 자본유통 속에 소비자와 생산자 사이(사실상 자본과 소득 사이)의 유통을 포함시키고, 마지막으로 생산적 노동의 양대 부문 — 원료의 생산과

제조업[241] — 사이의 유통을 이 재생산과정의 계기들로 나타내려 했으며, 이 모든 것을 하나의 **표** — 사실상 6개의 출발점(혹은 복귀점)을 연결하는 5개의 선분만으로 이루어진 — 에 그려 넣으려 한 것으로서(그것도 아직 경제학이 유아기였던 1750[242]년대 말에), 그것은 실로 극히 천재적인 발상으로 [243]지금까지의 경제학에도 영향을 미친 가장 천재적인 것이었다는 사실에 논란의 여지가 없다. 자본유통(즉 그것의 재생산과정)과 자본이 이 재생산과정에서 취하는 다양한 형태들(일반적 유통과 자본유통 사이의 관련, 즉 자본과 자본 사이의 교환[244]뿐 아니라 자본과 소득 사이의 교환)에 대해서 스미스는 사실상 중농주의자들의 유산을 상속받아 [245]이들 유산 속에 들어 있는 각 요소들을 하나하나 엄밀하게 분류한 것에 지나지 않으며, 운동 전체를 경제표 그 자체가 자신의 구조를 통해 암시해주고[246] 있던 바에 따라(비록 케네의 전제가 잘못되어 있음에도 불구하고) 제대로 설명하고 해석해내지는 못했다.

[247]또한 스미스는 중농주의자들에 대해 "그들의 작업은 그들의 나라에서는 어느 정도 도움이 되었다"(같은 책, 538쪽)고 말했는데 이것은 예를 들어 프랑스 혁명의 직접적인 아버지였던 튀르고의 업적에 대한 이야기로는 지나치게 낮은 평가이다.

여기에서 다루고자 했던 프루동의 이야기는 다음과 같다. "가장 믿을 만한 필자들에 의하면 담보 채무 총액은 120억이며(다른 필자들은 160억으로 추정하기도 한다) 차용증에 의한 채무가 적어도 60억, 회사 출자금이 약 20억, 국채가 80억으로 도합 280억에 이른다.[248] 이 모든 채무는 4, 5, 6, 8, 12퍼센트에서 15퍼센트에 이르기까지의 이자율로 대부되었거나 그렇게 대부된 것으로 간주되는 화폐에 근거한 것임을 유념해야만 한다. 앞의 세 범주에 해당하는 채무들의 평균이자율을 6퍼센트로 잡는다면 총 200억의 채무에 대해서 12억의 이자가 발생할 것이다. 거기에다 국채 이자 약 4억을 추가해야 한다. 이를 모두 합하면 결국 10억의 자본에 대하여 연간 16억의 이자가 발생하는 셈이다. 따라서 이자율은 160퍼센트가 된다.[249] 프랑스에서 유통되고 있는 화폐 총액(프랑스 내에 존재하는 화폐 총액이 아니다)은 은행 금고에 있는 것을 포함하여 가장 일반적인 평가에 따를 경우 10억을 넘지 않는다(151[250]
G657 쪽). 교환이 끝나고 나면 화폐는 다시 수중에 들어오고 따라서 새로 대부될

수 있는 상태로 된다. … 화폐자본은 교환을 거치면서 끊임없이 원래의 출발점으로 복귀하기 때문에 대부는 항상 반복적으로 동일한 사람에 의해서 수행되고 동일한 사람이 수익을 얻게 된다."(154쪽) **『신용의 무상성. 바스티아와 프루동의 논쟁』, 파리, 1850년.**|

|438[1]| e) 랭게. 『민법 이론』, 런던, 1767년

노동자의 자유에 대한 부르주아-자유주의적 견해에 대한 반론

[2]나의 집필계획에서 [3]사회주의와 공산주의 저자들의 글은 모두 역사적 검토에서 제외된다. 역사적 검토는 경제학자들이 한편으로는 서로에 대해서 그리고 다른 한편으로는 경제학의 법칙들이 처음 시작되어 발전해나간 역사적 결정형태들에 대해서 어떤 형태로 비판하고 있는지를 보여주는 것으로 국한되었다. 그래서 나는 잉여가치의 고찰에서 브리소, 고드윈 같은 18세기 저자들을 19세기의 사회주의 및 공산주의 저자들과 마찬가지로 모두 제외했다. 내가 이 역사적 검토에서 이제 이야기해야 할 몇몇[4] 사회주의 저자들은 스스로 부르주아 경제학의 관점에 서 있거나 자기 나름의 관점에서 부르주아 경제학과 투쟁한 사람들이다.

그런데 랭게는 사회주의자가 아니다.[5] 당시의 계몽주의적 부르주아 자유주의 이념과 막 시작되고 있던 [6]부르주아적 지배에 반대하는 그의 주장은[7] [8]부분적으로는 진지하고 부분적으로는 모순된 반동적 모습을 보이고 있다. 그는 문명화된 유럽의[9] 전제주의적 형태에 반대하여 아시아적[10] 전제주의를 옹호했다. 즉[11] 임노동제도에 반대하여 노예제를 옹호했다.

제1권. 몽테스키외에 반대하는 유일한 그의 문장 "법의 정신은 곧 소유이다"[12]는 그의 관점의 깊이를 보여주고 있다.

랭게가 대적한 경제학자들은 오로지 중농주의자들뿐이었다.

랭게에 의하면 부자들은 모든 생산조건을 지배한다. 즉 **생산조건**—가장 단순한 형태로는 자연 그 자체이다—**은 소외된다.** [13]"우리 문명화된 나라들[14]에서는 모든 자연요소가 노예이다."(185쪽) 부자들이 소유한 부 가운데 일부를 얻기 위해서는 이 부자들의 부를 더욱 증가시켜주는 힘든 노동을 제공하여 그것을 구매해야만 한다. "이런 방식으로 완전히 포박당한 자연은 자신의 자식들에게 그들의 생명을 유지할 원천을 무상으로 제공하지 못하게 되었다. 사람들은 자연의 혜택을 얻기 위해 힘든 노력을 기울여야 하고 자연이 제공한 선물을 얻기 위해 고된 노동을 지불해야만 한다. (여기 '자연이 제공한 선물'이란 말 속에서 중농주의자들의 견해가 엿보인다.) **자연에 대한**
G658 **배타적 소유를 감히 주장하는** 부자들은 반드시 이런 대가를 받고서야 비로소 그 자연 가운데 아주 조그만 부분을 대중의 몫으로 제공한다. **그들이 가진 부를 나누어 갖기 위해서 사람들은 그 부를 더욱 늘리기 위해 노동해야만**

한다.[15](189쪽) 따라서 사람들은 자유라는 이 환상을 버려야 한다."(191쪽) 법은 "최초의 횡탈(사적 소유에 대한)을 정당화하고 새로운 횡탈을 막기 위해"(192쪽) 존재한다. "법은 대다수의 인류(즉 무산자들)에 대한 일종의 모반이다."(같은 곳) 사회가 법을 만든 것이지 법이 사회를 만든 것은 아니다.(230쪽) 소유는 법보다 먼저 존재했다.[16](236쪽) "사회" 그 자체 — 인간은 사회 속에서 살아가며 "독립해서 자립적 개인으로 살아가지 않는다 — 는 소유와 거기에 기초한 법, 그리고 그로부터 필연적으로 만들어지는 노예제의 모든 근원이다.

한편에서는 농부들과 양치기들이 평화롭게 살고 있었다. 다른 한편에서는 피로 먹고사는 사냥꾼들이 살았는데 이들은 서로 무리를 지어 단결함으로써 동물들을 꾀를 써서 쉽게 잡아 죽인 다음 이 노획물을 나누어 갖기로 합의했다.(279쪽) 이 사냥꾼들에게서 사회의 첫 번째 징후가 나타날 수밖에 없었다.(278쪽) **"진정한 사회는 농부와 양치기가 희생됨으로써 형성되었고"** 이들 무리 지은 사냥꾼들에 의해 **"이들이 예속됨으로써 그 토대가 확립되었다."**(289쪽) 사회의 모든 의무는 명령과 복종으로 귀결된다.[17] 인류 가운데 일부가 이처럼 격하됨으로써 최초로 사회가 만들어졌으며 그런 다음 법이 만들어졌다.(294쪽)

생산조건을 약탈당한 노동자들은 궁핍에 쫓겨 살아남기 위해 타인의 부를 늘리는 노동을 하게 되었다.

"우리의 일용노동자들이 토지를 경작하지만 그 수확물을 누릴 수 없고 건물과 벽을 세우지만 거기에서 살 수 없게 된 것은 이들이 달리 살아갈 방도가 없기 때문이다. 빈곤은 그들을 억지로 시장에 내몰고 그들은 시장에서 자비롭게 구매해줄 주인을 기다리고 있다. [18]**빈곤은 그들로 하여금 어쩔 수 없이 부자들에게 무릎을 꿇어서 그들이 부자들의 부를 더욱 늘리는 일을 하도록 허락을 받게 만든다.**(274쪽)

이처럼 사회를 처음 만든 것은 폭력이었으며 사회를 처음 결합한 것은 권력이었다.(302쪽) (사람들의) 첫 번째 걱정은 의심의 여지가 없이 식량을 조달하는 문제였으며 … 두 번째 걱정은 **그 식량을 노동하지 않고 조달할 수 없을까** 하는 문제였을 것이 틀림없다.(307, 308쪽) 그것은 오로지 **타인의 노동생산물을 취득해야만** 가능한 일이었다.(308쪽) 최초의 정복자들은 단지 아무런 대가 없이 놀고먹기 위한 독재자였으며 이들은 생활에 필요한 수단을 얻기 위해 왕이 되었는데 이를 통해 지배의 이념은 … 매우 협소해지고

단순해졌다.(309쪽) 사회는 폭력으로부터 탄생했으며 소유는 횡탈로부터 만들어졌다.(347쪽) 주인과 노예가 만들어지면서 곧바로 사회가 만들어졌다.(343쪽) 처음부터 ||439|[19] 공동체의 양극은 한쪽은 남자 대부분이 노예이고 다른 한쪽은 모든 여자가 노예인 형태였다. … 사회는 구성원의 $\frac{3}{4}$을
G659 희생시켜 사회의 주인인 소수의 소유자들에게 행복과 부 그리고 안락함을 보장했다.(365쪽)

제2권. 따라서 중요한 것은 노예제가 그 자체로서 자연에 반하는 것인지를 탐구하는 것이 아니라 그것이 사회의 본성에 반하는 것인지를 탐구하는 것이다. … 노예제는 사회의 본성과 결코 분리될 수 없다.(256쪽) 사회와 노예제는 동시에 성립했다.(257쪽) 항구적인 노예제는 … 사회의 불멸의 토대이다.(347쪽)

인간이 자신의 생계를 타인으로부터의 무상 양도에 의존하게 되는 것은 오로지 **타인에게서 탈취한 부가** 타인에게 그 일부를 도로 **돌려줄** 수 있을 만큼 **충분한 양이 되었을** 때뿐이다. 그의 이런 관용은 **그가 타인에게서 취득한 노동생산물 가운데 일부를 그에게 도로 돌려주는 것**에 지나지 않는다.(242쪽) 자신을 위해 수확하지 않으면서 파종을 하고, 자신의 안락함을 다른 사람의 안락함을 위해 희생하고, 아무런 희망도 없이 노동해야 하는 이런 의무가 존재하지 않는다면 **노예제가 어떻게 이루어진단 말인가**? 진정한 노예제 시대는 채찍을 때려서 강제로 노동을 시킬 수 있는 인간—오두막집으로 돌아간 다음 한 줌의 보리를 얻는—이 존재하는 바로 그 순간 비로소 시작하지 않았던가? 단지 충분히 발전된 사회에서만 비로소 생활수단은 **굶주림**에 지친 가난한 사람들에게 그들의 자유에 대한 충분한 **등가물**로 나타난다. 그러나 아직 발전의 초기 단계에 있는 사회에서는 자유인들이 보기에 이런 불평등한 교환이 혐오스럽게 보였을 것이다. 이런 교환은 오로지 **전쟁포로들**에게만 요구할 수 있었다. 이들 포로에게서 그들의 모든 재산의 이용권을 빼앗은 다음에야 비로소 그들에게 이런 교환을 어쩔 수 없는 것으로 만들 수 있었다."(244, 245쪽)

"**사회의 본질은 … 부자들이 노동에서 해방된다는 점에 있다**. 사회는 부자들에게 새로운 기관, 즉 지치지 않는 수단을 제공하는데 이들 수단은 온갖 힘든 노동을 모두 수행해주고 부자들은 이들 **노동의 성과물을 취득한다**. 그것이 바로 부자들이 노예제를 온전하게 유지해나가려 하는 목적이다. 그들은 그들에게 봉사할 사람을 구매한다.(461쪽) 노예제를 철폐할 때 사람들은

부와 부가 가진 이점도 함께 철폐할 것을 요구하지 않았다. … 그리하여 모든 것이 말 그대로 하나도 변하지 않았다. 대부분의 사람들이 **모든 부를 소유한** 소수의 사람들에게 예속되어 그들에게서 지불을 받아 살아가는 것이 계속해서 불가피했다. 그리하여 노예제는 지구 상에서 이름만 조금 부드러워진 채로 영속화했다. 오늘날 우리에게 노예제는 '고용제도'라는 이름의 장식을 달고 있다."(462쪽) 랭게는 자신이 이 고용된 사람들을 하인 등과 같은 의미로 이해하지 않는다고 말한다. "도시와 농촌에는 **일용노동자, 육체노동자** 등과 같은 이름으로 불리는 엄청나게 많은 수의 유용하고 근면한 각기 다른 종류의 고용된 사람들이 거주한다. 그들은 휘황찬란한 사치로 자신들을 모욕하지 않는다. 그들은 가난한 사람의 **제복**인 더러운 누더기 옷을 입고 신음하고 있다. **그들은 그들의 노동이 만들어낸 풍요로부터 아무것도 나누어 얻지 못한다.** 부자들은 **그들이 만들어준 선물**을 받을 때면 그들에게 마치 그들의 상전처럼 행세한다. 그들은 부자들이 **그들을 고용해준 것**에 대해 감사해야만 한다. 부자들은 그들에게 말할 수 없이 불쾌한 모욕을 퍼붓지만 그들 G660
은 부자들에게 **자신들이 쓸모가 있다는 허락**을 받아내기 위해 부자들의 무릎에 매달려야만 한다. 부자들은 이런 허락을 내리도록 이들에게서 간청을 받으며, **사실상의 낭비와 거짓 선행 사이의 이 특이한 교환에서 받는 쪽**은 거만함과 경멸을 내보이고 **주는 쪽**은 굴종과 불안감 그리고 성실함을 보인다. 이것이 바로 고용된 사람들로서 이들은 사실상 오늘날 노예를 대신하고 있는 사람들이다.(463, 464쪽)

노예제의 폐지가 그들에게 어떤 실질적인 이익을 가져다주었는지를 분석하는 것은 중요하다. 고통스럽긴 하지만 솔직하게 말하자면 그들이 얻은 이익이란 그들이 끊임없이[20] 굶어 죽는 공포 — 적어도 인간 사회의 최하위층에 있더라도 그들의 선조는 피할 수 있었던 불행 — 에 시달리게 되었다는 점뿐이다.(464쪽) 그는 자유를 얻었다!라고 당신은 말할 수 있다. 아하, 바로 그것이 그의 불행이다. 아무도 그에게 예속되지 않으며 그 또한 어느 누구에게도 예속되지 않는다. 누군가 그를 필요로 하는 사람은 그를 최대한 **값싸게 고용한다**. 사람들이 그에게 약속하는 **임금**은 너무도 적어서 **그가 그 대가로 제공하는 노동일 동안 그의 생계를 유지하기에도** 부족하다. 사람들은 그에게 **감독자**를 배치하여 **그가 노동을 빨리 수행하도록 재촉한다**. 사람들은 그가 꾀를 부려 교묘하게 몰래 일을 게을리함으로써 자신의 힘을 절반밖에 사용하지 않을까 두려워서 그를 계속 다그치고 몰아댄다. 사람들은 **그가 동일**

e) 랭게. 『민법 이론』, 런던, 1767년

한 일자리에 더 오래 고용되려는 희망을 가지고 고의로 손놀림을 느리게 하고 작업도구를 대충 사용하지나 않을까 노심초사한다. **불안한 눈초리로 그를 뒤쫓는 더러운 감독자는 그가 조금이라도 휴식을 취할라치면 그에게 비난을 퍼붓고** 그가 한순간이라도 휴식을 취하면 **그가 자기 것을 훔치고 있다고 주장한다**. 그가 작업을 마치면 그는 처음 그를 채용할 때와 마찬가지로 냉정하게 그를 해고하고 그가 고된 하루 일의 대가로 받는 임금 20 또는 30수를 가지고—**다음 날 그가 일자리를 얻지 못할 경우**—생계를 ||440|[21] 충분히 유지할지 어떨지에 대해서는 조금도 관심을 갖지 않는다.(466, 467쪽) 그는 자유롭다! 바로 그렇기 때문에 나는 그를 불쌍하게 생각한다. 바로 그렇기 때문에 사람들은 그를 고용하여 노동을 시킬 때 그를 훨씬 더 가혹하게 다룬다. 바로 그렇기 때문에 그의 생명은 훨씬 더 마구잡이로 낭비된다. 노예는 그를 구입할 때 들어가는 비용 때문에 그의 주인에게 소중한 것으로 간주된다. 그러나 육체노동자는 탐욕스러운 부자들이 그들을 고용하는 데 아무런 비용도 들이지 않는다. 노예제하에서는 인간의 피가 어느 정도의 가격을 가지고 있었다. 인간은 적어도 그들이 시장에서 판매되는 액수만큼의 가치를 가지고 있었다. 인간이 시장에서 판매되지 않게 되자 그때부터 그들은 사실상 아무런 가치도 갖지 않게 되었다. 군대에서 공병은 마차를 끄는 말보다 훨씬 더 값싼 존재로 간주되는데 왜냐하면 말을 구입하려면 매우 비싼 가격을 지불해야 하지만 공병은 무상으로 조달되기 때문이다. 노예제의 폐지는 이런 가치 평가를 전장에서 일상생활의 영역으로 옮겨놓았다. **그때부터 부유한 부르주아들은 모두 전장에서 지휘관이 공병을 평가하는 것과 똑같은 생각을 하게 되었다**.(467쪽) 일용노동자들은, 부자들이 아무런 비용도 지불하지 않고 부를 만드는 데 사용할 수 있도록, 태어나서 성장하고 양육되는데, 그것은 마치 부자들이 자신의 소유지에서 마음대로 사냥하는 야생동물의 처지와 같다. 부자들은 불행한 폼페이우스[22]가 아무런 근거도 없이 자만에 차 있던 그 비밀을 사실상 알고 있는 것처럼 보인다. 그가 단지 땅을 발로 차기만 하면 근면한 인간들이 떼 지어서 그에게 고용되기 위해 앞 다투어 기어 올라온다. 이들 예비군 무리 가운데 그의 집을 짓거나 그의 정원을
G661 가꾸던 한 사람이 사라진다 하더라도 그 자리는 빈자리로 남지 않는다. 그 자리는 거기에 대해 누군가 근심할 사이도 없이 곧바로 다시 채워져버린다. 커다란 강에서는 끊임없이 새로운 강물이 흘러들어오기 때문에 물 한 방울을 잃는다 하더라도 전혀 걱정할 필요가 없다. 육체노동자들의 경우도 이와

마찬가지이다. 이들을 갈아치우는 일은 너무도 손쉽기 때문에 **부자들**(이것이 랭게가 표현하는 형태이다. 그는 아직 자본가라고는 표현하지 않는다)은 점차 이 문제에 대해 아무것도 느끼지 못하게 되어간다.(468[23]쪽) 사람들은 이들에게 주인이 없다고 말한다. … 그것은 순전히 말장난이다. 그들에게 주인이 없다는 것이 도대체 무슨 말인가? 그들은 온갖 주인 가운데 단 하나의 주인, 그것도 가장 무섭고 독재를 휘두르는 주인을 가지고 있다. 바로 **빈곤**이 그것이다. 빈곤은 그들을 가장 끔찍한 예속 상태로 내몬다. **그들은 특정 개인에게 복종하는 것이 아니라 모두에게 복종한다.** 그들이 비위를 맞추고 호의를 구해야만 하는 것은 단지 이 유일한 폭군에만 그치지 않는다. 이 폭군은 예속 상태에 한계를 설정하고 그것을 어느 정도 견딜 수 있도록 만들어준다. **그들은 돈을 가진 사람이라면 누구든 그를 위한 봉사자가 되며** 그럼으로써 그들의 노예 상태는 양적으로나 질적으로 모두 끝없이 심화된다. 사람들은 이렇게 말한다. 만일 어떤 주인이 그들의 마음에 들지 않으면 그들은 그 주인에게 그런 감정을 이야기할 수도 있고 아예 다른 주인을 찾아갈 수도 있다. 하지만 노예는 이런 일을 전혀 할 수 없기 때문에 노예가 더 불행하다는 것이다. 이 무슨 말도 안 되는 궤변이란 말인가! **노동을 시키는** 사람의 숫자는 매우 적은 반면 노동자들의 수는 엄청나게 많다는 사실을 한 번만 생각해보라.(470, 471쪽) 부자들이 노동자들에게 잠시 빌려준 이 겉보기의 자유란 것이 그 노동자들에게 결국 무엇으로 귀착되는가? **그들은 오로지 자신들의 육체를 빌려줌으로써만 살아간다. 따라서 그들은 그들을 고용해줄 누군가를 찾아야만 한다. 만일 그러지 않으면 그들은 굶어 죽는다. 이것이 자유의 의미란 말인가?**(472쪽) 가장 끔찍한 일은 이 낮은 임금이 임금을 떨어뜨리는 또 하나의 이유가 된다는 점이다. 일용노동자가 빈곤의 압박을 받으면 받을수록 그만큼 그는 자신을 더욱 값싸게 판매해야만 한다. 그의 궁핍한 상태가 절박하면 절박할수록 그의 노동이 벌어들이는 수입은 더욱 적어진다. 그가 눈물로 자신을 고용해줄 것을 간청하는 일시적 독재자들은 조금도 망설이지 않고 그에게서 아직 얼마만큼의 힘이 남았는지를 파악하기 위해 그의 맥박을 짚어본다. 그가 얼마나 쇠약한지에 따라 독재자들은 그에게 지불할 임금을 결정한다. 그가 기력이 다하여 죽음에 가까이 다가간 것처럼 보일수록 독재자는 그를 살릴 수 있는 수단을 더욱더 삭감한다. 독재자들이 그에게 부여한 이 야만적인 상태는 그의 생명을 연장하기보다는 그의 죽음을 지연한다.(482, 483쪽) (일용노동자의) 자립성은 … 근대의 교활함이 만들어낸 가장

e) 랭게, 『민법 이론』, 런던, 1767년

치명적인 징벌 가운데 하나이다. 그것은 부자들의 풍요와 가난한 사람들의 빈곤을 더욱 심화한다. 부자들은 가난한 사람들이 지출하는 것을 모조리 저축한다. 가난한 사람들은 여분의 것을 절약하는 것이 아니라 가장 절실하게 필요한 것을 절약해야만 한다.(483쪽)

오늘날 사치와 결부되어 인류를 전멸시킬 수 있을 만큼의 대규모 군대를 유지하는 것이 그처럼 쉽다면 그것은 오로지 노예제의 철폐 덕분이다. … 노예가 더는 존재하지 않게 된 바로 그때 이후로 방종과 빈곤은 전쟁 영웅들을 하루에 단돈 5수로 조달할 수 있게 해주었다.(484, 485쪽)

나는 일용노동으로 자신들의 생명을 연명해야만 하는 사람들의 온갖 다
G662 양한 생존방식에 비해 차라리 그것이 (아시아적 노예제가) 수백 배는 더 좋은 것이라고 생각한다.(496[24]쪽)

그들(노예와 일용노동자)에게 채워진 족쇄는 같은 소재로 만들어진 것이며 단지 색깔만 다르게 칠해져 있을 뿐이다. 노예의 족쇄는 검은 색깔에 무거워 보이고 일용노동자의 족쇄는 좀 밝은 색깔에 가벼워 보인다. 그러나 아무런 편견 없이 재보면 이들 둘 사이에는 아무런 차이도 찾을 수 없다. 두 족쇄는 모두 궁핍이라는 소재로 만들어진 것들이다. 둘의 무게는 똑같은데 혹시 하나가 조금 더 무거운 것이라면 겉으로 보기에 더 가벼워 보이는 것이 바로 그것이다."(510쪽) 랭게는 프랑스 계몽주의자들에게 노동자들에 대해서 큰 소리로 이렇게 말한다. "당신들은 이 대다수 양 떼 같은 사람들에 대한 억압과 (단도직입으로 말한다면) 그들의 절멸이 양치기들의 부를 만들어주는 것을 보지 못하는가? … 양 떼를 향해 짖어대는 개 한 마리가 양 떼 전체를 합한 것보다 더 큰 힘을 가지고 있다는 확신을 그들(양 떼)이 갖고 살도록 만드는 것이 바로 그(양치기)의 이익과 당신들의 이익, 그리고 양 떼의 이익을 위해서도 필요하다는 것을 믿어다오. 양치기 개의 그림자를 보기만 해도 곧장 도망가도록 양 떼를 훈련시켜라. 그것은 모두에게 이익이 될 것이다. 즉 그렇게 하면 당신들은 털을 깎기 위해 양 떼를 모는 것이 쉬워질 것이다. 또한 양 떼는 늑대에게 잡아먹히지 않도록 더 안전하게 보호될 것이다. ||441|[25] 그러나 물론 그것은 인간에게 잡아먹히기 위한 것일 뿐이다. 그러나 결국 그들이 일단 우리 안으로 발을 들여놓는 순간 그것은 이미 그들의 운명이 된다. 그들을 우리에서 끌어내겠다는 말을 하려면 먼저 우리(즉 사회)를 파괴하는 것에서 시작해야 할 것이다."(512, 513쪽)

f) 브레이.
『노동의 해악과 노동의 구제 방안』, 리즈, 1839년

인간 존재는 노동을 전제로 하고 노동은 노동수단을 전제로 하기 때문에 "온갖 활동을 위한 넓은 들판과 온갖 부를 위한 **원료**[1] —토지—는 거기에 사는 모든 주민의 공동 소유여야만 한다.[2](28쪽) 생명은 일용하는 양식에 의존하고 그 양식은 노동에 의존한다. 이 의존관계는 절대적이다. 따라서 한 개인이 노동을 면한다면 그것은 오로지 대중의 노동이 증가하는 조건에서만 일어날[3] 수 있다.[4](31[5]쪽) 인간이 저지르거나 겪는 온갖 악행과 고통은 몇몇 소수의 개인이나 계급이 다른 개인이나 계급을 배제하는 방식으로 토지에 대한 권리[6]를 강탈했기 때문이다. … 인간이 일단 토지에 대한 소유를 선포하고[7] 나면 그다음 단계는 인간 자신에 대한 소유를 선포하는 것이었다."(34쪽)

브레이는 자신의 목적을 경제학자들과 "싸우되 그들 경제학자 자신의 논리적 근거와 그들 자신의 논리적 무기로 싸우는 데"(어떤 사회제도하에서도 빈곤이 노동자들의 몫이 되어서는 안 된다는 것[8]을 입증하기 위해) 있다고 밝히고 있다. "경제학자들은 그들이 스스로 얻은 결론이 붕괴되는 것을 지켜보지 않으려면 그들 자신의 주장이 근거하는 확정된 진리나 원리들을 스스로 부정하거나 반대해야만 할 것이다."(41쪽) G663

"경제학자들 자신의 이야기에 따르면 부의 생산을 위해 필요한 것은 1) 노동, 2) 과거노동의 축적 혹은 자본, 3) 교환이다. …" 그들의 이야기에 따르면 이것들은 **일반적 생산조건**이다.[9] "이들 생산조건은 사회 전체가 함께 사용하는 것들이며 본질적으로 그것을 사용하는 개인이나 계급의 작업에서 임의로 없앨 수 있는 것들이 아니다."(42쪽)

"노동해야만 한다는 계율은 모든 피조물에게 똑같이 적용되는 것이다. … 인간만이 이 법칙을 피해 갈[10] 수 있는데, 본질적으로 그것은 한 사람이 다른 사람을 희생시킴으로써만 가능한 일이다."(43쪽)

"노동과 교환의 참된 성질에 따라 엄격하게 법률적 판단을 내린다면〔이것은 상품의 교환가치의 경제적 성격과 관련된 것이다〕 교환의 당사자들은 **서로에게** 이익이 되어야 할 뿐 아니라 각자가 누리는 이익도 함께 **균등해야만** 한다. … 교환제도가 올바른 형태로 이루어진다면 모든 상품의 가치는 그 상품의 생산비 총액에 의해서 결정될 것이다. 그리고 동일한 가치는 언제나 동일한 가치에 대해서만 교환될 것이다.[11] … 지금까지 노동자들은 자본가에게 1년 치의 노동을 제공하고 그 대가로 반년 치의 노동[12]을 받는 교환을 수행해왔으며 이것이 바로 지금 우리 주변을 둘러싼 권력과 부[13]의 불평등의 원인이다. 자본가가 계속해서 자본가가 되고 노동자가 계속해서 노동자가 되는 것, 즉 한쪽은 계속해서 지배계급이 되고 다른 한쪽은 계속해서 노예계급이 되는 것은 교환의 불평등—구매하는 가격과 판매하는 가격이 서로 다른—이 빚어낸 필연적인 결과[14]이다."(48~49[15]쪽)

"현재의 제도를 통해서 이루어지는 교환은 경제학자들이 주장하는 것과는 달리 모든 교환 당사자에게 상호 이익이 되지 않는[16] 것은 물론이거니와 자본가와 생산자 사이에서 이루어지는 거래도 대부분이 결코 교환[17]이 아니라는 것은 분명하다. … 공장주와 지주가 노동자의 노동에 대한 대가로 무엇을 주는가? 노동을? 아니다, 왜냐하면 자본가들은 노동을 하지 않기 때문이다. 그렇다면 자본을? 아니다, 왜냐하면 그들이 부를 쌓아두는 창고는 나날이 늘어만 가고 있기 때문이다. … 따라서 자본가들은 그들이 가지고 있는 것으로는 **어떤 것도** 교환할 수 **없다.**[18] 그렇기 때문에 모든 거래를 통해서 명백하게 드러나는 것은, 자본가와 지주가 그들의 부 가운데 일주일의 노동을 제공한 노동자들에게 제공하는 부분은 그 전주에 그들이 노동자들에게서 아무런 대가도 제공하지 않고 취득한 것[19]이라는 사실이다. … 자본가가 노동자와의 교환에서 노동자에게 그 노동의 대가로 제공하는 것처럼 보이는
G664 부는 자본가의 노동이나 부로부터 만들어진 것이 아니라 과거에 노동자의 노동을 통해 만들어진 것이며, 그 부는 지금도 매일 불평등 교환이라는 속임수 제도를 통해 노동자에게서 탈취되고 있다.(49쪽) 생산자와 자본가 사이에서 이루어지는 모든 거래는 명백한 사기이며 순전히 하나의 연극에 불과하다."(50쪽)

"'축적이 이루어질 것이다'라고 하는 법칙은 단지 일부에게만 해당될 것이고 한 특정 계급이 얻는 이익은 나머지 사회계급 전체에게 손해가 될 것이다.(50쪽) 현재의 사회제도 아래서는 노동계급 전체가 자본가 혹은 노동수단의 소유자에게 예속되어 있다. 그리고 한 계급이 **노동수단** 때문에 사회적 지위의 측면에서 다른 계급에게 예속되어 있다면 그 계급은 **생활수단** 때문에도 역시 다른 계급에게 예속된다. 이런 사정은 진정한 의미에서의 사회와도 대립되고 이성에 비추어 보아도 매우 잘못된 것이기 때문에 … 결코 변명이나 변호를 받을 수 없는 것이다. 이것이 한 인간[20]에게 불멸의 것에서

만 얻을 수 있는 힘을 주는 것이다."(52쪽)

"우리가 겪는 일상적 경험으로는, 하나의 빵 덩어리에서 한 조각[21]을 잘라내면 잘라낸 그 부분은 결코 도로 자라나지 않는다는 것이다. 빵 덩어리는 여러 개의 빵 조각이 합쳐진 것일 뿐이며 그 조각들을 하나씩 먹어치우면 먹을 수 있는 조각은 그만큼 점점 더 적어진다. 노동자들이 먹는 빵 덩어리는 ||442|[22] 바로 이런 경우를 그대로 잘 보여준다. 그런데 자본가들이 가진 빵 덩어리는 그렇게 되지 않는다. 자본가들의 빵 덩어리는 줄어드는 것이 아니라 오히려 끊임없이 커진다. 자본가는 끊임없이 빵을 잘라 먹지만 빵은 계속해서 다시 자라난다. … 만일 교환이 공평하게 이루어진다면 현재의 자본가들의 부는 점차 노동자계급에게로 이전될 것이다. 부자들이 단 한 푼이라도 지출하면 그것은 그대로 그들의 부를 그만큼 줄이는 결과를 가져올 것이다."([54,] 55쪽) 같은 곳에서 브레이는 다시 이렇게 말한다. "어떤 자본가가 단 1,000파운드스털링이라도 노동계급이던 자신의 조상이 실제로 절약한 노동으로부터 얻을 수 있다는 것은 결코 있을 수 없는 일이다."(같은 곳) 경제학자들 자신의 이야기에 따르면 다음과 같이 된다. 즉 "축적 없는 교환은 없으며 노동 없는 축적도 결코 있을 수 없다."[23](같은 곳) "모든 노동자가 어떤 고용주에게 단지 4~5일 노동의[24] 가치에 해당하는 대가만을[25] 받고 최소한 6일의 노동을 제공하는 현재와 같은 제도 아래서는 고용주가 얻는 수익은 반드시 노동자의 손실에 해당한다."(56쪽) "그래서 부자들이 자신들의 부의 원천에 대해 선물이나 개인의 축적, 교환, 상속 등 어떤 핑계를 갖다 댄다 하더라도 부자들의 그 핑계는 하나씩 내용을 따져 들어가면 금방 그것이 아무런 근거나 가치의 실체를 갖지 않는다는 것을 알 수 있다."(56쪽) "부자들의 이런 모든 부는 오랜 기간에 걸친 노동계급의 피와 땀으로 이루어진 것들이며, 불평등 교환이라는 속임수로 이루어진 노예제도를 통해 그들에게서 탈취한 것들이다."(57쪽) 현재와 같은 제도 아래서 노동자가 부자로 되 G665
려면 그는 자신의 노동[26]을 교환할 것이 아니라 자본가가 되거나 혹은 다른 사람의 노동[27]을 교환하는 사람이 되어야만 한다. 그럴 경우 그는 자신이 당한 속임수와 동일한 방식의 속임수, 다시 말해 불평등한 교환을 통해 다른 사람에게 조금씩 손실을 입혀서 그것을 모아 큰 이익을 얻을 수 있게 될 것이다."(57쪽)

"경제학자와 자본가 들은 노동자들에게 자본가의 수익이 생산자의 손해가 **아니라는**[28] 속임수를 주입하기 위하여 많은 책을 써서 출판해왔다. 거

f) 브레이, 『노동의 해악과 노동의 구제 방안』, 리즈, 1839년

기에서는 이렇게들 말한다. 노동은 자본 없이는 한 발짝도 움직일 수 없으며,[29] 자본이란 땅을 파는 사람에게 필요한 삽이며 자본은 노동 그 자체와 마찬가지로 생산에 반드시 필요하다는 것이다. … 그러나 자본과 노동 사이의 이런 상호 의존성은 자본가와 노동자 사이의 상대적 지위와는 아무 상관이 없는 것이며 더욱이 이들의 이야기는 노동자가 자본가를 부양해야 한다는 것을 보여주지도 않는다. … 생산자가 생산을 수행하는 데 반드시 필요한 것은 자본이지 자본가가 아니다. 그리고 자본과 자본가 사이의 차이는 선적 화물과 화물 증서의 차이만큼이나 현격한 것이다."(59쪽)

"자본과 노동의 관계에서 분명하게 알 수 있는 것은 한 나라에서 자본(혹은 축적된 생산물)이 많으면 많을수록 생산은 그만큼 더욱 수월하게 이루질 수 있고 일정한 생산물을 만드는 데 필요한 노동량은 그만큼 더 감소하리라는 것이다. 그래서 엄청난 규모의 축적된 자본(즉 건물, 기계, 선박, 운하, 철도 등)을 가진 현재의 영국 국민은 천 년 전 그들의 선조들이 반세기 동안에 생산할 수 있었던 것보다 더 많은 공업생산물을 단 일주일 만에 생산할 수 있다. 우리에게 이런 능력을 준 것은 우리의 뛰어난 신체적 힘이 아니라 우리의 자본이다. 왜냐하면 자본이 부족할 경우에는 항상 생산이 매우 느리고 어렵게 늘어나는 반면 역으로[30] 자본이 풍부할 경우에는 생산이 쉽고 빠르게 증가하기 때문이다. 이런 관계로부터 다음과 같은 사실이 분명해진다. 즉 자본에 이익이 되는 일은 언제나 노동에도 똑같이 이익이 되고[31] 자본의 증가는 노동의 부하를 줄여주며 따라서 자본에 손해가 되는 것은 항상 노동에도 손해가 될 것이 틀림없다는 것이다. 그러나 경제학자들은 이 진리를 오래전부터 관찰해왔음에도 불구하고 올바로 이야기한 적이 없었다. 〔사실 이들의 설명이란 것은 다음과 같다. 즉 축적된 노동생산물(즉 소비되지 않은 노동생산물)은 노동의 부하를 줄이고 노동의 생산성을 높인다. 그렇기 때문에 이런 생산성의 증가로 인한 결과물은 노동에 돌아가서는 안 되고 축적되어야만 한다. 즉 축적된 것이 노동의 소유가 되어서는 안 되고 오히려 노동이 축적(바로 노동 자신의 생산물)의 소유가 되어야만 한다. 또한 그렇기 때문에[32] 노동자는 자신을 위해서가 아니라 타인을 위해서 축적을 해야만 하고 축적
G666 은 자본이 되어 노동자와 대립해야만 한다. 이 경제학자들에게서는 자본의 소재적 요소가 자본이라는 그것의 사회적 형태규정(즉 노동을 지배하는 노동생산물로서 자본의 적대적 성격)을 은폐하는 기능을 수행하기 때문에 이들이 하는 모든 이야기는 그들 자신의 이야기와 모순되지 않을 수 없다.〕 **이 경제**

학자들은 항상 자본과 노동을 사회 내의 두 계급과 동일시했지만[33] 사실 이들 두 계급은 하늘이 내린 것도 아니고 인위적으로 구분될 수 있는 것도 아니었다. 경제학자들은 언제나 노동자들의 안녕을 도모했지만 그들이 도모한 안녕이란 곧 노동자들이 사치와 무위도식을 누리는 자본가들을 부양하는 것을 의미했다. 이들이 원하는 것은 노동자들이 두 사람의 몫—즉 한 사람 몫은 자신을 위하고, 다른 한 사람 몫은 자신의 고용주를 위한 것인데, 고용주는 불평등한 교환을 통해서 간접적으로 자신의 몫을 취한다—을 생산하기 전에는 빵을 일절 입에 대지 않는 것이었다."([59,] 60쪽)

"만일 노동자가 물건을 생산하면 그것은 곧바로 자본가에게 귀속되는데, 즉 그 물건은 노동자에게서 자본가에게로 불평등 교환이라는 보이지 않는[34] 마술을 통해서 이전된다."(61쪽) "현재와 같은 제도 아래서 자본과 노동은 쟁기와 경작자에 해당하며 그것들은 서로 별개의 적대적 세력이다."(60쪽)|

|443|[35] "그러나 모든 토지와 가옥 그리고 기계가 자본가에게 귀속된다 하더라도 만일 노동자가 존재하지 않는다면 자본가는 '노동이 있어야 한다'는 중요한 조건을 더는 피해 갈 수 없을 것이다. 그들의 부는 그들에게 단 하나의 선택, 즉 굶어 죽거나 노동하거나의 선택만을 강요할 것이다. 그들은 토지나 가옥을 먹고 살 수는 없다. 또한 인간의 노동이 들어가지 않는다면 토지는 그들에게 식량을 주지 않을 것이고 기계는 의복을 만들어 주지 않을 것이다. 그렇기 때문에 자본가나 토지소유자가, 노동자계급이 자신들을 부양해야 한다고 말할 때 그 말은 사실 토지나 물[36]과 마찬가지로 생산자들도 그들에게 귀속되며 노동자들은 오로지 부자들의 이익을 위해서 만들어진 존재라는 의미이다."(68쪽)

"생산자는 교환을 통해서 그가 자본가에게 제공하는 것의 대가로 자본가의 노동(혹은 자본가의 노동생산물)을 받는 것이 아니라 그냥 노동을 얻는다. 화폐를 매개로 노동자계급은 단지 자신이 자연적으로 생존하는 데 필요한 노동을 수행할 뿐 아니라 다른 계급을 위한 노동[37]도 똑같이 부담한다. 생산자가 생산에 종사하지 않는 계급에게서 받는 것이 금이나 은 혹은 다른 상품인지는 전혀 중요하지 않다. 이 모든 것은 노동자계급이 스스로 노동을 수행하여 자신을 부양함[38]과 동시에 자본가를 위한 노동도 함께 수행하여 자본가를 부양하는[39] 결과를 가져온다. 생산자가 자본가에게서 받는 **명목상의** 영수증이 무엇이든 그 영수증의 실질적인 내용은 그들이 **자신의 노동 가운데 자본가에게서 되돌려 받아야만 할 부분을 자본가에게 넘겨주었다**[40]는 것

f) 브레이, 『노동의 해악과 노동의 구제 방안』, 리즈, 1839년

이다."(153, 154쪽)

G667 "영국 인구가 2500만 명이라고 하자. 그리고 1인당 연간 최저생계비가 평균 15파운드스털링이라고 하자. 그러면 영국 국민 전체를 부양하는 데는 연간 3억 7500만 파운드스털링의 가치가 필요할 것이다. 그런데 우리는 생활필수품만을 생산하는 것이 아니라 소비할 수 없는 다른 많은 물건도 함께 생산한다. 즉 우리는 매년 가옥, 선박, 도구, 기계, 도로는 물론 생산에 필요한 다른 많은 보조자재와 수리 개량에 들어가는 것들의 숫자를 늘림으로써 자본을 축적해나간다. 그래서 연간 우리의 생계에 필요한 가치는 단지 3억 7500만 파운드스털링일 뿐이지만 영국 국민 전체가 생산한 부의 연간 총가치는 5억 파운드스털링을 넘는다.(81쪽) 14세~50세 사이의 유효한 생산자 숫자는 전체 인구 가운데 약 $\frac{1}{4}$(혹은 약 600만 명)을 넘지 않는다. 이 숫자 가운데 현재의 생산조건에서[41] 생산에 직접 종사하는 사람의 숫자는 500만 명이 채 되지 않는다. (뒷부분에서 그는 다시 물적 생산에 직접 종사하는 사람은 400만 명에 불과하다고 말한다.) 왜냐하면 노동능력이 있는 수천 명의 노동자가 원래 그들이 하던 일을 부녀자와 아동이 대신하는 바람에 일자리를 잃었고 또 수십만 명[42]의 아일랜드 노동자들은 아예 일자리를 전혀 구할 수 없기 때문이다. [43]그리하여 수천 명의 부녀자와 아동과 함께 500만 명의 노동자들이 2500만 명을 먹여 살리기 위한 생산을 수행해야만 한다.(81, 82쪽) 만일 기계의 도움이 없다면 이 정도의 노동자 수로는 노동자 자신과 현재의 숫자와 같은 무위도식자 및 비생산적 노동자들을 모두 부양할[44] 수 없을[45] 것이다. 지금 사용되고 있는 온갖 종류의 농업 및 제조업의 기계들은 약 1억 명의 남성 노동자들의 노동에 해당하는 것으로 추정된다. … 이들 기계와 그것을 현재와 같은 제도 아래서 사용하는 것, 바로 그것이 수천 명의 무위도식자와 이윤으로 먹고사는 자를 만들어내어 지금 노동자들을 수탈하도록 한 것이다."(82쪽) "현재와 같은 사회구조는 기계에 의해 만들어졌고 앞으로 기계에 의해 파괴될 것이다.(82쪽) 기계 그 자체는 좋은 것이고 반드시 필요한 것이기도 하다. 그러나 그것을 사용하는 방법과 조건, 즉 그것을 국가가 아니라 개인이 소유하는 것, 그것이 나쁜 것이다.(83쪽) 생산에 종사하는 500만 명 가운데 일부는 하루에 5시간 노동하고 다른 일부는 하루에 15시간을 노동한다. 여기에다 경기가 나쁠 때 어쩔 수 없이 놀아야만 하는 많은 사람들의 시간 손실분을 함께 산정하고, 우리의 연간 총생산 가치를 우리 국민 전체 인구 가운데 $\frac{1}{5}$이 조금 못 미치는 생산 인구에게 배분한다

면 노동자들의 하루 평균 노동시간은 10시간이 될 것이다.(83쪽) 생산에 종사하지 않는 온갖 종류의 부자와 그들에게 딸린 가족과 하인이 모두 합해서 200만 명 정도이고 이들의 생계비를 노동자계급과 같이 1인당 15파운드스털링으로 곱한다면 이들 숫자에 대해서만 노동자계급은 연간 3천만 파운드스털링의 가치를 부담해야 할 것이다.(83, 84쪽) 그러나 아무리 줄여서 잡아도 이들 부자계급의 생활비는 1인당 50파운드스털링을 넘을 것이다. 따라 G668
서 이 수치를 기준으로 계산하면 아무런 생산도 하지 않는 이들 순수한 무위도식자들의 생활에 들어가는 총비용은 연간 1억 파운드스털링에 달할 것이다.(84쪽) 여기에 다시 2~4배의 비용으로 추가되는 것은 소규모 지주, 공장주, 상인이 ||444|[46] 이윤과 이자의 형태로 받는 것들이다. 사회 전체의 부 가운데 이들 계급이 소비하는 부분의 규모는 아무리 적게 잡아도 평균적으로 연간 1억 4천만 파운드스털링에 달하고, 그 액수는 노동자계급 중에서 가장 높은 임금을 받는 같은 수의 노동자들이 받는 임금 총액보다 **많다**.[47] 그래서 정부관리를 포함하여 무위도식자와 이윤으로 먹고사는 이들 두 계급(아마도 전체 인구의 $\frac{1}{4}$에 해당하는)이 연간 소비하는 금액은 3억 파운드스털링에 달하는데 이 금액은 영국 전체에서 생산된 부의 총액의 절반을 넘는 것이다.([84,] 85쪽) 이 금액을 영국 노동자 전체에 대해서 나누면 노동자 1인당 50파운드스털링의 손실에 해당한다. … 나머지 $\frac{3}{4}$의 인구에게 배분해 주기 위해서 생산자들은 평균적으로 1인당 연간 11파운드스털링을 남겨야만 한다. 1815년을 기준으로 계산했을 때 영국 국민 전체의 연간 총소득은 약 4억 3천만 파운드스털링이었고 그중 노동자계급이 99,742,547파운드스털링을 가져갔고 지대-연금-이윤 계급이 330,778,825파운드스털링을 가져갔다. 같은 기간에 국내 자산 총가치는 모두 30억 파운드스털링에 달하는 것으로 계산되었다."(85쪽)

킹의 통계표[48] 등을 참조할 것.

1844년 영국의 인구 구성: 귀족=1,181,000명. **사업가, 농민 등**=4,221,000명. (합계 5,402,000명) 노동자, 빈민 등=9,567,000명. **밴필드**(T. C.),『**산업 구조**』, 제2판, 런던, 1848년.|

f) 브레이.『노동의 해악과 노동의 구제 방안』, 리즈, 1839년

카를 마르크스 프리드리히 엥겔스 전집(MEGA) 한국어판이 출간될 수 있도록
후원한 분들의 이름을 여기에 남깁니다.

김석언
강수돌
퇴경 조용범 교수 문하생
전국금속노동조합 대우버스 사무지회
전국금속노동조합 S&T 모티브 지회

강광선 강남욱 강대복 강대선 강대준 강명숙 강선양 강주용 강진아
강현숙 강현영 고도란 고소혜 고영라 공철호 곽삼영 구영지 구자행
권경희 권대성 권수정 권우정 권은혜 권자현 김경해 김남영 김남정
김 달 김명선 김명선 김명숙 김미선 김미숙 김미숙 김미자 김미정
김민수 김민신 김병립 김병조 김보현 김복중 김상봉 김선영 김성수
김성연 김세록 김수현 김 영 김영숙 김영환 김용준 김은정 김종현
김지숙 김지연 김차름 김현정 김혜숙 김호룡 김희경 김희찬 남귀연
남막례 노부영 노옥희 도영화 류명주 류은주 류주미 문성권 문원준
문윤희 문준섭 박경숙 박기헌 박미자 박산천 박소영 박숙자 박영미
박유경 박유순 박유영 박이현숙 박종선 박주상 박준석 박지아 박태진
박태환 박해진 박형민 반일효 배영미 배우나 백영기 백점단 변영철
서창호 석경숙 선동초 선정애 설남종 성고은 손용호 손정순 손정옥
송민정 신남정 신미경 신옥진 신용우 신정혁 신현희 신홍철 아이쿱김해생협
안신정 안영숙 안정옥 안정화 안진숙 양원정 양윤복 양재권 양정임
오귀선 오수진 오유진 오인숙 오항녕 왕승민 윤미라 윤영석 윤인식
윤정호 윤 희 이강욱 이대명 이도환 이둘선 이문정 이미선 이미홍
이범수 이선화 이성진 이승주 이애경 이영숙 이영훈 이윤주 이은임
이의섭 이재환 이정규 이정아 이정형 이종진 이종학 이주현 이지운
이지현 이진희 이창주 이현주 임창민 임현석 임회록 장명재 장문재
장용성 장은희 장일화 장정표 전복순 전순덕 전정순 정경희 정고운
정소현 정수희 정순계 정연봉 정원태 지봉화 정옥엽 정유리 정재인
정진영 정현성 정현주 조명숙 조정임 조형희 조혜정 주서호 주영선
주인숙 진민숙 채교순 천영화 최경옥 최동진 최미경 최병일 최연주
최영섭 최영옥 최은미 최인숙 최일규 최지수 최찬호 최현옥 최현혜
커피로스터스수다 프레시안협동조합 하경아 하영주 한은영 한지영 함학림
허 정 허정애 홍갑복 황 국 황규희 황부상 황혜선 황희정

알라딘 북펀드 후원자 명단

Chinyong Chong jay kim 강건영 강대혁 강문식 강성국 강연수 강의연
강재구 강정원 강준하 고관영 고병기 고준우 고형일 공신성 곽병철
곽재욱 구아림 구정모 권용신 금동혁 기승국 김건하 김경준 김규도
김기수 김나래 김대영 김동건 김동규 김동학 김동현 김동환 김두리
김미애 김민수 김민재(2) 김민정 김보경 김 북 김사헌 김상민 김상철
김성용 김성재 김세연 김수경 김수미 김수정 김수희 김슬기 김아루
김영용 김영주 김영한 김영후 김우성 김원조 김원준 김은영 김인우
김재덕 김재원 김정목 김정현 김정회 김종승 김지현 김지희 김신주
김진호 김창규 김철수 김태준 김태희(3) 김한상 김 헌 김 현 김현정
김현주(2) 김형우 김효진 김희경 김희정 나윤상 남광우 남준현 남지은
남혁우 노원각 노은영 노희정 문세진 문장원 박경주 박광국 박광수
박기호 박도희 박래중 박리라 박미숙 박병남 박선희 박세진 박세현
박윤정 박정준 박주현 박지애 박지윤 박창순 박충범 박태웅 박현주
박형준 박혜인 박훈덕 박흥수 배민근 배용현 배우나 배진모 배진선
배 훈 백승훈 백종훈 변성훈 서기호 서동진 서민성 소준철 손민석
송민석 송인재 신경윤 신동민 신동훈 신우성 신윤호 신창균 신하나
신현정 심재수 안강회 안분훈 안주희 안준호 안태환 양우혁 양윤복
양정열 연제호 오승주 오찬휘 오화랑 우형권 유준성 유호준 윤나웅
윤동환 윤미진 윤성준 윤세정 윤형덕 이건우 이경배 이경은 이광호
이나경 이대화 이도형 이도환 이동건 이동근 이동섭 이동엽 이동현
이동훈 이문정 이상호 이승재 이영원 이영진 이용권 이윤호 이은이
이인경 이재의 이정옥 이종진 이지영 이진승 이창훈 이하나 이한결
이항재 이혁민 이현재 이호영 이호준 이회진 임경아 임성식 임승민
임정애 임창민 임채현 장광진 장민성 장민호 장병호 장시우 장 욱
장은애 장준영 장춘규 장태순 전다운 전민수 전세환 전재오 전현진
전혜원 정길영 정남기 정남두 정대성 정미경 정선호 정세호 정요한
정지원 정현진 정형기 정혜윤 조건효 조규희 조민우 조재현 조정호
조주영 조지환 지동섭 채효정 천영서 최금선 최다희 최동현 최문석
최수정 최승은 최영송 최영신 최유준 최윤정 최은혜 최재원 최정배
최정아 최혁규 최형준 최혜선 최호천 추병훈 하재형 하택근 한강민
한나진 한제봉 한태식 허필두 홍기표 홍성후 홍지원 황유경 황정곤
황진홍 황태영 황현정 황혜선